Teilung und Integration

Schriftenreihe Band 482

Christoph Kleßmann / Peter Lautzas (Hrsg.)

Teilung und Integration

Die doppelte deutsche Nachkriegsgeschichte als wissenschaftliches und didaktisches Problem

bpb: Bundeszentrale für politische Bildung

Bonn 2005

Redaktion: Franz Kiefer (verantw.), Christoph Kleßmann, Peter Lautzas, Günter Volk
Produktion: Heinz Synal

Eine Buchhandelsausgabe besorgt der Wochenschau Verlag, Schwalbach/Ts.

Umschlagsgestaltung: M. Rechl, Wanfried
Umschlagzeichnung: Ulrich Forchner, Leipzig/Stiftung Haus der Geschichte,
Zeitgeschichtliches Forum Leipzig
Satzherstellung: Satzbetrieb Schäper GmbH, Bonn
Druck: Bercker, Kevelaer

ISBN 3-89331-599-3, ISSN 04355-7604

Inhalt

Vorwort 7

I. Überlegungen zum Konzept 9

PETER LAUTZAS
Die deutsch-deutsche Geschichte
als pädagogische Herausforderung 10

CHRISTOPH KLESSMANN
Spaltung und Verflechtung – Ein Konzept zur integrierten
Nachkriegsgeschichte 1945 bis 1990 20

ULRICH BONGERTMANN
Didaktische Ansätze zur deutschen Teilungsgeschichte 38

II. Themenfelder 57

1. Herrschaft und Legitimation 58

MARTIN SABROW
Herrschaftslegitimation im geteilten Deutschland 58

ULRICH BONGERTMANN UND WOLFGANG HAMMER
Macht und Unterordnung 78

**2. Deutschland als Grenzregion –
Konstruktion und Erfahrung des »Anderen«** 97

THOMAS LINDENBERGER
»Zonenrand«, »Sperrgebiet« und »Westberlin« –
Deutschland als Grenzregion des Kalten Krieges 97

KLAUS FIEBERG
Die innerdeutsche Grenze als Thema
des Geschichtsunterrichts 113

3. Umgang mit der NS-Vergangenheit 132

MARTIN SABROW
Die NS-Vergangenheit in der geteilten deutschen Geschichtskultur 132

MICHAELA HÄNKE-PORTSCHELLER
Senne und Mühlberg – Sperrige Erinnerungsorte als didaktische Herausforderung 152

4. Wirtschaftsgeschichte 177

ANDRÉ STEINER
Zwischen Wirtschaftswundern, Rezession und Stagnation. Deutsch-deutsche Wirtschaftsgeschichte 1945 bis 1989 177

MARTIN THUNICH
Käfer und Trabi – Ikonen auf Rädern 192

5. Jugend 216

KONRAD H. JARAUSCH
Jugendkulturen und Generationskonflikte 1945 bis 1990. Zugänge zu einer deutsch-deutschen Nachkriegsgeschichte 216

ROLF BRÜTTING
»Wir griffen nach den Sternen ...« Zwischen Konsens und Konflikt – Jugend als didaktische Kategorie 232

6. Der Staatssicherheitsdienst 245

ROGER ENGELMANN UND AXEL JANOWITZ
Die DDR-Staatssicherheit als Problem einer integrierten deutschen Nachkriegsgeschichte 245

III. Literatur 281

ULRICH BONGERTMANN
Deutsche Geschichte 1945 bis 1990 – Literatur und Medien für Schule und politische Bildung 282

Die Autorinnen und Autoren 295

Vorwort

In der Handreichung zur »Darstellung Deutschlands im Unterricht« schreibt der Schulausschuss der Kultusministerkonferenz im September 1995, dass es »Aufgabe der Schule (ist), den Heranwachsenden die Geschichte der Teilung sowie der politischen, wirtschaftlichen und gesellschaftlichen Entwicklungen im geteilten Deutschland bewußtzumachen. Es gilt, Verständnis für die jeweilige Lebenssituation und damit verbundene Einstellungen in den nun zusammenwachsenden Teilen Deutschlands zu wecken sowie Vorbehalte und Ressentiments abzubauen bzw. nicht entstehen zu lassen.« Wenn man sich vor Augen führt, dass die heutigen Schülerinnen und Schüler in der Jahrgangsstufe 10 mit durchschnittlich 16 Jahren im Jahre 1989 geboren sind, so wird deutlich, dass weder die deutsche Teilung noch ihre Entstehung, Verfestigung und Vertiefung oder ihre Überwindung zum biographischen Hintergrund der Schülerinnen und Schüler gehören können. Hier besteht zumindest noch auf absehbare Zeit und naturgemäß ein grundlegender Unterschied zum biographischen Erfahrungshintergrund, den die Lehrerinnen und Lehrer besitzen, die selbst Zeugen der Teilungsgeschichte gewesen sind.

Für die Schülerinnen und Schüler wird Unterricht über die geteilte deutsche Nachkriegsgeschichte zur Beschäftigung mit der Geschichte ihrer Eltern und Großeltern und eben auch der Geschichte ihrer Lehrerinnen und Lehrer. Und im Falle der Unterrichtenden sollten solche biographischen Zusammenhänge und die jeweiligen lebensgeschichtlichen Hintergründe bei diesem Thema nicht völlig aus den Augen verloren werden.

Beim Rückblick auf die selbsterlebte Geschichte ist ein Mensch schnell verleitet, sich selbst und seine Generation in den Beichtstuhl oder die Anklagebank zu versetzen und nach Schuld, Sühne und Rechtfertigung zu fragen. Im Falle der deutschen Teilung und Vereinigung besteht darüber hinaus die Gefahr, die eigene Generation in eine Generation Ost und in eine Generation West zu teilen und der Generation West die Rolle des Siegers zuzusprechen und umgekehrt die Generation Ost in die Rolle des Verlierers abzudrängen. Wer aus der ehemaligen DDR nicht geflüchtet oder ausgereist ist, sondern da geblieben ist, muss sich des Verdachts der zumindest stillschweigenden Unterstützung der SED-Diktatur erwehren. Ihm oder ihr wird schnell der Spruch von Adorno »Es gibt kein richtiges Leben im falschen« vorgehalten.

Das vorliegende Buch versucht den Weg von Vorwurf und Anklage, aber auch den spiegelbildlichen Weg von Eigenlob und Selbststilisierung zu vermeiden. Statt nach Schuld und Sühne oder nach Wagemut und Heldentum zu fragen, wird der Versuch unternommen, mit einem gewissen inneren Abstand nach Ursachen und Wirkungen zu forschen und für den Zeitraum der deutschen Zweistaatlichkeit nach Abgrenzung und Verflechtung der beiden Staaten sowie der Ungleichmäßigkeit in den gegenseitigen Beziehungen Ausschau zu halten. Denn zu einer Geschichte des geteilten Deutschlands gehören nicht nur die Gründe für Erfolg und Scheitern, sondern auch das Eigengewicht und die Besonderheiten, die das wechselseitige Verhältnis dieser beiden Teile ausmachten. Dass die DDR-Geschichte ohne ihren großen Nachbarn im Westen nicht verständlich ist, lässt sich schwerlich bestreiten. Dass aber auch die innere und äußere Geschichte der Bundesrepublik auf vielen Feldern stark von der Nachbarschaft einer kommunistischen Diktatur geprägt worden ist, lässt sich auf Grund eines nach 1989 veränderten Blicks klarer erfassen. Die wechselseitigen Einflüsse und Abgrenzungsstrategien markieren ein Terrain, auf dem sich die spezifischen Formen der Zusammengehörigkeit beider Teile erörtern lassen.

Die auf Anregung des Geschichtslehrerverbandes im Jahre 2003 gegründete Arbeitsgruppe hat versucht, diese veränderte Sicht auf die deutsche Nachkriegsgeschichte in einem neuen Konzept soweit umzusetzen, dass sich daraus praktische Konsequenzen für die Lehrplanerstellung, die Schulbuchgestaltung, die politische Bildung und auch die Historiographie ergeben können. Die Bundeszentrale für politische Bildung dankt den Mitgliedern für ihren engagierten Einsatz und der »Robert Bosch Stiftung« sowie der »Stiftung zur Aufarbeitung der SED-Diktatur« für die Unterstützung bei dieser Arbeit.

Franz Kiefer
Koordinierungsstelle Didaktik

I.
Überlegungen zum Konzept

Peter Lautzas

Die deutsch-deutsche Geschichte als pädagogische Herausforderung

Der Ausgangspunkt

Ansatzpunkt für Reflexionen über deutsch-deutsche Geschichte nach dem Zweiten Weltkrieg ist hauptsächlich das Problem, wie die DDR und ihr Erbe zu sehen und in die deutsche Geschichte zu integrieren sind. In den Jahren nach ihrem Ende hat sich dabei der Blick auf die DDR verändert. Auf die 1990 oft gestellte Frage: »Was bleibt?« herrschte weit verbreitete Ratlosigkeit, denn z. B. die Wohltaten des dortigen Sozialstaates oder besser der »Fürsorgediktatur« (Jarausch) der DDR hielt kaum jemand für überlebensfähig; zudem waren diese Wohltaten sehr ungerecht verteilt. Derzeit stellt sich die Frage deutlich anders. Die DDR-Geschichte hat ein anderes Gewicht bekommen, und zwar auf vierfache Weise:[1]

- Sie wird als Rahmen für ein »richtiges Leben im falschen System« ernster genommen; d. h. bei aller notwendigen Aufarbeitung der Geschichte einer Diktatur können wir nicht bei der plakativen Anklage stehen bleiben, sondern bemühen uns um »kritische Historisierung«. Auch die ambivalente Erinnerung gehört dazu: Neben der Analyse von Repression ist auch die von Alltag und Lebensgefühl zu berücksichtigen. Stefan Wolle hat dafür die treffliche Formulierung von der »heilen Welt der Diktatur« geprägt.
- Es wird jetzt nicht mehr reflexartig alles unter negativen Vorzeichen gesehen, weil es aus der DDR stammt (Stichworte sind z. B. bestimmte Aspekte des Bildungssystems, Kindergärten und Polikliniken). Dies ist allerdings ein schwieriges Problem, weil auch vernünftig erscheinende Maßnahmen nicht einfach von ihrer politischen Zielsetzung abgelöst werden können.
- Die provokanten Thesen Wolfgang Englers von den »Ostdeutschen als Avantgarde« oder die Hinweise Mathias Platzecks auf spezifisch ostdeutsche, existenzielle Umbrucherfahrungen zielen auf Orientierungen für die Lösung gravierender gesamtdeutscher Strukturprobleme.[2]

- Jenseits der »nationalen Frage« im engeren Sinne wird der komplexe Zusammenhang von ost- und westdeutscher Geschichte in einem anderen Licht gesehen. Dazu gehört auch, dass ein zeitweilig ziemlich unter die Räder gekommener kritischer und selbstkritischer Ansatz gegenüber der altbundesrepublikanischen Geschichte in der Öffentlichkeit und in der Historiografie wieder an Boden gewinnt.[3] Vor allem aber rückt die Frage des Verhältnisses von BRD- und DDR-Geschichte stärker ins Zentrum der Diskussion. Nur dieser Aspekt wird im vorliegenden Band eingehend erörtert.

Ausgangspunkt und Impuls für die in diesem Buch skizzierten Überlegungen ist die Feststellung eines allgemein zu beobachtenden Sachverhaltes, dass nämlich in der deutschen Gesellschaft immer noch – zum Teil recht heftige – Kontroversen aufbrechen, wenn es um die »innere Einheit« geht. Die Ursachen für die Kontroversen liegen vermutlich hauptsächlich in den Schwierigkeiten des Transformations- und Angleichungsprozesses, die in diesem Umfang, in dieser Intensität und in dieser Komplexität niemand vorhergesehen hat, und die nur anfangs von der Euphorie der sich abzeichnenden Einheit nach dem Fall der Mauer überdeckt worden waren. Dass es dabei angesichts der Realitäten zu Enttäuschungen und zu Brüchen in der Erwartungshaltung gekommen ist, vielleicht auch kommen musste, ist aus heutiger Sicht, aus einiger Distanz zum Geschehen, nachvollziehbar und erklärlich.

Angesichts unserer sich schnell ändernden Lebenswelt und neuer, sehr weitreichender innen- und außenpolitischer Probleme und Herausforderungen richtet sich der Blick viel mehr auf Gegenwart und Zukunft als auf die jüngste Vergangenheit. Weshalb sich also mit der deutsch-deutschen Vergangenheit nach dem Zweiten Weltkrieg überhaupt noch auseinander setzen? Wird diese Notwendigkeit in den alten Bundesländern aus einer gewissen »Siegermentalität«, aber auch auf Grund mangelnder eigener Betroffenheit als nicht so dringend angesehen, so werden in den neuen Bundesländern alle Kräfte für die notwendige Anpassung an die neue Zeit und die erforderliche Neuorganisation der Lebenssituation beansprucht und absorbiert. Ein gewisses Desinteresse im Westen und Tendenzen zur Verdrängung im Osten sind also die Folgen. Demgegenüber ist aber im Osten neben Identitätsverlust teilweise auch eine trotzige Identitätsverfestigung zu beobachten. Neben diesen Extremformen historischer Erinnerung gibt es ernster zu nehmende Bestrebungen, die DDR nicht in Vergessenheit geraten, nicht zur »Fußnote der Weltgeschichte« werden zu lassen, wie es 1990 Stefan Heym formulierte. Es gibt zum Teil nostalgisch, zunehmend aber sachlich und kritisch motivierte Bemühungen, die Erinnerung an die DDR wach zu halten durch die Einrichtung von Museen und Gedenkstätten, durch die Intensivierung der wissenschaftlichen Forschung, durch das Aufgreifen von Jubiläumsdaten, um eine kollektive Erinnerung in Ost wie in West zu sichern.

Übertreibung und Vereinfachung wie Verklärung und Verharmlosung fordern gleichermaßen den Historiker wie den politisch verantwortungsbewussten Bürger heraus. Es gilt, an der Aufgabe mitzuwirken, möglichst differenziert diese Periode jüngster deutscher Geschichte aufzuarbeiten und dabei nicht nur die DDR, sondern ebenso die Entwicklungen in der Bundesrepublik im Auge zu behalten. Nach 1989 hat sich auch der Blick auf den westlichen deutschen Teilstaat verändert. Eine zuverlässige Aufarbeitung jüngster deutscher Geschichte ist besonders im Hinblick auf die junge Generation notwendig, die die Zeit vor 1989 kaum noch oder gar nicht erlebt hat und die sich – im Gegensatz zu der sich besonders im Osten sehr reserviert verhaltenden älteren Generation – für diese Periode, die ja ihre eigene Vorgeschichte ist, durchaus interessiert. Hier gilt es, Mythenbildung zu verhindern, Vergangenheit zu rekonstruieren und bestimmte Auffassungen wie Bewusstseinslagen zu dekonstruieren, d. h. auf ihr Erkenntnisinteresse zurückzuführen und dessen Mechanismen bloß zu legen.

Dieses Buch ist der Versuch, aus einer im Kern unstrittigen Einsicht praktische Konsequenzen für den Schulunterricht und die politische Bildung zu ziehen: Nach der Wiederherstellung der deutschen Einheit ist die Perspektive auf die Entwicklung Deutschlands nach dem Ende des Zweiten Weltkrieges eine andere geworden. Wie jedoch bei allen Differenzen im Detail ein verändertes Konzept deutscher Nachkriegsgeschichte aussehen kann, wie viel Einheit und wie viel Trennung es umfasst und wie einer jüngeren Generation, die kaum noch eigene Erinnerungen an die Zweistaatlichkeit hat, das Besondere dieser Teilung nahegebracht werden kann, darüber gibt es keinen Konsens. Es kann ihn zum jetzigen Zeitpunkt wohl auch noch nicht geben. Wichtig ist jedoch, dass darüber diskutiert wird und Vorschläge gemacht werden, wie damit umzugehen ist. Hier wird ein Konzept vorgestellt, das einen Gesamtrahmen skizziert und diesen in thematischen Fallstudien sowohl fachwissenschaftlich als auch fachdidaktisch umzusetzen versucht.

Hervorgegangen sind die hier vorgelegten Beiträge aus einer Arbeitsgruppe, die sich auf Initiative des Verbandes der Geschichtslehrer Deutschlands als »Deutschland-AG« am Zentrum für Zeitgeschichtliche Forschung in Potsdam zu Beginn des Jahres 2003 gebildet hatte. Ihr gehörten aus den alten wie den neuen Bundesländern fünf Wissenschaftler des Zentrums sowie sieben Didaktiker und Schulpraktiker aus dem Verband der Geschichtslehrer, ferner je ein Vertreter der Bundeszentrale für politische Bildung und der Stiftung zur Aufarbeitung der SED-Diktatur und später auch der Birthler-Behörde an. Finanziell getragen wurde die »Deutschland-AG« von der Robert-Bosch-Stiftung und der Bundeszentrale für politische Bildung. Auf einer Reihe von Wochenendsitzungen diskutierte die Gruppe intensiv grundsätzliche Fragen, Konzepte und Themenfelder. Die Ergebnisse werden hier vorgelegt.

Die Aufgabe

Für die politische Bildung ist die deutsch-deutsche Thematik nach wie vor von hoher Aktualität, die politisch-pädagogische Aufgabe der Auseinandersetzung unstrittig von großer Bedeutung. Vor der Wiedervereinigung war die »Deutsche Frage« unter westdeutschem Blickwinkel Gegenstand von KMK-Vereinbarungen. Nach der Vereinigung kam ein gesamtdeutscher Konsens 1995 nicht zustande, ein Zeichen, wie kontrovers sie im vereinten Deutschland gesehen und behandelt worden ist. Die Forderung an Wissenschaft und Didaktik, hier Lösungsvorschläge zu erarbeiten, bleibt damit schärfer denn je bestehen. Im Hinblick auf die politische Bildung ist zu untersuchen, inwieweit Jugendliche heute von der deutschen Teilung – inzwischen mittelbar – betroffen sind, und zu formulieren, wie sie heute und künftig mit ihr umgehen können.

Bei didaktischen Überlegungen und Zugriffen zum Thema sind verschiedene Dimensionen zu berücksichtigen:

- zunächst die übergreifende politische Dimension, d. h. die Berücksichtigung des politischen Umfeldes, in dem Erziehung und Unterricht stattfinden, um so ein wichtiges gesamtgesellschaftliches Anliegen zu unterstützen, nämlich die »Herstellung der inneren Einheit« zu fördern und zur Beseitigung der »Mauer in den Köpfen« beizutragen;
- die erzieherische Dimension, die über den Fachunterricht hinaus vor allem in der Bereitschaft zur Relativierung des eigenen Standpunkts und der persönlichen Sichtweise sowie in der Bereitschaft zur Offenheit und Toleranz, aber auch in der Schärfung der eigenen Wertvorstellungen Grundhaltungen erfordert, die die Auseinandersetzung mit dem Thema erst fruchtbar machen kann;
- die didaktische Dimension, die – hier besonders wichtig – Fragehorizonte formuliert, Strukturierungen anbietet, historische Einordnungen vornimmt, den Zugang zur gesamtdeutschen Sichtweise für die Periode 1945 bis 1990 eröffnet und die erforderlichen Methoden bereitstellt;

- die Dimension der Situation von Jugendlichen heute, die gekennzeichnet ist durch Prozesse rasanten und tiefgreifenden Wandels, durch gegenwartsbezogenes Verhalten, zahlreiche und massive außerschulische Einflüsse, verändertes Wahrnehmungs- und Rezeptionsverhalten und anderes;
- schließlich auch eine pragmatische Dimension der Schulwirklichkeit, die der Behandlung der Thematik meist enge Grenzen setzt, aber auch manche Freiräume für umfangreichere und intensivere Auseinandersetzungen bietet.

Ansätze für tragfähige didaktische Zugriffe zur deutsch-deutschen Thematik gibt es bereits in einigen Schulbüchern, ihre Zahl nimmt erfreulicherweise zu. Eingehend dargestellt ist diese Entwicklung in dem Beitrag von Ulrich Bongertmann (siehe Seite 38). Das neue Unterrichtswerk für die Sekundarstufe I: »Geschichte und Geschehen« (Klett 2005), an dem Autoren aus der »Deutschland-AG« mitgewirkt haben, bietet in Band 4 ein Beispiel, wie der neue gesamtdeutsche Ansatz in ein Lehrbuch umgesetzt werden könnte. Dort finden sich ferner Hinweise auf unterschiedliche Zugänge sowie didaktische Überlegungen und Kategorien. Von besonderer Bedeutung werden dabei sein: Interdependenz, insbesondere in Form reaktiver Bezogenheit, Multiperspektivität, Mehrdimensionalität, Prozesshaftigkeit von Geschichte, Modernisierung, Geschichtsbewusstsein und Mythenbildung, verbunden mit dem biografischen Zugriff. Die Lehrpläne der Länder berücksichtigen durchweg die deutsche Geschichte nach 1945 in angemessener Weise, sowohl für die Sekundarstufe I wie II. Das betrifft einerseits die zur Verfügung stehende Stundenzahl, andererseits inhaltlich die so genannte Deutsche Frage in ihrer Einbettung in die europäische Geschichte. Dabei dominiert aber wie (noch) bei den meisten Schulbüchern die westdeutsche Perspektive[4], integrative Ansätze unter gesamtdeutscher Perspektive sind eher die Ausnahme.

Zur didaktischen Reflexion gehören Begründungen – auch gegenüber den Schülerinnen und Schülern –, weshalb es wichtig ist, sich heute und künftig mit der deutsch-deutschen Geschichte nach dem Zweiten Weltkrieg und dabei speziell auch der untergegangenen DDR zu beschäftigen. Zur Gewinnung historischer und damit auch politischer Urteilsfähigkeit ist dies – allgemein formuliert – notwendig,

- um die unmittelbare Vorgeschichte und damit das Bedingungsfeld für die Gegenwart, in der wir leben, kennen zu lernen;
- um die Komplexität und Verflochtenheit dieser Vorgeschichte und der damit verbundenen Wahrnehmungs- und Bewusstseinsprozesse zu erkennen;

- um den Blick zu schärfen für die gesellschaftlichen und politischen Veränderungen, die heute stattfinden;
- um auf Grund der Kenntnis zweier deutscher Diktaturen das Leben in unserer demokratischen Gesellschaft schätzen zu lernen;
- um insbesondere die Bedeutung der Menschenrechte in einem freiheitlichen Staat zu kennen;
- um die Bedeutung von kritischer Reflexion und die Notwendigkeit von Toleranz zu erkennen;
- um bereit zu sein zu einem Gespräch mit der Eltern- und Großeltern-Generation.

Die Umsetzung von wissenschaftlicher Erkenntnis in die Schulpraxis ist ein allgemeines und ständiges Problem, es stellt sich aber angesichts der deutsch-deutschen Thematik verschärft: Wissenschaftlich ist der Zeitabschnitt 1945 bis 1990 für beide Teile Deutschlands bereits recht gut erforscht, die didaktisch-methodische Umsetzung dagegen steckt noch in den Anfängen und hinkt deutlich hinterher. Eine genuin didaktische Zugriffsweise hat einen wissenschaftlichen Gegenstand zum unterrichtlichen Thema zu machen, eine Einordnung der jeweiligen Thematik vorzunehmen, allgemeine Erkenntnisse anzusteuern und Verbindungslinien auf Grund unterschiedlicher Fragestellungen zwischen den einzelnen Themen herzustellen. Eine einfache Abbild-Didaktik kann verständlicher Weise nicht genügen. Eine integrierende Darstellung der deutsch-deutschen Geschichte sollte ferner nicht in antagonistischen Kategorien und Parallelismen hängen bleiben, sondern sollte als Grundmuster die spezifische Art von Verflochtenheit mit Hilfe von Spannungsbögen und Gegensätzen der beiden deutschen Geschichten aufweisen. Von zentraler Bedeutung ist dabei, dass der Gegensatz zwischen Trennendem und Gemeinsamem in der jeweiligen Ausprägung, Intensität und zeitlichen Erstreckung als Besonderheit der Thematik erhalten bleibt.

Wie leicht erkennbar, besteht eine der größten Schwierigkeiten darin, bei der In-Bezug-Setzung der beiden Geschichten und einzelner Teile die Unterschiede nicht zu verwischen, die darin bestehen, dass es sich bei der Bundesrepublik um einen demokratischen Staat, dagegen bei der DDR um ein im Kern totalitäres System handelt. In diesem Punkt ist bei der Beschäftigung mit der deutsch-deutschen Geschichte die Asymmetrie besonders evident.

Eine weitere Schwierigkeit besteht darin, die im Prinzip vorhandene Verflochtenheit beider Geschichtsabläufe auch in Detailfragen aufzuspüren. Jede Zwanghaftigkeit wäre hier fehl am Platze. Es gibt Sachverhalte, Bereiche und Perioden, die durch scharfen Kontrast oder allenfalls formale Parallelität gekennzeichnet sind. Die Frage nach Abgrenzung und/ oder Verflechtung ist als heuristisches Prinzip zu verstehen.

Diskussionsprozess und Konzept

Die Zielsetzung der Arbeitsgruppe war der Entwurf eines wissenschaftlichen Rahmenkonzepts zur Betrachtung der deutsch-deutschen Geschichte 1945 bis 1990 und zugleich die Formulierung eines didaktischen Rahmenkonzepts für den Geschichtsunterricht. Beide jeweils sehr weit gespannten Ziele konnten nur sehr selektiv und in Form von Beispielen angegangen werden. War der Gegenstand schon schwierig genug, so war die ungewöhnliche Parallelentwicklung von wissenschaftlichem und didaktischem Konzept in gemeinsamen Diskussionen eine zusätzliche, aber im Wesentlichen geglückte Herausforderung. Allerdings erwiesen sich das Tempo der Bearbeitung, die Gewinnung der Zugriffsweise zum Thema und das gegenseitige Verständnis der Aufgabenstellung der anderen Seite als Probleme, die in zeitraubenden Gesprächen bewältigt werden mussten. Insbesondere das Spezialistentum der Fachwissenschaftler und der erforderliche Gesamtüberblick über die Thematik erschwerten den Didaktikern die Entwicklung genuin didaktischer und sich von der wissenschaftlichen Systematik lösender Ansätze. In mehreren separat durchgeführten Sitzungen gelang dies schließlich, wobei als Ausgangspunkt die Schul-Wirklichkeit und nicht immer das Wünschbare im Vordergrund stehen sollte. Es liegt nahe, dass die formulierten Vorschläge zur Umsetzung nur sehr selektiv sein können, sicher eine praktikable Lösung darstellen, aber zahlreiche andere Möglichkeiten zulassen. Sie sind in ihren unterschiedlichen Ansätzen als Anregung und Angebot zur Diskussion aufzufassen, die zu alternativen und präzisierenden Weiterentwicklungen der Gedanken anregen möchten.

Ausgangspunkt der Überlegungen war die Aufgliederung und Präzisierung in wissenschaftliche Teilbereiche, in denen sich der Ansatz einer asymmetrisch verflochtenen Parallelgeschichte Deutschlands von 1945 bis 1990 konkretisierend aufzeigen ließ und die von zentraler Bedeutung für die Fragestellung waren. Auch dies konnte nur überblicksartig in Form einer Zusammenfassung des gegenwärtigen Forschungsstandes geschehen. Die auf diese Weise ausgewählten Themenbereiche dürften wichtige Bereiche deutsch-deutscher Geschichte ansprechen und dabei zentrale Merkmale erfassen. In einem zweiten Schritt erfolgte dann die Zuordnung der didaktischen Beiträge mit der oben skizzierten eigenen Problematik und unter ständiger Rückbindung an die Wissenschaft.

Den Mittelpunkt eines jeden Staatswesens, die Form, Ausprägung und Legitimation des Macht- und Herrschaftsanspruchs in beiden deutschen Staaten, stellt *Martin Sabrow* dar und beleuchtet dabei, wie die anderen Beiträge auch, neben den fundamentalen Unterschieden besonders die Formen, Intensität und Zeitspannen der Verflechtung. – *Ulrich Bongertmann* und *Wolfgang Hammer* skizzieren dazu zwei Unterrichtsvorschläge in unterschiedlichen Ansätzen angelehnt an Kleßmanns Abschnitte als Phasenmodell und alternativ dazu von einem elementaren politisch-kulturellen Vergleichsansatz ausgehend.

Deutschland als Grenzregion im Rahmen des Ost-West-Konflikts und speziell im nationalen Raum die Regionen, in denen sich die beiden deutschen Staaten unmittelbar begegneten, stellt *Thomas Lindenberger* in den verschiedenen Facetten dar. – *Klaus Fieberg* wählt unter didaktischem Gesichtspunkt das wohl charakteristischste Phänomen dieser Art von Beziehung in Form eines biografischen Falles, der sich noch kurz vor dem Zusammenbruch der DDR an der Grenzlinie ereignete und seine Nachwirkungen bis in das wiedervereinigte Deutschland hinein hatte.

Einen bedeutsamen Gesichtspunkt im Selbstverständnis beider deutscher Staaten, der sich aus der Hypothek der gemeinsamen Vergangenheit ergab, greift *Martin Sabrow* auf und stellt die unterschiedlichen, aber auch parallelen und darüber hinaus teilweise sich auch auf den jeweiligen anderen deutschen Staat auswirkenden Faktoren dar. – *Michaela Hänke-Portscheller* gelingt es, einen bisher noch nicht bekannten biografischen Fall zum Zentrum didaktischer Umsetzung zu machen und zu zeigen, wie sich an zwei Gedächtnisorten in Ost und West sehr ähnliche Formen der Nicht-Erinnerung, d. h. des Verdrängens und Vergessens, abgespielt haben, die Nachwirkungen bis in die unmittelbare Gegenwart hinein zeigen.

Die sehr unterschiedlichen Wirtschaftssysteme und insgesamt auch unterschiedlich verlaufenden Wirtschaftsentwicklungen fasst *André Steiner* unter Begriffe, die über das Trennende hinaus bisher wenig beachtete Gemeinsamkeiten und gegenseitige Beziehungen sichtbar werden lassen. – *Martin Thunich* spitzt diesen weiten und komplexen Bereich auf ein didaktisch griffiges und schon fast zum Symbol gewordenes Phänomen im gegenseitigen Wirtschaftsleben zu und zeigt dabei besonders die Bedeutung des Konsums in den beiden deutschen Staaten auf.

Einen in der Regel weniger beachteten und im Hinblick auf den Adressatenkreis dieser Publikation gewählten Bereich stellt *Konrad H. Jarausch* im Überblick dar und fasst die Entwicklungen unter ein antagonistisches Begriffspaar, das gegenseitige Beziehungen zwischen Bundesrepublik und DDR – allerdings recht asymmetrischer Art – erkennbar macht. – *Rolf Brüt-*

ting setzt mit Grundsatzüberlegungen an bei den Antworten beider Gesellschaftsformationen auf Erfahrungsräume und Erwartungshorizonte sowie deren relativer Wahrnehmung durch Jugendliche über die Jahrzehnte hinweg, wobei er die Fragestellung didaktisch auf die konfligierenden Generationen zuspitzt.

Nach dem gleichen Konzept, aber in gemeinsamer Erarbeitung, widmen sich *Axel Janowitz* und *Roger Engelmann* in der Staatssicherheit einem Staatsorgan der DDR, das von fundamentaler Bedeutung für den östlichen Teilstaat und in Methode und Wirkung sehr charakteristisch für das totalitäre Herrschaftssystem war. Darüber hinaus arbeiten die Autoren Aspekte der Verflechtung heraus, die weniger bekannt sind, und fokussieren die Fragestellung mit Hilfe des biografischen Ansatzes didaktisch auf das zentrale Problem der Abwanderung.

Dieser Zugang zur Betrachtung der deutsch-deutschen Geschichte unter dem Blickwinkel gesamtdeutscher Verflochtenheit fand, als er bekannt wurde, bemerkenswertes öffentliches Interesse und durchweg positive Resonanz. Mit Hilfe der Stiftung zur Aufarbeitung der SED-Diktatur war es nämlich möglich, im Verlauf des Jahres 2004 parallel zur Arbeit an den Teilbereichen eine Phase der Vor-Evaluation, verbunden mit der notwendigen Information für verschiedene Adressatengruppen durchzuführen. Ermutigend war die erste bundesweite Veranstaltung in Berlin im Februar 2004, an der Ministerialbeamte aus den Ländern, Lehrplan- und Schulbuchautoren sowie Verlagsleiter und -lektoren teilnahmen. Es folgten regionale Tagungen für Lehrer aus mehreren Ländern in Bonn, Leipzig, Ludwigsfelde und Mainz.

Auf dem 45. Deutschen Historikertag in Kiel wurde der neue Ansatz dem Konzept entsprechend in einer gemeinsamen Veranstaltung von Wissenschaftlern und Didaktikern der wissenschaftlichen Öffentlichkeit vorgestellt. Auch dort erhielt er breite Zustimmung.

Mit diesem Buch nun werden die bisherigen Ergebnisse der »Deutschland-AG« einem breiteren Publikum vorgelegt. Es ist zu hoffen, dass es zu Diskussionen und zur Weiterentwicklung des Ansatzes anregt.

Anmerkungen

1 Die folgende Passage ist von Christoph Kleßmann übernommen, sie leitete ursprünglich seinen Beitrag ein.

2 Wolfgang Engler, Die Ostdeutschen als Avantgarde, Berlin 2002. Mathias Platzeck, Vom Osten lernen heißt, sich verändern lernen, in: Frankfurter Rundschau vom 12. April 2003.

3 Vgl. Lutz Niethammer, Methodische Überlegungen zur deutschen Nachkriegsgeschichte. Doppelgeschichte, Nationalgeschichte oder asymmetrisch verflochtene Parallelgeschichte? in: Christoph Kleßmann/Hans Misselwitz/Günter Wichert (Hrsg.), Deutsche Vergangenheiten – eine gemeinsame Herausforderung, Berlin 1999, S. 307–327.

4 Eine eingehende Untersuchung zum Stellenwert des Themas »DDR-Geschichte« in den Schulbüchern der deutschen Bundesländer entsteht derzeit von Ulrich Arnswald im Auftrag der »Stiftung zur Aufarbeitung der SED-Diktatur«. – Zur Berücksichtigung der DDR vgl. zuletzt Ulrich Arnswald, Zum Stellenwert des Themas DDR-Geschichte in den Lehrplänen der deutschen Bundesländer. Eine Expertise im Auftrag der Stiftung zur Aufarbeitung der SED-Diktatur, Berlin 2004; als Zusammenfassung in: Aus Politik und Zeitgeschichte, B 41–42/2004, S. 28–35.

Christoph Kleßmann

Spaltung und Verflechtung – Ein Konzept zur integrierten Nachkriegsgeschichte 1945 bis 1990

Veränderte Rahmenbedingungen

Die beiden Enquete-Kommissionen des Deutschen Bundestages zur »Aufarbeitung von Geschichte und Folgen der SED-Diktatur« und zur »Überwindung der Folgen der SED-Diktatur im Prozess der deutschen Einheit« haben ein riesiges Material an Zeitzeugenbefragungen und Expertisen zu nahezu allen Bereichen der DDR-Geschichte zu Tage gefördert[1] und damit auch dokumentiert, dass sich die fatale Verzögerung einer intensiven politischen und wissenschaftlichen Auseinandersetzung mit der NS-Diktatur in Westdeutschland nicht wiederholen sollte. In Teilen der ostdeutschen Öffentlichkeit entstand aber zugleich der Eindruck, hier säßen Westdeutsche über die Geschichte der Ostdeutschen zu Gericht. Dieser Eindruck war ohne Zweifel falsch, hatten doch gerade ostdeutsche Bürgerrechtler das Zustandekommen der Enquete-Kommissionen wesentlich angestoßen und ihre Schwerpunkte und Debatten geprägt. Dennoch gab es neben verbreitetem Unbehagen und deutlichen Zeichen ostalgischer Verklärung auch ein nachlassendes Interesse an der DDR. Das alles ist zu einem guten Teil »normal« und verweist zugleich auf die verstärkte Notwendigkeit einer »kritischen Historisierung«. Dieses Postulat zielt einerseits auf die Einordnung in breitere historische Zusammenhänge, andererseits auf das unauflösliche Nebeneinander von verbrecherischer Repression und alltäglicher Normalität.

»Historisierung«, die für die NS-Diktatur erst mit erheblicher Verspätung angemahnt und umgesetzt worden ist, ist für die viel langlebigere DDR bereits seit einigen Jahren im Gang. Plakative Kennzeichnungen wie »Unrechtsstaat« und »Totalitäre Diktatur« zur Delegitimierung eines untergegangenen politischen Systems sind verständlich, sie vermögen jedoch komplexe moderne Staatsgebilde kaum angemessen auf den Begriff zu bringen. Sie haben zudem geringe Chancen auf breite Akzeptanz, weil gerade für die letzten Jahrzehnte der DDR die Erfahrungsgeschichte andere Akzente und deutlichere Differenzierungen fordert. Die in ihrem Umfang erst nachträglich bekannt gewordenen und selbst perverse Phantasien überbietenden Aktivitäten der Stasi sind eben nur die eine Seite der DDR-Geschichte. Daneben gab es nicht nur für Oppositionelle und Dissidenten auch vielfältige Formen eines »richtigen Lebens im falschen System«, bürokratische Normalität mit hoher sozialer Sicherheit, probates Arrangement als Preis für die individuelle Nische und vieles andere mehr. Die Grauzonen des Lebens in der Diktatur, die Veränderung von Herrschaft durch soziale Praxis, die Formen eigen-sinnigen Umgangs mit den Zumutungen des Regimes sind neben offener und verdeckter Repression wesentliche Elemente der Erfahrung der Betroffenen. Sie sind auch die spannenden Aspekte einer um Komplexität, Differenzierung und breitere Akzeptanz bemühten sozial- und kulturgeschichtlichen DDR-Forschung.[2]

Dass wir die Vielfalt von Erfahrungen und Erinnerungen ernst nehmen müssen, ist mittlerweile fast schon ein Gemeinplatz. Wie damit umzugehen ist, scheint gegenüber den frühen neunziger Jahren keineswegs einfacher geworden zu sein. Dahinter steht eine ernst zu nehmende Frage, die sich nicht nur mit der noch keineswegs überwundenen mentalen Spaltung erklären lässt. Wie die mentalen Sperren zwischen Ost und West aufgelöst werden können und wie wir dem Ziel der »inneren Einheit« näher kommen, ist nach wie vor strittig. Manche halten auch die Forderung nach »innerer Einheit« für kontraproduktiv, weil sie zu sehr auf Einheitlichkeit statt auf Vielfalt fixiert sei. Solange die materiellen Lebensverhältnisse sich signifikant über die üblichen regionalen Abweichungen hinaus unterscheiden, wird hier ein Problem liegen. Das macht eine charakteristische Differenz zwischen Ostdeutschland und den ostmitteleuropäischen Nachbarn aus. Die subjektive Messlatte ist oft nicht der Fortschritt gegenüber früher, sondern die als Benachteiligung empfundene aktuelle Ungleichheit in einem gemeinsamen Staat. Zudem hat das westdeutsche Modell angesichts rasant gestiegener Arbeitslosenzahlen und der offensichtlichen Überlastung der Sozialsysteme deutlich an Überzeugungskraft eingebüßt.

Ein scharfer Beobachter wie Wolfgang Thierse hat in Europa eine Chance der Problemlösung gesehen und die Frage aufgeworfen, ob nicht vielleicht der europäische Einigungsprozess einen Schlüssel dafür biete, in Verschiedenheiten miteinander leben zu können. Denn vor einem europäischen Horizont seien die deutschen Verschiedenheiten schon längst europäische Gemeinsamkeiten.[3] Das ist zwar ein faszinierender Gedanke, es besteht aber Grund zur Skepsis, ob hier nicht ein wirkliches nationales Problem, das aus der langen Teilung herrührt, vorschnell europäisch aufgelöst und zugleich auf die gleiche Stufe wie alte regionale Differenzen zwischen Bayern und Preußen gestellt wird. Zumindest wird damit allenfalls sehr langfristig eine Perspektive angeboten. Immerhin wäre zu diskutieren, ob nicht auch die gemeinsame und getrennte Geschichte sich in einem solchen europäischen Rahmen eher angemessen verorten lässt. Ebenfalls Thierse hat aber auch gegen beliebte Unkenrufe konstatiert, der »Aufbau Ost« sei keineswegs gescheitert, wir stünden damit jedoch erst auf halbem Wege.[4]

Der Umgang mit der DDR-Geschichte ist nicht nur eine Sache der Täter und Opfer der Diktatur. Die ganze deutsche Nachkriegsgeschichte steht zur Debatte. Ihr westdeutscher Teil gehört essentiell dazu. Wir wissen heute deutlicher als früher, wie eng beide Teile trotz staatlicher Trennung verflochten waren. Auch die getrennten Forschungsdisziplinen in Zeitgeschichte und Politikwissenschaft haben dazu beigetragen, dass der Blick auf das Trennende und Eigenständige stärker ausgeprägt war als der auf das Gemeinsame oder auf die spezifischen Formen der wechselseitigen Beeinflussung. Die suggestive Formel von der »unterwanderten Republik«[5], die vor allem auf die Westarbeit der SED und die Infiltrationsversuche der Stasi zielt, ist für diesen Sachverhalt völlig unzureichend, weil diese Art von Einfluss in seiner tatsächlichen Bedeutung – trotz der Spionage Guillaumes im Kanzleramt – eher marginal zu bewerten ist. Auch der Verweis auf das tatsächlich und vermeintlich »schiefe DDR-Bild« im Westen[6] gibt nur einen Teilaspekt des Problems wieder.

Verschiedene Generationen haben die Trennung auf verschiedenen Ebenen unterschiedlich erlebt, aber zumindest in der DDR sind alle davon geprägt worden. Die DDR war ein Staat ohne jede demokratische und zugleich ohne nationale Legitimation. Diese elementare Tatsache ist in der Bundesrepublik in den siebziger und achtziger Jahren bisweilen in Vergessenheit geraten. Die DDR konnte nur in Abgrenzung von ihrem westdeutschen Gegenüber existieren und war doch historisch und ökonomisch eng mit ihm nolens volens verbunden. Der wechselseitige Bezug war zu allen Zeiten asymmetrisch. Die Bundesrepublik konnte problemlos ohne die DDR existieren. Auch im nachlassenden nationalen Interesse der jüngeren westdeutschen Generationen an der DDR spiegelte sich das.[7] Der Umkehrschluss galt nie.

Sowohl für die Machtelite wie für die Bevölkerung bildete die Bundesrepublik stets eine Referenzgesellschaft, mit der man sich aggressiv auseinandersetzte oder an der man sich insgeheim in seinen materiellen und politischen Wünschen zumindest partiell orientierte. Gerade in den siebziger und achtziger Jahren, als die Kommunikation zwischen beiden Staaten und Gesellschaften wieder dichter wurde und die Information über das

West-Fernsehen praktisch zum Alltag der DDR gehörte, ist dieser Sachverhalt bei gleichzeitiger begrenzter Loyalität zum eigenen, ungeliebten Staat unübersehbar.[8] Trotz dieser ausgeprägten Asymmetrie sind bestimmte Prägungen der inneren Entwicklung und der politischen Kultur der alten Bundesrepublik ohne die Nachbarschaft und den »Anschauungsunterricht« durch eine kommunistische Diktatur jenseits der Grenze nicht zu verstehen.[9] Dieser Zusammenhang wird von niemandem bestritten. Er hat jedoch nur in geringem Umfang Eingang in die Geschichtsschreibung und die Schulbücher gefunden.

Die Kritik an bisher vorliegenden Gesamtdarstellungen in der Historiographie kann vor allem an der mehr oder minder strikten Trennung west- und ostdeutscher Geschichte ansetzen. Diese ist aber selber ein Produkt der historischen Entwicklung. Die Teilung Deutschlands und die zunehmende Verselbständigung beider Staaten und Gesellschaften hatten ihre Spiegelung in zwei getrennten Spezialdisziplinen der Forschung gefunden, die ihr jeweiliges Teilfeld Bundesrepublik und DDR bearbeiteten und nur selten gemeinsame Schnittflächen in Form vergleichender oder beziehungsgeschichtlicher Untersuchungen aufwiesen. Zudem war das Ungleichgewicht unübersehbar: Ein Pendant zur repräsentativen fünfbändigen »Geschichte der Bundesrepublik«[10] für die DDR war zwar in Mannheim in Planung, gedieh aber nicht über das Entwurfsstadium hinaus und wurde dann vom Ende der DDR überholt.

Durch die Revolution in Ostmitteleuropa und der DDR haben sich seit 1989 die Perspektiven auf die Geschichte des 20. Jahrhunderts insgesamt und insbesondere auf die deutsche Nachkriegsgeschichte gravierend verschoben. Längst zu den Akten gelegte Konzepte tauchen in leicht veränderter Form wieder auf (so etwa die Renaissance der Totalitarismus-Theorie oder die starke Akzentuierung der nationalen Frage als Fokus der Nachkriegsentwicklung). Solche Verschiebungen sind angesichts der ausgeprägten Standortgebundenheit von Zeitgeschichte unvermeidlich, in diesem Falle reichen sie jedoch weiter und verweisen auf latente und nicht ausgetragene Interpretationskonflikte zur deutschen Nachkriegsgeschichte.

Es kann nicht ausreichen, alte Interpretationsmuster aus den fünfziger Jahren wieder zum Leben zu erwecken. Vielmehr muss jetzt ohne teleologische Perspektive aus der Rückschau die Analyse langfristiger Entwicklungen mit einer neuen Sicht auf die Geschichte beider Teile nach 1945 verzahnt werden. Eine neue (und alte) Nationalgeschichte, die 1945/49 bis 1989 für einige Jahrzehnte lediglich unterbrochen wurde, wäre ein politisch aufgeladenes, viel zu enges Konstrukt, das der Sperrigkeit und Widersprüchlichkeit der deutsch-deutschen Nachkriegsentwicklung und auch der strukturell in ihr angelegten europäischen Erweiterung nicht gerecht wird. Die Formel »Getrennte Vergangenheit – gemeinsame Geschichte?«, unter der 1999 das Berliner Geschichtsforum stattfand[11], umreißt dieses Problem prägnant. Dabei ist das Fragezeichen wichtig. Denn ob und in welchem Umfang historische Gegebenheiten eine gemeinsame, bewusste und akzeptierte Geschichte und Erinnerungskultur bilden, ist strittig und muss neu diskutiert werden.

Zwei wichtige neuere Arbeiten sollen kurz erörtert werden, die das gleiche Problem angehen, aber sich deutlich unterscheiden: Peter Graf Kielmanseggs »Nach der Katastrophe« aus dem Jahr 2000 und Peter Benders 1996 erschienenes Buch »Episode oder Epoche? Zur Geschichte des geteilten Deutschland«.[12] Wie gelingt den Autoren die Verklammerung beider Teile, die eine so unterschiedliche Entwicklung genommen haben und doch auf besondere Weise zusammengehören?

Kielmansegg präsentiert eine auf hohem Niveau angesiedelte Reflexion deutscher Nachkriegsgeschichte, deren zentralen Bezugspunkt die Katastrophe von 1945 bildet. Der 8. Mai 1945 wird als Ende und Anfang in den Kontext des 20. Jahrhunderts gestellt. Die Nutzung der Chance der Katastrophe und die extrem ungleiche und willkürliche Verteilung der Folgelasten werden damit zu Leitlinien, denen die Darstellung folgt. 1945 wird als Zäsur wieder aufgewertet, nachdem Sozialhistoriker mit Fragen nach übergreifenden, längerfristigen Kontinuitäten die Tiefe dieses Einschnitts relativiert haben[13] und die Zäsur von 1989/90 ebenfalls zur Verschiebung des Blicks geführt hat. Mit diesen Überlegungen wird ein Schlüsselproblem deutscher Zeitgeschichte umschrieben: Die Geschichte der Bundesrepublik und der DDR sind Nach-Geschichten des »Dritten Reiches«, aber sie gehen darin in keiner Weise auf.

Nachdem die gemeinsame Ausgangssituation sowohl im Hinblick auf die Ohnmacht gegenüber den Siegern als auch hinsichtlich der gleichen drängenden Problemlagen dargestellt worden ist, »zweierlei Anfänge« somit den ähnlichen und unterschiedlichen Start beider Gebilde in paralleler Perspektive verdeutlichen, macht die Abfolge der nächsten Kapitel das konzeptionelle Grundproblem einer gemeinsamen Darstellung schnell deutlich. Es gibt keine plausible übergreifende Periodisierung. Auch die Gewichtung der Teile, die der Bundesrepublik und der DDR gewidmet sind, fällt deutlich unterschiedlich aus. Hier schlägt die Perspektive durch, die erst nach 1989 wirklich erkennbar wurde: Wir haben es nach Kielmansegg mit zwei verschiedenen Geschichten zu tun, »einer mit Zukunft und einer ohne Zukunft. An der zweiten interessiert vor allem, warum sie keine Zukunft hatte.«[14]

Peter Bender hat dennoch wohl zu Recht in einer Besprechung in der »Zeit« kritisiert[15], dass die Geschichte der DDR und der Ostdeutschen nur allzu knapp nachgezeichnet werde, eben weil das Interesse des Autors primär der Frage gilt zu erklären, warum die DDR gescheitert ist. Selbst wenn man diese Leitfrage als Begründung für das Ungleichgewicht akzeptiert, bleibt ein anderes Defizit gravierend: Zu einer Geschichte des geteilten Deutschlands gehören nicht nur die Gründe für Erfolg und Scheitern, sondern auch das Eigengewicht und die Besonderheiten, die das wechselseitige Verhältnis dieser beiden Teile ausmachten.

Peter Bender verfolgt konsequent den schon früher entwickelten Ansatz der »deutschen Parallelen«. Auch bei ihm bilden die Katastrophe und die Schuld den gemeinsamen Ausgangspunkt für die Darstellung der beiden Nachfolgestaaten des Hitlerreiches. Als Objekte der Besatzungsmächte und Partner misstrauischer Verbündeter zeigen sie viele Ähnlichkeiten, aber auch als besonders tüchtige Streiter im Kalten Krieg. Aus einem Land der Mitte »verwandelten sich Ost und West in politische Glaubensgemeinschaften, die Westdeutschen sollten sich der demokratisch-kapitalistischen Welt eingliedern, die Ostdeutschen der diktatorisch-sozialistischen. Die einen taten es willig, die anderen meist unwillig.«[16] Dabei wurden die Westdeutschen Europäer, soweit man das werden kann, die Ostdeutschen blieben deutsch und fanden nur wenig Zugang zu ihren Nachbarn. Diese Parallelisierung wird auf verschiedenen Ebenen vor allem der Politikgeschichte – kaum der Sozial- und Kulturgeschichte – entfaltet. Sie hat – zumal im knappen, plakativen Stil Benders – eine hohe suggestive Überzeugungskraft. Sie führt auch nicht zur Verwischung der Gegensätze. Es war und blieb ein riesiger Unterschied, mit Moskau oder Washington verbündet zu sein.

Dennoch wirft diese Form der Parallelisierung einige Probleme auf. Nicht nur der Kalte Krieg, sondern auch die Eigendynamik von Demokratie und Diktatur trieben in entgegengesetzte Richtungen. Die innere Geschichte von Gesellschaft und Kultur, von Verbänden und Parteien, von Lebenswelt, Familie, Lebensstil und Alltagserfahrung lassen sich in einem stark politikhistorischen parallelisierenden Konzept nur schwer in ihrer Bedeutung unterbringen. Das jeweilige Eigengewicht, aber auch die verqueren Formen von Verflechtung und wechselseitigen Einflüssen bleiben relativ blass. Die Nation und ihr Zusammenhalt bilden letztlich den Fluchtpunkt der Darstellung. Dennoch bemüht sich Bender stärker als andere um eine konsequent doppelte Perspektive und eine gegenüber Kielmansegg ausgewogenere Berücksichtigung der DDR.

Sechs Leitlinien einer integrierten Nachkriegsgeschichte

Die folgenden konzeptionellen Überlegungen lehnen sich an beide Autoren an, versuchen aber darüber hinaus, explizit sechs verschiedene Bezugsfelder und Stufen, in denen die deutsche Nachkriegsgeschichte steht, zu benennen und miteinander zu verbinden, um so einen möglichen Gesamtrahmen zu skizzieren. Die reine Dichotomie von Erfolgs- und Misserfolgsgeschichte wird dabei vermieden, ohne die prinzipiellen Unterschiede im Verlauf und auch in der Wertung zu verwischen. Ein solcher Versuch muss stark schematisch und konstruktivistisch ausfallen. In der Umsetzung sind Verschiebungen und Differenzierungen unvermeidlich und sinnvoll, aber als Leitlinien für ein schwieriges Thema haben sich diese Überlegungen für die Fallstudien als tragfähig erwiesen.[17]

I. Chance zum Neubeginn

Das erste, dichteste Feld umfasst den gemeinsamen Ausgangspunkt der doppelten Nachkriegsgeschichte: *1945 als Endpunkt der deutschen Katastrophe und Chance zum Neubeginn.* Längerfristige Rückgriffe auf spezifische Prägungen der Gesellschaft seit dem Kaiserreich im »deutschen Sonderweg« mit dem Höhepunkt des Nationalsozialismus, aber auch tiefgreifende Wandlungs- und Modernisierungstrends als ungewollte Folgen des Krieges lassen sich in diesem Jahr punktuell synthetisieren. Dazu gehören insbesondere die demographischen und territorialen Veränderungen, die mit der Kriegswende seit 1943 an Brisanz gewinnen und in die ersten Nachkriegsjahre hineinreichen (Umsiedlungsaktionen, Flucht, Vertreibungen, Gebietsabtretungen). Sie sind programmatisch in dem Buchtitel »Von Stalingrad zur Währungsreform« gebündelt und in vielen Einzeluntersuchungen analysiert worden.[18] Auch die europäische Dimension des Weltkrieges lässt sich in dieser Fokussierung verdeutlichen. Viele deutsche Probleme sind europäische: »Europa in Ruinen«, Massenflucht und Vertreibung, Displaced Persons, Entnazifizierung, Kriegsende als Befreiung und Beginn neuer Diktaturen. Diese europäische Erweiterung des Blickfeldes ist zudem wichtig, um einerseits die lang anhaltenden Wirkungen der NS-Herrschaft in Europa in Erinnerung zu behalten, zum andern um dem zeitgenössischen Trend zur Stilisierung vornehmlich der Deutschen als Opfer entgegenzuwirken. Zugleich bietet das Jahr der totalen deutschen Niederlage die Chance zu einem Neuanfang mit unterschiedlichen Entwicklungspotentialen.

Die Deutschen in Ost und West sind zwar von Kriegsfolgen und Gewalt unterschiedlich betroffen und politische Ereignisse überlagern strukturelle soziale Veränderungen in verschiedenartiger Intensität. Aber eine Schlüsselerfahrung aller Deutschen ist zunächst die Konfrontation mit totalem Zusammenbruch, der vermeintlichen »Stunde Null« und der bedingungslosen Unterwerfung unter die Sieger. Alliierte dismemberment-Konzepte und die Aufteilung in vier Zonen lassen zunächst noch keineswegs die Umrisse einer künftigen Zweiteilung erkennen. Das Fehlen eines Staates, eine sozial durcheinander gewirbelte Zusammenbruchsgesellschaft und eine weitreichende Atomisierung des Einzelnen oder der Familie im Kampf ums Überleben machen die äußere Gleichförmigkeit eines Landes aus, in der Schicksalskategorien scheinbar die tradierten sozialen Schichtungskriterien ersetzen. Auch wer der Vergangenheit entfliehen will, wird ständig mit ihr bzw. mit ihren Folgen konfrontiert. Die Besatzungsmächte verbindet bei aller Unterschiedlichkeit das Insistieren auf der »Haftungsgemeinschaft« aller Deutschen. Die divergierenden Interpretationen dieser Vergangenheit und die gravierenden Unterschiede der Entnazifizierungskonzepte und -prozeduren[19] stellen jedoch bereits in den ersten beiden Nachkriegsjahren wichtige Weichen. Auch die politischen Vorstellungen über die Zukunft Deutschlands differieren erheblich bei den Alliierten und den deutschen Politikern.[20] Deutsche in Ost und West beteiligen sich aktiv am politischen Wiederaufbau, überwiegend aber lassen sie die Dinge apathisch geschehen, weil sie verschreckt, belastet oder perspektivlos sind. Nation und Nationalismus haben scheinbar ausgedient und werden von anderen Prioritäten überlagert. Gleichwohl ist deutsche Geschichte in dieser Phase nicht nur Besatzungsgeschichte, sondern auch Interaktion zwischen Siegern und Besiegten. An vielen Beispielen lässt sich diese Konstellation verdeutlichen. So bildet eine funktionierende Verwaltung eine elementare Voraussetzung für jeden Wiederaufbau, und dazu ist man auf Fachkräfte angewiesen, auch wenn diese nicht immer den rigiden Entnazifizierungskriterien entsprechen. Das Gleiche gilt für die Betriebe, in denen häufig deutsche Betriebsräte eine schärfere politische Säuberung fordern als die Besatzungsmächte. Die Kirchen profitieren von ihrem bestenfalls halbwahren Selbstbild als Träger des Widerstands gegen die Nazis und verfügen in West und Ost über beachtliche Handlungsspielräume. Trotz beträchtlicher Unterschiede der Besatzungszonen überwiegen die gemeinsamen sozialen Problemlagen zunächst die politischen Differenzen.

II. Blockbildung und innere Folgen

Der offene Kalte Krieg, die beginnende *Blockbildung und die inneren Folgen* – die zweite Entwicklungsstufe – treiben bislang unklare Entwicklungsmöglichkeiten seit 1947 in entgegengesetzte Richtungen auseinander. Die Deutschen können wenig gegen die Entfaltung dieses globalen Konflikts und seine Rückwirkungen auf die politische und gesellschaftliche Lage im besetzten Deutschland tun.[21] Viele setzen sich dennoch gegen einen Trend zur Wehr, den sie partiell noch für umkehrbar oder steuerbar halten. Politische und gesellschaftliche Auseinandersetzungen um die fatalen Zwänge des Kalten Krieges werden verstärkt zum Gegenstand heftiger politischer Auseinandersetzungen. »Außenpolitik« wird zum Katalysator innenpolitischer Optionen. Diese sind zwar im Kern von den Besatzungsmächten vorgegeben, werden aber auch – in sehr unterschiedlichem Maße – von deutschen Politikern und ihren Anhängern nachvollzogen. Der seit 1917 nie verschwundene Ost-West-Konflikt wird in seiner zugespitzten Form des Kalten Krieges erst seit 1947/48 zur bestimmenden Determinante der Teilung Deutschlands. Sie wird zunehmend individuell und kollektiv unmittelbar erfahrbar, besonders stark natürlich im Grenzgebiet und in Berlin, und macht Bemühungen um andere Optionen hinfällig. Die begriffliche Unterscheidung von Ost-West-Konflikt und Kaltem Krieg[22] ist insofern wichtig, als die Intensität dieses Konflikts, der erst 1989/91 beendet ist, im Laufe der Jahrzehnte mit spürbaren Folgen für Ost- und Westdeutsche variiert. Gerade in dieser Differenzierung ist er zum Verständnis der Politik, aber auch individueller und generationeller Erfahrungen von kaum zu überschätzender Bedeutung, und zwar gerade im Hinblick auf die trennenden und verbindenden Faktoren der doppelten deutschen Nachkriegsgeschichte. Ost-West-Konflikt und Kalter Krieg sind eine der wichtigsten Strukturdeterminanten, die heute viel umfassender verstanden und erforscht wird und sich nicht primär auf die politische und militärische Konfrontation beschränken lässt, sondern verstärkt kultur- und mediengeschichtliche Dimensionen einbezieht.[23] Dazu gehört auch das Bewusstsein und die sich verändernde Perzeption dieser Konstellation: Was anfangs als Fatum akzeptiert wird, unterliegt später kontroverser Auseinandersetzung und bewussten Versuchen zum Gegensteuern. Der nationalgeschichtliche Rahmen wird bereits von den Vorgaben und dem entscheidenden Gewicht der Supermächte in Frage gestellt.

III. Eigendynamik der beiden Staaten

Die Teilung in zwei Staaten und entgegengesetzte politische Systeme innerhalb der beiden Blöcke, die von niemandem so gewollt, aber auch kaum aktiv verhindert worden ist, entwickelt zunehmend eine *Eigendynamik*, die partiell auch akzeptiert und gewollt wird. Nachkriegsgeschichte wird immer stärker Kontrastgeschichte. Zwar ist die *bundesrepublikanische Demokratie* mit anfangs wenigen wirklichen Demokraten zunächst ein Geschenk der Westalliierten, ebenso wie die *volksdemokratische Diktatur* der DDR ein sowjetrussischer Export ist. Die Erweiterung der Handlungsspielräume macht im Westen viel schnellere und grundsätzlichere Fortschritte als im Osten. Aber auch dort lassen sich in begrenztem Rahmen vor allem in den Formen der inneren Umgestaltung Charakteristika erkennen, die primär auf das Konto der deutschen Kommunisten gehen.[24] Ulbricht selber ist sowohl in der Frühphase wie in der Spätphase seiner Amtszeit ein gutes Beispiel dafür, auch wenn man Wilfried Loths Interpretation, die in Ulbricht den eigentlichen Motor der DDR-Gründung sieht[25], für reichlich überzogen hält. Einschneidende soziale und politisch-kulturelle Prägungen lassen sich daher, wenn auch mit prinzipiellen und erheblichen Unterschieden, in beiden Staaten und Gesellschaften als Folge deutscher Politikkonzepte und Aktivitäten und nicht nur als Ergebnis der alliierten Wünsche beobachten. Die wachsende und zunehmend akzeptierte »Öffnung nach Westen« in der Bundesrepublik, die in der Forschung, aber auch in der zeitgenössischen Öffentlichkeit als »Westernisierung«, »Amerikanisierung« und »Fundamentalliberalisierung« diskutiert wird[26], findet auf ostdeutscher Seite kein wirkliches vergleichbares Pendant, weil die »Sowjetisierung« primär politisch konnotiert ist, oberflächlich bleibt und auf breite Ablehnung stößt.[27] Indikatoren sind eine anfangs noch ausgeprägte politische Opposition, die bis zum Mauerbau permanente Fluchtbewegung, der Aufstand vom 17. Juni 1953, eine ostentative Pflege deutscher Klassik. Indirekte Amerikanisierungstendenzen gibt es zwar auch in der DDR und die SED kann nicht verhindern, dass bei der DDR-Jugend Jeans als Ikone verehrt werden[28], aber in vielen Erscheinungsformen bleibt die ostdeutsche Gesellschaft nicht nur aufgrund des ökonomischen und technischen Modernisierungsrückstandes deutlich altertümlicher und »deutscher« als die der Bundesrepublik.[29]

Diese Eigendynamik und der Kontrast unter den Bedingungen des Kalten Krieges vertiefen die Teilung und Entfremdung mangels erschwerter Kommunikation, so dass die scheinbar unvermeidbare und international hingenommene Zweistaatlichkeit zunehmend fatalistisch akzeptiert wird. Jüngere Generationen wachsen mit Zweistaatlichkeit, Grenze und Berliner Mauer als Fakten auf, die man verändern, aber nicht abschaffen kann. Diese politische Ausweglosigkeit erleichtert und fördert Arrangements in den vorgegebenen Grenzen und wachsendes Desinteresse am nationalen Ganzen. Der Alltag und das »kleine Glück« werden wichtiger. Der Verweis auf die »deutsche Frage« in einer längeren historischen Perspektive als staatliche Vielfalt legitimiert vor allem im Westen für viele Zeitgenossen den Verzicht auf das Ziel nationaler Einheit.[30] Nicht zuletzt macht der Hinweis auf die europäischen Nachbarn und deren Interesse an einem geteilten Deutschland den status quo zu einer fixen Größe im geteilten Europa. Das doppelte Deutschland wird somit scheinbar zum Eckstein europäischer Stabilität.

Auf der Basis dieses Sich-Einrichtens in der jeweiligen Doppelhaushälfte sind aber auch gegenläufige Trends der aktiven kritischen Auseinandersetzung mit dem jeweiligen politischen System zu behandeln, die ihre Impulse nicht oder nur peripher aus der »deutschen Frage« bezogen. Während der Aufstand vom 17. Juni 1953 ebenso wie die parlamentarischen und außerparlamentarischen Aktionen der fünfziger Jahre in der Bundesrepublik noch eine signifikante gesamtdeutsche Komponente haben, beziehen die Konflikte um die Entstalinisierung in der Intelligenz 1956/57 und die neuen Formen von Dissidenz seit den späten siebziger Jahren in der DDR ihre Schubkraft primär aus blockinternen Herausforderungen. Auf andere Weise gilt das ebenso für die westdeutsche Ausformung der »Achtundsechziger-Bewegung«, die sich ganz auf die Kritik der »restaurativen« Bundesrepublik konzentriert.

IV. Abgrenzung und asymmetrische Verflechtung

So plausibel eine solche dichotomische Konstellation zeitgenössisch auch ist und ex post nicht unterschlagen oder harmonisiert werden darf, so unzureichend wird damit die spezifische deutsche Situation in den Veränderungen des Ost-West-Konflikts erfasst. Denn Minderheiten haben sich auf beiden Seiten stets mit unterschiedlicher Motivation dagegen gewehrt. In breiterem Umfang aber ist die Einsicht erst nach 1989 gewachsen, dass neben den charakteristischen *Faktoren der Abgrenzung* auch direkte und indirekte *Formen der asymmetrischen Verflechtung* die deutsche Nachkriegsgeschichte in allen Phasen bestimmt und ihr ein besonderes Profil gegeben haben. Damit ist nicht eine gewissermaßen latente Nationalgeschichte gemeint, sondern eine Sondersituation im Nachkriegseuropa, deren Problematisierung und Reflexion eines der wichtigsten Elemente der Neukonzeption einer Nachkriegsgeschichte ausmachen. Dass die Entwicklung der DDR nicht ohne die der Bundesrepublik zu verstehen ist, lässt sich auf Schritt und Tritt aus den öffentlichen und jetzt vor allem aus den internen Quellen der SED-Diktatur ablesen. An zahllosen Beispielen ist dieser Zusammenhang zu illustrieren und zu analysieren. So ist das Grenzproblem für die SED ebenso wie für die Bevölkerung zu allen Zeiten in unterschiedlicher Form von zentraler Bedeutung. Ökonomisch bleibt die enge Verflechtung mit dem »Klassenfeind« unauflösbar, da es keinen Ersatz für bestimmte westdeutsche Lieferungen gibt. In der Jugendpolitik kann die SED westliche Einflüsse nie völlig ausschalten und bemüht sich schließlich um Kompromissstrategien. Der plakative Antifaschismus als Legitimationsideologie bezieht seine Konturen wesentlich aus der Abgrenzung zur Vergangenheitspolitik der Bundesrepublik. Die Situation der Kirchen bleibt trotz institutioneller Trennung von der »besonderen Gemeinschaft« bestimmt. In der außenpolitischen Konkurrenz der beiden Staaten in der dritten Welt sitzt die DDR in der Regel gegenüber der ökonomisch starken Bundesrepublik am kürzeren Hebel. Auf diesen und anderen Feldern sind zwar unterschiedliche generationelle, soziale und regionale Erfahrungen in beiden Teilen Deutschlands zu thematisieren, aber alle DDR-Bürger bleiben zu allen Zeiten von der Trennung vom Westen betroffen, auch wenn sich der Blick nach Westen verändert. Das Interesse verschwindet nie, ist jedoch zumindest bei der jüngeren Generation immer weniger an den Nationalstaat gebunden, sondern eher an Konsum, Information, Reisen. Das zeigen etwa die Daten des Leipziger Instituts für Jugendforschung.[31]

Schwieriger zu erfassen, aber deshalb nicht per se weniger wirksam ist der umgekehrte Einfluss der DDR auf die Bundesrepublik. Das betrifft in geringerem Maße die spektakulären und historiographisch z. T. überzogenen Formen der Infiltration durch die »Westarbeit« von SED, Stasi und FDGB[32] als vielmehr die indirekten Wirkungsfaktoren. Die Existenz einer kommunistischen Diktatur auf deutschem Boden prägt die politische Kultur in der Bundesrepublik, erleichtert die Entscheidung für die Westintegration und bestimmte Formen der innenpolitischen Konsensfindung, diskreditiert aber auch gesellschaftliche Alternativkonzepte der Arbeiterbewegung vor allem in den fünfziger Jahren, z. B. Sozialisierung und Planwirtschaft. 1976 führt die Union ihren Wahlkampf angesichts der Stärke des linken Flügels in der SPD mit dem Slogan »Freiheit statt Sozialismus« bzw. »Freiheit oder Sozialismus« (so der CSU-Slogan).[33] Besonders gut erkennbar ist diese direkte und indirekte Art des Einflusses der SED in bestimmten Formen und Argumentationsmustern des Umgangs mit der NS-Vergangenheit.[34]

Der beschleunigte Endspurt der Bundesrepublik auf dem »langen Weg nach Westen«[35] hängt zweifellos auch mit der unmittelbaren Nachbarschaft der DDR zusammen. In diesen Kontext gehört auch eine kritische Erörterung, wieweit die Bundesrepublik bis 1990 ein »postnationales« Selbstverständnis entwickelt hat und die DDR einem als Parteidoktrin künstlich verordneten »internationalistischen« Sonderweg gefolgt ist, bis beide 1990 in einen »postklassischen Nationalstaat« mündeten.[36] Aufgrund der demokratischen Legitimität und der Funktionsfähigkeit der Bonner Demokratie lässt sich die Geschichte der alten Bundesrepublik mühelos unter weitestgehender Ausklammerung der DDR schreiben, wie viele Beispiele zeigen. Die erwähnte fünfbändige Geschichte der Bundesrepublik hat das auch bewusst mit den Ziel der eigenständigen Identitätsstiftung getan. Das Bonner »Haus der Geschichte der Bundesrepublik Deutschland« war ursprünglich ebenso konzipiert.[37] Dass eine solche Konzeption unzureichend ist, dürfte kaum noch strittig sein, auch wenn die DDR- und ostmitteleuropäische Geschichte im Geschichtsbild führender westdeutscher Zeithistoriker nach wie vor einen marginalen Stellenwert besitzt.[38]

V. Problemlagen fortgeschrittener Industriegesellschaften

Im Zuge der relativen Normalisierung der innerdeutschen Beziehungen und der Veränderung der Paradigmen in der Forschung (»systemimmanenter Ansatz«) rücken seit den siebziger Jahren zunehmend auch *systemübergreifende Problemlagen* fortgeschrittener Industriegesellschaften ins Bewusstsein und werden zum Gegenstand insbesondere von Sammelwerken.[39] Das betrifft bildungspolitische, kulturelle, wirtschaftliche, ökologische und andere Fragen ebenso wie die Bedrohungsszenarien durch die atomare Hochrüstung der Supermächte und entsprechende gesellschaftliche Reaktionen darauf in den Friedensbewegungen.

Hier haben sich nach 1990 erneut deutliche Verschiebungen und Gewichtsverlagerungen ergeben. Die Reflexion über Struktur- und Funktionsdefizite parlamentarischer Demokratien im Zeitalter der Allgegenwart und wachsenden Bedeutung der Massenmedien ist zunächst in den Hintergrund gerückt. Globalisierung, strukturelle Massenarbeitslosigkeit und Erosion der Sozialsysteme haben systemübergreifende Problemlagen aber erneut nachdrücklich auf die politische und historische Agenda gesetzt. Nicht zuletzt aus erfahrungsgeschichtlicher und keineswegs nur nostalgisch eingefärbter Perspektive ehemaliger DDR-Bürger, die vom neuen demokratischen Staat enttäuscht sind, bedarf dieser Komplex noch eingehender Erörterung, wenn die bloße Kontrastierung von westdeutscher Erfolgs- und ostdeutscher Misserfolgsgeschichte überwunden werden soll. Denn die anfangs nach dem Kollaps der DDR erhofften und scheinbar historisch legitimierten Rezepte zur Krisenlösung haben längst ihre Überzeugungskraft und Attraktivität eingebüßt.[40]

VI. Erosionserscheinungen

In der Endphase der Teilungsgeschichte lassen sich neben Verselbständigung auf der Basis akzeptierter Teilung im Zuge europäischer und innerdeutscher

Entspannungspolitik deutliche *Trends einer z. T. ungewollten Wiederannäherung* durch gesteigerte wechselseitige Kommunikation, aber auch gleichzeitige *Erosionserscheinungen* in der DDR feststellen. Die politische Klasse im Westen thematisiert wieder nachdrücklicher die nationale Frage[41], die im Osten offiziell tabu ist, weil die Mauer noch 100 Jahre bestehen werde, wie Honecker noch im Januar 1989 prognostiziert.[42] Die wachsende Misserfolgsgeschichte der DDR und des Ostblocks im Wettlauf um technologische Innovation wird unübersehbar, aber auch im Westen versagen alte Steuerungsinstrumente gegenüber struktureller Massenarbeitslosigkeit und Überlastung der Sozialsysteme. Es fehlt zwar keineswegs an zutreffenden Diagnosen und Warnungen, aber die unverhoffte Einheit verdeckt dann für viele Jahre die Brisanz dieses Problems im öffentlichen Bewusstsein. Wissenschaftliche und kulturelle Kontakte zur DDR werden zwar auch in den achtziger Jahren von der SED eng kanalisiert, entwickeln sich aber breiter als in früheren Jahren. Im Zuge der Entspannung wächst auch ein wechselseitiges Interesse, das sich auf Kultur und Literatur und somit die Fortexistenz einer Kulturnation bezieht. Die Bücher von Christa Wolf, Christoph Hein, Stefan Heym, ansatzweise auch Ausstellungen von DDR-Kunst, sind im Feuilleton der Bundesrepublik präsent und werden anders als früher nicht primär politisch, sondern nach eigenständigen ästhetischen Maßstäben diskutiert. Die nach 1990 zu Recht kritisierte Kehrseite ist allerdings auch, dass die Schattenseiten des Systems kaum noch erörtert werden. Von Diktatur spricht kaum jemand, obwohl ihre Realität auch für den westdeutschen Besucher überall erkennbar ist. Insofern erscheint die nachholende harsche Kritik am »schiefen DDR-Bild« in Westdeutschland als durchaus berechtigt.

Die sechs genannten Bezugsfelder und Stufen im historischen deutsch-deutschen Verhältnis nach 1945 sind ein Versuch, dem Eigengewicht und der Verklammerung west- und ostdeutscher Geschichte besser gerecht zu werden als eine reine Kontrastgeschichte oder eine neue Nationalgeschichte. Die zeitlichen Stufen und systematischen Bezugsfelder lassen sich weiter ausdifferenzieren. Ihr Mischungsverhältnis ist im Laufe der vierzig Jahre Teilung zudem unterschiedlich. Einige bleiben durchgängig erhalten, andere treten erst spät auf. Orientierungsmaßstäbe und Werturteile sind für eine kritische Geschichtswissenschaft unverzichtbar. Aber die reine Dichotomie von freiheitlicher Demokratie und totalitärer Diktatur führt nicht weiter. Sie ebnet die inneren Differenzierungen und konstitutiven Spannungslinien[43] ein, ignoriert die beträchtlichen Veränderungen im Laufe einer 40-jährigen Entwicklung, vernachlässigt die zahllosen Beispiele von »aufrechtem Gang« unter den erschwerten Bedingungen einer Diktatur und lenkt allzu selbstgerecht von Versäumnissen, strukturellen Defiziten und mühsamen Lernprozessen im Westen ab. Das Wortungetüm von der »asymmetrisch verflochtenen Parallelgeschichte« löst die Dichotomie nicht einfach auf. Aber diese Charakterisierung wird dem sperrigen Gegenstand eher gerecht, indem sie sich zumindest bemüht, offenkundige Disproportionen zu vermeiden, einem teleologischen Denken nach dem Muster »die DDR war von Anfang bis Ende stalinistisch und dem Untergang geweiht« zu entgehen, eine nationalstaatliche Verengung aufzulösen und die charakteristischen Formen der Verbindung und Abgrenzung zu betonen. Eine an einem solchen Interpretationsansatz orientierte Darstellung, die Herrschaftsanalyse mit Erfahrungsgeschichte verbindet, kann am ehesten einen Beitrag leisten zur politisch und historiographisch notwendigen Behandlung der getrennten Vergangenheit als gemeinsamer Geschichte.

Anmerkungen

1 Hier interessiert vor allem die erste: Materialien der Enquetekommission »Aufarbeitung von Geschichte und Folgen der SED-Diktatur in Deutschland«. Hrsg. vom Deutschen Bundestag. Neun Bände in 18 Teilbänden, Baden-Baden/Frankfurt a.M. 1995.
2 Vgl. Bilanz und Perspektiven der DDR-Forschung. Hrsg. von Rainer Eppelmann/ Bernd Faulenbach/Ulrich Mählert, Paderborn 2003.
3 Wolfgang Thierse, Zehn Jahre danach: Perspektivenwechsel, in: Neue Gesellschaft, 47 (2000), S. 536 bis 542.
4 Wolfgang Thierse, 15 Jahre nach dem Mauerfall. Optimistisch geschätzt sind wir in der Mitte, in: Neue Gesellschaft, 51 (2004), S. 22–26.
5 Hubertus Knabe, Die unterwanderte Republik. Stasi im Westen, Berlin 1999.
6 Hartmut Jäckel, Unser schiefes DDR-Bild, in: Deutschland Archiv, 22 (1990), S. 1557–1565.
7 Daten zu Umfragen bei Manuela Glaab, Geteilte Wahrnehmungswelten. Zur Präsenz des deutschen Nachbarn im Bewusstsein der Bevölkerung, in: Christoph Kleßmann u. a. (Hrsg.), Deutsche Vergangenheiten – eine gemeinsame Herausforderung. Der schwierige Umgang mit der doppelten Nachkriegsgeschichte, Berlin 1999, S. 206–220.
8 Ebd., S. 215f.
9 Vgl. Konrad H. Jarausch, »Die Teile als Ganzes erkennen« – Zur Integration der beiden deutschen Nachkriegsgeschichten, in: Zeithistorische Forschungen, 1 (2004), S. 10–30. Christoph Kleßmann, Verflechtung und Abgrenzung. Aspekte der geteilten und zusammengehörigen deutschen Nachkriegsgeschichte, in: Aus Politik und Zeitgeschichte, B 29–30 (1993), S. 30–41.
10 Geschichte der Bundesrepublik Deutschland in 5 Bänden. Hrsg. von Karl Dietrich Bracher, Stuttgart 1981 ff.

11 Vgl. dazu das Sonderheft des Potsdamer Bulletins für Zeithistorische Studien, Nr. 15, August 1999.
12 Peter Graf Kielmansegg, Nach der Katastrophe. Eine Geschichte des geteilten Deutschland, Berlin 2000. Peter Bender, Episode oder Epoche? Zur Geschichte des geteilten Deutschland, München 1996.
13 Martin Broszat/Klaus-Dietmar Henke/Hans Woller (Hrsg.), Von Stalingrad zur Währungsreform. Zur Sozialgeschichte des Umbruchs in Deutschland, München 1988.
14 Kielmansegg, Nach der Katastrophe, (Anm. 12) S. 677.
15 Peter Bender, Der fremde Osten, in: »Die Zeit« vom 16. November 2000.
16 Bender, Episode, (Anm. 12) S. 12.
17 Der folgende Text wird sprachlich im Präsens formuliert, da es nicht primär um eine historische Darstellung, sondern um eine Erörterung ihrer konzeptionellen Probleme geht.
18 So der Titel des Sammelbandes von Broszat u. a. (Anm. 13).
19 Vgl. Clemens Vollnhals (Hrsg.), Entnazifizierung. Politische Säuberung und Rehabilitierung in den vier Besatzungszonen 1945 bis 1949, München 1991.
20 Die immer noch beste detaillierte Untersuchung dazu hat 1966 Hans Peter Schwarz vorgelegt: Vom Reich zur Bundesrepublik. Deutschland im Widerstreit der außenpolitischen Konzeptionen in den Jahren der Besatzungsherrschaft 1945 bis 1949, Neuwied/Berlin 1966.
21 Vgl. die neueste kompakte Übersicht von Bernd Stöver, Der Kalte Krieg, München 2003.
22 Vgl. dazu die m. E. nach wie vor tragfähigen Überlegungen von Werner Link, Handlungsspielräume der USA in der Entstehung des Ost-West-Gegensatzes 1945 bis 1950, in: Aus Politik und Zeitgeschichte, B 33 (1983), S. 19–26. Demnach begann der Ost-West-Konflikt 1917, der Kalte Krieg als besondere Phase aber 1946/47. Er fand sein Ende mit dem atomaren Patt in den sechziger Jahren. Heute lässt sich hinzufügen, dass der Ost-West-Konflikt mit der Revolution in Ostmitteleuropa und der Auflösung der Sowjetunion 1989/91 beendet war.
23 Vgl. Rana Mitter (Hrsg.), Across the Blocs: Cold War Cultural and Social History, London 2004.
24 Vgl. Michael Lemke, Einheit oder Sozialismus? Die Deutschlandpolitik der SED 1949 bis 1961, Köln 2001.
25 Wilfried Loth, Stalins ungeliebtes Kind. Warum Moskau die DDR nicht wollte, Berlin 1994.
26 Vgl. Anselm Doering-Manteuffel, Wie westlich sind die Deutschen? Amerikanisierung und Westernisierung im 20. Jahrhundert, Göttingen 1999. Konrad H. Jarausch, Die Umkehr. Deutsche Wandlungen 1945 bis 1995, München 2004.
27 Vgl. Hannes Siegrist/Konrad H. Jarausch (Hrsg.), Amerikanisierung und Sowjetisierung in Deutschland 1945 bis 1970, Frankfurt/New York 1997.
28 Vgl. z. B. den Titel des Buches des Leipziger Kabarettisten Bernd-Lutz Lange, Mauer, Jeans und Prager Frühling, Leipzig 2003.
29 Vgl. die Beobachtungen Theo Sommers nach der Reise von ZEIT-Redakteuren in die DDR in: Marion Gräfin Dönhoff/Rudolf Walter Leonhardt/Theo Sommer, Reise in eine fernes Land. Bericht über Kultur, Wirtschaft und Politik in der DDR, Hamburg 1964.
30 Als Beispiel einer dezidierten Meinung: Hans-Ulrich Wehler, Die deutsche Frage in

der europäischen Politik 1648 bis 1986. in: Ders., Aus der Geschichte lernen? München 1988, S. 34–43.

31 Interessantes empirisches Material bei Peter Förster, Die Entwicklung des politischen Bewusstseins der DDR-Jugend zwischen 1966 und 1989, in: Walter Friedrich/Peter Förster/Kurt Starke (Hrsg.), Das Zentralinstitut für Jugendforschung Leipzig 1966 bis 1990. Geschichte, Methoden, Erkenntnisse, Berlin 1999, S. 70–165.

32 Dazu Jochen Staadt, Die geheime Westpolitik der SED 1960 bis 1970, Berlin 1993. Heike Amos, Die Westpolitik der SED 1948/49 bis 1961, Berlin 1999. Josef Kaiser, »Der politische Gewinn steht in keinem Verhältnis zum Aufwand«. Zur Westarbeit des FDGB im Kalten Krieg, in: Jahrbuch für Historische Kommunismusforschung, 1996, S. 106–131.

33 Wolfgang Jäger/Werner Link, Republik im Wandel 1974 bis 1982. Die Ära Schmidt, Stuttgart 1987, S. 46.

34 Ausführlich dazu Annette Weinke, Die Verfolgung von NS-Tätern im geteilten Deutschland. Vergangenheitsbewältigungen 1949 bis 1969 oder: eine deutsch-deutsche Beziehungsgeschichte im Kalten Krieg, Paderborn 2002.

35 Heinrich August Winkler, Der lange Weg nach Westen, 2 Bände München 2000.

36 Heinrich August Winkler, Nationalismus, Nationalstaat und nationale Frage in Deutschland seit 1945, in: Aus Politik und Zeitgeschichte, B 40 (1991), S. 12–24.

37 Vgl. Hermann Schäfer, Begegnungen mit unserer eigenen Geschichte. Zur Eröffnung des Hauses der Geschichte der Bundesrepublik Deutschland am 14. Juni 1994, in: Aus Politik und Zeitgeschichte, B 23 (1994), S. 11–22.

38 Vgl. z. B. Hans- Peter Schwarz, Die neueste Zeitgeschichte, in: Vierteljahrshefte für Zeitgeschichte, 51 (2003), S. 5–28.

39 Exemplarische Ansätze dazu in: Werner Weidenfeld/Hartmut Zimmermann (Hrsg.), Deutschland-Handbuch. Eine doppelte Bilanz, Bonn 1989.

40 Vgl. Klaus Schroeder, Legenden und Fakten. Deutschland vierzehn Jahre nach der Vereinigung, in: Zeitschrift des Forschungsverbundes SED-Staat, 16 (2004), S. 72–89, bes. S. 84 ff.

41 Exemplarisch: Werner Weidenfeld (Hrsg.), Nachdenken über Deutschland. Materialien zur politischen Kultur der Deutschen Frage, Köln 1985.

42 Vgl. Werner Weidenfeld/Karl Rudolf Korte (Hrsg.), Handbuch der deutschen Einheit 1949 – 1989 – 1999, aktualisierte und erweiterte Ausgabe Bonn 1999, S. 553.

43 Detlef Pollack, Die konstitutive Widersprüchlichkeit der DDR. Oder: War die DDR-Gesellschaft homogen? In: Geschichte und Gesellschaft, 24 (1998), S. 110–131.

Literaturhinweise

Peter Bender, Episode oder Epoche? Zur Geschichte des geteilten Deutschland, München 1996.

Konrad H. Jarausch, »Die Teile als Ganzes erkennen« – Zur Integration der beiden deutschen Nachkriegsgeschichten, in: Zeithistorische Forschungen, 1 (2004), S. 10–30.

Peter Graf Kielmansegg, Nach der Katastrophe. Eine Geschichte des geteilten Deutschland, Berlin 2000.

Christoph Kleßmann, Verflechtung und Abgrenzung. Aspekte der geteilten und zusammengehörigen deutschen Nachkriegsgeschichte, in: Aus Politik und Zeitgeschichte, B 29–30 (1993), S. 30–41.

Lutz Niethammer, Methodische Überlegungen zur deutschen Nachkriegsgeschichte. Doppelgeschichte, Nationalgeschichte oder asymmetrisch verflochtene Parallelgeschichte? in: Christoph Kleßmann/Hans Misselwitz/Günter Wichert (Hrsg.), Deutsche Vergangenheiten – eine gemeinsame Herausforderung, Berlin 1999, S. 307–327.

Bernd Stöver, Der Kalte Krieg, München 2003.

Werner Weidenfeld/Karl Rudolf Korte (Hrsg.), Handbuch der deutschen Einheit 1949 – 1989 – 1999, aktualisierte und erweiterte Ausgabe Bonn 1999.

Ulrich Bongertmann

Didaktische Ansätze zur deutschen Teilungsgeschichte

Eine Sichtung von didaktischen Konzepten zur deutschen Geschichte nach 1945 seit der Wiedervereinigung

Voller Selbstzweifel fragte Stefan Heym im März 1990, ob für die DDR mehr übrigbleibe als eine Fußnote in der Weltgeschichte. Mit dieser Kernfrage beschäftigen sich die deutschen Geschichtsdidaktiker seit der Wiedervereinigung unter verschiedenen Blickwinkeln. Schüler- und Lehrerschaft der westlichen Bundesländer bringen oft nur geringes Interesse für die spezifischen Probleme der neuen Bundesländer und die Geschichte der DDR mit, die vor 1989/90 viele Westdeutsche emotional als »Ausland« eingeschätzt haben.[1] Mit offener oder unterschwelliger Siegermentalität werden vor allem innenpolitische und sozialgeschichtliche Inhalte der DDR-Geschichte abgewertet oder aus Desinteresse völlig ignoriert, so als habe man damit nichts zu tun. In den ostdeutschen Bundesländern hat sich teilweise eine besondere »Ost-Mentalität« herausgebildet, durch die sich zahlreiche Neubürger als Deutsche »zweiter Klasse« fühlen und auf einseitig negative DDR-Bilder mit Abwehr reagieren. Hier trägt die Auseinandersetzung noch eine besondere Note, indem die meisten Geschichtslehrkräfte unvermittelt von pflichtmäßigen Propagatoren zu Kritikern der DDR im Klassenzimmer wurden. Sie haben aber insbesondere größte Schwierigkeiten mit der Formel von den »zwei deutschen Diktaturen« im 20. Jahrhundert, denen das bundesdeutsche Erfolgsmodell der westlich liberalen, antitotalitären Demokratie entgegengesetzt werden soll, und lösen ihre Vorbehalte allzu häufig trotz allen Lehrplänen und öffentlicher Kritik durch schlichtes Übergehen der DDR-Geschichte im Unterricht.[2] Die deutsche Teilungsgeschichte nach 1945 bleibt für die heranwachsende Generation in beiden Teilen ein unabweisbares Thema ihrer geschichtlichen Bildung und von hoher Relevanz in ihrer Lebenswelt. Geeignete geschichtsdidaktische Konzepte sind zu suchen, für die sich neben der Rekonstruktion der Ereignisstränge vergleichende Betrachtungen anbieten. Für den Unterricht müssen hier fruchtbare, aus Schülersicht erhellende und repräsentative Gesichtspunkte und passende Fragestellungen durch geschichtsdidaktische Reflexion gewonnen werden. Was ist auf diesem Feld bisher geschehen?

Bildungspolitische Einflussnahme

Aufgeschreckt durch Medienberichte über die unzureichende Beschäftigung vor allem mit der DDR-Geschichte im ostdeutschen Geschichtsunterricht hat Prof. Peter Kauffold (SPD), damaliger Bildungsminister von Mecklenburg-Vorpommern, in einem offenen Brief an die Geschichtslehrerinnen und -lehrer seines Bundeslandes vom 5. März 2002 unmissverständlich gefordert: »Kein Schüler darf die 9. bzw. 10. Klasse verlassen, ohne über die menschenverachtende faschistische Diktatur und deren Ursachen Bescheid zu wissen. Jeder Schüler muss die Gründe der Teilung Deutschlands kennen und die DDR-Geschichte in ihrer ganzen Differenziertheit erkennen können. Das schließt die inhumanen Praktiken der Staatssicherheit, aber auch die positiven Leistungen ihrer Eltern und Großeltern in dieser Zeit ein.«[3] Ähnliche Zitate ließen sich aus den anderen Bundesländern beibringen.[4] Doch vielen Eltern ist das Schweigen in der Schule nur recht, Proteste dagegen sind eher selten.[5] Die Gründe liegen vermutlich in der Differenz des offiziösen zum privaten Geschichtsbewusstsein: »Die Mehrheit der ehemaligen DDR-Bürger sieht im Rückblick vor allem den eigenen Alltag im Vordergrund. Der Geschichtsdiskurs in der Öffentlichkeit wird aber bestimmt vom Thema Machtstrukturen, Repression und Verfolgung. Von diesem Thema handeln die bisher eingeweihten Gedenkstätten, die aufgestellten Gedenktafeln und Denkmäler.«[6] Viele ostdeutsche Eltern und andere Gesprächspartner flößen den jungen Menschen Skepsis und Resistenz gegen die schulische Präsentation der deutschen Nachkriegsgeschichte und insbesondere der Honecker-Ära ein.

Die didaktische Behandlung der deutschen Geschichte nach 1945 erwies sich auch bildungspolitisch als schwierig, wie der gescheiterte Versuch einer gemeinsamen Empfehlung der KMK 1995 zur »Darstellung Deutschlands im Unterricht« gezeigt hat, die auf eine Anregung des ehemaligen niedersächsischen Kultusministers Rolf Wernstedt (SPD) zurückging.[7] Trotz der auf einen Konsens unter den Bundesländern hin »weichgespülten« Formulierungen der Vorlage war dieser am Ende nicht zu erzielen. Der damalige Kultusminister von Sachsen-Anhalt, Karl-Heinz Reck (SPD), vermisste den Blick auf das normale Leben der Bürger neben den Flüchtlingen, Opfern und Oppositionellen des Regimes in der DDR und wollte die Vorlage seinen Schülerinnen und Schülern nicht zumuten: »Auch ich habe in der DDR gelebt und ich finde mich in diesem Papier nicht wieder, und so wird es vielen Bürgerinnen und Bürgern aus der DDR gehen. In diesem Papier kommen die Menschen nicht vor, die bewusst ›hier geblieben‹ sind, die hier gelebt haben und die auch hier ein erfülltes Leben gelebt haben und die hier auch Glück gefunden haben unter den Bedingungen, die hier geherrscht haben.« Seine Amtskollegen in Sachsen und Thüringen empfahlen die Vorlage dagegen für den Geschichtsunterricht.[8]

Westdeutscher Geschichtsunterricht und Geschichtsbücher

In der Geschichte der Kultusministerkonferenz markieren lange vor der Wende die »Richtlinien für die Behandlung des Totalitarismus im Unterricht« von 1962 und die »Deutsche Frage im Unterricht« von 1978 seltene Dokumente einmütiger Beschlussfassung. Die tatsächliche Entwicklung in den Schulen kam schon damals diesen Vorgaben aufgrund der kontroversen gesellschaftlichen Diskussion nur partiell nach. Oft genug handelte es sich ohnehin um eine Geisterdebatte, da der bundesdeutsche Geschichtsunterricht selten bis in die Nachkriegszeit vordrang. Wenn dies doch zutraf, wurden west- und ostdeutsche Geschichte nach 1949 strikt getrennt, ohne Interesse an inneren Entwicklungen im SED-Staat, bis zu ihrer Verdrängung zum bloßen Anhang der eigentlichen Nationalgeschichte im Westen. Signifikant war die Konzentration zunächst auf die einschneidenden Tiefpunkte der DDR-Geschichte mit 1953 und 1961, dann auf die Anerkennung durch die westdeutsche Ostpolitik seit 1969, wobei die westdeutschen Debatten mehr als die Perspektive der SED-Führung interessierten. Während in den achtziger Jahren die diktatorischen Strukturen der DDR zunehmend weniger Beachtung fanden, wurde teilweise eine separate Identitätsentwicklung der Deutschen unterstellt und alltags- und mentalitätshistorisch zu belegen versucht.[9]

Als westdeutsche Geschichtsbücher mit diesen didaktischen Konzepten nach 1990 in der DDR eingeführt wurden, erkannten viele neue Leser ihren Staat nicht wieder – allerdings aus konträrer Erwartung heraus: Opfer und Regimekritiker fanden, dass die Autoren die statistische Schönfärberei der offiziellen Zahlen übernommen hatten. Sie vermissten die diktatorische Willkür der SED mit der Allgegenwart der Stasi, doch viele Durchschnittsbürger auch ihr »gutes Leben« in dieser Zeit und die nötige Differenzierung im tristen Bild des SED-Staates.[10] Schon die Bezeichnung »Diktatur« für ihren ehemaligen Staat missfiel, und paradoxerweise entstand die »DDR-Identität« bei vielen erst nach der Wiedervereinigung aus dem Gefühl der Zweitklassigkeit im neuen Staat heraus. Aus der Zeit kurz vor und nach der »Wende« 1989 hat der Schulbuchspezialist Wolfgang Jacobmeyer 13 Geschichtsbücher für die Hauptschule analysiert[11], die wegen der größeren didaktischen Elementarisierung und dem Zwang zum Weglassen in dieser Schulform einen »elementaren Blick auf das Selbstverständnis von Gesellschaften« erlauben, indem sie nur das mitteilen, was als unerlässliche Information gilt. Zunächst fällt auf, dass die Geschichte der DDR stets isoliert wiedergegeben, nicht gesamtdeutsch integriert wird. Zu ihrer Gliederung dient eine chronologische Blockbildung in die Phasen 1949 bis 1961 und 1961 bis 1989. Die vorangehende SBZ-Phase erhält ein deutliches Übergewicht im Textumfang, während die unterproportional vertretene Endphase nur auf den Zusammenbruch hin erzählt wird. Typische Inhaltsmerkmale wiederholen sich: Die Entnazifizierung findet meist nur im Westen statt, der UdSSR wird die Verschärfung des Kalten Krieges zugeschrieben, 1953 und 1961 ragen als Ereignisse heraus. Im Vorfeld von 1989 werden oft nur zusammenhanglose Fakten geboten, die Wiedervereinigung euphorisch gerühmt. Erst seit 1989 wird die »Stasi« zu einem wichtigen Thema, dann aber gesteigert bis zur Epochen-Überschrift vom »Stasi-Staat«. Jacobmeyer bewertet die Situation als nicht ausreichend, es fehle verständlicherweise noch ein tragfähiges Modell. Andeutungsweise sucht er es in einer verzahnten gesamtdeutschen Geschichte ohne epochale Zäsur 1961 und möchte außerdem die drei »Diktaturen des sowjetischen Kommunismus, des Nationalsozialismus und der DDR zu einem strukturgeschichtlichen Verbund umbauen«, um den Vergleich als Schlüsselmethode zu nutzen. »Staatliche Unterdrückung und Überwachung der Bürger ist ein Zentralproblem des 20. Jahrhunderts ...« Den massiven didaktischen Problemen dieses Vorschlags ausgerechnet nach einer Analyse von Hauptschulbüchern weicht Jacobmeyer allerdings vollständig aus.

Neue didaktische Schulbuchkonzepte seit 1990

Die ersten didaktischen Versuche und die nach der Wende neu konzipierten Schulbücher quälten sich mit dem Dilemma, einerseits den unerwarteten, rasanten Untergang der scheinbar etablierten DDR plausibel zu machen und zugleich die ganze Bandbreite der DDR-Gesellschaft in angemessenem Umfang neben der Bundesrepublik darzustellen, um jungen Menschen im

Osten einen Zugang zu »ihrer« Geschichte möglich zu machen. Besonders die Oberstufenwerke, die um 1995 erschienen, bieten zunehmend reichhaltigeres Material, aus dem eine Auswahl möglich und nötig ist. Zwar findet das Thema erst zögerlich Resonanz unter den Lehrkräften, man muss aber festhalten, dass zumindest im Zentralabitur einiger Bundesländer ausgewählte Aspekte der DDR-Geschichte immer wieder eingefordert wurden und somit im Unterricht kaum ausgelassen werden durften. Aus diametral entgegengesetzter politischer Sichtweise liegen detaillierte Schulbuchkritiken vor. Eine Autorengruppe der Konrad-Adenauer-Stiftung[12] hat an den Themen Partei und Herrschaft, Gesellschaft der DDR, Wirtschafts- und Sozialpolitik und Einigungsprozess die fachliche Richtigkeit, Verständlichkeit und Ausgewogenheit der Darstellungen überprüft, besonders aber die erwünschte Herausstellung des totalitären Charakters der SED-Diktatur und ihres völligen Scheiterns. Günter Buchstab[13] fasst die Analyse in zehn Empfehlungen zusammen, um das Totalitäre »analog zur nationalsozialistischen Diktatur« als durchgehendes Kennzeichen des Systems und seiner Ideologie einzufordern. Ihm sind »lebensweltliche Themen« und die breite Darstellung der Nischengesellschaft durchaus willkommen, doch soll dabei der »unsichtbare, lautlose Terror« nicht überdeckt werden. Unverdrossen vermisst dagegen der ehemalige Präsident der Akademie der Pädagogischen Wissenschaften der DDR, Gerhart Neuner[14], in den neuen Schulbüchern die so genannten Errungenschaften des Sozialismus oder findet sie wie die Frauenemanzipation diffamiert. Aus den Publikationen beider Tendenzen darf aber der Schluss gezogen werden, dass bisher zu wenig direkte Vergleichsangebote bestehen, sei es in der Tradition des älteren politikwissenschaftlichen Systemvergleichs, sei es zu den besonderen wirtschaftlichen Belastungen der DDR (Reparationen, Stahlproduktion etc.).

Ein Beispiel für ein inhaltlich reiches, aber konzeptionell stellenweise wenig einleuchtendes Oberstufenbuch ist das von Eberhard Wilms herausgegebene Arbeits- und Quellenheft »Deutschland seit 1945, besetzt – geteilt – entzweit – vereinigt«[15]. Hier faszinieren sehr gute Bildmaterialien, doch wirkt die Entgegensetzung der bewegten bundesdeutschen Politik- und Sozialgeschichte von 1963 bis 1982 zum statisch präsentierten Alltag in der DDR ohne chronologische Ordnung nicht plausibel. Ebenso wenig überzeugt der durch zeitliche Rückgriffe zusätzlich verwirrende Wechsel von Ereignischronologie und Strukturanalyse in der unmittelbaren Vorgeschichte der Wende. Die zahllosen Probleme des Westens werden ab 1982 unzulässig auf die Deutschlandfrage reduziert, so dass für viele seitdem aufgetretene Krisenphänomene den heutigen Jugendlichen der historische Hintergrund vorenthalten wird. Joachim Rohlfes entscheidet sich dagegen im

Werk »Historisch-Politische Weltkunde. Deutschland seit 1945«[16] für die klare Trennung zweier Geschichten in West und Ost mit einigen Querverweisen zur Teilungsgeschichte, die aber für die zahllosen Parallelen beider Staaten noch nicht befriedigen. Der Westen erhält deutlich mehr Platz. Im Prinzip genauso verfährt das aus Bayern stammende, aber auch im deutschen Osten und Norden verbreitete Oberstufenlehrbuch Buchners Kolleg Geschichte »Vom Zweiten Weltkrieg bis zur Gegenwart«.[17] Auf erheblich geringerem Raum, da umfassendere Lehrbücher zu größerer Konzentration der Inhalte gezwungen sind, hat der Erzählstrang der politischen Geschichte klare Priorität. Lebensgefühl, Alltag, Umwelt- und Bürgerrechtsfragen mit ihren typischen Vergleichschancen werden nur knapp gestreift. An der narrativen Trennung hält auch das intellektuell recht anspruchsvolle »Geschichtsbuch Oberstufe«[18] fest, für das die Geschichtsdidaktikerin Hilke Günther-Arndt das Deutschland-Kapitel verfasst und den Bereichen jenseits der Politik erheblich mehr Platz eröffnet hat.

Andere Wege werden in der Sekundarstufe I gegangen. Das von den Bundesländern Niedersachsen und Sachsen-Anhalt preisgekrönte Lehrbuch »Expedition Geschichte«[19], herausgegeben von zwei ehemaligen Geschichtsmethodikern der DDR, Florian Osburg und Dagmar Klose, verfährt mit getrennten, in der Länge gleichwertigen Darstellungen (BRD 1949 bis 1969 und 1969 bis 1989 sowie DDR 1949 bis 1961 und 1961 bis 1989), die von vergleichenden Kapiteln unterbrochen und ergänzt werden zu den Themen: Feindbilder in Ost und West, Umgang mit der NS-Vergangenheit, Freizeitgesellschaft und Urlaub, Frauen und Familien, Jugendkultur. In der Version für das Gymnasium[20] werden zusätzlich die Doppelstadt Berlin und die einander überraschend ähnliche deutsch-deutsche Kultur untersucht. Dabei erscheinen ständig anregende kontroverse Urteile, etwa das Lob des Radrennfahrers Ullrich auf die DDR-Sportförderung und die Doping-Geständnisse anderer. Das ausgesprochen bilderreiche Buch leidet jedoch unter der Vielfalt der Ansprüche, denen es auf knappstem Raum gerecht werden will, und begnügt sich häufig mit allzu kurzen, diskontinuierlichen und jungen Menschen eher unverständlichen »Informations- und Text-Häppchen«.

Unterrichtsmaterialien

Außer Lehrbüchern stehen inzwischen viele unterrichtsbezogene Materialiensammlungen zur Verfügung. Der Zeithistoriker Arnd Bauerkämper hat unter dem Titel »Gemeinsam getrennt. Deutschland 1945 bis 1990 in

Quellen« eine nützliche, chronologisch angelegte Sammlung vorgelegt, in der wichtige politische Dokumente sowie einige struktur- und mentalitätsgeschichtliche Erweiterungen mit der Möglichkeit zum Vergleich (Gründung, Jugend, Frauen, Reformhoffnungen 1968) zu finden sind. Die Texte sind in der Regel unterrichtstauglich und prägnant, die Herkunft der Bilder aber nicht immer ausreichend kommentiert. »Insgesamt waren die DDR und die Bundesrepublik in wechselseitiger Verflechtung und gegenseitiger Abgrenzung vielfach aufeinander bezogen (...) Die Teilung Deutschlands und der Generationenwechsel hatten aber eine Entfremdung in vielen gesellschaftlichen Bereichen herbeigeführt.«[21] Letztere Aussage lässt sich für die achtziger Jahre kaum nachvollziehen, da hier Materialien besonders vor der Wende für beide Staaten weitgehend fehlen und die innere Entwicklung der BRD fast nur auf die Umweltbewegung begrenzt bleibt. Sehr hilfreich stellt aber das Einstiegskapitel »Geteiltes Gedächtnis – gemeinsame Erinnerung« schülernahe Materialien zur gegenseitigen Wahrnehmung im geteilten Land zur Verfügung: zum Doppelleben in der DDR, zum überall präsenten Vergleich mit der anderen Seite und der wachsenden Abgrenzungstendenz der SED.

Den lehrbuchgestützten Unterricht erweitern unterrichtspraktische Zeitschriften wie »Praxis Geschichte«. Zur deutschen Teilungsgeschichte bieten bisher sechs Ausgaben, meist moderiert von aktiven Lehrern, nach eigenem Anspruch Ergänzungen zum üblichen Lehrbuchmaterial mit Schwerpunkten auf der Wirtschafts- und Sozial-, Alltags- und Kulturgeschichte, die aber nicht auf geschlossenen Konzepten für die gesamte Epoche basieren. Die Ausgabe »Nachkriegsjahre« widmet sich der gemeinsamen Phase von 1945 bis 1949. Während »Die Langen Fünfziger« und »1968« vorherrschend der BRD, dagegen »Arbeiten, lernen, siegen: Die Ära Ulbricht« der DDR gewidmet sind, wird der direkte Vergleich von West und Ost zum durchgehenden didaktischen Konzept für die achtziger Jahre »BR-D-DR«. Als Leitfrage steht darüber die Frage nach den Ursachen des Zusammenbruchs der DDR. Die Beiträge befassen sich z. B. mit dem Konsum, der Jugend, den Frauen, gesellschaftlichen Bewegungen, der Literatur. Das neueste Heft »Leben im geteilten Deutschland« hat explizit den Vergleich der Lebenswelten in Ost und West zum Thema.[22] Ein Manko bleibt der bisher fehlende Mittelteil zu den siebziger Jahren. Aus den vielen zur Verfügung gestellten Bausteinen müsste ein Gesamtkonzept erst noch erstellt werden.[23] Doch Ansätze liegen vor: »Zur Erklärung des lange nicht vorhergesehenen epochalen Umsturzes von 1989 greift daher ein rein politikgeschichtlicher Ansatz zu kurz, denn die Haltungen und Erwartungen der Bevölkerung wirkten stark auf das Handeln der politischen Spitzen ein. Alltags- und sozialgeschichtliche Wege müssen gesucht werden (...) Für die Schülerinnen und Schüler sind diese Themen attraktiver als die oft langwierigen, kleinschrittigen Verhandlungen der Diplomaten (...) Übergreifende Perspektiven der Behandlung sollten immer gegenwartsbezogen sein: Was hat Ost- und Westdeutschland bis heute zusammengehalten? In welchem Maße konnten die unterschiedlichen Entwicklungen die beiden Gesellschaften nachhaltig prägen?«[24]

Projektansätze, Schülerwettbewerb, oral history

Nicht nur inhaltlich sondern auch methodisch alternativ zu leitfadenartigen und stärker kognitiv orientierten Epochendarstellungen in Schulbüchern verstehen sich projektbezogene Ansätze mit handlungsorientierter historischer Schülerarbeit. Mehrere Aufsätze in »Geschichtsbewusstsein und Geschichtsvermittlung in den neuen Bundesländern«[25] stellen lokale Projekte und Ausstellungen am Beispiel des Programms »Orte deutscher Geschichte in den neuen Bundesländern« vor, in denen Jugendliche und Schüler mitgearbeitet haben: z. B. Ausgrabungen zu Halberstadt im Mittelalter, 700 Jahre Geschichte des Stadtteils Rostock-Toitenwinkel, Industriegeschichte von Eisenhüttenstadt, Gedenkstätten zum Schmalkaldischen Bund. Der Bezug zur Teilungsgeschichte liegt in der Vernachlässigung der den Projektorten innewohnenden gesamtdeutschen Perspektiven in der DDR-Zeit, die nach der Wende wieder zu entdecken waren. Neue Wege der Geschichtsvermittlung zur Stärkung des Geschichtsbewusstseins an diesen Orten sollten die innere Einheit fördern und über aktives Bürgerengagement die historische Arbeit tragen. Vielerorts hatten sich demokratische Initiativen zur Geschichtsforschung gebildet und wollten einseitigen Deutungen der Vergangenheit entgegentreten. Viele neue Beziehungen und Kontakte unter Deutschen wurden so ausgelöst und letztlich auch das Interesse an der DDR-Geschichte neu entfacht. Die Bilanz für die erhoffte identitätsstiftende Wirkung dieses »Bildungsprojektes« im »bürgerschaftlichen Engagement« klingt optimistisch: »So erarbeiteten die Projektgruppen Ort für Ort Wege aus der Vergangenheit in die Zukunft und gestalteten so Gegenwart mit.«[26] Freilich wurden auch die Grenzen dauerhaften Engagements gerade von Lehrern und Schülern in solchen aufwändigen Projekten deutlich, die nicht mit den zeitlichen Möglichkeiten der Schule als Institution korrespondieren: »Wer Schülern die Entscheidung abverlangt, mit der Klasse nach Spanien zu reisen oder auf dem Alten Berliner Garnisonfriedhof Geschichtsarbeit zu leisten, muss über die Spanienreise nicht verwundert sein.«[27] Interesse an

Geschichte ist nicht naturgegeben, die Motivation gerade in freiwilligen Lernsituationen muss immer wieder neu errungen werden. Doch fand die abschließende, von der Robert-Bosch-Stiftung unterstützte Wanderausstellung »geteilt – vereint – gefunden« mit 50 000 Besuchern beachtliche Resonanz und wirkte anregend auf weitere Projekte.

Ebenso finden sich unter den Beiträgen zum »Schülerwettbewerb Deutsche Geschichte um den Preis des Bundespräsidenten« zahlreiche Arbeiten zur deutschen Geschichte nach 1945, die eine erstaunliche Kreativität in der projektartigen Recherche und methodischen Handhabung der Zeitzeugenbefragung (oral history) belegen. Die Teilnahme in den neuen Bundesländern ist allerdings nicht gleichmäßig gut, auch wenn viele gelungene Einzelfälle vorzuweisen sind. Möglicherweise liegt das an der Scheu vieler Lehrkräfte vor dem ungewohnten zusätzlichen Betreuungsaufwand, die auch in den alten Bundesländern anzutreffen ist. In der Bilanz lassen sich aus der bunten Fülle von Einzelarbeiten kaum generalisierende Leitlinien für den schulischen Unterricht gewinnen. Auf tiefere Verstehenshindernisse hat die langjährige Jurorin und Beiratsmitglied des Wettbewerbs, Dorothee Wierling, in ihrer Analyse der Generationenabfolge während der DDR hingewiesen. Sie betont die Schwierigkeiten einer Integration der eigenen historischen und biografischen Erfahrung in die neue, noch gar nicht abgeschlossene Deutung der gesamtdeutschen Geschichte. »Was deutsche Generationenfolgen an Kompromissen und Kompromittierung aufzuweisen haben, welche Ängste und Schwächen, wieviel Verrat und Vertrauen, Momente des Eingreifens und des Rückzugs, das lässt sich alles auf keine einheitliche Formel bringen. Es fehlen die Orte (im wörtlichen und übertragenen Sinn), an denen das Widersprüchliche, Offene, Beschämende und Beglückende an der eigenen Geschichte vermittelt und auch von denen gehört werden kann, die sich professionell mit Geschichte befassen.«[28] Somit bleiben die Ergebnisse von oral history häufig in Sprachlosigkeit oder Unverständnis zwischen Generationen oder Gesprächsteilnehmern stecken. Dies könnte die Scheu von Eltern vor allzu eifriger Aufklärung über DDR-Geschichte erklären. Dieselbe Autorin weist außerdem auf die »Erinnerungskämpfe« zwischen »DDR-identifizierten« Zeitzeugen und anderen, die im Zorn, gekränkt oder erleichtert auf die untergegangene DDR zurückblicken, hin. »Zeitzeugen sind störrisch und rechthaberisch …« und werden »unter Umständen auch zu Feinden, nicht nur der Historiker, sondern auch gegenüber konkurrierenden Zeitzeugen.«[29] Somit bleibt für die Autorin als Lernergebnis, dass die DDR sich letztlich einer eindeutigen Erfahrung und Erzählung entzieht. Insgesamt steht der Attraktivität schulischer Zeitzeugenarbeit einiges an Bedenken und Schwierigkeiten entgegen.

Geschichtsdidaktische Reflexion

In der geschichtsdidaktischen Reflexion[30] hat zuerst Karl Ernst Jeismann 1993[31] den weiterführenden Vorschlag der Unterscheidung von Separations- und Integrationsmodell für eine künftige deutsche Nationalgeschichte gemacht. Nachdrücklich verwirft er zunächst ein »Missionierungsmodell«, nach dem analog zum Anschlussverfahren der DDR an die Bundesrepublik die westliche Sicht einfach dem Osten auferlegt würde. Ein solches Vorgehen wirke auf die Beteiligten wie ein »Okkupationsmodell«, das vor allem die DDR-Geschichte »von innen« auszublenden drohe. Die Separation ziele auf ein »Modell der eigenen Wege«, dem gemäß die Schulbücher des Ostens eigene »landesgeschichtliche« bzw. ostdeutsche Kapitel mit eigener Perspektive auf die DDR-Zeit enthalten könnten. Für die Schüler sei es wichtig, die Geschichte ihrer Eltern kennenzulernen mitsamt den Ziel- und Wunschvorstellungen der Propaganda, den realen Machtstrukturen und vor allem der eigentümlichen politischen und sozialen »Kultur«, »jene Verflochtenheit von Unterstützung, Anpassung und Widerstand, von Schuld, Selbstschutz und Verweigerung«. So könnte statt Vergangenheitsverlust wirkliche Vergangenheitsbewältigung geschehen. Der Westen dürfte für sich eine weitgehend anders geartete Parallelgeschichte, jetzt aber mit geschärften Vergleichsmöglichkeiten entdecken. Ein weiterer Vorteil sei der allerdings schwierig umzusetzende Zwang zur integrativen Geschichtsdarstellung, die alle sachlichen Bereiche untereinander verknüpfen müsse, um konkrete Menschen in verschiedenen Systemen verstehen zu lehren. Auch die Lehrer in Ost und West sollten lernen, sich intensiv mit ihrer jeweiligen Geschichte auseinanderzusetzen und nicht etwa einfach ein Tribunal über das Vergangene abzuhalten. Das wechselseitige Staunen über fremde Denk- und Verhaltensweisen könne zur Motivation historischen Lernens beitragen und die Teilung in kommunikativer Absicht weiter nutzen.

Für eine noch angemessenere Form hält Jeismann jedoch das »Integrationsmodell«: »nicht getrennte Beschreibung«, sondern eine »vergleichende oder kontrastierende Darstellung« müsse versucht werden. Um eine »Vermittlung des Kontrastes und des Zusammenhanges zweier Entwicklungsprozesse von der Teilung bis zur Vereinigung« gehe es dabei. »Der gesamte Verlauf gewinnt eine Richtung und wird damit ›erzählbar‹. Die jeweilige Binnensicht bliebe erhalten, stünde aber nicht isoliert. Die Geschichte des jeweils anderen Staates … erschiene als Teil der eigenen deutschen Geschichte.« Inhaltlich fordert Jeismann mehrere Ebenen ein: die Ereignisgeschichte – die Strukturgeschichte der sozialökonomischen Verhältnisse – die zunehmende Entfremdung der politischen Mentalitäten – die Entwicklung des Herrschaftssystems – der außenpolitische Zusammenhang in den globalen Systemen – stets zu veranschaulichen an konkreten Lebensverhältnissen der Menschen. Gegenüber dem Systemvergleich vor der Wende werde diese »Spaltungsgeschichte einer Nation« nicht wertfrei, sondern mit starker, möglicherweise unterschiedlicher Wertung erzählt und deshalb ergebnisoffen zu diskutieren sein. Die Normen sollten nicht nach dem schlichten »Missionierungsmodell« aus dem Westen übernommen werden, sondern universal begründet sein, so dass sie auch einer Kritik, die sich jetzt neu im Rückblick an der westlichen Entwicklung entzünden könnte, ein Fundament bieten. Jeismann möchte auf diesem Wege die Nation auf den »Weg zu sich selbst« schicken.

Auf einer Tagung »Aufgaben und Schwierigkeiten des Geschichtsunterrichts im wiedervereinigten Deutschland« (18./19. 11. 1994) wurden diese Gedanken weiter entwickelt. Auf hoher Abstraktionsebene äußert sich die Berliner Fachseminarleiterin Brigitte Dehne[32] zur Bedeutung des Erinnerns, wenn Menschen aus verschiedenen Systemen aufeinandertreffen. Sie sieht neue Möglichkeiten des Zugangs zur Geschichte (der eigenen, des anderen Teilstaats, zur vorangegangenen gemeinsamen Geschichte) sowie der Verhinderung von Vergessen und schmerzhaftem Verlust, befürchtet aber auch starke Widerstände gegen das Erinnern durch Verschiebung, Verbiegung oder Verfälschung des Vergangenen u.a.m. Am nostalgisch-provozierenden Umgang ihrer (Ost-Berliner) Seminaristen mit typischem DDR-Liedgut in ihrer Anwesenheit entdeckt und analysiert sie ihre eigenen gemischten Gefühle dazu. Ihre »unterrichtspraktischen Leitlinien« schlagen u. a. vor: Die deutsch-deutsche Vergangenheit muss vor den Schülern ausge»breitet« werden, um sie intensiv erkunden zu können. Sie sollen Menschen begegnen, die sich ausführlich äußern können und deren Lebensumfeld konkret und detailliert dargestellt wird. Über den Dialog sollen die Schülerinnen und Schüler zur Selbstreflexion kommen, eigene Fragen ohne die Führung der Lehrkraft entwickeln und ihre Gefühle zum historischen Thema für den Unterricht wesentlich einbringen. Diese Leitlinien opponieren deutlich dem vorherrschenden Unterrichtsstil, der zu Gunsten von Stoffbewältigung zu wenig Raum zur eigenen Auseinandersetzung und für aufkommende Emotionen bietet.

Ganz in diesem Sinne und mit Bezug auf Jeismann, wenn auch mit deutlicher Reserve gegenüber dessen Hochschätzung der Nation, plädierte der Berliner Didaktiker Peter Schulz-Hageleit[33] auf einer folgenden Tagung »Von der zerteilten Geschichte zur differenzierten Gemeinsamkeit«. So schlägt er Vergleiche vor zur gemeinsamen Protestgeschichte: Der 17. Juni 1953 neben dem 2. Juni 1967 (Benno Ohnesorgs Tod); ebenso zur Aufarbeitung der NS-Vergangenheit: »bundesrepublikanische Halbherzigkeit« gegen »antifaschistische Selbstgerechtigkeit«. Schulz-Hageleit unterstreicht die Bedeutung, sich aus alter »Systemverklammerung« in den Fragestellungen und Bewertungen zu lösen, und fordert die Selbstreflexion der Lehrenden über die Implikation der eigenen Lebensgeschichte. Ein Beispiel liefert er für sich selbst: Da ihm als von »1968« geprägten Intellektuellen die kollektive Landwirtschaft der DDR sympathisch gewesen sei, möchte er das Für und Wider der Zwangskollektivierung zum Lernziel machen und zur kritischen Reflexion allgemein über Zwang in der Wirtschaft bis in die Gegenwart nutzen (Rückkehr des Kapitalismus in die DDR 1990). Letztlich soll ein »Weg in die bessere Zukunft« deutlich werden. Am Unterricht, den er in Berliner Praktikumsstunden wahrnimmt, kritisiert er wie Dehne die fehlende Bereitschaft zur langwierigen Auseinandersetzung und konsequenten Schülerorientierung. Praktische Vorschläge dazu machen Marion Klewitz[34] und Dehne selbst[35]: Klewitz schlägt einen dreifachen Zugang zum Vergleich von zwei Berliner Wohnarealen vor: historische Erarbeitung mit Quellen und Materialien, Oral-History-Zeugen (hier die Lehrkraft selbst!) und die Nutzung lebensweltlicher Bezüge der Schüler zum Thema. Dehne geht es um die Arbeit mit Zeitzeugen zur deutsch-deutschen Geschichte im Rahmen einer Berliner Stadterkundung zum Leben der Menschen. Die Schüler sieht sie quasi in der Rolle von Kindern geschiedener Eltern und ermittelt die komplizierten Beziehungsgeflechte der Generationen und Orientierungen während des Projekts. Diesen Konzepten, die eng mit der speziellen Berliner Situation zusammenhängen, ist die starke Subjektorientierung in Richtung der Schüler, aber auch der Lehrenden, die Wertschätzung des Biografischen und persönlichkeitsstiftender emotionaler Vorgänge im Unterricht eigentümlich.

Dieser Spur folgt Henry Sapparth[36] in seiner Dissertation, in der er nach einer verschränkten Analyse des eigenen Lebensweges, der Unterrichtssituation und der geschichtsdidaktischen Theorie für eine »differenzierende Grundhaltung« im Geschichtsunterricht plädiert, gerade um ehemaligen DDR-Bürgern die produktive Aufarbeitung ihrer Erfahrungen im Unterricht möglich zu machen. Das an sich wenig originelle Postulat nach Differenzierung soll vor allem einer pauschalen Verurteilung aller DDR-Bürger als tumben Mitläufern in einer totalitären Diktatur und ihrem Gefühl entgegenwirken, ihre Erfahrungen seien ganz andere als die in Schulmaterialien enthaltenen. So werde ihre Weiterentwicklung blockiert. Ob dieses spezielle Interesse einer »Ehrenrettung« über den autobiografischen Zirkel hinaus für ein künftiges didaktisches Konzept tragfähig ist, wird aber auch in den beigefügten Didaktischen Bausteinen nicht deutlich. Wie Sapparth selbst einräumt, sprengt sein Konzept den Rahmen der Normalschule: Die gut kommentierten Materialien zur Jugendgeschichte in der DDR zeigen eine Nuancierung der Aspekte in einer ungebändigten Fülle und erfordern die Bereitschaft der Lernenden und Lehrenden, sich auf DDR-Biografien in einem Maße einzulassen, wie es vermutlich bisher selten der Fall war. Ob eine Aufarbeitung der subjektiv erlebten DDR-Vergangenheit im kommenden Jahrzehnt noch die eingeforderte zentrale Rolle spielen wird, ist sehr fraglich. Bedenkenswert ist ferner Sapparths Hinweis, dass sich nicht die prätentiösen Geschichtsdidaktiker, sondern primär die Fachhistoriker der Sozial- und Alltagsgeschichte mit Geschichtsbewusstsein und -kultur der DDR beschäftigen. Für den bisherigen Theoriediskurs stellt er sogar ein auffälliges Schweigen bzw. Verstummen der östlichen Geschichtslehrer fest, obwohl sie erheblichen Bedarf an Selbstaufklärung hätten.

Innerhalb der geschichtsdidaktischen Positionen vertritt diese »Berliner« Richtung ein eigenes Profil, das zwar für innerdeutsche Klärungsprozesse in der Vereinigungskrise wie geschaffen scheint, andererseits leicht zur psychohygienischen Überforderung der Beteiligten zu führen droht. Zweifel bleiben, ob die schulischen Bedingungen für die Enthüllung intimer Persönlichkeitsschichten günstig wirken und die Beteiligten – Lehrkräfte wie Schüler – dazu bereit sind. Die inzwischen von der Berliner Bildungspolitik durchgesetzte Richtung hin zu zentralen Standards für den Geschichtsunterricht weist zur Zeit ohnehin einen anderen Weg.

Zu den Ausnahmen unter den DDR-Geschichtsmethodikern, die mit neuen Beiträgen in die Debatte eingegriffen haben, gehört Wendelin Szalai (ehemals Dresden), der mehrfach auf die nötige Beteiligung ostdeutscher Fachleute an neuen didaktischen Konzepten für den Unterricht hingewiesen hat, um das Feingefühl für ihre Akzeptanz bei den ostdeutschen Schülern einzubringen. Der schemenreiche Aufsatz zur Identitätsbildung gibt dazu allerdings nur wenig inhaltliche Konkretion, sondern eher Grundsätzliches und Allgemeines wieder.[37]

Zwischenbilanz

Joachim Rohlfes hat eine Zwischenbilanz[38] gezogen, auf deren Basis weiterzuarbeiten ist. Bei der Sichtung der historischen Literatur ermittelt er weiterführende Kernprobleme, die auch in einer schulischen Vermittlung offen gelegt werden sollten: vor allem die »Frage nach dem eigentlichen Charakter der DDR« (totalitäre oder »kommode Diktatur«?), aber auch nach dem Verhältnis von Systemkonformität und »Nischen« in der »durchherrschten Gesellschaft« (Kocka). Aus der getrennten Geschichte beider deutscher Staaten haben ihre Bewohner eine gegensätzliche mentale »Mitgift« erhalten. Doch mit Bezug auf Christoph Kleßmann urteilt Rohlfes: »Verflechtung und Abgrenzung machen die ›geteilte und zusammengehörige deutsche Nachkriegsgeschichte‹ aus. Selbst die feindseligste Konfrontation in den Tagen des Kalten Kriegs stellte eine Beziehung her, und das eigene Selbstverständnis speiste sich immer auch aus dem Kontrastbild des anderen Deutschland. Allerdings war dieses Verhältnis überwiegend asymmetrisch.« In vielen Bereichen hatten die Westdeutschen die Nase vorn, umso mehr genossen die DDR-Bürger Ausnahmen von dieser Regel, z. B. im Sport.

Aus der Analyse gängiger Schulbücher in der Sekundarstufe I und II resümiert und bewertet Rohlfes folgende aktuelle Trends zur Darstellung der deutschen Geschichte nach 1945:

- Die nationale Geschichte wird richtigerweise mit dem globalen Ost-West-Konflikt verknüpft, entweder in gänzlich getrennter oder in integrierter Darstellungsform, indem passende Abschnitte eingefügt werden.
- Die Geschichte der BRD erhält zu Recht mehr Raum, da sie »facettenreicher, bewegter« ist.
- Gleich häufig werden West- und Ostgeschichte strikt getrennt oder verschränkt dargestellt, Letzteres entweder im bloß äußerlichen Wechsel der Schauplätze oder mit Parallelisierung der behandelten Bereiche und Aspekte. Dies führt zwar zu Schwierigkeiten in der strikten Chronologie, erscheint aber unter der vergleichenden gesamtdeutschen Perspektive als besser.
- Westdeutsche Autoren neigen dazu, die ostdeutsche Sichtweise zu vernachlässigen.
- Die Weichenstellung der Phase 1945 bis 1949, die fünfziger und siebziger Jahre werden intensiver behandelt als die vernachlässigten sechziger und achtziger Jahre.
- Die Darstellung der DDR weist zu häufig einen statischen Charakter auf, als ob sich nichts in 40 Jahren geändert hätte.
- In der Alltags-, Erfahrungs- und Frauengeschichte kommt die Sicht von »innen« zum Tragen, auch für die DDR, doch fehlt häufig in der Wahl der Beispiele ein strukturierter, repräsentativer Anspruch, der Beliebigkeit vermeidet.
- Es gibt einen Kanon der Standardthemen: für den Westen die »freiheitlich-demokratische Grundordnung«, die Westintegration, die Soziale Marktwirtschaft, 1968, die Sozial-liberale Koalition; für die DDR

das SED-Herrschaftssystem, der »Aufbau des Sozialismus«, der 17. Juni 1953 und Mauerbau 1961, Honeckers »real existierender Sozialismus« und die »ostdeutsche Revolution« 1989; für beide die »doppelte Staatsgründung« 1949, der Kalte Krieg, die Ost- und Deutschlandpolitik der siebziger Jahre, die Vereinigung 1990. Es fehlen aber umfassende Bilanzierungen und Würdigungen.
- In der Wahl zwischen Verlaufs- (drohende fehlende Systematik) und Strukturgeschichte (drohender Verzicht auf Wandel) ist ein »doppelter Zugang« zu empfehlen: erst ein verlaufsgeschichtlicher Überblick, dann eine nach Lebens- und Politikbereichen geordnete Erarbeitung der »Strukturen«: Vorgeschlagen werden die Verfassungsprinzipien, die Herrschaftsmechanismen, die Wirtschaftsordnungen, die gesellschaftlichen Verhältnisse, die mentalen Befindlichkeiten.
- Zunehmend wichtig wird ein Blick auf die Probleme der inneren Einheit nach 1990.

Zur Anregung weiterer Korrekturen hat Rohlfes Desiderate festgestellt, die nach wie vor auf eine Bewältigung warten:
- Entwicklungen und Zustände in beiden Staaten sollten immer wieder verglichen werden.
- Beide Staaten müssen als Nachfolger des »Dritten Reiches« dargestellt werden. Wie gingen sie mit der Erblast um?
- Welche Etappen und Wandlungen erlebte der DDR-Sozialismus?
- Wie wurde der Widerspruch zwischen sozialistischer Vision und DDR-Alltag von den Menschen bewältigt?
- Welche Gründe hatte der Untergang der DDR? Hatte sie je eine Chance zu bestehen?
- Welche positiven Errungenschaften wies die DDR auf?
- Welchen Charakter wies der Staat DDR insgesamt auf, welcher Begriff passt zu ihr?
- Welchen Charakter wiesen die Herbstereignisse 1989 auf: Von welcher Art war diese Revolution? Wem ist der Umschwung zu verdanken?
- Wie ist mit der folgenden »Vereinigungskrise« umzugehen?

Zur »alten« BRD stellt Rohlfes lediglich Fragen nach ihrem demokratischen und wertmäßigen »Profil«, eng verbunden mit den aktuellen Zukunftsproblemen des neuen Gesamtstaates. Wie liberal war diese Gesellschaft, welchen Stellenwert hatten in ihr Arbeit, Freizeit, Wohlstand und Kultur? Wie geht es weiter mit dem Sozialstaat, mit der Frauenemanzipation, mit der Einwanderung usf.? Wie soll sich die künftige Außenpolitik orientieren? Rohlfes räumt ein, dass viele dieser Fragen im Schulmaterial bereits gestellt, doch noch nicht scharf genug herausgestellt werden.

Die spürbare Verengung der historischen Fragen auf die DDR wirkt so, als ob für die Geschichte des Westens durch eine vergleichende Perspektive wenig Neues zu gewinnen ist. Demgegenüber ist aber daran festzuhalten, dass die Verfassungs- und politischen Strukturen der BRD, die unmittelbar nach der Wende kaum umstritten waren, in letzter Zeit heftig auf ihre Tragfähigkeit hin in Zweifel gezogen wurden, ebenso z.B. das Bildungssystem. Der »Reformstau« und die ihn stützende Mentalität könnten ihre Wurzeln in der Geschichte der zunehmend saturierten und siegreichen BRD haben. Insofern stellen sich genug neue Perspektiven für eine historische Selbstvergewisserung auch der westlichen Seite.

Auf die eingangs gestellte Frage nach der Stellung der DDR in den künftigen deutschen Geschichtsbüchern sollte eine möglichst vieldimensionale, kontrastiv vergleichende Darstellung die Antwort sein, in der für die DDR-Geschichte nicht nur als einer regionalen Besonderheit der ostdeutschen Bundesländer Raum bleibt. Freilich ist damit das Problem nach einem realistischen Zeitansatz noch nicht berührt. Die geschichtsdidaktische Diskussion über die Auswahl der zu vergleichenden Dimensionen und über ihre Verzahnung mit der 40-jährigen Verlaufsgeschichte ist weiter zu führen.

Anmerkungen

1 Heidi Behrens/Andreas Wagner, »Erinnerungsorte der SBZ- und DDR-Geschichte«. Ein Erkundungsprojekt mit Multiplikatoren, in: Heidi Behrens/Andreas Wagner (Hrsg.), Deutsche Teilung, Repression und Alltagsleben, Erinnerungsorte der DDR-Geschichte, Konzepte und Angebote zum historisch-politischen Lernen, Leipzig 2004, S. 125 ff. und Einleitung, S. 15.

2 »Pauken beim Politoffizier«, in: Der Spiegel, 34 (20. 8. 2001), S. 44–46 (Autor Norbert F. Pötzl); die Kritik an den Ergebnissen aller Schulformen häufte sich 2001/02 in verschiedenen Medien. Ein Bericht des Regionalfernsehens NDR III führte Schüler besonders aus der Hauptschule mit weitgehender Unkenntnis der Geschichte des 20. Jahrhunderts vor. Strittig blieb zwar die repräsentative Aussagekraft des Gezeigten, deutlich war aber das Vollzugsdefizit des Unterrichts gegenüber den Rahmenplänen. Vgl. auch Martin Klähn/Uta Rüchel, »Die DDR im Schulunterricht« Erfahrungen mit dem Projekt des Landesbeauftragten für die Stasi-Unterlagen in Mecklenburg-Vorpommern, in: Behrens/Wagner (Anm. 1), S. 157 ff.

3 http://www.kultus-mv.de/presse; Pressearchiv 040-02 vom 6.3.2002.

4 Ulrich Arnswald, Zum Stellenwert des Themas DDR-Geschichte in den Lehrplänen der deutschen Bundesländer. Eine Expertise im Auftrag der Stiftung zur Aufarbeitung der SED-Diktatur, Berlin 2004, S. 5; ders., Zum Stellenwert der DDR-Geschichte in schulischen Lehrplänen, in: Aus Politik und Zeitgeschichte, B 41–42/2004, S. 28–35.

5 Belege für Mecklenburg-Vorpommern bei Alexa Hennings, Es war doch nicht alles schlecht, in: Das Magazin, 9/99, S. 24–29, und Spiegel-Artikel (Anm. 2).

6 Annette Leo, Nicht vereinigt. Studien zum Geschichtsbewusstsein Ost- und Westdeutscher, in: Behrens/Wagner (Anm. 1), S. 67.

7 Rolf Wernstedt, Vermittlungsprobleme der doppelten Geschichte in Schule und politischer Bildung, in: Christoph Kleßmann u. a. (Hrsg.), Deutsche Vergangenheiten - eine gemeinsame Herausforderung: der schwierige Umgang mit der doppelten Nachkriegsgeschichte, Berlin 1999, S. 303ff.

8 Deutschland ist nie nur Deutschland. Dokumentation einer Fachtagung (Wittenberg 25./26. 9. 1996), hrsg. v. Niedersächsischen Kultusministerium, Hannover 1998, S. 11.

9 Wolfgang Marienfeld/Manfred Overesch, Deutschlandbild und Deutsche Frage in den Geschichtsbüchern der Bundesrepublik Deutschland und den Richtlinien der Länder, in: Wolfgang Jacobmeyer, Deutschlandbild und Deutsche Frage in den historischen, geographischen und sozialwissenschaftlichen Unterrichtswerken der Bundesrepublik Deutschland und der Deutschen Demokratischen Republik von 1949 bis in die achtziger Jahre, Braunschweig 1986, S. 1–118.

10 Eine Schülerin aus Mecklenburg-Vorpommern über ihr Lehrbuch: » Die BRD wird immer so dargestellt: Ja, der Adenauer, der war toll. Aber Ulbricht, der hat ja gar nichts gekonnt, das war nur 'ne Marionette und Honecker auch. Das Leben wird schlecht dargestellt. Das ist mir sogar aufgefallen, obwohl ich nur acht Jahre in der DDR gelebt habe.« In: Hennings (Anm. 5), S. 26.

11 Wolfgang Jacobmeyer, DDR-Geschichte im Hauptschulbuch der Bundesrepublik, in: Arnd Bauerkämper/Martin Sabrow/Bernd Stöwer (Hrsg.), Doppelte Zeitgeschichte. Deutsch-deutsche Beziehungen 1945 bis 1990, Bonn 1998, S. 168–178.

12 Günter Buchstab (Hrsg.), Geschichte der DDR und deutsche Einheit. Analyse von Lehrplänen und Unterrichtswerken für Geschichte und Sozialkunde, Schwalbach/Ts. 1999.

13 Günter Buchstab, Die Wahrnehmung der DDR und der deutschen Einheit in aktuellen Unterrichtswerken, in: Buchstab (Anm. 12), S. 240–246.

14 Gerhart Neuner, Eine ›Fußnote der Geschichte‹? Das DDR-Bild in heutigen Schulbüchern, in: Utopie kreativ, Heft 108 (Oktober 1999), S. 31–40; ders., Objektivität in Geschichtslehrbüchern? DDR-Geschichte in Lehrwerken der neuen Generation, in: Utopie kreativ, Sonderheft 2000, S. 67–79.

15 Deutschland seit 1945, besetzt – geteilt – entzweit – vereinigt, Themen und Probleme der Geschichte, Arbeits- und Quellenhefte für die Kollegstufe, Cornelsen Verlag, Berlin 1995. Das didaktische Konzept ist einem Schema auf einer halben Seite zu entnehmen.

16 Deutschland seit 1945. Historisch-Politische Weltkunde, Kursmaterialien Geschichte Sekundarstufe II/Kollegstufe, Ernst Klett Verlag, Leipzig u. a. 1995.

17 Buchners Kolleg Geschichte, Ausgabe B, Vom Zweiten Weltkrieg bis zur Gegenwart, v. Jürgen Weber und Bernhard Pfändtner, Buchner Verlag, Bamberg 1995.

18 Geschichtsbuch Oberstufe, Bd. 2, Das 20. Jahrhundert, Cornelsen Verlag, Berlin 1995.

19 Expedition Geschichte 3. Von der Zeit des Imperialismus bis zur Gegenwart, Verlag Moritz Diesterweg, Frankfurt/Main 1999.

20 Expedition Geschichte G 4. Von der Nachkriegszeit bis zur Gegenwart, Verlag Moritz Diesterweg, Frankfurt/Main 2003.

21 Quellenhefte des Wochenschau-Verlages, Frankfurt/Main 1998; zit. n. erw. Neuausgabe Wochenschau Pocket, Schwalbach/Ts. 2004, S. 7 und 9.

22 Praxis Geschichte, Westermann Verlag Braunschweig: »Die Langen Fünfziger« (Elmar Wagener, 6/1996), »Arbeiten, lernen, siegen: Die Ära Ulbricht« (Ulrich Bongertmann/Wolfgang Hammer, 5/1997), »BR-D-DR« (Ulrich Bongertmann/Wolfgang Hammer, 3/2000), »1968« (Ute Kätzel, 6/2001), »Nachkriegsjahre« (Uwe Sieg, 4/2002), »Leben im geteilten Deutschland« (Ulrich Bongertmann/Wolfgang Hammer, 4/2005).

23 Ähnliche einzelne Bausteine sind in anderen unterrichtspraktischen Zeitschriften zu finden: Geschichte lernen, Friedrich-Verlag Seelze; Geschichte betrifft uns, Bergmoser + Höller Verlag Aachen. Siehe dazu das Literaturverzeichnis in Teil III.

24 Ulrich Bongertmann, Die Deutschen in den achziger Jahren, in: Praxis Geschichte, 13 (2000) 3, BR-D-DR: achtziger Jahre, S. 4f.

25 Geschichtsbewusstsein und Geschichtsvermittlung in den neuen Bundesländern, Zeit-Fragen, hrsg. v. der Robert-Bosch-Stiftung und Stiftung Haus der Geschichte der Bundesrepublik Deutschland, Bonn 2002, u. a.: Christoph Walter, Beschäftigung mit Geschichte im deutschen Einigungsprozess am Beispiel des Programms »Orte deutscher Geschichte«, S. 85–96.

26 Jürgen Jankofsky, Aus der Projektarbeit, in: Geschichtsbewusstsein (Anm. 25), S. 115.

27 Hans-Rüdiger Merten, Geschichtsvermittlung durch Projektarbeit, in: Geschichtsbewusstsein (Anm. 25), S. 109.

28 Dorothee Wierling, Geschichtsvermittlung und deutsche Einheit, in: Geschichtsbewusstsein (Anm. 25), S. 64.

29 Dorothee Wierling, Lebensgeschichtliche Erinnerungen ehemaliger DDR-BürgerInnen als Bestandteil von Bildungsarbeit, in: Behrens/Wagner (Anm. 1), S. 117.

30 Nach der Wende beschäftigten sich mehrere Konferenzen der Geschichtsdidaktiker bzw. -methodiker von Hochschulen aus ganz Deutschland mit dem Stand ihres Faches in der neuen Situation, noch ohne sich bereits dem dringend gesuchten didaktischen Konzept der Teilungsgeschichte zuzuwenden: Hans Süssmuth (red.), Geschichtsunterricht im vereinten Deutschland. Auf Suche nach Neuorientierung (Teil I). Erweiterte Dokumentation der Tagung Geschichtsunterricht in Deutschland, 22. bis 25. Oktober 1990, Bonn–Düsseldorf, Baden-Baden 1991; Uwe Uffelmann u. a. (Hrsg.), Identitätsbildung und Geschichtsbewusstsein nach der Vereinigung Deutschlands (Güstrow 1992), Weinheim 1993; Uwe Uffelmann u. a. (Hrsg.), Historisches Lernen im vereinten Deutschland. Nation – Europa – Welt (Friedrichsroda 1993), Weinheim 1994.

31 Karl Ernst Jeismann, Die Geschichte der DDR in der politischen Bildung: Ein Entwurf, in: Werner Weidenfeld (Hrsg.), Deutschland – eine Nation, doppelte Geschichte. Materialien zum deutschen Selbstverständnis, Köln 1993, S. 277ff.

32 Brigitte Dehne, Die Vergangenheit erinnern – Aufgabe für die Zukunft, in: GEP 6 (1995) 5, S. 318–325.

33 Peter Schulz-Hageleit, Von der zerteilten Geschichte zur differenzierten Gemeinsamkeit (Tagung Berlin 30./31. 5. 1996), in: GEP 7 (1996) 7/8, S. 385–393.

34 Marion Klewitz, Lernen im Vergleich. Wohnareale in Ost- und Westberlin, in: GEP 7 (1996) 10, S. 470–482.

35 Brigitte Dehne, Berlin als Ort der geteilten Geschichte. Von der Stadterkundung zur Begegnung mit Menschen, in: GEP 7 (1996) 10, S. 555–562.

36 Henry Sapparth, DDR-Geschichte im Unterricht. Ein geschichtsdidaktischer Beitrag zum Umgang mit deutscher Vergangenheit, Diss. Berlin 2002.

37 Wendelin Szalai, Identitätsbildung durch Geschichtslernen – Chancen und Gefahren, in: Dietrich Hoffmann/Gerhart Neuner (Hrsg.), Auf der Suche nach Identität. Pädagogische und politische Erörterungen eines gegenwärtigen Problems, Weinheim 1997, S. 297–318.
38 Joachim Rohlfes, Neue Akzente der deutschen Geschichte seit 1945 in unseren Schulbüchern, in: GWU 50 (1999) 9, S. 529–544.

II.
Themenfelder

I. Herrschaft und Legitimation

Martin Sabrow

Herrschaftslegitimation im geteilten Deutschland

Eine vergleichende Zusammenschau der konkurrierenden deutschen Teilstaaten kann fraglos den Komplex politische Herrschaft und politische Ordnung nicht ausklammern. Aber sie begibt sich damit auf ein schwieriges Gelände. Welchen Erkenntnisgewinn erbringt eine integrierende Betrachtung, wenn auf der einen Seite ein freiheitlicher Rechtsstaat steht und auf der anderen Seite ein eingemauerter Polizeistaat? Der offene, von Kontroversen und Allianzen geprägte Beratungsstil des Herrenchiemseer Verfassungskonventes, der über das Bonner Grundgesetz beriet, findet keine Entsprechung in den akklamatorischen Treffen des Deutschen Volksrates, der den Entwurf der ersten DDR-Verfassung vorzubereiten hatte; die Rededuelle zwischen Adenauer und Schumacher oder zwischen Brandt und Barzel im Deutschen Bundestag haben kein Pendant in den Beratungen der Deutschen Volkskammer. Und selbst dort, wo der SED-Staat demokratische Legitimationsformen aufnahm, kam er über die Karikatur nicht hinaus, wie ein Vergleich der Parteienlandschaft in Ost und West oder der Kontrast zwischen bundesdeutschen Wahlkämpfen und ostdeutschen »Wahlgesprächen« vor Augen führt.

Wohl gilt, dass etwa demographische Veränderungen im 20. Jahrhundert freiheitliche und unfreiheitliche Ordnungen in ähnlicher Weise treffen, und ebenso die Entwicklung des Massenkonsums oder die beherrschende Stellung der Massenmedien. Vergleichbare Antworten auf gemeinsame Problemlagen lassen sich aber nicht erwarten, wenn es um die öffentliche Funktion und Dynamik von politischen Skandalen geht oder um die politische Stellung des Staatsoberhauptes oder um die Rolle der Opposition in der Legislative und im politischen Leben überhaupt. Im einen Fall sind die Unterschiede zwischen einer selbstgesteuerten und einer gelenkten Öffentlichkeit nicht zu überbrücken, im anderen Funktion und Verständnis von

Verfassung einander diametral entgegengesetzt und im dritten schon Begriffe wie Opposition und Legislative nicht systemübergreifend nutzbar, weil sie die Legitimität des politischen Widerspruchs und die Anerkennung der Gewaltenteilung voraussetzen.

Zugleich aber standen die beiden deutschen Staaten ungeachtet ihrer Gegensätzlichkeit auch auf dem Gebiet der Systemrechtfertigung nicht nur in einem Ausschließungsverhältnis, sondern auch in Korrespondenz zueinander. Zumal der SED-Staat befand sich in einer permanenten Legitimationskonkurrenz, die unter Honecker bekanntlich zu einer folgenreichen sozialpolitischen Überspannung der eigenen wirtschaftlichen Kräfte führte, und umgekehrt ist auch die Ausgestaltung der sozialen Marktwirtschaft von der ostdeutschen Herausforderung mitgeprägt worden, wenngleich das Verhältnis der beiden deutschen Staaten immer asymmetrisch blieb. Mehr noch: Nur eine integrierende Sicht auf das Verhältnis von Herrschaft und Legitimation im geteilten Deutschland nach 1945 stößt zum Kern der Frage vor, wie es im 20. Jahrhundert möglich war, Bevölkerungen gleicher nationaler Herkunft und identischer historischer Tradition über lange Zeit erfolgreich in einander entgegengesetzten Systemen zu integrieren. Für die vergleichende Untersuchung dieser konkurrierenden Legitimationsordnungen bieten sich unterschiedliche Vorgehensweisen an, von denen drei im Folgenden näher umrissen und in ihrer Aussagekraft erörtert werden sollen: einmal ein normatives Abgrenzungsmodell, das die Gegensätze zwischen beiden Herrschaftsordnungen betont; zweitens eine stärker deskriptive Herangehensweise, die neben den Unterschieden auch die Ähnlichkeiten beider politischer Kulturen in den Blick nimmt, und drittens ein aus der jüngeren Forschung zur Kultur des Politischen erwachsener Ansatz, der jenseits der Differenz zwischen Diktatur und Demokratie nach vergleichbaren Mustern politischer Vergemeinschaftung in beiden Gesellschaften fragt.[1]

Der normative Systemvergleich

Während das scheinbar neutrale Modell des deutsch-deutschen Systemvergleichs der siebziger und achtziger Jahre heute in der politischen Kulturforschung keine Rolle mehr spielt[2], hat der Zusammenbruch des SED-Staates zu einer Neubelebung von normativen Vergleichsansätzen geführt, die vor allem auf die kategorialen Unterschiede zwischen beiden politischen Ordnungen abheben. So diskutiert Peter Graf Kielmansegg in seiner Gesamtdarstellung »Nach der Katastrophe« die DDR als eine deutsche Möglichkeit, die vier Legitimationsstrategien verfolgte: Sozialismus, Antifaschismus, Frieden, Wohlfahrt – und mit allen scheiterte: »Die DDR hat in den vier Jahrzehnten ihrer Existenz der Zweistaatlichkeit keinen historischen Sinn gegeben. So war, als das Experiment DDR an sein Ende kam, die Rückkehr zum Nationalstaat für die meisten Deutschen hüben wie drüben immer noch die plausibelste Antwort auf die Teilungserfahrung.«[3] Aus teleologischer Sicht *war* die DDR eben letztlich keine deutsche Möglichkeit, sondern sie *schien* nur zeitweilig eine gewesen zu sein.

Normative Vergleichsmodelle übertragen – reflektiert oder unreflektiert – die für demokratische Kulturen geltenden Maßstäbe auf die Diktatur, wie das am deutlichsten in dem bekannten Gegensatzpaar von westlichem Rechtsstaat und östlichem Unrechtsstaat geschieht, aber auch in der Gegenüberstellung von westlicher Wirklichkeit und ideologisch konstruierter Scheinwirklichkeit, die sich bereits in Hannah Arendts Deutung totalitärer Herrschaft als »Emanzipation von Wirklichkeit und Erfahrung« findet.[4] Schon die bloße Etikettierung der SED-Herrschaft als »Parteidiktatur« enthält eine normative Wertung aus der Perspektive des demokratischen Rechtsstaates und läuft dem Selbstverständnis des kommunistischen Regimes diametral zuwider, dessen marxistisch-leninistische Herrschaftsphilosophie die »Diktatur des Proletariats« als »sozialistische Demokratie« begriff, weil sie die Interessen des ganzen Volkes vertrete, während die ›bürgerliche Demokratie‹ in Wahrheit eine »Diktatur der Minderheit über die Mehrheit« darstelle.[5]

Seinen geschlossensten Ausdruck findet das normative Modell im Interpretationskonzept des Totalitarismus, das kommunistische Herrschaft gänzlich aus der Abgrenzung vom demokratischen Gegenmodell her erfasst[6] und konsequenterweise einen Spielraum für genuinen politischen Legitimationserwerb in totalitären Staaten nicht zu erkennen vermag: »Es stellt sich ... letztlich die Frage«, so argumentierte etwa Klaus Schroeder, »ob eine begriffliche Unterscheidung zwischen Macht und Herrschaft in diktatorischen Systemen, die weder Pluralismus noch Machtkontrolle kennen, überhaupt angebracht ist.«[7] Von einem solchen Deutungsansatz her verbieten sich folglich Untersuchungsperspektiven, die den Charakter von Herrschaft und Integration in beiden deutschen Staaten von einem theoretisch übergreifenden Standpunkt aus betrachten, weil sie den fundamentalen Gegensatz zwischen freiheitlichen und unfreien Lebensverhältnissen bis hin zu einer indifferenten Äquidistanz zu verwischen drohen.[8] Aus normativer Sicht kann von einer politischen Kultur in der DDR im eigentlichen Sinne gar nicht gesprochen werden, weil der Legitimationserwerb des kommunistischen Regimes sich auf die »Kolonisierung der Köpfe«[9] durch Zwang und Indoktrination beschränkt habe und sofort zusammengebrochen sei, sobald die Herrschaftsinstrumente der Machtelite ihre Wirksamkeit verloren hätten.

Dass es auch eine Umkehrung dieses normativen Vergleichsmodells gibt, haben etwa Bärbel Bohley und Ehrhart Neubert mit ihrem bekannten Ausruf »Wir wollten Gerechtigkeit und bekamen den Rechtsstaat« bewiesen. Das heute geflügelte Wort brachte die Enttäuschung der ostdeutschen Bürgerrechtsbewegung über die als unzureichend empfundene strafrechtliche Aufarbeitung der SED-Diktatur zum Ausdruck. Es entspringt zugleich einer Rechtsvorstellung, die die wechselseitige Bedingtheit von Legitimität und Legalität im wertgebundenen Grundgesetz in Frage stellt und das Prinzip der gelebten Gerechtigkeit dem der gesetzlichen Rechtssicherheit überordnet. Einen ganz anders gearteten Typus des normativen Vergleichs bieten die Wortmeldungen vieler enttäuschter Neu-Bundesbürger, die die Realität der deutschen Marktwirtschaft an ihrem Ideal einer sozialistischen Zukunftsgesellschaft messen und daran festhalten, dass das Konzept einer glaubwürdigen Alternative zur Restauration des Kapitalismus mit der DDR nur vorläufig gescheitert sei.[10] Gerade einstige, bei allen Zweifeln loyale Träger des zweiten deutschen Staates argumentieren in ihren Erinnerungen durchweg in genetischer Sicht mit der DDR als einem historischen Experiment, das über erhebliche Legitimationsressourcen verfügt habe, weil es eine glaubwürdige Alternative zum Bonner Restaurationsstaat bereitgestellt habe.[11] Dasselbe normative Denkmuster zeigt sich aber auch im täglichen Erleben, wenn dem Staat der größer gewordenen Bundesrepublik die Legitimation abgesprochen wird, weil er für seine Bürger nicht angemessen sorgt oder nicht eine ausreichende Zahl von Arbeitsplätzen garantieren kann und die mit dem demographischen Wandel steigenden Soziallasten nicht mehr zu tragen vermag.

Normative Unterscheidungsmodelle stehen quer zu einer integrierenden Betrachtung. Sie messen die zu untersuchende fremde Welt an den vertrauten Verhältnissen der heimischen und entwerfen das Bild des Anderen als negatives Spiegelbild des Eigenen. Damit tragen sie in entscheidender Weise zur abgrenzenden Selbstvergewisserung der politisch-kulturellen Ordnung unserer Gegenwart und zur Stärkung ihres freiheitlichen Grundkonsenses bei. Aber sie taugen nur sehr begrenzt zu einer Erklärung für die Dauerhaftigkeit der in der deutschen Doppelstaatlichkeit gegebenen Gegensätzlichkeit politischer Vergemeinschaftung, weil sie das innere Band der außerhalb des eigenen Werthorizonts liegenden Gesellschaftsverfassung nur sehr eingeschränkt zu fassen vermögen und auf deren tatsächliche Binnenplausibilität keinen systematischen Zugriff haben.

Die beiden deutschen Legitimationskulturen in zeitlicher Perspektive

Weiter führt ein Zugang, der nicht auf die strukturelle Gegensätzlichkeit von freiheitlich-demokratischer und diktatorischer Herrschaftslegitimation und Machtverkörperung abhebt, sondern nach dem zeitlichen Nebeneinander von Abgrenzung und Annäherung, Eigenständigkeit und Wechselwirkung der beiden deutschen Politikkulturen fragt, wie es modellhaft das mit dem Namen von Christoph Kleßmann verbundene Konzept einer asymmetrisch verflochtenen Kontrast- und Beziehungsgeschichte vorführt. Auf dieser Grundlage lässt sich die deutsch-deutsche Geschichte von Herrschaft und ihrer Legitimation in fünf gemeinsame Zeitphasen gliedern, die zugleich den kardinalen Unterschieden beider Ordnungen gerecht werden. Die Anfangsperiode reicht dabei als *Startphase der Normalisierung und Neuorientierung bis zur doppelten Staatsgründung 1949,* und sie wird gefolgt von einer *Zeit der spiegelbildlichen Integration durch Abgrenzung in den fünfziger Jahren. An sie schließt sich eine Reformära der sechziger und frühen siebziger Jahre an,* die wiederum in eine *Periode der relativen politischen Stagnation der siebziger und frühen achtziger Jahre* übergeht. Aus ihr erwächst schließlich der *Aufbruch in die Zivilgesellschaft in den achtziger Jahren,* der mit dem Zusammenbruch des einen Herrschaftssystems und der erfolgreichen zivilgesellschaftlichen Pluralisierung des anderen sein Ende findet. Wie sich die einzelnen Zeitetappen politischer Herrschaftslegitimation im geteilten Deutschland in integrierender Perspektive weiter entfalten lassen, sollen die folgenden kursorischen Überlegungen verdeutlichen.

Die Anfangsphase bis zur doppelten Staatsgründung (1945 bis 1949) lässt sich zonenübergreifend am besten mit einem Begriff wie »Normalisierungssehnsucht« erfassen. Die Suche nach »Normalität« bildete ein zentrales Orientierungsmuster breiter Schichten der in dieser Hinsicht noch ungeteilten deutschen Nachkriegsgesellschaft, deren Bürger »nichts schneller anstrebten und nichts sehnlicher wünschten als die Rückkehr zu einer ihnen vertrauten Normalität«, wie Helga Grebing einmal in Bezug auf die späteren Bundesbürger vermerkte.[12] »Der Lebenswille der ›Zusammenbruchgesellschaft‹ war weniger durch den ›Mut der Verzweifelten‹ als vielmehr durch die Euphorie der Noch-einmal-Davongekommenen geprägt«, notierte Hermann Glaser unter Bezug auf Thornton Wilders im Krieg entstandenes Bühnenstück.[13] Die Mischung aus Betäubung und Erleichterung ließ ungeachtet erheblicher mentaler Kontinuitäten wenig Raum für die gezielte Verteidigung nationalsozialistischer Politikvorstellungen, sondern erleichterte den Übergang zum politischen Selbstverständnis einer atomisierten »Mündelgesellschaft«, die ihre Gestaltungskompetenz in allen vier Zonen bereitwillig den Besatzungsmächten überantwortete. Zu der überall reibungslosen Unterordnung deutscher Verwaltungsbehörden unter alliierten Oberbefehl trug auch der Rekurs auf ein vordemokratisches Politik- und Verwaltungsverständnis der Weimarer Republik bei, die – personell wie habituell – in den ersten Nachkriegsjahren als Reservoir und Bezugsgröße von Politik und Politikverständnis auf kommunistischer wie auf »bürgerlicher« Seite diente.

Erst am Ende der vierziger Jahre drifteten die politischen Kulturen der nun entstehenden beiden deutschen Staaten stärker in unterschiedliche Richtungen auseinander. In der späten SBZ und frühen DDR entfaltete sich unter hegemonialem Druck der UdSSR und der SED die stalinistische Kultur des kommunistischen Gesellschaftsprojekts, das sich durch eine radikale Machbarkeitsutopie und ein rücksichtsloses Avantgardeverständnis auszeichnete. Wie die sich immer weiter zuspitzende und schließlich in den Juniaufstand von 1953 mündende Herrschaftskrise zeigte, sog die SED-Herrschaft in ihrer stalinistischen Phase ihre legitimatorische Durchsetzungskraft in den eigenen Führungseliten bis an den Rand des eigenen Untergangs gerade aus der Härte des gegen sie gerichteten Widerstands, und sie konnte insgesamt nur auf eine geringe politische Akzeptanz in der Bevölkerung rechnen. Die junge Bundesrepublik hingegen durchlief eine Zeit der stillen Modernisierung, in der die Weimarer Anleihen eines etatistischen Politikverständnisses und ebenso die personellen Kontinuitäten aus der Zeit des Nationalsozialismus schleichend und fast unbemerkt zu verblassen begannen. Der Gesellschaftsvertrag der fünfziger Jahre verhieß Systemintegration gegen Vergangenheitsbeschweigung und Rückzug in eine apolitische Innerlichkeit, die im Habitus der »skeptischen«, der Flakhelfergeneration ihren Ausdruck fand.

Komplementär war beiden deutschen Politikkulturen in dieser Zeit ein manichäisches Freund-Feind-Denken, das – in freilich unterschiedlicher Intensität – maßgeblich zur Binnenintegration beider Gesellschaften beitrug und Identität durch Abgrenzung vom jeweils anderen zu stiften half. Das Bild des innerdeutschen Kontrahenten als Klassenfeind am Rhein bzw. als Pankower Regime wurde so zur einer Allzweckwaffe der Binnenlegitimation, die beispielsweise die CDU mit ihrem bekannten Wahlplakat von 1953 »Alle Wege des Marxismus führen nach Moskau« ebenso in Anschlag brachte wie auf der anderen Seite der Systemgrenze der ZK-Sekretär Kurt Hager, als er auf zaghaft geäußerte Vorbehalte gegen die SED-Wissenschaftspolitik in einer Fachberatung von Historikern mit der kategorischen Feststellung entgegnete: »Wir stehen hier, und drüben am Brandenburger Tor steht der Feind«.[14] Der Kalte Krieg der Herrschaftslegitimation zog die

Abb. 1: CDU-Plakat von 1953

Quelle: Archiv der KAS

Frontlinien bis tief in die Vergangenheit, um die westliche wie die östliche Gesellschaft der geschichtlich verbürgten Plausibilität ihrer jeweiligen Ordnung zu versichern. Die im Systemkonflikt gegen den jeweils anderen angerufene Geschichte, die je nach Lesart einmal die Kontinuitätslinie vom Hitlerfaschismus zum Adenauer-Regime und zum anderen die Übereinstimmung von brauner und roter Diktatur beglaubigte, stellte so die Spiegelbildlichkeit von antitotalitärem und antifaschistischem Konsens im geteilten Deutschland unter Beweis.

Es gehört zu der konstitutiven Asymmetrie der deutsch-deutschen Parallelgeschichte, dass diese wechselseitige Fixierung in der DDR immer entschieden stärker ausgeprägt war als in der Bundesrepublik. Im östlichen Deutschland dominierte sie zumindest als Offizialkultur bis zum Ende, während sie in der Bundesrepublik mit den sechziger Jahren an Glaubwürdigkeit allmählich einbüsste und im Zeitalter der Entspannung zunehmend anderen Orientierungsmustern wich. Zudem erreichten auch in den fünfziger Jahren beide politische Herrschaftskulturen ungeachtet ihrer Spiegelbildlichkeit keineswegs dieselbe Eindringtiefe. Die DDR blieb in all den Jahren ihrer Existenz ein mit militärischer Macht und polizeistaatlicher Gewalt am Leben erhaltenes Minderheitsregime, das gerade darum größten Wert auf die unablässige und demonstrative Bekundung der Einheit von Volk und Führung legte, während das durch freie Wahlen legitimierte Staatswesen der Bundesrepublik sich deutlich zurückhaltender als politisches Provisorium präsentierte und von seinen Bürgern keine Bekenntnisse jenseits der Bereitschaft zur Anerkennung der freiheitlich-demokratischen Grundordnung verlangte.

Allerdings trug die seit Mitte der fünfziger Jahre immer spürbarere Kluft zwischen dem Wirtschaftswunderland im Westen und der Mangelwirtschaft im Osten erheblich dazu bei, die Zustimmung zum bundesdeutschen System zu erhöhen. Noch bis in die siebziger Jahre und darüber hinaus war viel von der bundesdeutschen »Schönwetterdemokratie« und einem vorherrschenden »Wirtschaftspatriotismus« die Rede – eine Diagnose, die besonders im Konjunktureinbruch Mitte der sechziger Jahre ihre Bestätigung fand, als die Wirtschaftskrise sofort in eine Demokratiekrise mit Aufsehen erregenden Wahlerfolgen für die NPD überging.[15] Tatsächlich sank die in der bundesdeutschen Gesellschaft verbreitete Zustimmung zu der Auffassung, dass der Nationalsozialismus im Grunde eine gute Sache gewesen sei, erst seit dem Ende der fünfziger Jahre. Demokratiestudien zur Bundesrepublik von Gabriel Almond und Sidney Verba stellten noch 1963 die Dominanz einer *subject political culture* des überkommenen Untertanengeistes gegenüber einer *participant political culture* der aktiven Beteiligung fest, die sie eine geringe Identifikation mit dem politischen System in der Bundesrepublik annehmen ließ.[16] Im Jahr 1965 konnte Verba diesen Befund bestätigen und bezeichnete Passivität, Pragmatismus, Distanziertheit und legalistischen Formalismus als Leitmuster des politischen Verhaltens in der Bundesrepublik.[17] Zusammen genommen, kann für beide deutsche Staaten in den fünfziger Jahren von einer strukturell eher schwachen Akzeptanz der jeweiligen Herrschaftsordnung und ihrem Wertesystem gesprochen werden, die im Osten stärker durch Zwang, im Westen stärker durch wirtschaftlichen Erfolg kompensiert wurde.

In den sechziger und siebziger Jahren lässt sich in beiden politischen Kulturen eine wachsende Zukunfts- und technokratische Planungseuphorie feststellen, die den unterschiedlichen Gesellschaftssystemen jeweils neue Akzeptanzchancen schuf.[18] Die sechziger Jahre werden vielfach als das Scharnierjahrzehnt einer inneren »Umgründung« beider Gesellschaften und ihrer Wertordnungen beschrieben, die sich nach außen zunächst nur im Westen zeigte: in der Studentenbewegung und der aus ihr hervorgegangenen Protestkultur der Außerparlamentarischen Opposition, im Aufruf der sozialliberalen Bundesregierung von 1969, mehr Demokratie zu wagen, und im lapidaren Diktum des Bundespräsidenten Gustav Heinemann, dass er nicht das Land, sondern seine Frau liebe. In dieselbe Richtung weisen demoskopische Erhebungen, die ein deutliches Zurücktreten obrigkeitsstaatlicher zu Gunsten zivilgesellschaftlicher Einstellungen erkennen lassen. Nichts dergleichen war in dieser Zeit in der DDR zu spüren, und der Versuch einer kulturellen Liberalisierung wurde im Gegenteil mit dem 11. ZK-Plenum 1965 in schroffer Härte abgewürgt. Unterhalb dieser Wahrnehmungsschwelle aber vollzog sich auch im SED-Staat ein Aufbruch in die Moderne, der sich im Städtebau schon in der zweiten Hälfte der fünfziger Jahre mit der Abwendung vom sowjetischen Neoklassizismus angekündigt hatte und heute als eigene »Ost-Moderne« in Ausstellungen gewürdigt wird.

Die sechziger Jahre waren in der DDR das Jahrzehnt einer Verwissenschaftlichung, die die Wirtschaftslenkung ebenso ergriff wie die politische Kultur und gerade der neuen sozialistischen Dienstklasse die Versöhnung mit dem Regime erleichterte.

Auch die nächste Phase einer relativen Stagnation zeigt in West und Ost verwandte Züge. Der Machtübergang auf Honecker 1971 bedeutete in der DDR eine spürbare ideologische Entlastung und eine gewisse Rücknahme des politischen Erfassungsanspruchs durch den Staat, der nun lieber 1 000 Blumen blühen lassen wollte, als seine Bürger unter die Gebote einer entwickelten sozialistischen Menschengemeinschaft zu zwingen. Hinter dieser Liberalisierung aber zeichnete sich bereits die Stagnation in Gestalt einer fortschreitenden Ritualisierung und Erstarrung im politischen Leben ab, die seit der zweiten Hälfte der siebziger Jahre zur Signatur der Honecker-Ära werden sollte. In den achtziger Jahren war die etatistisch-autoritäre Grundfiguration der politischen Kultur in der DDR generationell und auch zeremoniell bis zur Leblosigkeit erstarrt, während in der Bundesrepublik nach dem enttäuschenden Ende der Kanzlerschaft Brandts der politisch-kulturelle Aufbruch gleichfalls in eine relative Erstarrung überging, für die im deutschen Film der Begriff der »bleiernen Zeit« eines »Deutschland im Herbst« aufkam und gegen die die CDU mit der Proklamation einer »geistig-moralischen Wende« ein 1982 zum Regierungswechsel führendes Gegenangebot setzte.

Interessanterweise vermochte die sechzehn Jahre währende Ära Kohl eben dieses Versprechen dann aber gar nicht einzulösen, sondern wurde rasch von der Realität eines zivilgesellschaftlichen Wandels der Bundesrepublik überholt, die sich um die Revitalisierung eines deutschen Patriotismus in den Farben des konservativ-liberalen Bündnisses wenig scherte. Der Wille der neuen Regierung, einen nationalen Akzentwechsel zu initiieren, war so ohnmächtig wie der Wille der ostdeutschen Machthaber, den etatistischen Charakter ihres Systems zu wahren. In beiden deutschen Welten vollzog sich eine zunehmende gesellschaftliche Abwendung vom Staat und vom Respekt gegenüber seinen Trägern und selbst seinen Machtinstrumenten. In der DDR zeigte sich dasselbe Phänomen angesichts der Militanz des Repressionsapparates in ungleich schwächerer Form, erzielte aber gleichzeitig größere Wirkung, wie die im Namen Rosa Luxemburgs ihre Freiheit als Andersdenkende einklagenden Demonstranten auf der jährlichen Liebknecht-Luxemburg-Demonstration im Januar 1988 bewiesen, aber ebenso die Empörung gegen das Verbot der Zeitschrift »Sputnik« im Herbst desselben Jahres und die zum Flächenbrand werdende Entrüstung über die Fälschung der Kommunalwahlen im Mai 1989. Der entscheidende

Unterschied allerdings lag darin, dass die Bundesrepublik in diesen achtziger Jahren entschlossen den Weg hin zu einer Bürgergesellschaft einzuschlagen begonnen hatte, in der dem Staat und der staatlichen Sphäre eine deutlich weniger beherrschende Stellung eingeräumt wurde, gerade weil die politische Ordnung der Bundesrepublik von keiner sozialen Gruppe und von keinem politischen Lager mehr ernsthaft zur Disposition gestellt wurde, während umgekehrt das überlebte Festhalten an einem autoritären Etatismus in der Spätphase der DDR die Kluft zwischen der Gesellschaft und der herrschenden Staatspartei immer weiter verbreitete, bis das an seiner eigenen Mission irre gewordene SED-Regime an innerer Entkräftung und rasantem Legitimationsverfall zusammenbrach.

Politische Präsentationsstile

Die Ergebnisse der politischen Kulturforschung, die sich seit Jahrzehnten um Akzeptanz und Akzeptanzwandel der politischen Ordnungen kümmert, lassen sich also gut in einem deskriptiven Modell der asymmetrisch verflochtenen Kontrast- und Beziehungsgeschichte abbilden. Nun hat aber die jüngere politische Kulturforschung einen folgenreichen Schritt von der Beschäftigung mit politischen Inszenierungen und politischen Einstellungen hin zu der Frage nach den ihnen zugrunde liegenden Rahmenbedingungen gemacht und interessiert sich heute immer stärker für die »kulturellen Codes«, vor deren Hintergrund Politiker und Medien ihre Botschaften ausstrahlen und Bürger sie akzeptieren oder verwerfen.[20] Im Mittelpunkt dieser neuen politischen Kulturforschung stehen Präsentationsformen und Deutungskulturen, also politische Selbstdarstellungen, öffentliche Inszenierungen und symbolpolitische Rituale, aber auch geltende Sitten und Gebräuche, Wahrnehmungen und Bedeutungszuschreibungen.

Dieses jüngere Feld der politischen Kulturforschung, für das sich der Begriff »Kultur des Politischen« eingebürgert hat, befasst sich nicht so sehr mit den Inhalten, sondern mit den Formen von Herrschaftsausübung und Herrschaftsakzeptanz, nicht mit Personen und Politiken, sondern mit den Mustern ihrer Präsentation und Rezeption, kurz: weniger mit dem *Was* als mit dem *Wie* politischer Herrschaft. Die Formen, in denen sich die politische Macht in der Zeit des Kalten Krieges in Deutschland präsentierte und in denen sie agierte, könnten freilich kaum unterschiedlicher sein: auf der einen Seite eine polyphone Streitkultur, die sich über unterschiedlichste Medien ihre Plattformen schuf, auf der anderen Seite der öde Monismus gestanzter Wortkaskaden, die in immer gleichen Wendungen vorgetragen wurden und deren Geltungsdauer allein in den Führungsgremien der ostdeutschen Einheitspartei festgelegt wurde. Für die politische Kultur der Bundesrepublik galt ein schnelles Ermüden der Öffentlichkeit gegenüber oft sprunghaft vorgetragenen Überlegungen und Meinungen, die oft den Tag nicht überdauerten; für ihr östliches Gegenüber war eine Gewöhnung des Publikums an das genaue Lesen zwischen den Zeilen und hohe Sensibilität gegenüber feinsten Nuancierungen kennzeichnend. Im Bonner Staat bildete die Sphäre des Politischen eine mehr oder minder offene Bühne, deren Akteure in der Regel im Rampenlicht der Öffentlichkeit standen, wenngleich das Privatleben der politischen Klasse in Deutschland stärker respektiert wurde als in anderen westlichen Ländern; in der DDR wurde die Macht von einer Herrschaftselite ausgeübt, über deren persönliche Lebensumstände nichts Genaues bekannt war und die sich in ihrem Privatleben erst in Pankow und dann in Wandlitz oder auf der Ferieninsel Vilm sorgsam abzuschirmen wusste. In Fällen wie dem der Öffentlichkeit gänzlich entzogenen DDR-Spionagechef Markus Wolf galt bereits die Identifizierung auf einem heimlich geschossenen Geheimdienstfoto im Westen 1978 als eine Sensation.

Ungeachtet dieser grundsätzlichen Unterschiede wies die Präsentation von Herrschaft in beiden Systemen Züge auf, die jeweils ihre Binnenakzeptanz beförderten. In erster Linie sind hier mögliche habituelle Übereinstimmungen zu nennen, die auf die gemeinsame Vergangenheit von Weimar und »Drittem Reich« zurückverweisen. So sticht die erstaunliche Abwesenheit von charismatischen Zügen in den Führungseliten beider Umbruchsgesellschaften hervor, die das doppelte Nachkriegsdeutschland vom Frankreich de Gaulles und von den USA John F. Kennedys so markant unterschied. Adenauer, ein Übergangskandidat im 74. Lebensjahr, der mit List und Zähigkeit agierte, aber zur Öffentlichkeit ein sehr distanziertes Verhältnis unterhielt, war ebenso wenig wie Erhard und Kiesinger ein Volkstribun; mit Willy Brandt gelangte der erste Kanzler mit charismatischen Zügen erst zwanzig Jahre nach der Gründung der Bundesrepublik an die Macht. Womöglich noch radikaler zeigte sich die Abwesenheit von Charisma in der SED-Führung, die weder in Walter Ulbricht noch in Erich Honecker oder Willi Stoph oder Horst Sindermann, aber auch nicht in Wilhelm Zaisser, Rudolf Herrnstadt oder Karl Schirdewan Führungsfiguren von nennenswerter Ausstrahlung besaß. Ausnahmen bildeten allenfalls Werner Lamberz, der aber 1978 bei einem Flugzeugabsturz über Libyen ums Leben kam, und vielleicht auch Markus Wolf, dessen Zeit allerdings erst im Untergang des SED-Staates und dann auch nur für einen kurzen Augenblick kommen sollte.

Die Gründe für diese signifikante Abwesenheit charismatischer Führungsfiguren im kommunistischen System liegen nicht in persönlicher Unzulänglichkeit. Die politischen Rekrutierungsmechanismen in der DDR wie in den anderen Staaten der sowjetischen Hemisphäre erforderten andere Qualitäten als die der Popularität und des Sendungsbewusstseins, sondern Machtinstinkt, Loyalität und Anpassungsfähigkeit. Eine Ausnahme bildet allenfalls der stalinistische Personenkult, der sich allerdings nur bedingt auf die SED-Führung übertragen ließ. Aber schon der Stalin-Kult der Sowjetunion galt einem abwesenden Führer, dessen hervorstechendstes Merkmal seine nur abstrakte Präsenz bildete[21] und der unverkennbar in der Tradition der russischen Zarenverehrung stand. Die Übertragung dieses Modells auf deutsche Verhältnisse scheiterte, wie das Schicksal des Propagandafilms »Baumeister des Sozialismus« zeigt – eine Hommage auf Ulbricht zu dessen 60. Geburtstag 1953, deren unfreiwillige Komik aus dem Zielkonflikt zwischen Heroisierung und Volkstümlichkeit hervorging.

Was aber trat im Herrscherhabitus deutscher Nachkriegspolitik an die Stelle des Charismas? Zum einen dominierte eine betonte Schlichtheit der Präsentation von Politik. Das politische Personal inszenierte sich hüben wie drüben in den fünfziger Jahren bescheiden, und auch die Bestimmung Bonns zum Regierungssitz der Bundesrepublik atmete jenen »Trost der Geborgenheit im Provinziellen«, den schon Adorno zweideutig und gefährlich fand. Im Ulbricht-Film von 1953 heißt es: »Walter Ulbricht ist ein einfacher Mensch. Wie jedermann liebt er die Erholung nach der Arbeit. Er spielt gern Tennis, aber es kann auch Tischtennis sein. Die Kleine macht in der Nähe ihre Schularbeiten.« Fast deckungsgleich sind die Bilder, die Ulbricht und Adenauer in ihrer Freizeit und in ihren Ferien zeigen – hier der Bocciaspieler und Rosenzüchter, dort der lesende Parteichef und Tischtennisspieler – kleinbürgerliche Vergnügungen, die auf Genügsamkeit und Harmlosigkeit, nicht auf Machtbesessenheit hindeuten. Filmaufnahmen der fünfziger Jahre dokumentieren diese Schlichtheit noch in der Kleidung, wenn etwa Ulbricht sich mitten in einer Parteitagsrede seiner Anzugsjacke entledigte, um dann seinen mehrstündigen Vortrag mit aufgeknöpftem Kragen und bloßen Oberarmen fortzusetzen. Das Erscheinungsbild der politischen Funktionseliten in der DDR zeichnete sich durch eine betonte Egalität im Äußerlichen aus und griff in ihrer Vorliebe für den Schillerkragen und den bieder-korrekten Einreiher bzw. das unprätentiöse Kostüm auf Traditionen der Weimarer Arbeiterbewegung zurück, die bis 1989 ebenso unverändert durchgehalten wurden wie die Uniformierung der Jugendverbände.

Ein zweiter gemeinsamer Zug besteht in der betonten Patriarchalität in der Politik, die die Sehnsucht nach Gewissheit in der Zeit der Werteunsicherheit bediente und zugleich an eine obrigkeitsstaatliche Tradition anknüpfte, für die in der Weimarer Republik die starke Stellung des Reichspräsidenten und in der konkreten Ausfüllung die Person Hindenburgs gestanden hatte. Heuss verkörperte diesen patriarchalischen Führungsstil und noch mehr Adenauer – äußerlich im Habitus des Alten von Rhöndorf, aber auch intern in der straffen Zügelführung als Chef einer »Kanzlerdemokratie« und in Personalunion zeitweiliger Außenminister. Adenauer vermochte in der Rolle des Patriarchen, der keine Experimente duldet oder braucht, noch im Bundestagswahlkampf 1957 eine absolute Mehrheit zu erzielen[22], während sein Nachfolger Erhard am Gegensatz zwischen patriarchalischer Ausstrahlung und kraftloser Führungsrealität scheiterte. Patriarchalische Sehnsüchte bediente in der SBZ/DDR vor allem Wilhelm Pieck als Staatspräsident, während Ulbricht in diese Rolle erst in seinem letzten Jahrzehnt hineinwuchs. Dann aber füllte er sie mit Behagen und Überzeugung aus und riskierte dafür sogar eine wachsende Entfremdung von der sowjetischen Führung unter Breshnew, der die Ablösung Ulbrichts durch Honecker nicht zuletzt mit der taktlosen Selbstherrlichkeit motiviert hatte, mit der Ulbricht sich auch Moskau gegenüber als *elder statesman* inszenierte.

Ein dritter gemeinsamer Grundzug der Kultur des Politischen im geteilten Deutschland tritt in einem spezifischen Pathos der Vernunft zutage, das sich auf allerdings sehr unterschiedliche Weise in Ost und West als Antwort auf die Verführung durch Hitlers Demagogie ausprägte. Für die Bundesrepublik hat Thomas Mergel eine von den Anfängen bis heute reichende Semantik der Sachlichkeit im Wahlkampf ausgemacht, die nicht in der Realität, wohl aber als Erwartungshaltung das westdeutsche Bild von guter Politik bestimmte und bestimmt.[23] Sie, die in der Phobie vor Manipulation und im Respekt vor der Wahl als staatlicher Veranstaltung fassbar wird, macht, so Mergel, einen deutschen Stil von Politik aus, der sie substantiell vom amerikanischen Modell unterscheidet und bis heute insbesondere die Rolle des Fernsehens im politischen Leben prägt. Noch viel stärker prägte ein fast irrationaler Glaube an die Ratio das Bild von Politik im SED-Staat. Er beherrschte das politische Leben in der DDR, in der mehrstündige Politikerreden und zahllose Beratungen zum Alltag gehörten, jede Gegnerschaft auf eine »Plattform« zurückgeführt wurde und Disziplinierungen regelmäßig nicht ohne Mechanismen von Kritik und Selbstkritik eingeleitet wurden. Das Pathos, mit dem Glaube und Einsicht zusammengeführt wurden[24], bestimmte die politische Kultur der DDR so stark, dass sich von einem förmlichen Charisma der Vernunft sprechen lässt.[25] Schlichtheit der Selbstdarstellung und charismatische Aufladung der Vernunft verschränkten sich in der DDR zu einem politischen Gegenbild des nationalsozialistischen

Deutschlands. Dieses Gegenbild besaß in der DDR eine vielleicht gar nicht so viel geringere Integrationskraft als im westlichen Konkurrenzstaat die Verschränkung von Schlichtheit und Patriarchalität, die den Nachkriegsdeutschen die Rückkehr in die Zivilisation ermöglichte.

Modi der Konsensstiftung

Ein weiteres Untersuchungsfeld einer modernen Kulturgeschichte von Herrschaft und Integration bildet der Charakter des politischen Konsenses, den die beiden gegensätzlichen Ordnungen produzierten – oder prätendierten. Für die Bundesrepublik spricht man von einer Legitimation durch Verfahren, die den Kampf um die Macht an allgemein anerkannte und garantierte Regeln bindet[26], aber auch ein Minimum an konkreten politischen Prinzipien und Normen enthält – wie etwa das Gebot der Rechtsstaatlichkeit, die Volkssouveränität oder die Gewaltenteilung.

Dieser Verfahrenskonsens entwickelte sich seit dem Ende der vierziger Jahre und mit dem In-Kraft-Treten des Grundgesetzes zunächst in einem etatistischen Politikverständnis, das den politischen Positionsstreit konkurrierender Machtgruppierungen in deutlichem Rückgriff auf vordemokratische Traditionen eher als zu duldendes Übel empfand und folglich Parteien auch nur ein verfassungsmäßiges Recht auf »Mitwirkung« konzedierte.[27] Die fünfziger Jahre waren geprägt von einem starken Konformitätsdruck. Mit dem generationellen und kulturellen Umbruch der sechziger und frühen siebziger Jahre aber erlebte die Bundesrepublik eine durchgreifende Abkehr von der einstigen Harmoniesehnsucht, die nicht erst mit der Studentenbewegung begann, sondern sich schon um 1960 ankündigte – im Aufbrechen einer unbequemen NS-Vergangenheit, die 1958 mit dem Ulmer Einsatzgruppenprozess in die öffentliche Erinnerung zurückzukehren begonnen hatte, in der Auflösung der politischen Milieugrenzen und in der mit dem Godesberger Programm 1959 beschlossenen Entwicklung der sozialistischen Klassenpartei zu einer sozialdemokratischen Volkspartei.

Gänzlich anders stellten sich Funktion und Charakter politischer Zustimmung in der DDR dar, in der von einem stabilen Grundkonsens keine Rede sein konnte, wie der Aufstand des 17. Juni 1953 ebenso lehrt wie der Untergang des Regimes nach dem Verlust der sowjetischen Machtgarantie 1989. Wohl aber lässt sich auch für die DDR von einem Partialkonsens sprechen, der eine mehrheitliche Ablehnung der herrschenden Ordnung mit einer grundsätzlichen Akzeptanz des Ziels einer gerechteren, solidarischen und von Ausbeutung freien Gesellschaft verband oder zumindest doch mit der Legitimation als antifaschistischer Staat, die auch nach 1989 von Trägereliten des beendeten Gesellschaftsexperiments immer wieder ins Feld geführt worden ist.

Gleichzeitig prägte ein regelrechter Konsenskult die öffentliche Darstellung des SED-Regimes. Er manifestierte sich zunächst natürlich als beurkundete Übereinstimmung zwischen den Regierenden und den Regierten, also in der Höhe von Wahlbeteiligung und Wahlergebnis, in den zahllosen Zustimmungs- und Mobilisierungskampagnen, in den Akklamations- und Verschmelzungsriten bei Kampfdemonstrationen, Staatsbesuchen, Messeempfängen und Parteiansprachen. Der Wille zum demonstrativen Universalkonsens prägte die Choreographie von Parteitagen und seinen Redner und Hörer vereinenden Beifallsriten bis hin zum leninistischen Organisationsprinzip, die Einheit als höchste Norm zu betrachten, Konflikte unter keinen Umständen nach außen zu tragen und Minderheitsvoten als Fraktionismus zu ächten. Die »Leidenschaft für die Einstimmigkeit« (Carl Friedrich) war so stark, dass auch innerparteiliche Opfer der stalinistischen Verfolgung wie Paul Dahlem nicht davon entbunden waren, »parteimäßig« und ohne Rücksicht auf Eigenrettung an der Aufklärung »ihres Falls« mitzuarbeiten[28], oder der zuvor fest zur Gegenwehr entschlossene Erich Honecker noch bei seiner Absetzung als SED-Generalsekretär am 16. Oktober 1989 selbst zustimmend die Hand hob.

Ein eigentümlicher Wille zum Konsens beherrschte auch andere Sphären der DDR-Gesellschaft. Dass das System des Sozialismus strukturell in gewisser Weise unfähig war, Streit als legitimes Mittel sozialen Handelns zu akzeptieren und Kontroversen fruchtbar zu machen, geht etwa aus einer Untersuchung zum Zivilrecht in der DDR hervor, die hervorhebt, dass die Prozessraten am Kreisgericht Wismar permanent sanken und 1963 nicht einmal mehr ein Achtel der für 1950 anhängigen Fälle ausmachten. War aber ein Prozess auch durch alle gerichtlichen Anstrengungen nicht zu vermeiden, so drängte das Gericht nach den Feststellungen von Inga Markovits »auf eine nicht-streitige Beendigung des Rechtsstreits durch Klagrücknahme oder Einigung. 1985 wurden in Lüritz [d. i. Wismar] nur 17,6 % aller Zivilrechtsprozesse durch streitiges Urteil entschieden – 1946 waren es noch über 40 Prozent gewesen.«[29]

Kein anderes Bild zeichnet Peter Hübner von einer Arbeitswelt in der DDR, in der Konflikte keinen legitimen Platz hatten: »Diese Konflikte beruhen letztlich«, so der FDGB-Vorsitzende Warnke im Januar 1960, »auf ein ungenügendes Vertrauen [sic!], auf ein ungenügendes Klassenbewusstsein und das noch nicht richtige Erkennen, dass die Arbeiterklasse die Macht in den Händen hat. Unsere gewerkschaftlichen Leitungen sollten dafür sorgen, dass solche Konflikte schnell beigelegt werden, weil sie von den Klassenfeinden gegen die Interessen der Arbeiterklasse ausgenützt werden.«[30] Dass die Einübung dieses Geschlossenheitsprinzips im Übrigen bis heute in einem nicht ganz eingeebneten Unterschied zwischen ost- und westdeutscher Mentalität nachwirkt und »die östliche Kommunikationskultur mehr an Übereinstimmung und Konsens orientiert (ist) als an Abgrenzung und Profilierung«, ist nach 1990 vielfach beschrieben worden.[31]

Natürlich deckte das Konsensprinzip keineswegs die politische Wirklichkeit. Es bildete eine bloße »Zielkultur«, deren beanspruchte Selbstverständlichkeit vielfach in ständigem Widerstreit mit ihrer gelebten Künstlichkeit lag.[32] Die soziale Praxis der DDR als Konsensdiktatur kannte neben der emphatischen Annahme, der fraglosen Übernahme und der verbissenen Hinnahme ebenso das Bemühen, herrschaftliche Zumutungen »eigen-sinnig« umzudeuten und für die Verfolgung eigener Interessen auszunutzen. Die behauptete Interessenidentität zwischen Volk und Führung in der sozialistischen Diktatur präsentierte sich als demonstrativer Universalkonsens, dessen strukturelle Künstlichkeit durch beanspruchte innere Geschlossenheit und äußere Abgrenzung kompensiert werden sollte und faktisch zur Ausprägung eines über Jahrzehnte hinweg weitgehend stabilen »Doppelbewusstseins« führte.

Trotz der Unveränderlichkeit seiner Bindungs- und Ausgrenzungsmechanismen aber war die herrschende Konsenskultur ein zeitlichen Wandlungen unterworfenes Gebilde, in dem besonders drei unterschiedliche Aggregatzustände hervortreten. In den fünfziger sowie sechziger Jahren dominierte eine stalinistische und spätstalinistische Form der Konsensbildung, in der unter dem Leitbild einer sozialistischen Menschengemeinschaft gleichsam Terror und Utopie zusammenschossen. Unter Honecker verwandelte dieses Leitbild eines politischen Totalkonsenses sich mehr und mehr in einen administrativ gesicherten Aushandlungskonsens, dessen bürokratische Umsetzung die immer inhaltsärmer werdende Aktensprache der siebziger Jahre augenfällig spiegelte und der schließlich seit der Mitte der achtziger Jahre in eine immer weiter ausgehöhlte, zum bloßen Ritual entleerte Einverständniskultur überging, die hinter der Fassade ihrer äußerlich gleichbleibenden Zeichenhaftigkeit die verlöschende Geltungskraft einer nur mehr künstlichen Konsensordnung verbarg.

So entwickelten sich die beiden deutschen Herrschaftsordnungen also von nahe beieinander liegenden Ausgangspunkten denkbar unterschiedlich: einmal im erfolgreichen Wandel von einer patriarchalischen Konformität zu einer konsensuellen Pluralität und zum anderen in der Starre einer oktroyierten Ordnung des politischen Universalkonsenses, der seine Überwältigungsmacht zunehmend einbüsste und zu einem überlebten Ritual ohne innere Bindungskraft erstarrte.

Anmerkungen

1 Eine Einführung in die jüngere Diskussion um die Kulturgeschichte des Politischen bietet die Kontroverse zwischen Achim Landwehr, Diskurs – Macht – Wissen. Perspektiven einer Kulturgeschichte des Politischen, in: Archiv für Kulturgeschichte, 85 (2003), S. 71–117, und Thomas Nicklas, Macht – Politik – Diskurs. Möglichkeiten und Grenzen einer Politischen Kulturgeschichte, in: Archiv für Kulturgeschichte, 86 (2004), S. 1–25. Vgl. daneben Thomas Mergel, Überlegungen zur einer Kulturgeschichte der Politik, in: Geschichte und Gesellschaft, 28 (2002), S. 574–606; Timm Beichelt, Herrschaftskultur. Ein Konzept zur kulturwissenschaftlichen Öffnung der Vergleichenden Politikwissenschaft, in: Berliner Debatte Initial, 14 (2003), 1, S. 60–74, und Karl Rohe, Politische Kultur und ihre Analyse. Probleme und Perspektiven der politischen Kulturforschung, in: Historische Zeitschrift, 250 (1990), S. 321–346.

2 Zur Theorie des Systemvergleichs: Peter Christian Ludz, Deutschlands doppelte Zukunft. Bundesrepublik und DDR in der Welt von morgen: ein politischer Essay, München 1974; Materialien zum Bericht zur Lage der Nation im geteilten Deutschland 1987 (hrsg. vom Bundesministerium für innerdeutsche Beziehungen), Bonn 1987; Gert-Joachim Glaeßner (Hrsg.), Die DDR in der Ära Honecker. Politik – Kultur – Gesellschaft, Opladen 1988. Ein Resümee der DDR-Forschung bis 1989/90 zieht Mary Fulbrook, DDR-Forschung bis 1989/90, in: Rainer Eppelmann/Bernd Faulenbach/Ulrich Mählert (Hrsg.), Bilanz und Perspektiven der DDR-Forschung, Paderborn u. a. 2003, S. 363–370.

3 Peter Graf Kielmansegg, Nach der Katastrophe. Eine Geschichte des geteilten Deutschland, Berlin 2000, S. 625 f.

4 Hannah Arendt, Elemente und Ursprünge totaler Herrschaft, München [2]1991, S. 723.

5 »Aus dem Inhalt und der Funktion der D[iktatur] d[es] P[roletariats] folgt, dass sie zugleich einen qualitativ neuen Typ der Demokratie bildet, die sozialistische Demokratie.« Alfred Kosing, Wörterbuch der marxistisch-leninistischen Philosophie, Berlin (O) [3]1987, S. 127. Die spiegelbildliche Umkehrung der Begriffsverwendung von Diktatur und Demokratie im herrschenden Sprachgebrauch der DDR illustriert folgender Lexikoneintrag: »Seit der Oktoberrevolution versucht der Imperialismus ... durch die mechanische, vom Klasseninhalt der Macht abstrahierende Gegenüberstellung der Begriffe ›Diktatur‹ und ›Demokratie‹ den demokratischen Charakter der D[iktatur des Proletariats] in Abrede zu stellen und den Klassencharakter des bürgerlichen Staates als Diktatur der Bourgeoisie zu verschleiern.« Kleines politisches Wörterbuch, Berlin (O) [5]1985, S. 196. Vgl. auch den Artikel »Demokratie, sozialistische« in dem von Hartmut Zimmermann besorgten DDR-Handbuch, Köln [3]1985, Bd. 1, S. 264–66.

6 Am präzisesten hat dies Martin Drath benannt, als er darauf hinwies, »dass der Begriff ›Totalitarismus‹ lediglich vom Standpunkt freiheitlicher Demokratie aus gebildet

werden kann, weil er nur für sie etwas Wesentliches aussagt und Erscheinungen zusammenfasst, die von ihr aus gesehen gleichartig sind.« Martin Drath, Totalitarismus in der Volksdemokratie. Einleitung zu Ernst Richert, Macht ohne Mandat. Der Staatsapparat in der Sowjetischen Besatzungszone Deutschlands, Köln/Opladen [2]1963, S. XI–XLII, hier S. XXIX.

7 Klaus Schroeder unter Mitarbeit von Steffen Alisch, Der SED-Staat. Geschichte und Strukturen der DDR, München [2]1999, S. 633. Vgl. auch Karl Wilhelm Fricke, Die Geschichte der DDR: Ein Staat ohne Legitimität, in: Eckhard Jesse/Armin Mitter (Hrsg.), Die Gestaltung der deutschen Einheit. Geschichte – Politik – Gesellschaft, Bonn/Berlin 1992, S. 41–72.

8 »Diese indirekte Gleichsetzung oder zumindest Analogie suggeriert zudem, dass beide Herrschaftssysteme – auf allerdings unterschiedliche Weise – legitimiert sind. Der entscheidende Unterschied zwischen der durch die Zustimmung einer Mehrheit legitimierten Herrschaft und einer auf Gewalt oder ideologischen Ansprüchen begründeten kann dabei leicht verloren gehen.« Schroeder (Anm. 7), S. 633.

9 Ebd., S. 646.

10 Joachim Petzold unter Mitarbeit von Waltraud Petzold, Parteinahme wofür? DDR-Historiker im Spannungsfeld von Politik und Wissenschaft, Potsdam 2000, S. 368.

11 Günter Benser, DDR – Gedenkt ihrer mit Nachsicht, Berlin 2000, S. 46 ff. Ähnlich rückte der kritisch-loyale DDR-Historiker Fritz Klein auch in der Zeit der Stalinisierung nicht von seiner Parteinahme für die DDR ab, »weil ich die nach dem Krieg getroffene Entscheidung nach wie vor für richtig hielt, mich am Aufbau einer radikal veränderten, ausbeutungsfreien, dem Frieden verpflichteten Gesellschaft der sozialen Gerechtigkeit als der einzig durchgreifenden Alternative zum faschistischen Deutschland zu beteiligen.« Fritz Klein, Drinnen und Draußen. Ein Historiker in der DDR, Frankfurt a. M. 2000, S. 140 f.

12 Helga Grebing, Demokratie ohne Demokraten? Politisches Denken, Einstellungen und Mentalitäten in der Nachkriegszeit, in: Everhard Holtmann (Hrsg.), Wie neu war der Neubeginn? Zum deutschen Kontinuitätsproblem nach 1945, Erlangen 1989, S. 6–19, hier S. 11.

13 Hermann Glaser, 1945. Ein Lesebuch, Frankfurt a. M. 1995, S. 113.

14 Stiftung Archiv der Parteien und Massenorganisationen der DDR im Bundesarchiv (SAPMO-BArch), DY 30, IV 2/9.04/133, *Stenographische Niederschrift der Beratung des Gen. Prof. Kurt Hager mit Genossen Historikern am 12. Januar 1956, S. 98.*

15 Kurt Sontheimer/Wilhelm Bleek, Grundzüge des politischen Systems der Bundesrepublik Deutschland, Bonn 2000, bes. S. 189 f. Ralf Dahrendorf sah 1965 »einen passiven Autoritarismus, einen Autoritarismus wider Willen« als wesentliches Merkmal der bundesdeutschen »Demokratie ohne Freiheit« an. Siehe Ralf Dahrendorf, Gesellschaft und Demokratie in Deutschland, München 1965, S. 473. Noch nach der deutschen Vereinigung machte Sontheimer geltend, »dass wirklich ernste Herausforderungen an diese Demokratie noch nicht gestellt worden sind, weder im wirtschaftlichen Bereich, wo es uns besser geht als fast allen anderen westlichen Ländern …, noch im Bereich der politischen Institutionen, wo nach wie vor relativ stabile Verhältnisse vorherrschen.« Kurt Sontheimer, Deutschlands politische Kultur, München/Zürich [2]1991, S. 32.

16 Gabriel A. Almond/Sidney Verba, The Civic Culture. Political Attitudes and Democracy in Five Nations, Princeton 1963.

17 Sidney Verba, Germany: The Remaking of a Political Culture, in: Lucian W. Pye/ Sidney Verba (Hrsg.), Political Culture and Political Development, Princeton 1965, S. 130–170.

18 Axel Schildt/Karl Christian Lammers/Detlef Siegfried (Hrsg.), Dynamische Zeiten. Die sechziger Jahre in den beiden deutschen Gesellschaften, Hamburg 2000; Heinz Gerhardt Haupt/Jörg Requate (Hrsg.), Aufbruch in die Zukunft. Die sechziger Jahre zwischen Planungseuphorie und kulturellem Wandel. DDR, CSSR und Bundesrepublik Deutschland im Vergleich, Weilerswist 2004.

19 Falk Jaeger, Bevor die Platte kam. Eine Ausstellung des Werkbundes rückt die Architektur der »Ostmoderne« von 1945 bis 1965 ins Licht, in: Der Tagesspiegel, 6. 6. 2004.

20 Thomas Mergel, Der mediale Stil der Sachlichkeit. Die gebremste Amerikanisierung des Wahlkampfs in der politischen Selbstbeobachtung der alten Bundesrepublik, in: Bernd Weisbrod (Hrsg.), Die Politik der Öffentlichkeit – die Öffentlichkeit der Politik. Politische Medialisierung in der Bundesrepublik, Göttingen 2003, S. 29–53, hier S. 35.

21 Sinnbildlich gefasst in dem Gedicht »Im Kreml ist noch Licht« von Erich Weinert: Wenn du die Augen schließt, und jedes Glied/und jede Faser deines Leibes ruht –/ dein Herz bleibt wach; dein Herz wird niemals müd;/und auch im tiefsten Schlafe rauscht dein Blut.
Ich schau' aus meinem Fenster in der Nacht;/zum nahen Kreml wend ich mein Gesicht./Die Stadt hat alle Augen zugemacht./Und nur im Kreml drüben ist noch Licht.
Und wieder schau' ich weit nach Mitternacht/zum Kreml hin. Es schläft die ganze Welt./Und Licht um Licht wird drüben ausgemacht./Ein einz'ges Fenster nur ist noch erhellt.
Spät leg' ich meine Feder aus der Hand,/als schon die Dämmrung aus den Wolken bricht./Ich schau' zum Kreml. Ruhig schläft das Land./Sein Herz blieb wach. Im Kreml ist noch Licht.

22 Der Erfinder des Slogans »Keine Experimente«, der Werbeberater Hubert Strauf, erinnert sich, dass er von den Wahlkampfmanagern der CDU zunächst als zu unpolitisch abgelehnt worden sei, bis Adenauer selbst sich für den Slogan entschieden habe. »Keine Experimente war im Grunde nicht auf Politik, sondern allgemein auf das Zeitempfinden zur Politik gestimmt.« Zit. nach Rainer Gries/Volker Ilgen/Dirk Schindelbeck, »Mach mal Pause« »Keine Experimente!« Die Ära Adenauer im Werbeslogan, in: Journal Geschichte, 3/1989, S. 9–15.

23 Thomas Mergel, Der mediale Stil der »Sachlichkeit«, (Anm. 20) S. 52.

24 So schon beispielhaft in dem in der DDR wieder und wieder angeführten Lenin-Satz »Die Lehre von Karl Marx ist allmächtig, weil sie wahr ist«.

25 So zuerst Stefan Breuer: »Das ›Charisma der Vernunft‹ ist, wie jedes Charisma, absolutistisch. Es kennt nur eine Sendung und nur einen Interpreten derselben – die Partei. Es kennt nur eine Anerkennung, welche der Pflicht entspringt, nicht aus diskursiver Verständigung oder pragmatischem Kompromiss.« Stefan Breuer, Die Organisation als Held. Der sowjetische Kommunismus und das Charisma der Vernunft, in: Ders., Bürokratie und Charisma. Zur politischen Soziologie Max Webers, Darmstadt 1994, S. 84–109, hier S. 109.

26 Martin Greiffenhagen/Sylvia Greiffenhagen (Hrsg.), Ein schwieriges Vaterland. Zur politischen Kultur Deutschlands, München [2]1979; Martin Greiffenhagen, Die Bun-

desrepublik Deutschland 1945 bis 1990. Reformen und Defizite der politischen Kultur, in: Aus Politik und Zeitgeschichte, B 1/2, 1991, S. 16–26.

27 Noch Erhard geißelte gesellschaftlichen Pluralismus als Entwicklung hin zu Fragmentierung und letztlich Kollektivierung. Siehe Julia Angster, Ankunft im Westen: Die Bundesrepublik Deutschland, in: Edgar Wolfrum (Hrsg.), Die Deutschen im 20. Jahrhundert, Darmstadt 2004, S. 26–39, S. 34.

28 »Die ZPKK hat die Untersuchung auftragsgemäß durchgeführt und dabei versucht, alle Fragen zu klären. Wir hielten es für unsere Pflicht, die Untersuchung parteimäßig zu führen, das heißt, sie in einer solchen Weise zu führen, dass wir und der Genosse Dahlem die Aufgabe hatten, alle Fragen gemeinsam zu klären, da auch Genosse Dahlem dem Beschluss des Politbüros auf Durchführung der Untersuchung zugestimmt hatte.« Siehe Hermann Matern, Über die Durchführung des Beschlusses des ZK der SED »Lehren aus dem Prozess gegen das Verschwörerzentrum Slansky«. 13. Tagung des Zentralkomitees der Sozialistischen Einheitspartei Deutschlands 13.–14. Mai 1953, Berlin (O) 1953, S. 13.

29 Inga Markovits, Der Handel mit der sozialistischen Gerechtigkeit. Zum Verhältnis von Bürger und Gericht in der DDR, in: Thomas Lindenberger (Hrsg.), Herrschaft und Eigen-Sinn in der Diktatur. Studien zur Gesellschaftsgeschichte der DDR, Köln u. a. 1999, S. 315–347, hier S. 331. Die von ihr untersuchten Zivilrechtsakten der DDR ergeben für Markovits daher folgendes Selbstverständnis der Justiz: »Persönliche Zusammenstöße von Privatpersonen werden vom Gericht entwirrt und nach Möglichkeit einer einverständlichen Lösung zugeführt.« Ebd., S. 328.

30 Peter Hübner, Konsens, Konflikt und Kompromiss. Soziale Arbeiterinteressen und Sozialpolitik in der SBZ/DDR 1945 bis 1970, Berlin 1995, S. 209; dazu auch: ders., Arbeitskampf im Konsensgewand? Zum Konfliktverhalten von Arbeitern im »realen« Sozialismus, in: Henrik Bispinck/Jürgen Danyel/Hans-Hermann Hertle/Hermann Wentker (Hrsg.), Aufstände im Ostblock. Zur Krisengeschichte des realen Sozialismus, Berlin 2004, S. 195–213.

31 Olaf Georg Klein, Ihr könnt uns einfach nicht verstehen! Warum Ost- und Westdeutsche aneinander vorbeireden, Frankfurt a. M. 2001, S. 70. Vom »Pluralisierungsschock für ›gelernte DDR-Bürger‹ nach 1989« spricht Karl-Siegbert Rehberg, Vom Kulturfeudalismus zum Marktchaos? Funktionswandel der bildenden Künste nach dem Zusammenbruch des Staatssozialismus, in: Eva Barlösius u. a. (Hrsg.), Distanzierte Verstrickungen. Die ambivalente Bindung soziologisch Forschender an ihren Gegenstand. Festschrift für Peter Gleichmann zum 65. Geburtstag, Berlin 1997, S. 253–278, hier S. 258.

32 Winfried Thaa u. a., Gesellschaftliche Differenzierung und Legitimitätsverfall des DDR-Sozialismus. Das Ende des anderen Wegs in die Moderne, Tübingen 1992, S. 30 ff.

Ulrich Bongertmann und Wolfgang Hammer

Macht und Unterordnung

Zwei Unterrichtsvorschläge zur Legitimation politischer Macht 1945 bis 1990

Martin Sabrow unterscheidet unter den ertragreichen Ansätzen fachhistorischer Betrachtung zwischen dem »deskriptiven Korrespondenzmodell« und dem »kulturanalytischen Modell«. Lassen sich diesen Konzepten didaktisch ebenso lohnende Unterrichtsmodelle über Machtlegitimation im geteilten Deutschland zuordnen? Das soll im Folgenden versucht werden, zunächst (A) in der Spur von Christoph Kleßmanns Phasenmodell (U. Bongertmann), dann (B) mit einem Unterrichtsvorschlag auf der Basis der neuen politischen Kulturforschung (W. Hammer).

(A) »Unser Staat ist der bessere ...« – ein Phasenmodell für den Unterricht

In einem unter Zwang geteilten Land muss sich politische Macht rechtfertigen, indem sie die eigene Ordnung als die bessere ausgibt. Da sich beide deutschen Staaten jeweils als die zukunftsträchtigere Alternative verstanden, delegitimierte ihr Anspruch zugleich den anderen Teil. In der politischen Geschichte von 1945 bis 1990 werden die Bemühungen um Legitimation nur verständlich, wenn der gesamtdeutsche Hintergrund und der stets präsente Vergleich bewusst werden. Nach Kleßmann ist die asymmetrische Verflechtung der innerdeutschen Beziehungen so markant, dass sie in den didaktischen Umsetzungen nicht verlorengehen darf. Daher ist im Unterricht statt einer getrennten Linienführung zweier Teilgeschichten der schwierigere Weg der didaktischen Parallelführung zu suchen. Als historischer Längsschnitt in mehreren Phasen wird ein deutsch-deutscher Vergleich zum Schnittpunkt zwischen diachroner und synchroner Perspektive.

Die Ausgangsfrage ist prinzipiell, »wie es im 20. Jahrhundert möglich war, Bevölkerungen gleicher nationaler Herkunft und historischer Tradition über lange Zeit erfolgreich in einander entgegengesetzten Systemen zu integrieren« (vgl. Sabrow, Herrschaft und Legitimation, S. 59). Anzustreben ist eine schülergerechte Analyse komplexer historischer Situationen und

Handlungsdispositionen. Das Verstehen der Kausalzusammenhänge erfordert den Blick auf den jeweiligen Teilstaat in seinem System und zugleich das Erfassen seiner Reaktionen auf gemeinsame Herausforderungen und deutsch-deutsche Konstellationen, im »Nebeneinander von Abgrenzung und Annäherung, Eigenständigkeit und Wechselwirkung« (Sabrow, S. 62). Im Unterricht sind aber zeitliche Beschränkung, Vereinfachung und Anschaulichkeit geboten, der didaktische Weg kann daher nur über repräsentativ ausgesuchte Beispiele gehen, die einen Vergleich ermöglichen. Doch darf man immer wieder an ihrer Auswahl und Vergleichbarkeit zweifeln, weil zwischen Ost und West zu gewaltige Unterschiede bestanden.

Ein chronologisches Phasenmodell dient im Unterricht zur Orientierung in der Zeit. Kleßmann schlägt sechs Phasen oder Stufen vor, die hier mit Martin Sabrow für die politische Legitimation didaktisch zu füllen sind. Das Modell soll sich auch als anschlussfähige Grundlage vertiefender Beschäftigung mit anderen Aspekten dieses Zeitraums eignen. Unter politischer Legitimation werden pauschal Bemühungen um eine Rechtfertigung der Herrschaft aufgefasst, die zur Sicherung der Loyalität der Beherrschten dienen. Die ausgeführten Akzentuierungen und Aspekte der Phasen sind im Unterricht an Materialien vorzustellen, wozu hier nur einige Beispiele dienen können, die typische Merkmale verdeutlichen sollen. Den roten Faden der deutschen Nachkriegsgeschichte bilden drei ineinander übergehende Leitfragen:

- Worin lagen die Ursachen der Teilung?
- Wie entstanden die Unterschiede der beiden deutschen Staaten angesichts gemeinsamer Voraussetzungen, und wie blieben sie aufeinander bezogen?
- Welche Gründe führten zum Scheitern der DDR vor ihren Bürgern und zum abrupten Ende der Zweistaatlichkeit?

Durch den doppelten Blick ergibt sich von selbst das zentrale Prinzip der Multiperspektivität, wenn die beiden Seiten in ihrer jeweiligen Systemlogik ernsthaft wahrgenommen werden. Zugleich besteht so die Möglichkeit zum Distanzgewinn und zur Ideologiekritik durch die Schülerinnen und Schüler.

Ausgangspunkt der Nachkriegsgeschichte waren die Kapitulation und ihre Folgen (Produktionskrise, Trümmerexistenz). Als Endpunkt der deutschen Katastrophe bot das Jahr 1945 zugleich Chancen zum Neubeginn. Die Suche nach »Normalität« traf zunächst auf die in der Potsdamer Konferenz festgelegte Gestaltungskompetenz der Besatzungsmächte in allen Zonen, deren Autorität sich deutsche Initiativen unterzuordnen hatten. In starker Abwehr gegen den untergegangenen Nationalsozialismus zeigten diese vielfach eine noch ungeklärte Vermengung sozialer und liberaler Ideen.

1. Phase: Deutsche Katastrophe 1945 und Chance zum Neubeginn

Legitimation nach Verlust der deutschen Selbstbestimmung über politische Pläne für ein besseres Deutschland auf neuen Grundlagen

Alliierte Deutschlandpläne bis zur Potsdamer Konferenz
Westverschiebung Polens; Reparationen;
Denazifizierung-Demilitarisierung-Dezentralisierung-Demokratisierung

Gemeinsamer Ausgangspunkt *der Deutschen in Ost und West*
Trümmerexistenz, Flucht und Vertreibung, Hungerwinter 1946/47

Frühe deutsche Neuorientierungen zum Wiederaufbau
Beispiele aus Ost und West

»Buchenwalder Manifest für Frieden, Freiheit, Sozialismus«, April 1945 (u. a. Hermann Brill, Thüringer Sozialdemokrat und Häftling im KZ Buchenwald) zum Aufbau der Volksrepublik:

Diese riesenhafte Arbeit kann nur geleistet werden, wenn sich alle antifaschistischen Kräfte zu einem unverbrüchlichen Bündnis zusammenschließen. Zu diesem Zweck erstreben wir einen neuen Typ der Demokratie ...
Zuerst sind in allen Orten antifaschistische Volksausschüsse zu bilden, die sobald als möglich durch Heranziehung antifaschistischer Organisationen auf eine urdemokratische Grundlage zu stellen sind.
Aus diesen Volksausschüssen ist für das ganze Reich ein Deutscher Volkskongreß zu berufen, der eine Volksregierung einzusetzen und eine Volksvertretung zu wählen hat.
Die bürgerlichen Freiheiten der Person, des Glaubens, des Denkens, der Rede und Schrift, der Freizügigkeit und des Koalitionsrechts sind sofort wieder herzustellen.
(W. Overesch, Buchenwald und die DDR oder Die Suche nach Selbstlegitimation, Göttingen 1995, S. 93 ff.)

»Ahlener Programm« der CDU (in der britischen Zone), Februar 1947, Präambel:

Das kapitalistische Wirtschaftssystem ist den staatlichen und sozialen Lebensinteressen des deutschen Volkes nicht gerecht geworden. Nach dem furchtbaren politischen, wirtschaftlichen und sozialen Zusammenbruch als Folge einer verbrecherischen Machtpolitik kann nur eine Neuordnung von Grund auf erfolgen.
Inhalt und Ziel dieser sozialen und wirtschaftlichen Neuordnung kann nicht mehr das kapitalistische Gewinn- und Machtstreben, sondern nur das Wohlergehen unseres Volkes sein. Durch eine gemeinschaftliche Ordnung soll das deutsche Volk eine Wirtschafts- und Sozialverfasssung erhalten, die dem Recht und der Würde des Menschen entspricht, dem geistigen und materiellen Aufbau unseres Volkes dient und den inneren und äußeren Frieden sichert.
(R. Kunz u. a., Programme der politischen Parteien in der Bundesrepublik, München 1975, S. 127)

2. Phase: Beginn der Blockbildung und Teilung (1945 bis 1949)

Herausforderung durch zunehmende weltpolitische Divergenz in Ost und West, Legitimation über ökonomische Verbesserungen und Übernahme von politischer Verantwortung

Divergenz der Zonen durch alliierte Vorgaben	
starke Reparationsentnahme, Enteignungen, Bodenreform, SED-Zwangsgründung	Bizone, Marshall-Plan, Reparationsstopp
Weichenstellungen deutscher Instanzen zur Teilung	
Deutsche Wirtschaftskommission: Lenkung	Wirtschaftsdirektor Erhard: Markt

War anfangs die innere Entwicklung der Zonen noch prinzipiell offen für verschiedene Wege, setzte der Kalte Krieg eine Divergenz in Gang, zu deren Verschärfung Ost und West beitrugen. Anfänge lagen bereits 1945 in der parteipolitischen Entwicklung in der SBZ. Ein wichtiger Verstärker war die schwere Versorgungskrise 1946, die schnellen wirtschaftlichen Handlungsbedarf aufzeigte: Einrichtung der Bizone und Marshall-Plan 1947 im Westen. Parallel dazu liefen politische Zwangsmaßnahmen in der SBZ (Bodenreform, Enteignungen, SED-Gründung) auf einen politischen und sozial-

3. Phase: Doppelte Staatsgründung und Systemintegration (1949 bis 1963)

Legitimation über Blockintegration auf beiden Seiten; Erweiterung deutscher Handlungsspielräume; feindselige Delegitimierung der anderen Seite

Leitfiguren	
Ulbricht: strikte Sowjetisierung und Aufbau des Sozialismus, (post)stalinistische Diktatur	Adenauer: Kanzlerdemokratie, Westbindung, Wirtschaftswunder, »Wohlstandsdemokratie«
Umgang mit der NS-Vergangenheit	
Integration über Antifaschismus der DDR: »Deutsche an die Seite der siegreichen UdSSR« (s. u.)	Vergangenheitsverdrängung (s. u.), Rückzug in apolitische Innerlichkeit »alle Deutschen waren Opfer der Diktatur«
Feindbilder	
Angst vor Imperialismus und »Bonner Nazismus«	Angst vor »Moskau« und »Pankow«
Verbreitete politische Haltungen	
Vorsicht, Massenflucht, Resignation nach – Aufbau der »Stasi« – misslungenem Aufstand 1953 – Abschottung im Mauerbau 1961	Vorzug für »keine Experimente«, Passivität, Pragmatismus, Distanz von Politik, Demokratiedefizit (?); Kritik an Stagnation der Ostpolitik nach 1961
Legitimation durch Antifaschismus Die DDR war eine von außen, von der siegreichen Sowjetunion auferlegte Herrschaft, und was sie an inneren Stützen bekam im Laufe der Zeit, nährte sich neben der Dankbarkeit einiger dafür, dass sie durch die Sowjetunion von der Naziherrschaft befreit worden waren, weithin aus dem Antifaschismus. Er war sozusagen, seit es Wahlen nicht mehr gab, die einzige Legitimation dieses Regimes, und deswegen musste der Gegenstaat, die Bundesrepublik, ständig als faschistisch denunziert werden. (Eberhard Jäckel, Die zweifache Vergangenheit – Zum Vergleich politischer Systeme, Bonn 1992, S. 9)	Dankbare Mitläufer und Belastete Die »Fähigkeit zu trauern« war bei Adenauer, der das Land wirtschaftlich wiederaufbauen und dann auch die Wiederbewaffnung durchsetzen wollte, wenig entwickelt. Anstelle einer Katharsis kam es zu einem Amnestiefieber; die Masse der Mitläufer und Belasteten hatte allen Grund, dem Kanzler, der keine »moralische Wehleidigkeit« zeigte und Verdrängung wie Vergesslichkeit förderte, dankbar zu sein. (Hermann Glaser, Deutsche Kultur, Bonn 1997, S. 190)

ökonomischen Systemwechsel hinaus. Didaktisch ist hier eine Abwägung der Verantwortung geboten, auch um deutsche Handlungsspielräume im weiteren Verlauf zu ermessen. Die Übertragung von Zuständigkeit auf deutsche Instanzen durch die Alliierten erzwang Festlegungen vor allem für den wirtschaftlichen Aufbau, die im Osten für eine zentral gelenkte Planung, im Westen für eine Markwirtschaft ausfielen. Nach Währungsreform und Berlin-Krise 1948 war der Weg geebnet für die staatliche Teilung.

Die 3. Phase begann 1949 und endete nach dem Mauerbau 1961 mit dem Abschluss der Adenauerzeit und der festen Integration in die Systeme, die sich fast spiegelbildlich vollzog. Diese Kontrastgeschichte mit wachsender Abgrenzung voneinander ließ die Teilung über die alliierten Impulse und Vorgaben hinaus eine hohe Eigendynamik gewinnen. Wie die Leitfigur Adenauer für die Priorität der bundesdeutschen Westbindung und ein Misstrauen gegen brückenbildende Ost-West-Kontakte stand, so Ulbricht für die nahezu hörige Sowjetorientierung der DDR (extrem 1953 und 1961). Belohnung dieser Eindeutigkeit war der Rückgewinn von selbstständigen, im Osten allerdings sehr geringen innenpolitischen Handlungsspielräumen. Im Umgang mit der nationalsozialistischen Vergangenheit gestattete sich die vom »Wirtschaftswunder« geprägte Bundesrepublik ein weitgehendes Verschweigen und bahnte auf diese Weise vielen den Weg zur jungen Demokratie, während die DDR durch den antifaschistischen Gründungsmythos ihre Bürger nachträglich an die Seite der siegreichen UdSSR treten ließ. Die Blockbildung erzeugte zur Legitimation schärfste Feindbilder und teilweise irrational gesteigerte Ängste: im Westen die Furcht vor einer unmittelbar drohenden sowjetischen Expansion, im Osten vor der Wiederkehr von Faschismus und Krieg durch den »westlichen Imperialismus«. Die Massenflucht, massenhafte Bespitzelung und der Aufstand 1953 in der DDR belegten ihre weitgehend gescheiterte Legitimation, die mit der Abschottung 1961 einen Tiefpunkt erreichte. Der bundesdeutschen Demokratie sicherten diese Maßnahmen im Gegenzug breite Unterstützung und bekräftigten das Misstrauen vor »Experimenten«. Allerdings blieb die demokratische Kultur im Westen nach Meinung vieler Kritiker zu passiv und pragmatisch, während sich die Gesellschaft an vordemokratischen Autoritätsmustern orientierte. Offen blieb auch, wie im Verhältnis zum Osten pragmatisch voranzukommen sei. Didaktisch ist diese Phase durch starken Kontrast geprägt.

Wurde nach dem Wiederaufbau der Bundesrepublik eine offensivere Sozial- und Bildungspolitik eingefordert, so geriet auch die DDR in den späteren Ulbricht-Jahren unter Reformdruck der nachdrängenden Generation. Zukunfts- und Planungseuphorie griffen um sich, in Ost und West getragen vom Glauben an eine wissenschaftlich-technische Revolution sowie umfas-

4. Phase: Reformära der sechziger und frühen siebziger Jahre

Zukunfts- und Planungseuphorie; Versprechen von technischem und sozialem Fortschritt; Vertrauen in die Überlegenheit des eigenen Systems; Systemkritik der Jugend

Reformbereitschaft der sechziger Jahre	
Zuversicht auf wissenschaftlich-technische Revolution, NÖSPL (zurückgezogen)	Gesetz zur ökonomischen Globalsteuerung 1967, Bildungsplanung gegen »Bildungskrise«
Politische Reformkonzepte für die Gesellschaft	
Honecker 1971: »Einheit von Wirtschafts- und Sozialpolitik«	Brandt 1969: »Mehr Demokratie wagen!« »Mehr Lebensqualität!«
Neue Deutschlandpolitik	
zwei souveräne Staaten auf deutschem Boden, »sozialistische deutsche Nation« (1974)	de facto völkerrechtliche Anerkennung der DDR im Gegenzug menschlicher Erleichterungen
Jugendrevolte in Politik und Kultur	
freizügiger Lebensstil der internationalen Popkultur (Musik, Mode ...)	
Ausfall der politischen »68er« (CSSR), Erfolgsautor Ulrich Plenzdorf (1973)	»innere Umgründung« durch »68-Generation«, neues Interesse an DDR-Literatur

sende Machbarkeit (Vorbild der Weltraumfahrt). Die SED ließ kurzzeitig Experimente in der Wirtschaft mit effizienterer Planung und mehr Eigenständigkeit zu (NÖSPL 1963: Neues ökonomisches System der Planung und Lenkung), um den Wohlstand der Bundesrepublik endlich zu übertreffen. Die Große Koalition von CDU/CSU und SPD erhob 1967 die ökonomische Globalsteuerung zum Gesetz und begann eine intensive Bildungsplanung. 1968 sah sich die bundesdeutsche Demokratie heftiger Systemkritik durch die Jugend auf der Straße ausgesetzt. Während aber im Osten durch das gewaltsame Ende der Öffnung in der CSSR die Zügel auch in der Jugendpolitik wieder angezogen wurden, konnte die sozialliberale Koalition mit Reformversprechen einer breiteren Demokratisierung und sozialer Verbesserungen die Macht erringen. Die Antwort des neuen DDR-Machthabers Honecker darauf war 1971 die neue »Einheit von Wirtschafts- und Sozialpolitik«, mit der umfangreiche Verbesserungen im Konsum- und Wohnungsbereich angekündigt wurden. Bundeskanzler Willy Brandts Domäne wurde jedoch die neue Deutschlandpolitik, die gegen menschliche Kontaktmöglichkeiten der DDR eine faktische völkerrechtliche Anerkennung anbot. Seine »Friedens- und Entspannungspolitik« setzte sich erfolgreich durch und trug auch zum Sturz des widerstrebenden Ulbricht bei. Die

5. Phase: Politische Stagnation der siebziger und frühen achtziger Jahre

Legitimation über Stabilisierung und innerdeutsche Normalisierung bei fortgesetzter Abgrenzung der DDR; Lösungsversuche für neue systemübergreifende Probleme: Wirtschaftsstagnation, Einforderung weiblicher Emanzipation

Politische Legitimation	
DDR als »Hort der Stabilität« (s.u.) materielle Ruhigstellung über Massenkonsum und Sozialpolitik, höchster Wohlstand im Ostblock	*BRD »Modell Deutschland«* Staatsverschuldung als Therapie gegen Arbeitslosigkeit, geringe Strukturreformen, »Musterknabe« in Europa und NATO
Systemtypische Sicherungen	
Abgrenzung nach Westen (DDR-Identität), Ausbau der präventiven Stasi-Arbeit gegen Dissidentengefahr	Erhalt der »Wohlstandsdemokratie«, Krisenmanagement Kanzler Schmidts, Kampagne gegen Terroristengefahr
Historische Legitimation	
Selbstfeier als »staatliche Verkörperung der besten Traditionen der deutschen Geschichte«	... als »freiester Staat« in der deutschen Geschichte gegen Kritik von links
Frauenpolitik und -bewegung	
Zusicherung einer Lösung der Frauenfrage im Sozialismus	Reformpolitik in Reaktion auf unabhängige Frauenbewegung

DDR als Hort der Stabilität und sozialen Sicherheit

Zweifellos stand Honecker in außen- wie in innenpolitischer Hinsicht Mitte der siebziger Jahre auf dem Höhepunkt seiner Macht: Nur ein dreiviertel Jahr nach der KSZE-Konferenz bestätigte der IX. Parteitag der SED im Mai 1976 seine unangefochtene Führungsposition, die in der Ernennung zum SED-Generalsekretär ihren Ausdruck fand. Im Oktober desselben Jahres wurde er Staatsratsvorsitzender und übernahm zusätzlich das Amt des Vorsitzenden des Nationalen Verteidigungsrates. Das ökonomische und sozialpolitische Konzept, das er seit seinem Machtantritt mit der Losung von der »untrennbaren Einheit der Wirtschafts- und Sozialpolitik« verfolgt hatte, wurde sogar ins neue Parteiprogramm aufgenommen. Auch in der Sicht nicht weniger Bundesbürger schien der SED-Staat, zumal die meisten ihn nur von außen kannten, einen Hort der Stabilität und der sozialen Sicherheit zu verkörpern.

(Günther Heydemann, Entwicklung der DDR bis Ende der achtziger Jahre, in: Informationen zur politischen Bildung, Heft 270, 2001, S. 24)

Bundestagswahlkampf der SPD 1976: Modell Deutschland

Unsere starke Wirtschaft bleibt vorn.
Durch soziale Stabilität.
http://www.dhm.de/sammlungen/gifs/sammlungen/plakate/96000306.jpg

Den Begriff »Modell Deutschland« prägte 1976 die SPD unter Bundeskanzler Schmidt für die Stabilitäts- und Anpassungspolitik nach der ersten Ölkrise 1973/74.

»Stasi« griff für Brandts Ostpolitik in die westdeutsche Innenpolitik ein, ihr Spion Guillaume wurde auch zum Anlass seines Rücktritts. Die SED versuchte sich durch die ideologische Formel einer eigenständigen »sozialistischen deutschen Nation« zu stabilisieren. Parallel dazu erfasste die internationale Popkultur die Jugend beider Staaten, wodurch Lebensstil und Mode dominiert und bisherige Erziehungsziele ausgehöhlt wurden. Dem ostdeutschen Theaterautor Plenzdorf (»Die neuen Leiden des jungen W.«) gelang es 1973, auf das Lebensgefühl der DDR-Jugend aufmerksam zu machen und zur gesamtdeutschen Schullektüre aufzusteigen. Im unterrichtlichen Vergleich der sozial- und deutschlandpolitischen Reformansätze dieser Phase liegen Chancen, die Gestaltungsfreiheit beider Regierungen zu beurteilen und die Asymmetrie der Beziehungen zu erkennen, die sich besonders an der einseitigen Blickrichtung der Jugend zeigt.

Mit der Stagnation der Weltwirtschaft ab 1973 wurde die Reformeuphorie im Westen durch »Krisenmanagement« ersetzt, wogegen Honecker zunehmend starr und unflexibel seine in der SED unangefochtene Politik durchsetzte. Die Entspannungspolitik wurde mit der Schlussakte von Helsinki 1975 verstetigt, so dass die innerdeutsche Normalisierung trotz vertiefter Abgrenzung durch die DDR weiterging. Beide Staaten bemühten sich die »Musterknaben« ihrer Blöcke darzustellen, die die ökonomische Krise relativ am günstigsten bewältigten. Auch beanspruchten sie die bisher beste Staatsform in der deutschen Geschichte zu repräsentieren. Besonders die neue Massenarbeitslosigkeit in der Bundesrepublik versuchte die SED zu deren Delegitimierung auszuspielen, während der Erhalt von Wohlstand und Sozialstaat eine Prestigefrage der westlichen Demokratie wurde. Durch systemübergreifende Probleme wie die wachsende Umweltzerstörung drohten neue Lasten. Größere Beachtung fand die Frauenpolitik. Während die unabhängige Frauenbewegung im Westen mehr Rechte einforderte, wurden im Osten eine hohe weibliche Berufstätigkeit und soziale Unterstützung als bereits erreichter, nur noch auszubauender Systemvorteil propagiert.

Der Verzicht auf tiefgreifende Reformen zog auch eine hohe Staatsverschuldung nach sich, die Anfang der achtziger Jahre die Kräfte der DDR überspannte. Unter Bezug auf Helsinki (Korb III) erneuerte sich in der DDR die Dissidenten-Szene. Die SED ging mehrfach gegen prominente Oppositionelle vor (Biermann 1976). Dagegen suchte die Bundesrepublik der Terrorismus der schwerkriminellen RAF (Rote Armee Fraktion) heim, zu deren Bekämpfung Maßnahmen ergriffen wurden, die manchen zu weit in Bürgerrechte eingriffen. Kritische Intellektuelle wurden als Sympathisanten diffamiert (»bleierne Zeit«). Die DDR unterstützte teilweise die Aktivitäten der RAF. Von didaktischem Interesse dürfte das ähnliche Bedürfnis nach Sicherheit im Status quo sein, durch das ökonomische Probleme eher verdrängt als gelöst wurden. Bei Arbeitslosigkeit und Frauenfrage sah sich die DDR im lange ersehnten Vorsprung vor der BRD, was einer kritischen Überprüfung im Unterricht allerdings kaum standhält.

6. Phase: Erosion der DDR und Aufbruch in die Zivilgesellschaft vor 1990

Bemühen um Sicherung und Ausbau des Erreichten – trotz Auszehrung der DDR; neue Legitimationsdefizite durch Distanzierung vieler Bürger vom Staat, Bürgerengagement in der Zivilgesellschaft; innerdeutsche Wiederannäherung und rascher Kollaps der DDR

Bemühen um politische Kontinuität	
Honecker ohne Kurskorrektur, Absperrung gegen Polen und Perestroika, neue Abhängigkeiten von der Bundesrepublik	Kohl ohne größere »Wende« ab 1982, Fortsetzung der Deutschlandpolitik, Honeckers Staatsbesuch 1987 akzeptiert den Status quo
Gesellschaftliche Aufbrüche	
begrenzte Friedens- und Umweltbewegung, Bürgerrechtsbewegung, Jugendopposition	Massenbewegungen, Partei der »Grünen«, Ansätze zivilgesellschaftlicher Pluralisierung
Kollaps der DDR	
massive Krise der SED-Herrschaft, Flucht und Ausreisewelle	Rückkehr nationaler Orientierungen, Wiederannäherung an Ostdeutschland
Weg zur Wiedervereinigung	

In der letzten Phase standen sich zwei scheinbar tiefverschiedene Gesellschaften gegenüber, die dennoch abrupt nach schneller Erosion der DDR wiedervereinigt wurden. Honecker führte den wirtschafts- und sozialpolitischen Kurs trotz massiver Warnungen fort, neu war aber seine Abgrenzung zum Osten hin, erst gegen Polen, dann gegen die Perestroika. Weil die Teilung vorläufig akzeptiert schien, errang Honecker seinen außenpolitischen Triumph mit dem Besuch im Westen 1987. Bundeskanzler Kohl gelang nach 1982 zwar eine Stabilisierung, aber weder eine fundamentale Wende in der wirtschaftlichen Situation noch in der Mentalität der Bundesrepublik. Aus Distanz vieler Bürger zum Staat schwand das Vertrauen in seine Leistungsfähigkeit, lokales Engagement verdrängte vielfach die Autorität der Politik. Auch Kohl setzte die Deutschlandpolitik fort und unterstützte einen Kredit für die DDR. Doch betonten der Kanzler und andere rhetorisch wieder stärker die Nation, und vorsichtige innerdeutsche Wiederannäherungen wurden sichtbar. Das damals überragende gemeinsame Interesse an Rüstungsstabilität ist heutigen Jugendlichen vermutlich fremd. In den

Friedens- und Umweltdebatten entdeckten die Deutschen Gemeinsames, mit ähnlichen Argumenten widersetzten sich neue Bewegungen. Im Westen mündeten sie teilweise in der Partei der Grünen, im Osten blieben es wegen der starken Unterdrückung kleine Gruppen. Bei der ostdeutschen Jugend schwand auf breiter Front die Attraktivität der sozialistischen Erziehung. Die wirtschaftliche Erosion des Ostblocks trieb in eine politische Krise, in der die ostdeutsche Bürgerbewegung den Niedergang der DDR vorantrieb. Die SED-Führung hatte weder ökonomisch noch ideologisch etwas entgegenzusetzen. Die meisten Bundesdeutschen wurden vom Untergang der DDR überrascht, doch fand die Wiedervereinigung eine breite Mehrheit. Zweifel an Tempo und Bedingungen blieben dahinter zurück, auch der Reformbedarf des Westens geriet aus dem Blick. Für diese Phase liegt die didaktische Schwierigkeit im Gegensatz von stabilem äußeren Schein der DDR und realer Erosion in der Loyalität ihrer Bevölkerung, von der die anders ausgerichteten Bundesbürger zu wenig Kenntnis nahmen. Der Ausgang des Kalten Krieges, die lange verschwiegene Stagnation der DDR-Wirtschaft, die Bürgerrechtsbewegung und das osteuropäische Umfeld erklären den finalen Kollaps.

(B) Selbstverortung der Lernenden – Unterricht zum politisch-kulturellen Vergleich in der deutschen Teilungsgeschichte

Selbsterkenntnis verhindern.
Das heißt Versklavung.
Hubert Fichte: Versuch über die Pubertät

Der politisch-kulturelle Vergleichsansatz arbeitet aufschlussreich die asymmetrische Verflochtenheit der Geschichte der beiden deutschen Staaten heraus. In beiden Staaten ging es grundsätzlich um Ausbau eines Gemeinwesens, das nach dem Dritten Reich zusammengebrochen war. Unter Vorherrschaft von Großmächten etablierte sich eine politisch-kulturelle Elite. Sie organisierte durch Gewalt, durch Legitimationsverfahren, durch Gewohnheit, durch Bedürfnisbefriedigung und durch Sinnangebote das staatliche und gesellschaftliche Leben so, dass sich die Menschen in ihrem Staat – mehr oder weniger – aufgehoben fühlten.

In dieses Problemfeld sollen Schüler/innen die deutsch-deutsche Geschichte einordnen und sich selbst auf ihr gegenwärtiges Verhalten im

Spannungsfeld von Herrschaft und Gehorsam überprüfen. Kritisches Bewusstsein schult der Lehrer oder die Lehrerin mit diesem Thema besonders gut, weil Schülerinnen und Schüler die Zeit nicht selbst erlebt haben, aber von ihren kulturellen Auswirkungen in Gesellschaft und Familien erreicht werden. Dies birgt Vorteile, was Motivation durch »Betroffenheit« angeht, birgt aber Nachteile des vorschnellen Übernehmens von Urteilen der Älteren.

Schüler/innen (und Lehrer/innen) neigen dazu, hinter einer Flut von Informationen Kategorien, die grundsätzlich das Leben in Gesellschaft und persönlichem Umfeld gestalten, zu »übersehen«, teils weil sie »selbstverständlich«, teils weil sie »grundsätzlich« (Urschleim!) scheinen. Der vorliegende theoretische Ansatz und die Gestaltung des Unterrichtsmaterials führt die vielfältige Informationsschicht auf Ursituationen zurück. Diese Reduktion lenkt Schülerinnen und Schüler zur Klarheit der Analyse der Politik von 1949 bis 1989 in Deutschland, zur Analyse der Gegenwart und zur Rückkoppelung der unterrichtlichen Erkenntnisse an ihren Erfahrungsbereich.

I. Ursituation: Herr-Knecht

Eine Ursituation in der Politik heißt: *herrschen und gehorchen.* Begegnen sich zwei Menschen, stellt sich diese Hierarchie her: Herr und Knecht. Über komplexe Prozesse, wie sie Berger/Luckmann schildern, baut sich ein moderner Staat auf. Aber auch hinter dessen ausdifferenzierten Institutionen und Verfahrensweisen steht die Urerfahrung von »herrschen und gehorchen«.

Methoden des Herrschens sind:

- *Herrschen durch Persönlichkeit.* Wie gestalten Personen ihr Erscheinungsbild, um ihren Herrschaftsanspruch gegenüber dem Volk durchzusetzen und den Gehorsam des Volkes einzufangen, freiwillig oder gezwungen?
- *Herrschen durch Versprechen:* Mit welchen (Heils-)Versprechungen (ver)locken Herrschende die Bevölkerung zu Gehorsam?
- *Herrschen durch Sprache*: Wie gestalten Herrscher die sprachliche Verpackung ihrer Versprechungen und wie kreieren sie hochemotionalisierte, (quasi)religiöse Begriffe, um das Volk zu manipulieren?
- *Herrschen durch Kult:* Wie inszenieren die Mächtigen Zusammengehörigkeits- und Abhängigkeitsgefühl als Grundlage zur (Ver-)Führbarkeit der Masse?

II. Ursituation Zeit: Gegenwart – Vergangenheit – Zukunft

Lehrer/innen wie Schüler/innen orientieren sich in Vergangenheit, Gegenwart und Zukunft, bewegen sich im virtuellen Raum des Zeitverständnisses. Die Vergangenheit wird als Rekonstruktion verstanden, die Zukunft als Antizipation und die Gegenwart als flüchtiger Schnittpunkt von beiden. Menschen handeln in einem Zeithorizont. Deshalb bemächtigen sich Herrschende der Zeit(en).

Herrschen durch Zeitverfügung: Wie gestalten Herrscher Wahrnehmungsszenarien von Vergangenheit, Gegenwart und Zukunft, um ihren Machterhalt zu legitimieren?

Die Beantwortung der Fragen nach Herrschaft und ihrer Legitimation aus oben angerissenen Perspektiven bilden Grundlage für den Unterricht.

III. Gestaltungen von Herrschaft

1. Herrschen durch Persönlichkeit: Politikstil und Vertrauen

In Abgrenzung zu charismatischen Führern wie Hitler oder Stalin inszenierten sich Nachkriegspolitiker auf beiden Seiten als Menschen wie du und ich: Adenauer ließ sich beim Boccia-Spielen, Ulbricht beim Tennisspiel fotografieren. Sie setzten in der Öffentlichkeit auf die Würde der Älteren: Patriarchen. Der abgehobene charismatische »Führer« verwandelte sich in einen »menschlichen« Patriarchen, dem man gerne freiwillig folgt, schenkt er doch solide Orientierung in einer modern-verwirrenden Welt.

Als Beispiele dafür stellen wir im Unterricht Theodor Heuss und Wilhelm Pieck vor. Die Schülerinnen und Schüler sollen aus dem Material herausarbeiten, wie durch die Darstellung der Person Vertrauen des Volkes zu ihr und der Politik, die sie vertritt, entwickelt werden konnte bzw. sollte. Bindung der Menschen an das, was die Person an Lebens- und Politikerfahrung und an politischen Normen verkörpert, geschieht bei beiden durch vertrauensbildende Sachlichkeit und Menschlichkeit, die den Anspruch erhebt, »Recht« (in höherem Sinne) zu haben. Beide Politiker inszenierten sich als gute Patriarchen, im Gegensatz zum verbrecherischen »Führer«.

(Man könnte in einer weiteren Phase Brandt mit seiner Demokratie-Rede als eher charismatischen Führer behandeln und ihm Honecker als »Bürokraten« gegenüberstellen.)

2. Herrschen durch Sprache: der Streit – die Verkündung

Die Sprache in der Öffentlichkeit und der Öffentlichkeit in der BRD war von Streit und Auseinandersetzung geprägt: Anklage, Verteidigung, Behauptung, Gegenbehauptung u.v.a. Die Parteien bildeten ihre unterschiedlichen Sprachen heraus, die Presse entwickelte eine breite Palette von Sprachstilen (von »Bild« bis zur »Zeit«) und Amerikanismen eroberten das Deutsche. Konsensbildung fand durch Auseinandersetzung statt: Bundestagsdebatten, Tarifverhandlungen, Wahlkämpfe (…) In späteren Jahren entwickelte sich, wenigstens unter den Intellektuellen, eine »Streitkultur«, von der man sich letzten Endes einen für alle akzeptablen Konsens erhoffte (Diskurs).

Die Sprache der SED prägte fast den gesamten Bereich der öffentlichen Äußerungen durch auf Parteitagen vorgestanzte Verbalversatzstücke, die von der Bevölkerung im öffentlichen Rahmen übernommen wurden, wenn etwa Lehrerkonferenzen mit der Zusammenfassung von Parteitagsbeschlüssen am Schuljahresanfang begonnen wurden. Zwar fand ritualisiert Kritik und Selbstkritik statt. Letzten Endes setzte sich »die Führung« immer durch: »Willst du klüger sein als die Partei, Genosse?« Sprache diente der Vereinnahmung des Individuums in eine totalitäre Sprach- und Denkgemeinschaft.

Am Beispiel von Auszügen aus Bundestagsdebatten oder Wahlkämpfen kann man erarbeiten, mit welchen sprachlichen Mitteln in der BRD gestritten wurde. Dabei sollten Schülerinnen und Schüler erkennen, dass der Streit letzten Endes nicht zum Kampf, sondern zum Interessenausgleich oder auch zur (kampflosen) Interessenunterordnung führte, somit einen herrschafts- und systemstabilisierenden Charakter besaß.

Als Gegenstück eignet sich eine Rede vor der Volkskammer, denn in ihr lässt sich der pseudoreligiöse Beschwörungscharakter anschaulich nachvollziehen. Die Sprache saugt die Zustimmung der Zuhörer durch Formeln und Verkünd(ig)ungen von Glaubensgewissheiten nahezu auf: Priesterherrschaft.

Wie weit diese sprachliche Redeweise bei dem Volk Wirkung zeigte, ist schwer nachzuweisen. In der DDR entstand eine »innere Mehrsprachigkeit« unter der Dominanz der manchmal antiquiert wirkenden Sprache (mit Rückbezügen auf die Weimarer Zeit) der SED. Im Westen stachelte der Wechsel von Rede-Gegenrede die Ausdifferenzierung der Gesellschaft unter Einbeziehung einer großen Anzahl ihrer Mitglieder an.

Beispiele von Wortschöpfungen aus der SED-Parteizentrale und dem Medienkochtopf des Westens (»Bild«) unterstreichen die These, dass Herrschaft (der Parteien) in der BRD trotz und wegen des Streits stabilisiert wurde, weil Streit Flexibilisierung von Herrschaft verlangte, während in der DDR dogmatische Sprache Herrschaftsanspruch verkündete und Unterordnung verlangte. Sprachlich etablierte sich eine große Differenz zwischen beiden deutschen Staaten.

3. Herrschen durch Versprechen: Sachlichkeit – Pathos

Inhaltlich stellten die politischen Entscheidungsträger ihr Volk auf »vernünftiges« Handeln ein, in Ost wie in West. Der Westen huldigte einer »Semantik der Sachlichkeit« (Thomas Mergel). Der »Sachzwang« ließ Politikern (scheinbar) keine Entscheidungsmöglichkeiten.

Im Osten herrschte ein »Charisma der Vernunft«, das, nach Kritik und Selbstkritik im kleinen Kreis, zu dem Ergebnis führte: »Die Lehre von Karl Marx ist allmächtig, weil sie wahr ist.« (Lenin)

In Reden von Politikern bzw. in politischen Propagandaschriften lassen sich diese (schein)rationalen Zwänge nachvollziehen. Sie führen den Leser/Hörer aus einem Entscheidungsdilemma zu einem Glaubensbekenntnis. Im Westen werden logische Gedankenketten durch (selektive) Informationsauswahl so gebildet, dass am Ende nur eine Zustimmung dank Einsicht erfolgen kann; im Osten hat die Sprache der »sachlichen« Darstellung einen bekenntnishaften Charakter, der durch Pathos Entscheidungen vorbestimmt.

4. Herrschen durch Kult: Konflikt – Verschmelzung

Im politischen Leben agieren Menschen aus einer symbolischen Sinnwelt heraus, die ein (mehr oder weniger) harmonisches Zusammenleben garantiert. Ein fester Bestandteil der Regelungen in einer Gesellschaft besteht in der Herstellung und Festigung des Zusammenhalts. Im Westen stellten Politiker den demokratischen Konsens durch »Redeschlachten im Bundestag«, Wahlkämpfe oder Tarifverhandlungen her: durch Streit zum Konsens. Im Osten bildete die Grundlage des Staates die Überzeugung, dass Volk und Partei von vorneherein gleiche Interessen hätten, so dass Konsens quasi naturbedingt bestünde und das Volk nur feierlich den Regierenden zustimmen müsse: Konsens durch Verschmelzung.

Anhand von Wahlen in beiden deutschen Staaten kann man zeigen, wie grundsätzlich unterschiedlich das Demokratieverständnis war. Im Westen wurden die Interessen der Bevölkerung von Parteien getragen, die eigenständig waren. Im Osten schlugen die Herrschenden einen genehmen Kreis von Kandidaten vor, die formal Teile der Bevölkerung vertraten, de facto Interessenvertreter der herrschenden Schicht waren. Diese sollte das Volk wählen, weil die Herrschenden und das Volk eine Interesseneinheit bildeten, bei der Abweichung nicht vorgesehen war (Konsenskult, Verschmelzungsriten).

Wahlkämpfe könnte man mit den konsenskultischen Veranstaltungen zum 1. Mai vergleichen, um die Unterschiede zwischen beiden deutschen Staaten, aber auch die Leistung, die darin bestand, eine Gesellschaft und eine Herrschaftsstruktur zu stabilisieren, darzustellen.

5. Herrschen durch Zeitverfügung: Gegenwart – Zukunft

Im Denken und Handeln jedes Menschen spielt die Orientierung in der Zeit eine große Rolle.

Im Abendland stehen wir in der Tradition des linearen Zeitverständnisses: Vergangenheit, die verklärt oder verdrängt, Gegenwart, die bedrückend oder beglückend empfunden wird, und Zukunft mit Hoffnung oder Verzweiflung. Das gegenwärtige Denken einer Person und einer Gesellschaft wird immer überwiegend von einer der drei Zeitdimensionen bestimmt. Dies gilt für jede Person in unterschiedlichen Altersstufen (Jugend zukunftsorientiert, Alter vergangenheitsorientiert), das gilt auch für Gesellschaften.

Wichtig bei der Behandlung des Zeitverständnisses in den beiden deutschen Staaten nach 1945 ist es, nicht nur die linearen Abläufe darzustellen, sondern vor allem im Hintergrund des Geschehens die Zeitorientierung der Akteure zu sehen.

Die DDR-Oberen weiteten die Zukunftsdimension mit der Entwicklung einer sozialistischen Gesellschaft als Dominante über die anderen Zeitdimensionen aus. Im Westen hingegen konzentrierte sich die Gesellschaft auf Wiederaufbau und Wirtschaftswunder, also mehr auf die Gegenwart. Der gesellschaftliche Fortschritt war mit der Übernahme der Demokratie abgeschlossen, die Vergangenheit wurde diffus-selektiv wahrgenommen oder verdrängt. Dem Pragmatismus im Westen mit seiner Gegenwartsorientierung stand im Osten die Hoffnung auf die Erfüllung eines utopischen Gesellschaftskonzepts gegenüber.

Als Herrschaftsinstrument wurden Zukunft und Gegenwart zur Legitimation des Handelns der Regierenden genommen: Verzicht von gegenwärtigem Genuss für eine frohe Zukunft versus gegenwärtiges Handeln für gegenwärtigen (nur gering zeitversetzten) Genuss.

Dies strukturierte den Alltag. Es lässt sich leichter nach Konsumgütern anstehen, wenn man die Gewissheit auf eine strahlende kommunistische Zukunft hat; Arbeitskraft und -wille erhöhen sich, wenn man den Lohn bald in Konsum und Genuss umsetzen kann.

In Laufe der Zeit haben sich die Einstellungen geändert. Brandt setzte auf Zukunft (»Mehr Demokratie wagen«) und im Osten verkürzte man die Zukunftshoffnung auf immer kleinere Zeiträume und bescheidener werdende Wunscherfüllungen (Mangelwirtschaft). Insgesamt aber überwogen jeweils Pragmatismus/Gegenwartsorientierung im Westen und im Osten Utopismus/Fortschritt die anderen Zeitdimensionen.

IV. Durch Dekonstruktion über Rekonstruktion zur Konstruktion

Durch die Rückführung auf die Ursituation »Herr – Knecht« entsteht im (Mit-)Denken des Schülers/der Schülerin eine Differenz zwischen den vielfältigen Gestaltungen von Herrschaft in der Moderne und der Einfachheit von »befehlen und gehorchen«. Die Ausdifferenzierung von Herrschaftsformen in einer modernen Gesellschaft zu erkennen, zu beschreiben, zu erklären und zu bewerten ist Hauptlernziel des Unterrichts. Damit durchschauen Schülerinnen und Schüler (in Ansätzen) das gesellschaftliche Konstrukt ihrer Wirklichkeit.

1. Dekonstruktion

Wir verstehen Dekonstruktion als Beleuchtung eines »Textes« (in weitestem Sinne) aus vielen Perspektiven, ohne dass endgültig »Stellung« genommen wird. Schülerinnen und Schüler sollen lernen, dass Darstellungen im Geschichtsbuch oder die Auswahl von Quellen, Bildern usw. dem Wunsche von Menschen nach Vereinheitlichung, nach Harmonie, nach Sicherheit, nach Orientierung entspringen. Sie sollen lernen, dass bei jedem »Text« eine Vielzahl von Möglichkeiten denkbar ist, wenn man Text und Kontext unvoreingenommen liest und analysiert. Sie sollen eine »ziellose« Lektüre vornehmen können, um nicht der Tendenz der Verkürzung zu erliegen. Insofern vertieft eine dekonstruktivistische Herangehensweise die Multiperspektivität. Damit leistet sie einen Beitrag zum Entdecken von Totalitarismen.

Inwieweit der ständige Perspektivenwechsel Schülerinnen und Schülern, die wegen der Pubertät wenig (körperliche und seelische) Stabilität erleben, zumutbar ist, ist eine wichtige pädagogische Frage. Die Verführbarkeit der Jugend durch totalitäre Sinnangebote (HJ, FDJ, Sekten) bietet allerdings gute Argumente für diese intellektuelle Herausforderung eines verunsichernden Denkens.

Im Unterricht wird das Material schrittweise zerlegt und auf Ursprünge zurückgeführt. Das ist mehr als einfache Quellenkritik, denn auch die Bedingungen, die zu einer Quellenkritik führen, also auch der Standpunkt des Schülers/der Schülerin, wird einer Dekonstruktion unterzogen. Letzten Endes führt die Methode im Geschichtsunterricht dazu, dass Schülerinnen und Schüler ihre Wirklichkeit als konstruierte begreifen und, da Konstruiertes immer »gemacht« wurde, auch als veränderbare. Es entsteht aus dieser Erkenntnis nicht nur die Möglichkeit, sondern auch die Verpflichtung zum eigenen Konstruieren von Wirklichkeit, d.h. zum politischen Engagement.

2. Rekonstruktion

Geschichtsschreibung versucht, vergangene Wirklichkeiten anhand von Quellen so zu rekonstruieren, dass Leser diese Rekonstruktion als ein wirklichkeitsgenaues Abbild vergangener Zeiten (an)erkennen. Da es aber durch Quellenauswahl und Quelleninterpretation immer zu Verwerfungen kommt, ist jede Geschichtserzählung, jede Quellenauswahl eine Reduktion von Wirklichkeit und perspektivischen Verzerrungen unterworfen.

Dies muss Schülern/innen klar gemacht werden. Jede Quelle, jedes Geschichtsbuch, natürlich auch der Lehrer, unterliegen Einflüssen, die hinterfragt werden müssen. So genügt es nicht, dass Schülerinnen und Schüler gläubig den Wissensschatz eines Geschichtsbuches nachbeten. Sie müssen es als etwas (Re-)Konstruiertes ansehen, dessen Bauplan nicht vorhanden ist, von dem nur Reste bekannt sind und der von jemandem zusammengesetzt wird, der Interessen, bewusst oder unbewusst, vertritt.

Für den Unterricht bedeutet dies, dass auch der Rahmen der Darstellung bedacht werden muss, so dass letzten Endes die Schüler/innen die Geschichtsdarstellung als *eine* Möglichkeit erkennen, die man auch anders erzählen könnte – und erzählt hat.

3. Konstruktion

Schülerinnen und Schüler sollen ihre soziale Wirklichkeit als konstruierte erkennen. Sie sollen in ihrer Alltagswelt durch historische Reflexion (Sachkompetenz) ihre eigene Situation (Selbst- und Sozialkompetenz) in der gegenwärtigen Konstruktion sozialer Wirklichkeit(en) analysieren und bewerten. Die Begriffe »gesellschaftliche Konstruktion der Wirklichkeit«, »Sinnwelt«, »Institutionalisierung«, »Internalisierung« und »Legitimierung« (Berger/Luckmann) bilden die theoretische Grundlage für die Analyse der gegenwärtigen Gesellschaft und tragen viel zum Aufbau eines kritischen

Bewusstseins bei, das die Konstruktionselemente von Herrschaft und Gehorsam in der Gegenwart analysieren und bewerten kann.

4. Verschränkungen

Verschränkt war die Geschichte der beiden deutschen Staaten durch ein gemeinsames Problem: Wie gestaltet man durch Herrschaft ein Gemeinwesen? Die Antworten – parlamentarische Demokratie, Diktatur – übernahmen die beiden deutschen Staaten – mehr oder weniger freiwillig – aus früheren Zeiten.

Die Durch- und Ausführung wurde vom ständigen Schielen auf den Konkurrenten oder Klassenfeind in Ost bzw. West geprägt, von ständiger Abgrenzung oder Imitation, von Schlechtmachen und Hochjubeln, von Emotionalität, wie man sie zwischen feindlichen Brüdern findet. Dieser »Rosenkrieg« zweier Staaten besitzt komische und tragische Züge. Manchmal trat auch eine gewisse Nüchternheit auf (Ostpolitik Brandts). Immer aber will der eine Recht haben, nämlich die bessere Gestaltung eines Gemeinwesens zu besitzen. Diesen Aspekt gilt es, in den Quellen zu suchen und bei den Schülern/innen herauszustellen.

So sind die beiden Staaten einerseits verschränkt durch ein gemeinsames Problem und seine Lösung (Gestaltung eines Staates), andererseits durch den Wettbewerb, das »bessere« Deutschland als Antwort auf das Dritte Reich zu sein.

5. Hinweise zur unterrichtspraktischen Umsetzung

Diese didaktischen Überlegungen zur Unterrichtsgestaltung auf Grundlage einer asymmetrisch verflochtenen Kontrast- und Beziehungsgeschichte wird lehrplankonform in Geschichte gut unterzubringen, aber auch auf die Fächer Sozialkunde, Wirtschaft und andere geisteswissenschaftliche Fächer auszuweiten sein.

Notwendig ist es, dass Schülerinnen und Schüler einen chronologischen Überblick haben. Deshalb eignet sich diese Unterrichtsreihe zur Ergänzung und Vertiefung. Bei fächerübergreifendem Unterricht gewinnt man Zeit, wenn man die Fächer Deutsch, Kunst u. a. mit ihren Stundenkontingenten einbezieht.

Als Unterrichtsmaterial kann *jede* Quelle in den Schulbüchern dienen. Man müsste sie nach ihrem Stellenwert und Leistung in und für die Sinnwelt, die Politik und den Alltag befragen. In jeder Quelle stecken Hinweise auf Herrschaftsstrukturen und ihre Legitimation bzw. nach Abweichungstendenzen von ihnen. So erreicht der kulturanalytische Ansatz bei der Behandlung der deutsch-deutschen Geschichte ein Mehr an differenzierter Geschichtsbetrachtung, eine Verbesserung des kritischen Bewusstseins und einen Zugewinn an personaler Kompetenz.

Literaturhinweise

Peter L. Berger/Thomas Luckmann, Die gesellschaftliche Konstruktion der Wirklichkeit, Frankfurt/M. 1980

Klaus Bergmann/Annette Kuhn/Jörn Rüsen/Gerhard Schneider (Hrsg.), Handbuch der Geschichtsdidaktik, Seelze-Velber 1992

Peter Engelmann, Postmoderne und Dekonstruktion. Texte französischer Philosophen der Gegenwart, Stuttgart 1990

Hubert Fichte, Versuch über die Pubertät, Frankfurt/M. 1976

Gert-Joachim Glaeßner, Selbstinszenierung von Partei und Staat, in: *Dieter Vorsteher* (Hrsg.), Parteiauftrag: Ein neues Deutschland. Bilder, Rituale und Symbole der frühen DDR, Berlin 1997, S. 20–39

Konrad H. Jarausch, Die Umkehr. Deutsche Wandlungen von 1945 bis 1995, München 2004

Konrad H. Jarausch, Zur Integration der beiden deutschen Nachkriegsgeschichten, in: Zeithistorische Forschungen, 1/2004, S. 10–30

Heinz Kimmerle, Jacques Derrida zur Einführung, Hamburg 2000

Christoph Kleßmann, Zwei Staaten, eine Nation. Deutsche Geschichte 1955 bis 1970, Bonn 1988

Achim Landwehr, Diskurs-Macht-Wissen. Perspektiven einer Kulturgeschichte des Politischen, Archiv für Kulturgeschichte, 85/2003, Heft 1, S. 71–117

Hans Georg Lehmann, Deutschlandchronik 1945 bis 2000, Bonn 2002

Katja Protte, Zum Beispiel ... der 1. Mai 1951 in Ost-Berlin. Agitation, staatliche Selbstdarstellung und Utopie, in: *Dieter Vorsteher* (Hrsg.), Parteiauftrag: Ein neues Deutschland. Bilder, Rituale und Symbole der frühen DDR, Berlin 1997, S. 118–135

Joachim Rohlfes, Geschichte und ihre Didaktik, Göttingen 1986

Martin Sabrow, »Zeit« als politischer Legitimationsfaktor. Zeitgefühl und Zukunftsverständnis im »Dritten Reich« und in der DDR, Ms., Vortrag Historicum 14. 1. 2003

Martin Sabrow, Vertrauter Feind, objektiver Gegner, kollegialer Konkurrent. Zum Wandel des Bildes vom »Anderen« in der sozialistischen Legitimationskultur der DDR, Ms.

Martin Sabrow, Zukunftspathos als Legitimationsressource. Zum Charakter und Wandel des Fortschrittsparadigmas in der DDR, Ms.

Rolf Schnörken, Geschichte in der Alltagswelt, Stuttgart 1981

Hinweis: Zu diesem Aufsatz erscheinen Beispiele mit Materialien als Kopiervorlage unter der Internetadresse: www.praxisgeschichte.de (Downloads)

2. Deutschland als Grenzregion – Konstruktion und Erfahrung des »Anderen«

Thomas Lindenberger

»Zonenrand«, »Sperrgebiet« und »Westberlin« – Deutschland als Grenzregion des Kalten Krieges

»Grenze« als historiographisches Konzept

»Grenzen« zum Ausgangs- und Bezugspunkt historischen Erzählens zu nehmen, ist keineswegs neu oder originell. Rein technisch betrachtet, sind Grenzen Linien im Gelände, an denen man erkennen soll, wo die eine Herrschaft aufhört und die andere beginnt. Im Streitfall suchten die um Herrschaft Konkurrierenden ihre Interpretation des einzig »richtigen« Grenzverlaufs immer auch mit historischen Argumenten zu begründen: Angestammte Rechte und Besitzverhältnisse, die seit Generationen, wenn nicht seit Menschengedenken überliefert waren, das ganze Herkommen des eigenen Sozialverbandes und dessen Vorahnen – zahllose historische Evidenzen wurden und werden aufgeboten, um Grenzen in ihrer konkreten Gestalt zu rechtfertigen bzw. in Frage zu stellen.[1] Ohne Geschichte keine Grenzen.

Diese Variante einer anwendungsbezogenen, unmittelbar konkurrierenden Herrschaftsansprüchen verpflichteten Historiographie der Grenzen hat ihren legitimen Platz in der Geschichtswissenschaft unseres Landes schon seit einiger Zeit verloren.

Wenn im Folgenden »Grenze« als Kern eines Narrativs der deutschen Doppelgeschichte nach 1945 entwickelt wird, so knüpft dies an einen anderen, von der Geschichte der sozialen Beziehungen her argumentierenden Ansatz an und fasst Grenzen als mehrdimensionale Räume, nicht als bloße Linien, auf. Im altehrwürdigen Wort »Mark« im Sinne von »Grenzmark« ist diese Vorstellung noch präsent: Es bezeichnet ein Territorium, das durch seine direkte Nachbarschaft zu einem Territorium anderer Herrschaft geprägt ist. Damit figuriert es zugleich gegenüber dem eigenen Zentrum als »Rand«. Die vielfältigen Interaktionen zwischen den benachbarten Gebieten zweier Herrschaftsbereiche erlauben es, diese gegenüber den jeweiligen Zentren als »Grenzgebiet« oder »Grenzregion« zu bestimmen.

»Grenze« steht in diesem Sinn für durch politische Herrschaft konstituierten Raum, der eine besondere Art des Umgangs mit dem »Anderen« bedingt. Damit wird zunächst betont, dass man mit territorialen Grenzen den herrschaftlichen Anspruch auf ein Entweder-Oder der Zugehörigkeit durchsetzen kann. Es geht nicht nur um das Territorium selbst, sondern darum, Menschen bzw. Dinge nach ihrer territorialen Zugehörigkeit einteilen zu können: Anhand ihrer Herkunft oder ihres Aufenthaltes lassen sie sich der einen oder anderen Seit zurechnen. Eine solche Einteilung bedeutet jedoch nicht Beziehungslosigkeit zwischen den verschiedenen Territorien zugeordneten Menschen und Dingen, im Gegenteil: Eine Sozialgeschichte von Grenzräumen betont die sich aus der unmittelbaren Nachbarschaft verschiedener Herrschaftsgebiete ergebende Interaktion mit dem »Anderen«. Anders als im Innern des Herrschaftsgebietes, wo die Begegnung mit Angehörigen des »anderen« Gebietes seltener ist, ist sie im Grenzgebiet Teil des Alltags. Dort, wo die Grenzen konkret verlaufen, trennen sie nicht nur, sondern verbinden zugleich. Sie stellen Differenz auf Dauer und bieten zugleich den Rahmen für den alltäglichen, nicht lediglich ausnahmsweisen Umgang mit Differenz. Wie dies geschieht: in direktem persönlichen Austausch, in sozialen Gemeinsamkeiten bis hin zu umfassenderen Verflechtungen einerseits, im fortwährenden Sich-voneinander-Abgrenzen, in Bedrohung und Aggression, sowie dezidierter Nicht-Kommunikation und wechselseitiger Indifferenz andererseits, oder aber – wahrscheinlicher – in Mischungen dieser verschiedenartigen Interaktionsweisen – das hängt von Faktoren ab, die meist nicht allein von den Akteuren im Grenzraum abhängen. Hier spielen die allgemeinen historischen Konjunkturen und Wechselfälle, im guten wie im schlechten Sinne, hinein. In Abhängigkeit von dem, was in der »großen Politik« gerade auf dem Spiel steht, wird in Grenzregionen großes Welttheater gegeben – oder auch nicht.

Für unseren Zweck, »Deutschland nach 1945« als ein »Grenzgebiet« im Kalten Krieg zu denken, ist es nützlich, sich Folgendes in Erinnerung zu rufen: Die Staatsgrenze als Grenze zwischen dem eigenen Gemeinwesen und benachbarten, sprachlich und kulturell einigermaßen homogenen Nationalstaaten ist gerade in der deutschen Geschichte eine historisch verhältnismäßig neue Erscheinung. Vor der deutschen Einigung 1871 mussten viele Menschen in Deutschland vor allem mit innerdeutschen Grenzen leben: Zollschranken und Verwaltungsgrenzen hemmten bekanntlich wesentlich die Modernisierung Deutschlands im 19. Jahrhundert. Die Reichseinigung bereinigte diese Problematik: Die nationale Grenze mit all ihren charakteristischen Erscheinungen wie dem besonderen Gewicht der militärischen Sicherung, der Kontrolle des Verkehrs von Waren und Personen und dem vom Zentrum ausgehenden Druck zur sozialen und kulturellen Homogenisierung wurde zu einem privilegierten Handlungsfeld für die Aufrichtung moderner nationalstaatlicher Herrschaft. Damit holte Deutschland nach, was andernorts bereits in der frühen Neuzeit vollzogen worden war. Der US-amerikanische Ethnologe Peter Sahlins hat diesen Prozess der Herausbildung des modernen Nationalstaats und seiner sich in der Peripherie etablierenden Zentralgewalt anhand des spanisch-französischen Grenzgebiets in den Pyrenäen in einer Bahn brechenden Studie rekonstruiert.[2]

Der vollständige Verlust nationalstaatlicher Souveränität im Mai 1945 ermöglichte in Verbindung mit der geographischen Lage zwischen den rivalisierenden Siegermächten eine historisch paradoxe Rückkehr innerdeutscher Grenzen. »Zonenrandgebiet«, »Sperrgebiet« und »Westberlin« sollen im Folgenden als konkrete Ereignisorte der deutschen Teilungsgeschichte wie als Handlungsräume skizziert werden. Zugleich lässt sich an diesen Grenzen die Einbindung Deutschlands in die weltweite Blockkonfrontation nachvollziehen. Sie stehen für die unmittelbar mit den Wechselfällen des Kalten Krieges verbundenen Eigentümlichkeiten des Lebens an und mit den Systemgrenzen wie für den gesellschaftlichen Umgang mit der Grenzlage Deutschlands im Systemkonflikt. Mit »Grenze« und »Grenzgebiet« werden also zwei Bezugsebenen behandelt: Innerhalb Deutschlands werden die mit der doppelten Staatlichkeit gegebenen geographischen Handlungsräume – »Zonenrand«, »Sperrgebiet«, »Westberlin« – herangezogen. Der Blick auf das geteilte Deutschland in seiner Gesamtheit hingegen hebt dessen besondere Lage zwischen den Epizentren der Blockkonfrontation hervor. Aus dieser globalen Warte wies Deutschland selbst die Eigenschaften eines Grenzgebiets auf.

Diese mehrfachen Bedeutungen von Grenze und Grenzregion während der Zeit des Systemkonflikts sollen nun entlang der von Christoph Kleßmann entwickelten Stufenfolge der deutsch-deutschen Verflechungsgeschichte skizziert werden. Den Eigenarten des Themas entsprechend werden die einzelnen Stufenfolgen dieses Konzept nicht gleichmäßig anzuwenden sein, sondern konzentriert vor allem auf die ersten vier, für die erste Hälfte des Kalten Kriegs charakteristischen Entwicklungen angegangen.[3]

Deutsche-deutsche Grenzen nach 1945 in gesellschaftsgeschichtlicher Perspektive

I. Kriegsende, Besatzung und Errichtung alliierter Herrschaft

Die gleichzeitige Besetzung aus zwei Himmelsrichtungen macht Deutschland schon vor dem Ende der Kampfhandlungen zu einem Grenzgebiet zwischen den Einflusszonen der beiden Hauptprotagonisten unter den Alliierten, den USA und der Sowjetunion. Diese Konstellation trägt in der Wahrnehmung der Deutschen von vornherein eine Ost-West-Asymmetrie in sich, die aus den Unterschieden der Kriegsziele und der Kriegsführung Deutschlands in Ost und West folgt: Nach der flächendeckenden Vernichtungspolitik im Osten erwarten sie von dort eine härtere, stärker von Vergeltung geprägte Eroberung und Besatzung als aus dem Westen. Da sich diese Erwartung bestätigt, setzt bereits vor der bedingungslosen Kapitulation eine umfassende Abwanderung Richtung Westen ein, um in das zukünftige Besatzungsgebiet der Westalliierten zu gelangen. Noch bevor der eigentliche Kalte Krieg ausbricht, markiert daher die Westgrenze des sowjetischen Herrschaftsbereichs im Kalkül vieler Deutscher die Möglichkeit, der antizipierten und teilweise eingetretenen besonders gewaltsamen Vergeltung durch den Kriegsgegner im Osten zu entgehen.

8. Mai 1945: Bedingungslose Kapitulation und Besetzung durch die Truppen der Alliierten beenden die deutsche Staatlichkeit. Die Errichtung der Herrschaft der vier Besatzungsmächte bedarf auch der Neudefinition territorialer Grenzen. Bereits die Verhandlungen während des Kriegs und endgültig das Potsdamer Abkommen widmen sich der Definition neuer Demarkationslinien: Mit den Gebietsabtrennungen im Osten und der Wiederherstellung der Friedensgrenzen im Westen und Süden werden Deutschlands Außengrenzen festgelegt. Nach innen geht es um die gemeinsame Verwaltung des besetzten Deutschlands. Dafür wird Deutschland in Besatzungs-Zonen aufgeteilt, die durch Grenzen voneinander getrennt sind. Dasselbe Verfahren wird auf die Hauptstadt Berlin angewandt. Gemeinsame Kontrollgremien (Alliierter Kontrollrat, Alliierte Kommandantur in Berlin) sollen die Einheitlichkeit der Besatzungspolitik der vier Mächte herstellen.

Für die Menschen in diesem Raum haben diese Grenzziehungen mehrfache Wirkungen. Millionen sind unterwegs und müssen die neuen Grenzen passieren: Evakuierte, Heimkehrer, Zwangsarbeiter, heimatlos gewordene Opfer der NS-Rassepolitik, Flüchtlinge und Vertriebene. Deutschland wird zum Ankunfts- und Durchgangsgebiet. Die größte unmittelbar mit den neuen Grenzziehungen verbundene Wanderung wird durch die

Vertreibung von ca. 12 Millionen Deutschen aus dem Osten ausgelöst. Als innerdeutsche Verwaltungsgrenzen strukturieren die Zonengrenzen den Überlebensalltag und Neuanfang in der Zusammenbruchsgesellschaft: Die jeweiligen Siegermächte sind in ihrer Zone bzw. ihrem Berliner Sektor für Versorgung, Ingangsetzung des wirtschaftlichen Lebens, Kontrolle von Politik und Kultur im Rahmen der gemeinsamen Beschlüsse selbst verantwortlich, woraus sich bald markante Unterschiede in den Lebensverhältnissen ergeben.

II. Kalter Krieg und Teilung

Die ab 1946/47 einsetzende Dynamik des Kalten Krieges lässt die Grenzen zum sowjetischen Besatzungsgebiet zur Grenze zwischen gegnerischen Weltsystemen werden, zu einem Abschnitt jenes »Eisernen Vorhangs«, der sich, so Winston Churchill in seiner berühmten Fulton-Rede im März 1946, von Stettin bis Triest durch Europa zieht. Zugleich verlieren die Grenzen zwischen den westlichen Zonen in dem Maße an Bedeutung, wie diese 1946 (britisch-amerikanische Bizone) bzw. 1949 (Trizone) zu einheitlichen Wirtschaftsgebieten zusammengeschlossen werden. Dasselbe gilt für Berlin bzw. Westberlin und sein sowjetzonales Umland.

Mit der Neubegründung deutscher Staatlichkeit setzt auch die Grenzbefestigung und deren gewaltsamer Schutz durch militärische Verbände ein: Ein typischer, in der langen Tradition kontinentaleuropäischer Staatsbildung stehender Vorgang. Den Anfang macht die Sowjetische Militäradministration bereits im Jahr 1947 mit der Aufstellung spezieller deutscher Grenzpolizei-Verbände unter ihrem Befehl; später werden daraus die Grenzpolizei- und Kasernierten Volkspolizei-Verbände, noch später die Nationale Volksarmee (NVA).[4] Wesentlich später, unter dem Eindruck des Koreakriegs, beginnt 1951 der westdeutsche Bundesstaat den Aufbau zentralstaatlicher Polizeiorgane neben dem Bundeskriminalamt mit dem Bundesgrenzschutz als einer für den innerdeutschen Ernstfall gerüsteten, paramilitärischen Truppe.[5]

Im propagandistischen Wettstreit um die »nationalere« Deutschlandpolitik spielt die symbolische Dimension der innerdeutschen Grenzen von Anbeginn eine tragende Rolle. Bis 1952 versucht die SED gerade entlang der Zonengrenze in gesamtdeutschen Treffen, Sportveranstaltungen, Festlichkeiten etc. eine grenzüberschreitende Bewegung »von unten« zu inszenieren, die sich in ihre antiamerikanische nationalistische Propaganda einfügt.[6] Zugleich entwickeln sich hier bis zu diesem Zeitpunkt für Gebiete mit offener Grenze charakteristische Austauschbeziehungen jenseits oder unterhalb der offiziellen Beziehungen, die frühere, über Jahrhunderte hinweg gewachsene Verbindungen fortsetzen.

In der Viersektorenstadt Berlin gehört dieses Nebeneinander von offiziellen und offiziösen, teilweise auch aus infrastrukturellen Gründen erforderlichen Verbindungen und den vielfältigsten informellen und privaten Beziehungen über die Systemgrenze hinweg bis 1961 zum Alltag. Auf beiden Seiten verbinden sich dabei polemische Abgrenzung und versuchte Einflussnahme auf die Öffentlichkeit des jeweils anderen Lagers. Berlin entwickelt sich dadurch zu einer besonders exponierten Bühne des Kalten Kriegs. Jeder Streit um Regelungen kommunaler Angelegenheiten etwa im Bereich des Verkehrswesens, der Energiewirtschaft oder des Gesundheitswesens, wird mit Symbolfunktionen für die Systemkonkurrenz aufgeladen.[7]

Die Befestigung und Schließung dieser innerdeutschen Grenzen durch die östliche Seite erfolgt in zwei großen Schüben: Ende Mai 1952 beginnt die DDR damit, die Zonengrenze zur Bundesrepublik durch Sperranlagen unpassierbar zu machen und führt entlang dieser Grenze ein besonderes Kontrollregime ein: Der Zugang zum fünf Kilometer breiten Sperrgebiet an der Demarkationslinie wird durch Kontrollpassierpunkte überwacht. Der dauernde Aufenthalt im Sperrgebiet ist nur politisch zuverlässigen Personen gestattet, der vorübergehende Aufenthalt an besondere Genehmigungen gebunden. Die Einführung dieses Kontrollregimes ist mit brutalen Umsiedelungs-, Enteignungs- und Repressionsmaßnahmen gegen solche DDR-Bürger verbunden, die die SED aus welchen Gründen auch immer als Sicherheitsrisiko betrachtet. Tausende von Familien müssen über Nacht ihren Hausrat zusammenpacken, Haus und Hof aufgeben, und sich in einem von den Behörden zugewiesenen Wohnort im Landesinnern niederlassen.[8]

Diese von der SED bezeichnenderweise »Aktion Ungeziefer« genannte Aktion fügt sich ihrerseits nahtlos in die erste Phase der vom Hochstalinismus geprägten gesellschaftlichen Transformationspolitik ein. Sie reicht in ihren Konsequenzen bis weit in das DDR-Hinterland hinein und ist vor allem gegen mittelständische Schichten mit privatem Produktivvermögen gerichtet. In dieselbe Zeit fallen der Beginn der Zwangskollektivierung, die ab Juli 1952 darauf zielt, die soziale Existenz leistungsstarker und daher auch einflussreicher Privatbauern zu vernichten,[9] und die massenhafte Enteignungen im Hotel- und Gaststättengewerbe an der Ostseeküste im Februar 1953.[10] Zugleich lenkt die staatliche Wirtschaftspolitik Investitionsmittel und Arbeitskräfte in militärisch bedeutsame Sektoren, um die forcierte Aufrüstung des SED-Staats zu ermöglichen.[11] Massive Versorgungsschwierigkeiten, Realeinkommensverluste und Abwanderung von Arbeitskräften in den Westen (über das Schlupfloch Berlin) führen zu jener innenpolitischen Krise, die sich, trotz der offiziellen Zurücknahme dieses Kurses Anfang Juni 1953, im Volksaufstand des 17. Juni 1953 entlädt.[12] Damit bleibt der erste Anlauf der SED, ihren Herrschaftsbereich nach innen zu konsolidieren, zunächst auf halber Strecke stecken, die Truppen der Besatzungsmacht müssen die Existenz der DDR sichern. Zahlreiche Repressionsmaßnahmen, Enteignungen und wirtschaftspolitischen Maßnahmen werden teilweise wieder zurückgenommen oder abgemildert. Die Grenzsicherungsmaßnahmen bleiben davon unberührt.

Der Berliner Mauerbau im August 1961 vervollständigt die Errichtung diktatorischer Herrschaft. Die Parallelen und Unterschiede zum Jahr 1952/53 liegen dicht beieinander. Zunächst ist auch dieser Maßnahme eine erneute Offensive zur Durchsetzung zentralstaatlicher Lenkung und sozialistischer Produktionsverhältnisse vorangegangen. Als öffentlich sichtbarer Auftakt kann der V. Parteitag der SED im Juli 1958, auf dem W. Ulbricht nichts weniger als eine sozialistische Kulturrevolution verkündet, angesehen werden. Die dadurch ausgelösten Konflikte konzentrieren sich vor allem auf die »sozialistische Umgestaltung der Landwirtschaft«, die bis Mitte 1960 formaliter abgeschlossen ist, während sie zugleich die Versorgungsprobleme verschärft und die Abwanderung Richtung Westen beschleunigt. Im Unterschied zur Krisendynamik im Jahr 1953 sind die SED-Sicherheitsexperten diesmal aber auf eine solche Situation gut vorbereitet: Die bewaffneten Organe sind mittlerweile für den inneren Einsatz ausgebildet worden, zugleich sind die Kräfte des gesellschaftlichen Widerstands jetzt regelrecht zermürbt und aufgebraucht. Der Mauerbau gelingt daher als minutiös geplanter und souverän ausgeführter Überraschungscoup, der sowohl die DDR-Bevölkerung selbst wie die westliche Seite unvorbereitet trifft.[13]

Ähnlich wie bei der Schließung der innerdeutschen Grenze 1952 folgen auch dem Mauerbau und der Abschließung der Westberliner Umlandgrenzen eine Welle der gezielten Repressionen gegen der SED unliebsame »Elemente«. Diese Politik der politisch-sozialen »Störfreimachung« im Innern der DDR-Gesellschaft trifft Hauseigentümer und Bewohner im Grenzgebiet nach Westberlin in Gestalt von Zwangsumsiedelungen, und vor allem ehemalige Grenzgänger, die regelmäßig, sei es zum Broterwerb oder als Schüler und Studenten, nach Westberlin gereist waren. Diesem Personenkreis werden nun Aufenthaltsverbote in Grenznähe auferlegt, sie müssen sich Arbeitsplätze in der volkseigenen Industrie zuweisen lassen. Verweigerung und Protest ahnden die Gerichte mit Haftarbeitslager. Die diese Maßnahmen formaljuristisch absichernde Verordnung des Ministerrats über Aufenthaltsbeschränkung vom 24. August 1961 kann darüber hinaus auch gegen alle anderen Personen, die als »arbeitsscheu« gelten oder keinem (im Sinne der sozialistischen Planwirtschaft) geregelten Broterwerb nachgehen, angewandt werden. Aus dieser Verordnung sollte sich in den darauf folgenden Jahren die 1968 kodifizierte Strafrechtsbestimmung zur »Asozialität« entwickeln, die eine bestimmte Lebensweise als Gesinnungsstraftatbestand definiert. So führte ein direkter Weg von der endgültigen Grenzschließung 1961 zur Perfektionierung der Erziehungsdiktatur.[14]

Die Alternative zur DDR, die junge Bundesrepublik, konnte auf ihre Weise von dieser in zwei Schüben erfolgenden diktatorischen Errichtung des DDR-Grenzregimes profitieren: Ihr bringen diese mit offenkundigen Menschenrechtsverletzungen verbundenen Willkürakte erhebliche Legitimitätsgewinne, die neben den wirtschaftlichen Erfolgen der fünfziger Jahre entscheidend zur inneren politischen und sozialen Stabilisierung beitragen. In der frühen Bundesrepublik war die konsequente Westintegrationspolitik Adenauers zunächst durchaus auf weit verbreitete Kritik gestoßen. Die von ostdeutscher Seite gewaltsam durchgeführte physische Trennung der Deutschen entlarvt nicht nur die Einheitsrhetorik der SED als haltlose Propaganda, sie entzieht auch Zweifeln an der Unwiderrufbarkeit der Westorientierung der Bundesrepublik zusehends die Grundlage.

III. Die innere Entwicklung der beiden deutschen Staaten unter den Bedingungen geschlossener Grenzen

1. Sperrgebiet DDR

Die durchschlagende Wirkung der Grenzschließungen auf das politische und gesellschaftliche Leben ist in der DDR ungleich intensiver und umfassender als im Westen. Ein Verzicht auf eine ausführliche Erörterung des von der SED gegen die eigene Bevölkerung gerichteten Grenzschutzes mit all seinen Konsequenzen wie Schießbefehl, Mauertoten, Grenzstreifen, Strafverfolgung, etc. sei hier erlaubt, da diese Tatsachen im Großen und Ganzen als bekannt vorausgesetzt werden dürfen.[15] »Sperrgebiet« und »Grenzregime« sind mit guten Gründen als Sinnbilder des Verhältnisses von Herrschaft und Gesellschaft in der DDR anzusehen.

Die SED weitet die 1952 an der Zonengrenze und 1961 in Berlin errichtete minutiöse und an militärischen Sicherheitsbegriffen ausgerichtete Regulierung des Verhaltens im Grenzgebiet und die gleichzeitige umfassende Kontrolle aller Kontakte mit dem Westen auf alle Lebensbereiche im Innern des Landes aus. Überall dort, wo Kontakte mit Menschen aus dem Westen möglich erscheinen, gelten besondere Regeln des Zugangs, der Aufenthaltsberechtigung, des Verhaltens, ereignet sich »Grenze«. Derartige, das eigentliche Sperrgebiet ergänzende »Grenzräume« im Innern der DDR sind:

- Die Transitwege zu Land und zu Wasser, also die Autobahnverbindungen von Helmstedt, Bebra, Rudolstein und später Ludwigslust zum Berliner Ring und von dort nach Dreilinden in Westberlin; die Fernstraße F5 Richtung Hamburg und Warnemünde, ferner unter den Wasserstraßen vor allem Havel, Elbe und der Mittellandkanal;
- die Umgebung der westlichen diplomatischen Vertretungen und militärischen Missionen in Berlin und Potsdam;
- die Leipziger Messe mit ihrer zeitweiligen Anwesenheit zahlreicher westlicher Geschäftsleute;
- generelle Konzentrationspunkte von Reisenden aller Art: Touristen, Verwandte, Künstler, Wissenschaftler, so wenige es auch sein mögen.

Damit sind zunächst die Formen der regelmäßigen physischen Präsenz von Individuen aus dem Westens genannt, von deren Einflüssen das Regime seine Bürger abzuschirmen versucht. Ferner will der SED-Staat den Umgang mit westlichen Dingen genauestens überwachen und regulieren: Dazu gehörten die Westpakete und deren aufwendige Kontrolle ebenso wie der Zugang zu Westwaren im Rahmen des staatlichen Verteilungssystems (Intershop, Genex), ferner die Regulierung des Besitzes von Westwährung.[16]

Und schließlich sind die Formen der kommunikationstechnischen und damit auch virtuellen Präsenz des Westens im Osten in Rechnung zu stellen. Briefverkehr und Telefonkontakte lassen sich noch einigermaßen kontrollieren, aber auf Grund der Vereinbarungen mit der Bundesrepublik nicht ganz und gar aus der Welt schaffen.[17] Gänzlich auf verlorenem Posten steht die Partei beim Versuch, den Empfang westlicher elektronischer Medien zu unterbinden oder auch nur nennenswert einzuschränken. Dennoch waren in den Augen der Partei auch die DDR-Wohnzimmer »Grenzgebiet«: Abend für Abend ereignen sich hier millionenfach imaginäre Grenzübertritte, die sie kaum kontrollieren und schon gar nicht verhindern kann.

Dieses negative Prinzip der umfangreichen Abschirmung gegen alles Westliche und der Einschränkung der Westkontakte gilt für den Alltag der Bevölkerungsmehrheit. In besonderen Bereichen des wirtschaftlichen, politischen und kulturellen Lebens jedoch ist die SED auf Kontakte und regelmäßigen Austausch mit dem Westen angewiesen: Die dafür sorgsam ausgewählten Funktionäre und Spezialisten unterliegen einem aufwendigen Kontrollsystem durch das Ministerium für Staatssicherheit. Die Berechtigung, solche Westkontakte implizierende Funktionen auszuüben, erfordert besondere Zuverlässigkeit oder andere Garantien der DDR-Verbundenheit etwa durch die Familie. Als Sinnbild dieser Praxis ist der Status des »Reisekaders« überliefert, der in den oberen Hierarchien aller Staats- und Parteiapparate die mit der Grenzlage der DDR zum Westen verbundenen Risiken personifiziert.

Die Herrschaftspraxis der SED beruhte aber nicht nur auf der Kontrolle und minutiösen Regulierung von Grenzbereichen zum westlichen »Anderen«. Dieses Prinzip verband sich nahtlos mit der Überwachung von Grenzziehungen im Innern der Gesellschaft.[18] Die Partei wachte genau darüber, dass sich die ihrer Herrschaft Unterworfenen an die ihnen durch Funktion und Auftrag gesetzten Grenzen des eigenständigen Handelns hielten. Im Bereich der unmittelbaren Lebenswelt ließ dieses Prinzip durchaus gewisse Freiheitsgrade des individuellen Einflusses auf die eigenen Lebensumstände zu, etwa im Arbeitskollektiv, in der Hausgemeinschaft oder in bestimmten Freizeitbereichen. Jegliche über diese unterste Ebene begrenzter Autonomie hinausgehenden Versuche gesellschaftlicher Vernetzung und Kommunikation gerieten hingegen unweigerlich in einen Grenz-Konflikt mit den professionellen Aufpassern des Partei-Staats: Diese hatten darüber zu wachen, dass der Bevormundungs- und Monopolanspruch der Parteiherrschaft nirgendwo dauerhaft in Frage gestellt werden konnte. Dass ihnen dies nicht immer und überall gelang, steht auf einem anderen Blatt. Für unsere Betrachtung ist die mit diesem Herrschaftsprinzip verbundene Institutionalisierung einer breiten Übergangszone zwischen dem Arkanbereich staatlicher Herrschaft, zu der ein normal-sterblicher DDR-Bürger kaum Zugang hatte, und der alltäglichen Lebenswelt der allermeisten »Werktätigen« von Bedeutung. Hier erfolgte alltäglich die Grenzziehung zwischen den wenigen öffentlichen Dingen, die den DDR-Bürger legitimerweise etwas angehen durften, und dem großen Rest, von dem er sich fernzuhalten hatte.

Unbotmäßige Einmischungen von DDR-Bürgern in die Prärogative der Partei deutete diese unweigerlich als ein Indiz für das Wirken des westlichen Gegners im Innern der DDR-Gesellschaft, als potenzielle Grenzverletzung im Innern. Ohne die durch physische Gewalt an der äußeren Grenze erzwungene Zugehörigkeit zum DDR-Staatsvolk waren diese Grenzziehungen im Innern der DDR nicht aufrechtzuerhalten: Keine Diktatur der Grenzen ohne die Diktatur der Grenze.

2. Zonenrand BRD und Schaufenster Westberlin

Im Gegensatz zur DDR kann die Geschichte des westdeutschen Staats und der westdeutschen Gesellschaft als eine Abfolge sukzessiver Grenzöffnungen und im übertragenen Sinne auch Entgrenzungen des politischen, gesellschaftlichen und kulturellen Lebens gelesen werden. Dabei war dieser Prozess zunächst durchaus einseitig ausgerichtet, nämlich auf den Westen, und: er verlief ungleichmäßig.

Abgrenzungen gegenüber dem Konkurrenten DDR sind besonders für die frühe Bundesrepublik charakteristisch: Sie konzentrieren sich zum einen auf die Ausgrenzung von deren Parteigängern aus dem politischen und öffentlichen Leben (KPD-Verbot) und auf Versuche, vor allem den kulturellen innerdeutschen Austausch einzuschränken. Derartige Konflikte um Abgrenzung zum Osten spitzen sich in periodischen Abständen immer zu: Vermeintliches oder tatsächliches Parteigängertum für den Osten bzw. den Kommunismus bleibt ein Stigma im innenpolitischen Streit (Wiederbewaffnung und Antiatomtodbewegung, Berufsverbote, Friedensbewegung) und ist es, wenn auch mit deutlich nachlassender Bedeutung, selbst noch im vereinigten Deutschland.

Ein an den territorialen Grenzen aufgerichtetes formales Sonderregime kommt jedoch in Westdeutschland nicht in Betracht. Nicht staatlicher Oktroi, sondern die enorme Dynamik von Weltmarktintegration und gesellschaftlicher Modernisierung machen aus dem Grenzsaum zur DDR hin ein politisches Handlungsfeld sui generis, das allzeit förderungsbedürftige »Zonenrandgebiet«: Diese Landstriche in Schleswig-Holstein, Niedersachsen, Hessen und Bayern repräsentieren die verschämten Kosten der forcierten Westernisierung. Mithilfe von Förderungsprogrammen sollen sie den Anschluss an die allgemeine Wohlstandsentwicklung halten und bleiben dennoch bis zum Ende der deutschen Teilung Randgebiete. Vereinzelt bieten sie damit neuen, alternativen Subkulturen Handlungsräume, während die Beziehungen zum traditionellen geographischen Gegenüber in der DDR, vom dünnen Rinnsal des kleinen Grenzverkehrs abgesehen, weitgehend unterbrochen sind.[19]

In besonderem Maße gilt das Nebeneinander von aufwändig alimentierter Randstellung an der Systemgrenze und Heimstatt neuer gesellschaftlicher Impulse für Westberlin. Im Unterschied zum Zonenrand bleiben hier die persönlichen und anderen Kontakte zum Osten intensiver. Die politischen Eliten der Teil-Stadt hatten bis zum Mauerbau einen antikommunistischen Abwehrkampf geführt, der auf die Ablösung des kommunistischen Regimes und Wiederherstellung der Einheit in absehbarer Zeit zielte. Angesichts der weltpolitischen Tatsachen, die zu einer Hinnahme des Mauerbaus auf unabsehbare Zeit zwingen, leiten sie nun aus ihrer extrem exponierten Stellung heraus einen raschen Paradigmenwechsel im Umgang mit dem Osten ein, der unter dem Motto »Wandel durch Annäherung« Eingang in das politische Vokabular findet. Millionenfache Grenzerfahrung in der urbanen Lebenswelt und die internationale Brisanz der dicht bei dicht lagernden militärischen Kapazitäten beschleunigen diesen Umschlag von kurzfristig auf Destabilisierung des DDR-Regimes zielendem Abwehrkampf zur entspannungspolitischen Pragmatik. Diese die vorläufige Anerkennung der DDR in Kauf nehmende neue Ostpolitik legitimiert sich außer mit dem Argument der auf lange Sicht zu erreichenden Sicherheit vor allem mit der Aussicht auf »menschliche Erleichterungen« in der geteilten Stadt: Es geht darum, Schritt für Schritt die Grenzen der DDR wieder durchlässig zu machen.

Grenzöffnung und gesellschaftliche Entgrenzung im physischen wie im kommunikativen und virtuellen Sinn wird von der Bundesrepublik aus aber vor allem Richtung Westen vorangetrieben: Parallel zur Abschließung der Grenze seitens der DDR öffnen sich die Grenzen nach Frankreich, Niederlande, Belgien, Luxemburg, Schweiz, Österreich und Dänemark; sowohl die für Personen wie die für Waren und Dienstleistungen. Das ist in den fünfziger Jahren noch teilweise von euphorischen Europabewegungen begleitet. Später wird es zum Zeichen stetigen Fortschritts in der Einbeziehung der Bundesrepublik in den westeuropäischen Integrationsprozess. Im Verlauf dieser Jahrzehnte führt diese Praxis zu einer grundlegenden Neugestaltung der Beziehungen zwischen den ehemaligen »Erzfeinden«. Jahrzehnte, ja Jahrhunderte lang hatte die westliche Randlage einer Region als Belastung und Problem gegolten und sie zum Schauplatz militärischer Aufmärsche und Kriegshandlungen prädestiniert. Dieselbe Randlage wird nun im Zuge der europäischen Integration zur materiellen und symbolischen Ressource: in »Europaregionen« wie Saar-Lor-Lux oder dem allemannischen Dreiländereck repräsentiert »Grenzgebiet-Sein« dank der intensivierten Austauschbeziehungen einen Entwicklungsvorteil und ein Plus an Lebensqualität.[20]

Vergleichbares findet in der DDR nur vorübergehend und in viel bescheideneren Ansätzen statt. Der Rat für gegenseitige Wirtschaftshilfe (RGW) bleibt eher ein Bündel bilateraler Wirtschaftsabkommen, trägt aber kaum zur Integration der überwiegend an Autarkie orientierten Planwirtschaften und schon gar nicht zum Abbau von Grenzen bei. Gegenüber den übrigen Volksdemokratien hält die SED in der Praxis auf Abgrenzung, immer bereit, sich an gewaltsamen Disziplinierungsmaßnahmen gegen einzelne »Ausreißer« zu beteiligen – so geschehen im August 1968 gegenüber der CSSR. Der freie Grenzverkehr mit Polen 1972 bis 1980 bleibt eine Episode. Er ist belastet von wohlstandschauvinistischen Stimmungen gegenüber polnischen Einkaufstouristen und Arbeitspendlern, die die SED stillschweigend duldet, wenn nicht fördert.[21]

Diese von Bevölkerung und Regime geteilte Distanz zu den östlichen Nachbarn fand ihre Entsprechung in der Wahrnehmung der DDR im Ostblock: Die DDR war aus östlicher Sicht nicht nur geographisch, sondern auch wirtschaftlich, gesellschaftlich und kulturell, nicht aber politisch, dank ihres höheren Lebensniveaus, ihres besonderen wirtschaftlichen Verhältnisses zu einem der westlichen Staaten, der Bundesrepublik, und ihres indirekten Zugangs zur westlichen Medienwelt das westlichste Land des Ostblocks. Auch diese Perspektive gilt es zu berücksichtigen, um aus internationaler Perspektive die Situierung des geteilten Deutschlands als Grenzregion im Systemkonflikt zu verstehen.

a) Deutsch-deutscher Grenzverkehr

Zugleich gilt aber: Die innerdeutschen Grenzen waren nie absolut »dicht«, und dies nicht nur wegen der erfolgreichen »Grenzbrecher«, sondern auch wegen verschiedener Wanderungsbewegungen auf niedrigstem Niveau. (Das ist etwa im Vergleich zum koreanischen Fall durchaus von großer Bedeutung.) Eine totale Isolierung der beiden deutschen Hälften voneinander hat es nie gegeben. Einer der Hauptfaktoren dafür dürfte in Verbindung mit der atomaren Abschreckung der Berlinstatus mit seinem enormen Regelungsbedarf gewesen sein. Ein weltweites »Sterben für Berlin« wollte keines der beiden Lager auf sich nehmen.[22]

Aus der Kontinuität der Grenzüberschreitungen im regionalen und gesamtstaatlichen Maßstab ergaben sich permanent Zwänge und Anlässe zur Regelung praktischer Fragen: Interzonen- bzw. innerdeutscher Handel, kulturelle und wissenschaftliche Kontakte, Besuchsregelungen und Verwandtenkontakte, das Westpaket, Wanderungsbewegungen vor und nach dem Mauerbau, in beide Richtungen, und natürlich der Transitverkehr. In ihrer relativen Durchlässigkeit fungierten die innerdeutschen Grenzen als Faktor einer zwar asymmetrischen, aber dennoch in die Gesellschaften hineinwirkenden Verflechtung.

Auf internationaler Ebene führte dies dazu, dass in beiden Lagern des Systemkonflikts die deutschen Staaten jeweils den Sonderfall repräsentierten, für den der alltägliche Umgang mit der Welt des »Anderen« nicht nur selbstverständlich war, sondern auch von tragender Bedeutung für das Selbstverständnis als politisches Gemeinwesen, wenn auch in einer asymmetrischen Ausprägung: Für die DDR bedeuteten die besonderen Handelsbeziehungen zur Bundesrepublik einen wirtschaftliche Vorteil im Vergleich zu den anderen RGW-Partnern. Für die westdeutsche Wohlstandentwicklung hingegen hatten diese besonderen Beziehungen zur DDR keine herausragende Bedeutung. Für die Bundesrepublik war die Möglichkeit, eine eigene Sicherheitspolitik zu entwickeln, in der sie den wirtschaftlichen Faktor zur Geltung bringen konnte, wichtiger.

Für den SED-Staat, der Abgrenzung vom anderen Deutschland zur Staatsdoktrin und Regierungspraxis erhob, blieb diese Fixierung virulent und nahm sogar zu. Die Bundesrepublik entwickelte sich uneingestanden zum zweiten, offiziell ungeliebten Großen Bruder neben der Sowjetunion. Die DDR-Bevölkerung teilte diese Fixierung, verband sie allerdings mit ganz anderen, entgegengesetzten Hoffnungen. Der andere deutsche Staat, dessen politische Klasse auf das Durchlässigmachen der Grenzen hinarbeitete, handelte hingegen im Auftrag einer Gesellschaft, die die innerdeutsche Entspannung als Teil von Sicherheitspolitik grundsätzlich begrüsste, an den damit verbundenen menschlichen Erleichterungen hingegen nur partiell, je nach konkreter Betroffenheit, interessiert war.

b) Anfänge der grenzüberwindenden Globalisierung?

Die grenzüberschreitende Dynamik gesellschaftlicher Modernisierungsprozesse und des sozialkulturellen Wertewandels in West und Ost führte bereits in der Spätphase des Kalten Krieges zur Relativierung der trennenden Wirkung der physischen Grenzen. Dabei ist zunächst allgemein an die von der allgemeinen Empfangbarkeit der elektronischen Massenmedien unterstützte Ausbreitung internationaler Entwicklungen der Konsumkultur und der Enttraditionalisierung von Lebensstilen zu erinnern. Jugend- und Popkultur als mehrheitsfähige Konsummuster, die Auflösung starrer Geschlechterbilder und Verhaltenskonventionen, das Infrage-Stellen elterlicher Autorität – all diese für die Wohlstandsregionen der industrialisierten Welt nach 1945 charakteristischen Prozesse hat es in Ansätzen und mit gewissen Verzögerungen auch in der späten DDR gegeben. Ebenso lässt sich die Frage diskutieren, ob nicht auch in der DDR bereits erste Anzeichen jener »Krise der Industriegesellschaft« erkennbar waren, die für die westlichen Gesellschaften ab den siebziger Jahren konstatiert wird. Wie wenig die innerdeutsche Grenze der gemeinsamen Betroffenheit von Risiken der globalen Moderne anhaben konnte, zeigte sich mit aller Deutlichkeit anlässlich der Rekatorkatastrophe von Tschernobyl, auch wenn die SED offiziell deren Folgen leugnete, oder angesichts der sich weltweiten verbreitenden AIDS-Epidemie.

c) Das langwierige Verschwinden der innerdeutschen Grenze

Die Bedeutung der innerdeutschen Grenze und insbesondere der Berliner Mauer für das Ende der geteilten deutschen Nachkriegsgeschichte liegt auf der Hand. Die Internationalisierung der Zweistaaten-Existenz Deutschlands ab den siebziger Jahren kann als Beginn und Voraussetzung dieses Endes gelesen werden: Nach UNO-Beitritt und dem Helsinki-Abkommen muss die SED ihr Grenzregime, wenn auch nur geringfügig, modifizieren.

Helsinki beflügelt zweifellos auch die Ausreise-Bewegung. Die »Grenze« wird wieder zum akuten Thema in der Konfliktgemeinschaft von SED-Staat und Bevölkerung. Das trägt wesentlich zu der von Alfred Hirschmann beschriebene exit/voice-Dynamik des widersprüchlichen Miteinanders von Ausstieg und Protest und damit zum Ende der DDR und des Ostblocks bei.

Schließlich sollen die bis in die Gegenwart reichenden Nachwirkungen der durch Deutschland verlaufenden Systemgrenze nicht unerwähnt bleiben: Die entsprechenden Bundesländergrenzen sind heutzutage weiterhin Wohlstandsgrenzen, wenn auch von einem trotz Massenarbeitslosigkeit deutlich höheren östlichen Niveau aus. Im Umgang damit kommt es zu Phänomenen wie Auswanderung aus strukturschwachen Gebieten und Pendlerverkehr, die sich überall als Folge ungleichmäßigen Wachstums einer Volkswirtschaft beobachten lassen. Im deutschen Kontext verweisen sie zugleich auf eine sozio-ökonomische »Normalisierung« in der Gegenwart wie auf das komplizierte Erbe einer anormalen Grenzerfahrung.

Anmerkungen

1 Siehe am Beispiel des Rheins Peter Schöttler, Der Rhein als Konfliktthema zwischen deutschen und französischen Historikern in der Zwischenkriegszeit. Für eine Geschichte der Grenzmentalitäten, auf der Homepage von *Deutsch-französische Materialien für den Geschichts- und Geographieunterricht* http://www.deuframat.de/, >Konflikte (Zugriff am 23. 3. 2005).

2 Peter Sahlins, Boundaries. The making of France and Spain in the Pyrenees, Berkeley u.a. 1989.

3 Auch fällt der Umfang der für die einzelnen Unterabschnitte nachgewiesenen Literatur auf Grund des ungleichmäigen Forschungsrandes sehr unterschiedlich aus. Einiges muss daher hier thesenhaft bleiben.

4 Torsten Diedrich, Die Grenzpolizei der SBZ/DDR (1946–1961), in: Ders./Hans Ehlert/Rüdiger Wenzke (Hrsg.), Im Dienste der Partei. Handbuch der bewaffneten Organe der DDR. Hrsg. im Auftrag des Militärgeschichtlichen, Forschungsamtes, Berlin 1998 (Forschungen zur DDR-Gesellschaft), S. 201–224.

5 Hans Lisken/Hans-Jürgen Lange, Die Polizeien des Bundes, in: Hans-Jürgen Lange (Hrsg.), Kontinuitäten und Brüche. Staat, Demokratie und Innere Sicherheit in Deutschland (Studien zur Inneren Sicherheit), Leverkusen 1999, S. 151–166.

6 Siehe die Beschreibung des mikrohistorisch angelegten Projekts von Edith A.R. Sheffer, Doktorandin an der University of Berkeley, über die Beziehungsgeschichte von Sonneberg und Neustadt bei Coburg im thüringisch-bayerischen Grenzgebiet; Bordering East and West, Division and Reunification among Neighbors, http://www.humboldt-foundation.de/de/programme/stip_aus/doc/buka/berichte-02/sheffer.pdf (Zugriff am 23. 3. 2005).

7 Michael Lemke, Zum Problem der Analyse Berlins und seines Brandenburger Umlandes als ein besonderes Verflechtungsgebiet im Ost-West-Konflikt, in: Potsdamer Bulletin für Zeithistorische Studien, Nr. 18/19 (2000), S. 45–51.

8 Inge Bennewitz/Rainer Potratz, Zwangsaussiedlungen an der innerdeutschen Grenze. Analysen und Dokumente, Berlin 1994.
9 Siehe Arnd Bauerkämper, Ländliche Gesellschaft in der kommunistischen Diktatur. Zwangsmodernisierung und Tradition in Brandenburg von 1945 bis zu den frühen sechziger Jahren, Köln/Weimar/Wien 2002.
10 »Das wird man nie wieder los«. Die »Aktion Rose« an der Ostsee 1953, hrsg. v. NDR-Landesfunkhaus Mecklenburg-Vorpommern und der Stiftung Aufarbeitung der SED-Diktatur (Tondokumentation auf CD), Berlin 2003.
11 Bruno Tho (Hrsg.), Volksarmee schaffen – ohne Geschrei! Studien zu den Anfängen einer »verdeckten Aufrüstung« in der SBZ/DDR 1947–1952 (Beiträge zur Militärgeschichte, hrsg. v. Militärischen Forschungsamt, Bd. 51), München 1994
12 Siehe dazu den neusten Forschungsstand bei Ilko-Sascha Kowalczuk, Die gescheiterte Revolution – »17. Juni 1953«. Forschungsstand, Forschungsgegenstand und Forschungsperspektiven, im Archiv für Sozialgeschichte, 4 (2004), S. 606–664.
13 Thomas Lindenberger, Gesellschaft, Staatsgewalt und die Diktatur der Grenze(n): Das Beispiel der Volkspolizei, in: Torsten Diedrich/Ilko-Sascha Kowalczuk (Hrsg.), »Staatsgründung auf Raten?« Zu den Auswirkungen des Volksaufstandes 1953 und des Mauerbaus 1961 auf Staat, Militär und Gesellschaft in der DDR, Berlin 2005 (i. E.).
14 »Asoziale Lebensweise«. Herrschaftslegitimation, Sozialdisziplinierung und die Konstruktion eines »negativen Milieus« in der SED-Diktatur, in: Geschichte und Gesellschaft, 31 (2005), H.2 (i. Dr.).
15 Siehe zuletzt Hendrik Thoß, Gesichert in den Untergang. Die Geschichte der DDR-Westgrenze, Berlin 2004.
16 Christian Härtel/Petra Kabus (Hrsg.), Das Westpaket: Geschenksendung, keine Handelsware, Berlin 2000; Annette Kaminsky, Kaufrausch. Die Geschichte der ostdeutschen Versandhäuser, Berlin 1998.
17 Ina Dietzsch, Grenzen überschreiben? Deutsch-deutsche Briefwechsel 1948–1989, Köln u. a. 2004.
18 Thomas Lindenberger, Die Diktatur der Grenzen. Zur Einleitung, in: Ders. (Hrsg.), Herrschaft und Eigensinn in der Diktatur. Studien zur Gesellschaftsgeschichte der DDR, Köln/Weimar/Wien 1999, S. 13–44.
19 Die historische Forschung hat sich dieses Themas noch nicht angenommen, siehe aus der zeitgenössischen Literatur Hans-Jörg Sander, Das Zonenrandgebiet, Köln 1988.
20 Silvia Raich, Grenzüberschreitende und interregionale Zusammenarbeit in einem »Europa der Regionen«: dargestellt anhand der Fallbeispiele Großregion Saar-Lor-Lux, EUREGIO und »Vier Motoren für Europa«. Ein Beitrag zum europäischen Integrationsprozess, Baden-Baden 1995 (Schriftenreihe des Europäischen Zentrums für Föderalismus-Forschung; Bd. 3).
21 Katarzyna Stoklosa, Grenzstädte in Ostmitteleuropa. Güben und Gubin 1945 bis 1995, Berlin 2003; Rita Rühr, Hoffnung, Hilfe, Heuchelei. Geschichte des Einsatzes polnischer Arbeitskräfte in Betrieben des DDR-Grenzgebietes, Frankfurt/Oder 1966–1991, Berlin 2001.
22 Burghard Ciesla/Michael Lemke/Thomas Lindenberger (Hrsg.), Sterben für Berlin? Die Berliner Krisen 1948 und 1958, Berlin 2000.

Klaus Fieberg

Die innerdeutsche Grenze als Thema des Geschichtsunterrichts

Die Problematik innerdeutscher Grenzen, wie sie sich nach dem Kriegsende und bis in das Jahr 1990 entwickelt hat, ist den heutigen Schülerinnen und Schülern inzwischen fremd. Eine reale Erfahrung mit der Existenz dieser Grenzen, mit Grenzkontrollen und Behinderungen im Transitverkehr, mit dem Verbot eines »normalen« Grenzübertritts vom östlichen in den westlichen Teil Deutschlands, mit nur selektiv erteilter Reiseerlaubnis ins westliche Ausland, ferner mit strengstens überwachten weiträumigen Sperrzonen, der mit Lebensgefahr verbundenen »Verletzung« der Grenzanlagen, des »antifaschistischen Schutzwalles« – eine konkrete Begegnung mit all diesen jahrzehntelang herrschenden Gegebenheiten an der innerdeutschen Grenze ist für heutige Schülerinnen und Schüler in West und Ost real nicht mehr möglich.

Hält man sich vor Augen, dass die meisten Schülerinnen und Schüler einer heutigen Jahrgangsstufe 10, die im Durchschnitt 16 Jahre alt sind, im Jahre 1989 geboren wurden, so wird klar, dass weder die deutsche Teilung, ihre Entstehung, Verfestigung und Vertiefung noch ihre Überwindung durch die staatliche Vereinigung zum eigenen biographischen Erfahrungshintergrund gehören können. Dies gilt für die Schüler der »alten« Bundesrepublik ebenso wie für die der ehemaligen DDR. In kurzer Zeit bereits wird definitiv jeder Schüler in Deutschland nach der Wende geboren sein. Hier besteht übrigens, zumindest noch auf absehbare Zeit, ein grundlegender Unterschied zum biographischen Erfahrungshintergrund, den Lehrer besitzen, die selbst Zeugen der deutschen Teilungsgeschichte gewesen sind. Auch im Falle der Unterrichtenden sollten solche biographischen Zusammenhänge und die jeweiligen lebensgeschichtlichen Hintergründe nicht völlig aus dem Auge verloren werden.

Für heutige Schüler dürften hauptsächlich Erzählungen oder Berichte sowie die Darstellungen in den Medien die außerschulischen Vermittler von Wissen und Halbwissen über diese Phase deutscher Geschichte sein. Allenfalls ist davon auszugehen, dass Schülerinnen und Schüler in ihrer Familiengeschichte in dieser oder jener Weise von der Teilung durch die innerdeutschen Grenzen betroffen sind und dass sich ein solches Betroffen-Sein auf die Lebensumstände und die Einstellungen der Schüler auswirkt. Für die Entwicklung eines angemessenen Geschichtsbildes der Jugendlichen muss der Geschichtsunterricht das Seine tun, um zu verhindern, dass Nostalgie und Verdrängung an die Stelle eines reflektierten Umgangs mit diesem wichtigen Teil der deutschen Geschichte treten.[1]

Im Rahmen des Konzepts einer asymmetrisch verflochtenen deutschen Nachkriegsgeschichte ist die Beschäftigung mit dem Thema der innerdeutschen Grenzen von eminenter Bedeutung. Gerade anhand dieser Thematik lässt sich exemplarisch herausarbeiten, dass die Geschichte der beiden deutschen Teilstaaten nicht ohne die der jeweils »anderen Seite« zu verstehen ist. Christoph Kleßmanns Phasenmodell bietet auch für die Entwicklung der innerdeutschen Grenzen ein Orientierungsraster, das für den Geschichtsunterricht fruchtbar gemacht werden kann.

Unterrichtliche Aspekte

Welche sachstrukturellen Aspekte des Themas »innerdeutsche Grenzen« sind für den Unterricht von Belang? Und welche Relevanz besitzt diese Problematik für heutige Schüler?

Auch wenn im allgemeinen Sprachgebrauch vom »Thema innerdeutsche Grenzen« die Rede ist, so sollte für den Geschichtsunterricht ein strengerer Sprachgebrauch reklamiert werden. Als Thema im Geschichtsunterricht ist nicht schon der historische Gegenstand an sich zu verstehen (z. B. die innerdeutschen Grenzen zwischen 1945 und 1990 oder der Mauerbau 1961), sondern eine – natürlich fachwissenschaftlich abgesicherte – von einem historischen und gesellschaftlich-politischen Erkenntnisinteresse abgeleitete Frage- bzw. Problemstellung. Der historische Gegenstand ist mit Blick auf den Geschichtsunterricht also einer Thematisierung zu unterziehen. Gerade ein auf die Bildung von Geschichtsbewusstsein abzielender Geschichtsunterricht richtet sich mithin nicht auf den historischen Gegenstand an sich, sondern thematisiert diesen unter spezifischen, problemorientierten Fragestellungen und rückt ihn in den Fragehorizont der Schülerinnen und Schüler.

Der Problembereich der innerdeutschen Grenzen mit seinen zahlreichen Facetten eignet sich in besonderem Maße zur Offenlegung einer vielfältigen Verflochtenheit der Geschichte der Bundesrepublik und der DDR, sind Grenzen doch immer zugleich Trennlinien und Berührungsflächen:

- Über ihre Setzung und über das Verständnis ihrer Funktion definiert sich der jeweilige Staat ebenso selber, wie er den Staat oder das »System« jenseits der Grenze ausschließt.

Abb. 1: Aspekte des Themas »innerdeutsche Grenze«

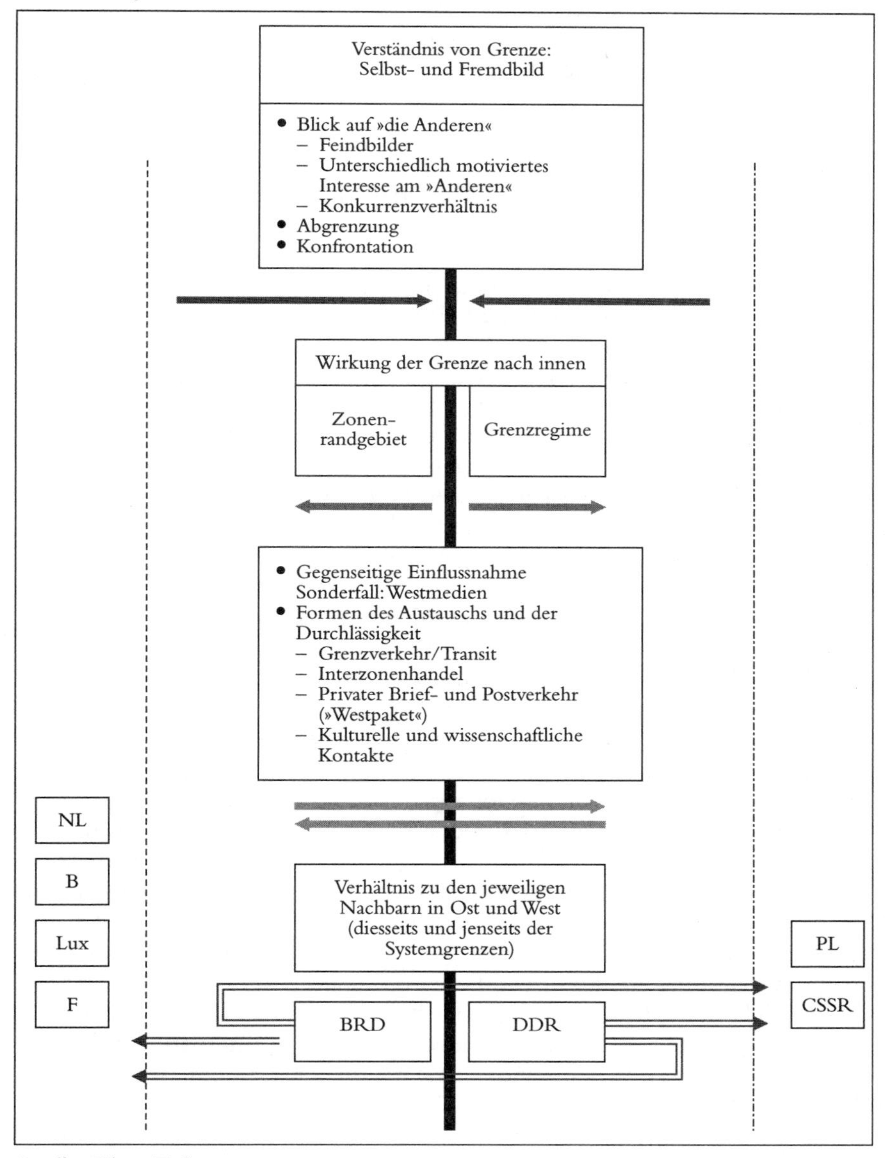

Quelle: Klaus Fieberg

- Das Verständnis von Grenzen, ihre Setzung und der politische Umgang mit ihnen offenbaren Selbst-, Fremd- und Feindbilder.
- Grenzen schließen ab und trennen. Gleichzeitig wird über Grenzen hinweg Einflussnahme versucht, zugelassen, zurückgewiesen oder verhindert.
- Trotz der Grenzen und über sie hinweg finden aber auch Kontakte statt: Besuche, Kommunikation, Warenverkehr. Im Sonderfall der »unbegrenzbaren Verbreitung« von Nachrichten und Informationen durch elektronische Medien zeigt sich dann die relative Wirkungslosigkeit der Grenze.
- Aber: Grenzen wirken auch nach innen. Beispiele sind der Auf- und Ausbau des Grenzregimes in der DDR entlang der innerdeutschen Grenze; die psychologischen Folgen der gewaltsam durchgesetzten Reisebeschränkungen für die DDR-Bevölkerung bei gleichzeitiger Existenz so genannter »Reisekader«; auf der anderen Seite die Entstehung des »Zonenrandgebietes« in der Bundesrepublik.
- Und: zu untersuchen sind die gleichzeitig existierenden und dennoch in ihrer Qualität und Intensität so verschiedenartigen Formen der Grenze, wie sie sich im Falle der Bundesrepublik und ihrer westlichen Nachbarn einerseits und der DDR und der Nachbarstaaten Polen und CSSR andererseits zeigen.

Was die Konstruktion von Unterrichtsthemen betrifft, so ist die Thematisierung der innerdeutschen Grenze und der damit zusammenhängenden Aspekte in vielfältiger Weise problemorientiert und multiperspektivisch anzulegen. Anhand der Beschäftigung mit dem Problemkomplex »innerdeutsche Grenzen« lassen sich dabei grundlegende Kenntnisse der deutschen Nachkriegsgeschichte vermitteln, das Thema eröffnet Einsichten in historische Prozesse und Zusammenhänge, in konkreter und in kategorialer Hinsicht. Es bietet die Möglichkeit der Auseinandersetzung mit historisch-politischen Einordnungen und Bewertungen und es fordert schließlich zu eigenen Bewertungen heraus. Anhand des Gegenstandes »innerdeutsche Grenzen« lassen sich zudem unterschiedliche Dimensionen historischer Erfahrung thematisieren, insbesondere die politikgeschichtliche, aber auch die ökonomische oder die kulturelle Dimension.

Zugleich bietet die Betrachtung der deutsch-deutschen Grenzproblematik die Möglichkeit, neben dem nationalen und dem internationalen Rahmen gelegentlich auch den regionalgeschichtlichen Handlungsraum in den Blick zu nehmen. Immerhin lebten Hunderttausende von Menschen auf westlicher wie auf östlicher Seite im Nahbereich der innerdeutschen Grenze, die sich zwischen Lübeck und Hof über 1338 km erstreckte. Die ursprünglich als Verwaltungsgrenze zwischen Besatzungszonen und Sektoren konzipierten Grenzen entwickelten sich zu einer tödlichen Grenze sich feindlich gegenüberstehender politischer Systeme und damit zur Trennlinie quer durch Regionen und Landschaften, ja durch Ortschaften hindurch. Für die Grenzbevölkerung führte diese innerdeutsche Grenzziehung zu gravierenden Einschnitten in das Alltagsleben (zu innerfamiliärer Trennung, zur Trennung von Nachbarschaften, von Wohnort und Arbeitsplatz, von Verkehrs- und Versorgungswegen). Auf der östlichen Seite umfasste das Grenzgebiet in den achtziger Jahren etwa 300 Ortschaften mit 200 000 Einwohnern, die aufgrund des DDR-Grenzregimes dauernder Kontrolle und Überwachung unterworfen waren. Auf westlicher Seite suchte das Zonenrandförderungsgesetz zu verhindern, dass ein 40 km breiter Streifen zwischen Flensburg und Passau zu einem wirtschaftlichen und kulturellen Notstandsgebiet wurde. Diese Gegebenheiten und Zusammenhänge könnten im Geschichtsunterricht in regionalgeschichtlichen Projekten in Ergänzung zu einer großräumigen, etwa gesamteuropäischen Betrachtungsweise thematisiert werden. Zu fragen wäre beispielsweise:

- Wie entwickelte sich eine grenznahe Region unter dem DDR-Grenzregime bzw. als Zonenrandgebiet der Bundesrepublik?
- Wie hat sich die Zonenrandlage in der jeweiligen Region ausgewirkt?
- Was bedeutete dies jeweils für die dort lebenden Menschen?

Kontrastiv zur innerdeutschen Grenzziehung wäre vergleichend zu untersuchen, wie sich die Entwicklung in einer grenznahen Stadt oder Gemeinde Westdeutschlands, etwa im Bereich der deutsch-französischen oder deutsch-niederländischen Grenze gestaltet (hat), dort also, wo Grenzen zunehmend an Bedeutung verloren haben und nahezu verschwunden sind, und was der Wegfall von Grenzen für das Leben in diesen Gebieten bedeutet. Und: Wie gestaltete sich das Leben in grenznahen Gebieten entlang der Grenze zu den sozialistischen Bruderstaaten, der Volksrepublik Polen oder der CSSR (Tschechoslowakische Sozialistische Republik)?

Historische Gegenstände können für den Unterricht nach unterschiedlichen Konstruktionsprinzipien erschlossen werden, um sie, etwa unter Anwendung der Grundformen historischer Untersuchung[2], auf mögliche Thematisierungen hin zu befragen. Im Rahmen dieses Beitrages soll der Gegenstandsbereich »innerdeutsche Grenzen 1945 bis 1990« durch einen Zugang erschlossen werden, der besonders fruchtbar und didaktisch sinnvoll zu sein scheint, die historische Fallanalyse. Ihre didaktische Begründung erfährt die Auswahl eines Fallbeispiels durch dessen Exemplarität. Ferner sollen sich anhand des gewählten Fallbeispiels möglichst verschiedene Leitprobleme erarbeiten und verdeutlichen lassen[3]. Infrage kommen für eine

Fallanalyse insbesondere sogenannte »Wendepunkte der Geschichte«, von denen aus sich weit reichende Folgen für die weitere Entwicklung ergeben haben, beispielsweise der »Mauerbau« oder der »Fall der Mauer«. Während diese Beispiele in ihren Aspektierungen hinlänglich bekannt sein dürften, soll im vorliegenden Zusammenhang der Fall eines der zahlreichen Opfer, die an der innerdeutschen Grenze ums Leben gekommen sind, und zugleich der letzte Tote an der Berliner Mauer im Mittelpunkt stehen.[4]

Der Fall Chris Gueffroy

In der Nacht vom 5. auf den 6. Februar 1989 wurde der 20-jährige Chris Gueffroy bei dem Versuch, zusammen mit seinem Freund Christian Gaudian von Ostberlin aus in den Westteil der Stadt zu gelangen, erschossen. Geboren am 21. Juni 1968 in Pasewalk, besuchte Chris Gueffroy bis 1985 die Oberschule in Ostberlin und absolvierte dann eine Ausbildung zum Kellner; dabei kam es auch zu Auseinandersetzungen mit Vorgesetzten über politische Fragen. Eine Einberufung zur Nationalen Volksarmee, für den Herbst 1988 vorgesehen, war auf Mai 1989 verschoben worden. Ein bereits vorhandener Ausreisewunsch wurde bestärkt durch die einsetzende Ausreisewelle, die auch den eigenen Freundeskreis betraf. Einen Ausreiseantrag hatten Gueffroy und Gaudian nicht gestellt, weil sie davon Unannehmlichkeiten im Beruf und im Privatleben erwarteten. Sie verließen sich darauf, dass bei ausländischen Staatsbesuchen – ein solcher hatte am 5. Februar 1989 stattgefunden – an der Grenze nicht geschossen würde. Für den Fall ihrer Festnahme rechneten sie mit einer baldigen Abschiebung in den Westen.

Abb. 2: Chris Gueffroy (1968–1989)

Am Abend des 5. Februar näherten sich Gueffroy und Gaudian über eine Kleingartenkolonie den Grenzanlagen und warteten zunächst längere Zeit ab. In dem für die Flucht ausgewählten Bereich bildete der Teltow-Kanal mit einem Seitenkanal die Grenze zwischen dem Westberliner Bezirk Neukölln und dem auf östlicher Seite gelegenen Bezirk Treptow. Gueffroy und Gaudian, die als Hilfsmittel zwei selbstgefertigte Wurfanker mit sich führten, überwanden gegen 23.30 Uhr zunächst die Hinterlandmauer der Grenzsperranlagen, kletterten sodann über den Signalzaun, wobei sie optischen Alarm auslösten, und liefen auf die letzte Sperranlage, einen Metallgitterzaun, zu, hinter dem der Britzer Zweigkanal die Grenze zu Westberlin bildete. Von den alarmierten Grenzposten wurden die beiden angerufen. Die Flüchtlinge blieben stehen, setzten vergeblich zum Überklettern des Metallgitterzaunes an, liefen weiter und versuchten sodann, an dem Zaun eine »Räuberleiter« zu bilden, wobei Gueffroy, mit dem Rücken zum Zaun stehend, der Untermann war. Gaudian ergriff die Oberkante des Zaunes und wollte sich hochziehen. Zu diesem Zeitpunkt war der eine der beiden inzwischen nach ausgelöstem Alarm herbeigelaufenen Grenzdoppelposten etwa 40 m von den Flüchtlingen entfernt. Der Grenzsoldat Ingo Heinrich gab, auch nach Aufforderung durch seinen Postenführer, mehrere Schüsse ab. Dabei traf er Gueffroy zunächst in den Fuß, mit einem weiteren Schuss dann ins Herz. Chris Gueffroy starb nach wenigen Minuten. Um ca. 0.15 Uhr erschien ein Arzt, der Gueffroy in einem Krankenwagen untersuchte und den Tod feststellte. Wiederbelebungsmaßnahmen blieben erfolglos. Auf Anweisung des Ministeriums für Staatssicherheit musste in dem Totenschein für Gueffroy die Todesursache »Herzdurchschuss« durch die Angabe »Herzmuskelzerreißung« ersetzt werden. In der Tagesmeldung der Grenztruppeneinheit wurde der Vorfall nur ganz lapidar behandelt.

Die Tagesmeldung Nr. 035 bzw. 036/89 der Grenztruppen der Deutschen Demokratischen Republik, als Geheime Verschlusssache Nr. G/739022 registriert, verzeichnet für die Zeit vom 03. 02. 1989, 18 Uhr, bis zum 06. 02. 1989, 04 Uhr u. a.: »Am 05. 02. 1989, um 23.40 Uhr, Festnahme des Gueffroy, Chris (es folgen Geburtsdatum und Wohnadresse; K. F.) und des Gaudian, Christian (es folgen Geburtsdatum und Wohnadresse; K. F.) durch eingesetzte GP im Abschnitt ca. 300 m ostwärts der Straße 16 in Berlin Treptow unmittelbar freundwärts des GZ-I. Die Täter überwanden unerkannt ohne Hilfsmittel die Hinterlandsicherungsmauer und lösten um 23.39 Uhr den 5 m entfernten GSZ aus. Die 200 m ostwärts und 300 m westlich des Tatortes auf dem Kolonnenweg eingesetzten GP ›Straße 16‹ und ›Britzer Allee‹ führten sofort grenztaktische Handlungen durch und nahmen beide GV fest.«[5] Erst am 7. Februar informierten die DDR-Behörden die Mutter, Karin Gueffroy, über den Tod des Sohnes. Sie zitierte einen Vernehmungsbeamten, durch den ihr Chris Gueffroys Tod mitgeteilt wurde, mit den Worten: »Ihr Sohn hat ein Attentat auf eine militärische Einheit begangen. Ihr Sohn ist vor wenigen Stunden gestorben.«[6]

In den in der DDR erscheinenden »Berliner Nachrichten« konnte von der Familie am 13. 02. 1989 eine Todesanzeige veröffentlicht werden, in der nur von einem »tragischen Unglücksfall« die Rede sein durfte. Dem Wunsch der Mutter, den Leichnam ihres Sohnes in einem Erdgrab beisetzen zu lassen, wurde nicht entsprochen. Statt dessen ordnete die Staatssicherheit ein Urnenbegräbnis an.[7] Die Beisetzung am 23. 02. 1989 fand unter Beobachtung durch Mitarbeiter der Staatssicherheit statt.[8]

Christian Gaudian, der bei dem gescheiterten Fluchtversuch verletzt worden war, wurde am 24. Mai 1989 vom Stadtbezirksgericht Pankow gemäß § 213 Strafgesetzbuch der DDR wegen versuchten ungesetzlichen Grenzübertritts im schweren Fall zu einer Freiheitsstrafe von drei Jahren verurteilt und nach Teilverbüßung der Strafe am 17. Oktober 1989 in den Westen entlassen.

Die beteiligten Grenzsoldaten wurden vom Kompaniechef für ihre »gute Leistung« belobigt und zugleich zum Schweigen verpflichtet. Sie erhielten später Orden und eine Geldprämie. Eine disziplinar- oder strafrechtliche Untersuchung, ob der Schusswaffengebrauch rechtmäßig gewesen war, fand nicht statt. Der Tod des 20-jährigen Chris Gueffroy führte zu internationalen Protesten gegen den Schießbefehl und die Berliner Mauer auch seitens der westlichen Alliierten, die die Schüsse als »Verbrechen gegen die Menschlichkeit« bezeichneten.

Nur wenige Monate vor der Wende und kurz bevor Tausende von DDR-Bürgern über Ungarn oder über die Botschaften in Prag oder Warschau die DDR verlassen konnten, muss der Tod des Chris Gueffroy besonders tragisch erscheinen. Auch wenn oder gerade weil der Fall Gueffroy in gewissem Sinne anachronistisch erscheinen mag, entwickelt er für Schüler besondere Denkanstöße und veranlasst zu einer Auseinandersetzung. Auch solche Überlegungen werden sich didaktisch nutzbar machen lassen.

Ohne an dieser Stelle die einzelnen Themenaspekte ausarbeiten oder auch nur ansatzweise die für den Unterricht relevanten Quellen vorstellen zu können, seien für die unterrichtliche Arbeit zumindest einige wesentliche Gesichtspunkte dieser Fallanalyse genannt. Der gewaltsame Tod des Chris Gueffroy gibt, wie zu erkennen ist, Anlass zu Fragen nach Art und Charakter des DDR-Grenzregimes. Aus Sicht der DDR, die sich als »westlicher Vorposten des sozialistischen Lagers« sah, war die Grenze zur Bundesrepublik eine auch von dieser anerkannte Grenze zwischen souveränen UNO-Mitgliedsstaaten. Als solcher reklamierte die DDR für sich das Recht, ihre Grenzen zu sichern. Außerdem bestünde ein »gemeinsames Interesse aller

Abb. 3: Skizze der Grenzanlagen in Berlin, Stand: Mitte der achziger Jahre

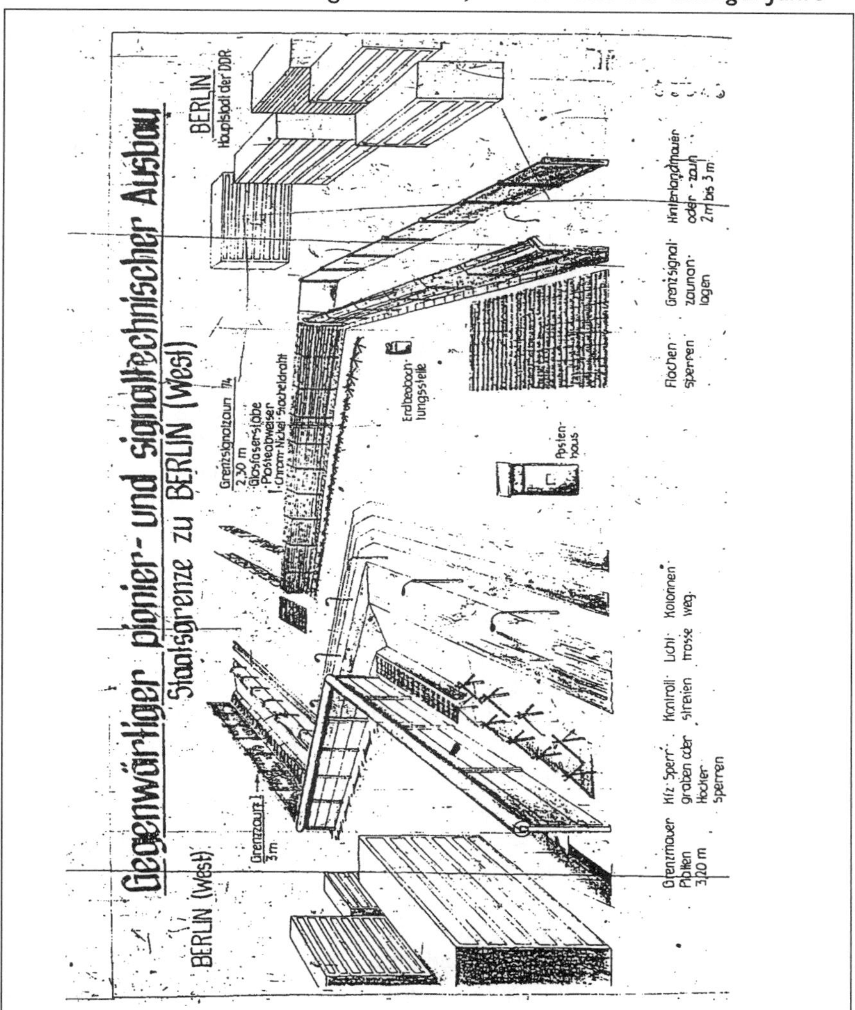

Die Abbildung stammt aus einer Beschlussvorlage für den Nationalen Verteidigungsrat der DDR zur »Erhöhung der Wirksamkeit der Grenzsicherungsanlagen an der Staatsgrenze der DDR zur BRD und zu Berlin (West)«, die dem NVR auf seiner 67. Sitzung am 1. Juli 1983 vorgelegt wurde.

Quelle: Volker Koop, Den Gegner vernichten. Grenzsicherung der DDR, Bonn, 1996, S. 231.

Klassen und Schichten am Schutz der Staatsgrenze der DDR«.[9] Die Grenztruppen, denen ein »humanistisches Wirken im Interesse des gesamten Volkes der DDR« attestiert wurde, hatten die Aufgabe, »Frontdienst für den Frieden« zu leisten, »die Staatsgrenze der DDR zu sichern, Grenzdurchbrüche zu verhindern, die Ausdehnung von Grenzprovokationen auf das Staatsgebiet nicht zuzulassen und im Grenzgebiet Sicherheit und Ordnung zu gewährleisten.«[10] Allerdings täuscht diese Definition nicht darüber hinweg, dass das Grenzregime der DDR selbst den deutlichsten Beleg für den totalitären Charakter des Staates darstellt.

Neben dem Selbstverständnis des DDR-Grenzregimes sind bei einer Beschäftigung mit dem Fall Gueffroy im Einzelnen Aspekte zu untersuchen wie

- Chris Gueffroy: Biographie und Motive,
- der Fluchtversuch: Hergang und Ergebnis,
- offizielle Verlautbarungen seitens der DDR; politische Stellungnahmen und die Berichterstattung im Westen (in Presse und TV);
- die juristische Behandlung von Fluchtversuchen in der DDR, entsprechend den Bestimmungen des Grenzgesetzes und des Strafgesetzbuches der DDR.

Die juristische Aufarbeitung

Weiterhin ermöglicht es der Fall Gueffroy, auch die Frage der juristischen Aufarbeitung von Verbrechen des DDR-Grenzregimes, wie sie nach dem Ende der DDR in den neunziger Jahren erfolgt ist, in eine unterrichtliche Behandlung einzubeziehen. Dieser Problemkomplex, bei dessen Behandlung unabdingbar auch das politische Herrschaftssystem der DDR in den Blick kommt, führt zur Frage der letztendlichen Verantwortlichkeit für die Toten an der innerdeutschen Grenze.

Nach der deutschen Einigung wurden seit Beginn der neunziger Jahre gegen Soldaten, Offiziere und verantwortliche Funktionsträger der früheren DDR zahlreiche Strafverfahren eingeleitet[11]. Im ersten so genannten »Mauerschützenprozess«, der zwischen September 1991 bis Januar 1992 vor dem Landgericht Berlin stattfand, mussten sich die vier DDR-Grenzsoldaten, die an der Vereitelung des Fluchtversuchs und an der Tötung von Chris Gueffroy beteiligt waren, verantworten, unter ihnen auch Ingo Heinrich, der den tödlichen Schuss auf Gueffroy abgegeben hatte. Am 20. Januar 1992 verurteilten die Richter der 23. Strafkammer des Berliner Landgerichts nach 29 Verhandlungstagen Ingo Heinrich wegen Totschlags zu einer Haftstrafe von drei Jahren und sechs Monaten. Der Angeklagte Andreas Kühnpast, der aus mindestens hundert Metern Entfernung mit Dauerfeuer auf die Flüchtenden geschossen hatte, erhielt wegen versuchten Totschlags zwei Jahre Freiheitsentzug auf Bewährung. Die beiden anderen Angeklagten wurden freigesprochen.

Bei der Verhandlung wurden erstmals zahlreiche Details des Falles Gueffroy bekannt, und auch die Hintergründe des DDR-Grenzregimes kamen ausführlich zur Sprache.[12] Grenzsoldaten wurden üblicherweise von ihren Vorgesetzten gefragt, ob sie an der Grenze bei »Grenzdurchbrüchen«[13] notfalls auf Menschen schießen würden. Bejahten sie die Frage nicht, so wurden sie zunächst befristet nicht zum Grenzdienst eingeteilt. Blieben Zweifel an der »ideologischen Standhaftigkeit«, wurden sie in den Innendienst oder zu einer anderen Einheit versetzt. Ein Beispiel für den psychologischen Druck bietet der Fall des im »Mauerschützenprozess« angeklagten Kühnpast: Dieser wurde nach anfänglicher Weigerung im Küchendienst eingesetzt und deswegen von den Kameraden als »Küchenschabe« gehänselt. Erst daraufhin war Kühnpast schließlich zum Grenzdienst bereit. Die Zusammensetzung des Postenpaares einer Doppelstreife wurde jeweils erst kurz vor Dienstbeginn bekannt gegeben.

Im Rahmen des Politunterrichts wurden die Grenzsoldaten indoktriniert[14], u. a. in dem Sinne, dass Personen, die die DDR ohne Genehmigung verlassen wollten, Verbrecher, Kriminelle und Verräter seien, deren Grenzüberschreitung verhindert werden müsse; »normale« DDR-Bürger hätten ja die Möglichkeit, einen Ausreiseantrag zu stellen. Es wurde auch davon gesprochen, dass westliche »Provokateure«, zum Teil im Zusammenwirken mit aus der DDR stammenden »Grenzverletzern«, bewaffnete Angriffe auf Grenzposten und Grenzanlagen unternähmen. Die Soldaten wurden, ihrem Fahneneid gemäß, zu unbedingtem Gehorsam gegenüber Anordnungen und Befehlen angehalten. Ihnen wurde erklärt, dass eine Ausnahme lediglich für Befehle gelte, die offensichtlich gegen Strafgesetze oder anerkannte Völkerrechtsnormen verstießen. Für den Fall der Befehlsverweigerung oder der mangelhaften Ausführung eines Befehles wurden disziplinarische oder strafrechtliche Folgen angedroht. Mit der »Vergatterung«, die täglich vor dem Einsatz erfolgte, wurde den Soldaten befohlen, »die Unverletzlichkeit der Staatsgrenze« zu gewährleisten und den Grenzdienst auf der Grundlage der Rechtsvorschriften und militärischen Bestimmungen politisch verantwortungsbewusst, initiativreich, wachsam und entschlossen, getreu dem Fahneneid durchzuführen. Es wurde – wie auch bei anderer Gelegenheit – immer wieder betont, dass kein Flüchtling durchkommen dürfe, ein Grenzdurchbruch auf jeden Fall zu verhindern sei.[15]

Den Grenzsoldaten wurde zu verstehen gegeben, dass ihnen nichts passieren würde und sie belobigt würden, wenn sie Flüchtlinge mittels Schusswaffeneinsatzes an der Flucht hinderten. Den Soldaten wurde unterschwellig die Auffassung der Vorgesetzten vermittelt, dass auch die Tötung eines Flüchtlings hingenommen werden würde. Hier kann mit Recht von einer »Art perfider Doppelstrategie« gesprochen werden. Mit Blick auf den Schusswaffeneinsatz gegen »Grenzverletzer« ist festzuhalten, dass es einen »Schießbefehl« als solchen mit entsprechender Überschrift und Bezeichnung nicht gegeben hat, sondern sich als Geflecht von offiziellen Anweisungen und inoffiziellen Einflussnahmen ergab.[16] Im »Mauerschützenprozess« betonte das Gericht in seinem Urteil, dass die Tötung von Flüchtlingen an der Berliner Mauer und der innerdeutschen Grenze »gegen Kernbereiche des Menschenrechts verstoßen« habe. Zudem hielt das Gericht dem Hauptangeklagten vor, den tödlichen Schuss auf Gueffroy ganz bewusst abgegeben zu haben. Der Schuss aus weniger als 40 m Entfernung habe »fast einer Hinrichtung geglichen«, so der Vorsitzende Richter Theodor Seidel am 20. Januar 1992. Nachdem sowohl die beiden Verurteilten als auch die Staatsanwaltschaft – diese mit Blick auf die beiden Freisprüche – Revision eingelegt hatten, wurde das Urteil im März 1993 durch den 5. Senat des Bundesgerichtshofes aufgehoben. In der Begründung des Bundesgerichtshofs wurde die Auffassung vertreten, dass das Strafmaß von dreieinhalb Jahren gegen Ingo Heinrich deshalb zu hoch sei, weil der Angeklagte in der militärischen Hierarchie ganz unten gestanden und auf Befehl gehandelt habe.[17] In dem 1994 stattfindenden Revisionsprozess wurden letztinstanzlich nur noch Bewährungsstrafen ausgesprochen, die Freisprüche wurden bestätigt.

Der Berliner Staatsanwaltschaft zufolge wurden aus einer Gesamtzahl von 6 432 Verfahren 112 Anklagen gegen 246 Beschuldigte erhoben. 126 Angeklagte wurden rechtskräftig verurteilt, davon acht Mitglieder der politischen und 38 Mitglieder der militärischen Führung sowie achtzig Angehörige der Grenztruppen. 61 Angeklagte wurden freigesprochen. 158 anklagereife Verfahren gegen 252 Beschuldigte hat die Berliner Staatsanwaltschaft an die zuständigen Staatsanwaltschaften in den neuen Bundesländern abgegeben.[18]

Seit 1992 fanden auch Prozesse gegen die »Täter hinter den Tätern« (K. W. Fricke) statt. Am 12. Mai 1992 wurde Anklage gegen sechs Mitglieder des Nationalen Verteidigungsrates (NVR) wegen der Gewalttaten an der Berliner Mauer und der innerdeutschen Grenze erhoben. Angeklagt waren Erich Honecker (Generalsekretär des ZK der SED, Vorsitzender des NVR und des Staatsrates), Erich Mielke (Minister für Staatssicherheit) und Willi Stoph (Vorsitzender des Ministerrates) in 68 Fällen in der Zeit vom 12. August 1961 bis zum 5. Februar 1989, Heinz Kessler (Minister für Verteidigung) in 34 Fällen vom 23. Oktober 1969 bis zum 5. Februar 1989 sowie Fritz Streletz (Chef des Hauptstabes der NVA und Sekretär des NVR) und Hans Albrecht (Erster Sekretär der SED-Bezirksleitung Suhl) in 26 Fällen vom 14. Juli 1972 bis zum 5. Februar 1989.[19]

Weitere Prozesse folgten, darunter die besonders beachteten und wichtigen »Politbüro-Prozesse« sowie ein Prozess gegen hohe Generäle der Nationalen Volksarmee der DDR (NVA). Vorgeworfen wurde den angeklagten hohen DDR-Funktionären insbesondere eine »mittelbare Täterschaft«, so auch beim Tode von Chris Gueffroy. Der Bundesgerichtshof begründet diese in seinem Urteil vom 8. November 1999 damit, dass das Politbüro des Zentralkomitees der SED als höchstes Machtorgan der DDR für jede grundsätzliche politische Entscheidung des Landes verantwortlich gewesen sei. Politbüro und Nationaler Verteidigungsrat, dessen Unterordnung unter das Politbüro bis zum Ende der DDR Bestand hatte, formten durch eine Vielzahl von Beschlüssen auch das Grenzregime an der innerdeutschen Grenze.[20]

Von besonderem Belang ist in diesem Zusammenhang das Urteil des Europäischen Gerichtshofs für Menschenrechte in Straßburg vom 22. März 2001, das dem Rechtsstaat die Legitimität bestätigt, »gegen Personen, die sich eines Verbrechens unter einem früheren Regime schuldig gemacht haben, strafrechtliche Verfolgung einzuleiten«. Der Gerichtshof bestätigt damit zugleich grundsätzlich die Strafverfolgung von DDR-Grenzschützen und ihren Befehlsgebern durch die bundesdeutsche Justiz. In der schriftlichen Urteilsbegründung des EGMR heißt es: »Der Gerichtshof ist der Meinung, dass die Verwendung von Minen und Selbstschussanlagen angesichts ihrer automatischen und blinden Wirkung sowie die kategorische Art der Befehle an die Grenztruppen, ›Grenzverletzer zu vernichten und den Schutz der Staatsgrenze unter allen Bedingungen zu gewährleisten‹, offensichtlich die in Artikel 19 und 30 der DDR-Verfassung verankerten Grundrechte verletzt haben, die im Wesentlichen durch das StGB der DDR (Paragraph 213) sowie durch die nachfolgenden Gesetze über die Grenze der DDR (Paragraph 17 Absatz 2 Volkspolizei-Gesetz 1968 und Paragraph 27 Absatz 2 Grenzgesetz von 1982) bekräftigt wurden. Diese Staatspraxis verstieß auch gegen die Verpflichtung, die Menschenrechte zu wahren und die anderen völkerrechtlichen Verpflichtungen der DDR einzuhalten, die am 8. November 1974 den ›Internationalen Pakt über bürgerliche und politische Rechte‹ ratifiziert hatte, in dem das Recht auf Leben und auf Freizügigkeit ausdrücklich anerkannt werden.«[21] Am Ende mag das Fazit, das Hans-Jürgen Grasemann in seinem Bericht für die Enquete-Kommission des Bundestages zieht, auch als Lernziel für den Geschichtsunterricht gelten: »Neben der Einzelfallgerechtigkeit liegt die juristische Bedeutung der bislang ergangenen Urteile vor allem darin, dass in rechtsstaatlichen Verfahren festgestellt wurde, was Recht und was Unrecht ist, und dass Unrecht nicht dadurch Recht wird, dass staatliche Institutionen es in Rechtsbestimmungen kleiden.«[22]

Im Unterricht kann es nicht um einen dezidierten Nachvollzug juristischer Entscheidungswege und Begründungen gehen. Gleichwohl führt eine unterrichtliche Auseinandersetzung mit den Prozessen, wie zu erkennen ist, in komplexe juristische und rechtspolitische Zusammenhänge und schließlich in den zeitgeschichtlich brisanten Komplex der Möglichkeiten und Grenzen der (historischen) Aufarbeitung von staatlichem Unrecht, Fragen also, die für einen problemorientierten Geschichtsunterricht von hohem Wert und Interesse sind.

Neben der juristischen Ebene kann auch die seinerzeitige Diskussion in der deutschen Öffentlichkeit die Schülerinnen und Schüler zu einer eigenen Meinungsbildung anregen. Konträre Standpunkte in der zeitgenössischen Auseinandersetzung sind unschwer zu finden. So wurde auch der »Mauerschützenprozess« von Beginn an von einem kontroversen publizistischen Echo begleitet. Während etwa Rudolf Augstein im Nachrichtenmagazin »Der Spiegel« die Forderung »Vernunft vor Recht« vertrat und allenfalls moralische, nicht aber rechtliche Probleme darin sehen wollte, wenn die Mauer- und Grenzschützen nicht verfolgt würden (»Der Spiegel«, 27/1991, S. 59), meinte dagegen Wolfgang Reischock in der Wochenzeitung »Die Zeit« vom 01. 11. 1991 unter dem Titel »Das Gewissen steht vor Gericht«: »Gewiss – die ›Großen‹ dürfen nicht (wie es leider den Anschein hat) verschont werden. Aber wird eigentlich bedacht, dass es die ›Kleinen‹ sind, in deren Taten sich die nichtswürdigen Pläne der ›Großen‹ erst realisieren: Indem sie (mehr oder weniger) willenlos, gedankenlos, gewissenlos ausführen, was ihnen von ›oben‹ befohlen wird? Und machen sich die Täter nicht selbst von der Verantwortung frei, indem sie sie nach ›oben‹ delegieren? Genau hier spiegelt sich die Misere des braven Staatsbürgers wider.« Dabei ist die öffentliche Auseinandersetzung noch keineswegs beendet. Auch 15 Jahre nach dem Ende der DDR und etliche Jahre nach diversen Prozessen gegen Mauerschützen, Politibüro- und NVR-Mitglieder wird an einer apologetischen Legendenbildung gearbeitet. Hierbei ist dann für die an Mauer und Grenze Verletzten und Getöteten die Rede von Personen, »die – wissend um die Gefahren bei dem Versuch eines illegalen Grenzübertritts – Schaden an Leib und Gesundheit erlitten«. Opfer des Grenzregimes werden in dieser Sicht zu »tragischen Opfern des Kalten Krieges«, die »nicht mehr länger gegen die DDR instrumentalisiert und missbraucht werden«

dürften.[23] Im gleichen Kontext wird stets auch der Vorwurf einer »Siegerjustiz« oder »Rachejustiz« laut, die sich in den Prozessen gegen die verantwortliche DDR-Führung manifestiere. Sich auch unterrichtlich mit der Berechtigung dieses Begriffes auseinander zu setzen, bedeutet zum einen, die damit implizierten historischen Parallelen offen zu legen und zu hinterfragen, zum andern aber auch die Rechtsgrundlagen der strafrechtlichen Verfolgung von Mauer-Verbrechen zu untersuchen.

Fallanalyse: Vorzüge, Grenzen und weiterführende Möglichkeiten

Der Fall Gueffroy erfüllt – außerhalb der persönlichen Tragik des Falles – in hohem Maße die didaktischen Forderungen nach Konkretheit und Wirklichkeitsnähe bei gleichzeitiger Exemplarität der Vorgänge. Die Zusammenstellung von unterrichtlichen Fragestellungen berücksichtigt im Übrigen, dass die Fallanalyse, dem Prinzip der Repräsentanz entsprechend, größere Problemzusammenhänge eröffnen sollte, namentlich die Frage der »Täter hinter den Tätern«. Wie sind Schuld und Verantwortlichkeit verteilt? Wer ist verantwortlich: die Todesschützen – die unmittelbaren Befehlsgeber – die ehemalige Staatsführung – oder die Volkskammermitglieder, die 1982 ein Grenzgesetz einstimmig verabschiedeten, das letztlich den Schusswaffengebrauch legitimierte?

Anhand der biographisch orientierten Fallanalyse lässt sich so nicht nur das Konstrukt einer Verflechtung der doppelten deutschen Nachkriegsgeschichte, die mit einer rückblickend vorgenommenen Beurteilung auch noch in die Zeit nach 1990 und bis in die Gegenwart hineinreicht, entwickeln und – vielleicht beispielhaft – verdeutlichen, auch der wesentlich damit verbundene Anspruch der multiperspektivischen Betrachtung, die allerdings nicht mit einem Relativismus der historischen Bewertungen gleich zu setzen ist, lässt sich vielfältig umsetzen.

Gleichwohl muss bei der Fallanalyse, die das Beispiel eines der zahlreichen Opfer des Grenzregimes thematisiert, auch die Frage gestellt werden, wie typisch bzw. untypisch die Befunde sind. Im Sinne einer multiperspektivischen Betrachtung können Schülerinnen und Schüler auch die Sicht der DDR-Grenzsoldaten kennen lernen, um so zu einem differenzierteren Bild derjenigen zu gelangen, die – aus welchen Motiven und mit welchen Einstellungen und Erfahrungen auch immer – zum Funktionieren des Grenzregimes beigetragen haben. Der auf der Berlinale 2003 der Öffentlichkeit vorgestellte Dokumentarfilm »Grenze« von Holger Jancke beispielsweise könnte hierzu ein geeignetes Medium sein. Er zeigt das Innenleben der Grenztruppen der DDR in den achtziger Jahren kurz vor dem Mauerfall. Die Protagonisten des Films sind vier Männer, die gemeinsam mit dem Autor Holger Jancke ihren achtzehnmonatigen Wehrdienst an der innerdeutschen Grenze absolvierten und die in einer mehrschichtigen Perspektivierung nun aus der Rückschau und am Ort ihres damaligen Militärdienstes über ihre früheren und ihre gegenwärtigen Gedanken und Einstellungen erzählen.

Um noch einmal in den Kategorien des unterrichtlichen Zugriffs auf den historischen Gegenstand zu sprechen: An die Fallanalyse, die eine Vergegenwärtigung eines größeren geschichtlichen Zusammenhanges anhand einzelner ihrer Aspekte ermöglicht, lassen sich bei der Konstruktion einer Unterrichtsreihe zudem weitere Verfahren historischer Untersuchung anlagern. Die Analyse des Fallbeispiels Chris Gueffroy kann so zum Ausgangspunkt einer retrospektiven Analyse werden, die das Bedingungsgefüge untersucht, das ein Grenzregime nach dem Muster der DDR möglich machte (angelegt als Strukturanalyse), oder einer diachronen Untersuchung, die sich mit der der Entstehung und der Entwicklung des DDR-Grenzregimes im Kontext der innerdeutschen und internationalen Einflussfaktoren befasst. Im Zuge einer als Längsschnitt angelegten Analyse kann dann auch das Phasenmodell der asymmetrisch verflochtenen Parallelgeschichte als Grundmuster dienen.

Mit der Thematisierung von Maueropfern und Grenztoten werden natürlich nicht alle Aspekte der Grenzthematik erfasst. Eine deutlich andere Akzentuierung erhält die Thematik beispielsweise dann, wenn Sachverhalte in den Vordergrund treten, die, wenn auch nur partiell und in sehr begrenztem Maße, zur Überwindung des Trennenden geführt haben. Zu denken wäre hier etwa an den deutsch-deutschen Transitverkehr und an die diesem zugrunde liegenden vertraglichen Regelungen zwischen den deutschen Teilstaaten.

Mit Blick auf das Leitproblem der Vermittlung von Geschichte im öffentlichen Raum können – ebenfalls ausgehend von der Grenzthematik – Aspekte der Erinnerungs- und Gedenkkultur oder die museale Aufarbeitung der Grenz-Geschichte als einer besonderen Form medialer Vermittlung thematisiert werden. Letztere wirkt mittels ihrer öffentlichen Präsentationsform prägend auf das Geschichtsbild gerade junger Besucher und stellt ebenfalls ein fruchtbares Betätigungsfeld für den Geschichtsunterricht dar. Mit der Herstellung der deutschen Einheit am 3. Oktober 1990 fielen alle Grenzanlagen der ehemaligen DDR an das Bonner Verteidigungsministerium, das bestrebt war, diese zügig und vollständig zu entsorgen. Im Ergebnis ist längst an kaum einer Stelle mehr für den Betrachter erkennbar, wo in der Vergangenheit die innerdeutsche Grenze verlief. Auch dieses Fehlen physischer Hinweise auf den früheren Grenzverlauf fördert das schwindende Bewusstsein von Art und Bedeutung der innerdeutschen Grenze in der Zeit vor 1989/90. Dem versuchen die an einigen Stellen entstandenen Grenzmuseen entgegenzuwirken, wie etwa die in Schnackenburg/Elbe, in Helmstedt, in Duderstadt, in Geisa oder Mödlareuth. Erwähnt sei hier auch die Gedenkstätte »Deutsche Teilung« in Marienborn. Neben der Begegnung mit originalen Dokumenten und Objekten ist dabei für einen kritischen Geschichtsunterricht nicht zuletzt die Frage von Interesse, wie an diesen Orten mit Geschichte umgegangen wird und wie, mit welchen Mitteln und mit welcher Intention die Geschichte der innerdeutschen Grenze aufbereitet und vergegenwärtigt wird. Auch diese Fragestellungen tragen zu einer perspektivenreichen, reflektierten Auseinandersetzung mit der deutschen Geschichte bei und schaffen ein Bewusstsein von der vielfach verflochtenen deutschen Teilungsgeschichte.

Anmerkungen

1 Vgl. hierzu: Ulrich Arnswald, Zum Stellenwert der DDR-Geschichte in schulischen Lehrplänen, in: Aus Politik und Zeitgeschichte, B 41–42/2004, sowie die ebenfalls von Ulrich Arnswald im Auftrag der Stiftung zur Aufarbeitung der SED-Diktatur erstellt Expertise »Zum Stellenwert des Themas DDR-Geschichte in den Lehrplänen der deutschen Bundesländer«, Berlin 2004.

2 Vgl. dazu für das Bundesland NRW »Richtlinien und Lehrpläne für die Sekundarstufe II – Gymnasium und Gesamtschule. Geschichte«, wo unterschieden wird zwischen gegenwartsgenetischer Untersuchung, diachroner Untersuchung, synchroner Untersuchung, der Fallanalyse und perspektivisch-ideologiekritischer Untersuchung.

3 Vgl. Joachim Rohlfes, Geschichte und ihre Didaktik, Göttingen 1986, S. 240f.

4 Nach Zahlenangaben der Staatsanwaltschaft Berlin wurden an der Berliner Mauer 86 Menschen bei Fluchtversuchen getötet. An der innerdeutschen Grenze gab es zwischen 1946 und 1989 insgesamt 270 Todesfälle, davon 169 seit 1961 (durch Schusswaffeneinsatz: 139 Personen; durch Minendetonationen: 33 Personen).

5 Abgedruckt in: Werner Filmer/Heribert Schwan, Opfer der Mauer. Die geheimen Protokolle des Todes, München 1991, S. 59–61.
Zur Erläuterung: GP = Grenzposten bzw. Gruppenposten; GZ-I = Grenzzaun I (im Gegensatz zum Grenzsignalzaun); GSZ = Grenzsignalzaun; GV = Grenzverletzer; mit »freundwärts« war die der DDR zugewandte Seite gemeint.

6 Karin Gueffroy, in: Roman Grafe, Deutsche Gerechtigkeit. Prozesse gegen DDR-Grenzschützen und ihre Befehlsgeber, München 2004, S. 13.

7 So Karin Gueffroy in einem Interview, abgedruckt in: Werner Filmer/Heribert Schwan, Opfer der Mauer. Die geheimen Protokolle des Todes, München 1991, S. 62ff.

8 Bericht des Senders RIAS vom 23. 02. 1989.

9 Zitate nach: Hans-Jürgen Grasemann, Das DDR-Grenzregime und seine Folgen. Der Tod an der Grenze, in: Materialien der Enquete-Kommission »Überwindung der Folgen der SED-Diktatur im Prozess der deutschen Einheit«, Band VIII, 2, hrsg. vom Deutschen Bundestag (13. Wahlperiode), Baden-Baden 1999, S. 1210f.

10 Kleines Politisches Wörterbuch, hrsg. vom Mitarbeiterkollektiv des Dietz-Verlages, Berlin (Ost) 1973, S. 315.

11 Vgl. hierzu u. a.: Hansgeorg Bräutigam, Die Toten an der Berliner Mauer und an der innerdeutschen Grenze und die bundesdeutsche Justiz. Versuch einer Bilanz, in: Deutschland Archiv, 37 (2004), Heft 6, S. 969–976; vgl. ferner: Roman Grafe, Deutsche Gerechtigkeit. Prozesse gegen DDR-Grenzschützen und ihre Befehlsgeber, München 2004.

12 Vgl. das Urteil des Landgerichts Berlin in der Strafsache gegen Hofmann, Kühnpast und andere vom 20. Januar 1992, Az. 523 2 Js 48 48/90.

13 Bezeichnung für die Überwindung der Grenze; Personen, die aus der DDR zu fliehen versuchten, wurden als »Grenzverletzer« bezeichnet.

14 Ausdruck solcher Indoktrination war beispielsweise das Gedicht des DDR-Nationalpreisträgers Helmut Preißler mit dem Titel »Keiner kommt durch, Genossen«, veröffentlicht in: »Dass sicher sei, was lieb uns ist«, Politische Verwaltung der Grenztruppen der NVA:

»Keiner kommt durch, Genossen,
das sei versprochen!
Nicht den Verführten
lassen wir aus unserm Land,
nicht den Verführer
lassen wir zu uns herein.
Wir verhindern
den Missbrauch der Dummheit.
Das sei versprochen, Genossen,
keiner kommt durch!
Nicht die Mordbrenner in unser Land,
das neu gestaltete,
nicht die Verlockten
hin in den Irrlichtersumpf.
Wir schützen Selbstmörder
vor ihren Taten.
Das sei versprochen, Genossen,
Wir heben die Wühlmäuse aus,
und halten den Anstürmen stand.
Gegen die schwarz-braune Flut
hält der Schutzwall. Wir schwören:
Keiner kommt durch, Genossen,
das sei versprochen!«

Abgedruckt in: Volker Koop, »Den Gegner vernichten«. Die Grenzsicherung der DDR, Bonn 1996, S. 162.

15 Erich Mielke in einem Referat auf der Zentralen Dienstbesprechung des Ministeriums für Staatssicherheit noch am 28. April 1989: »In den Jahren 1987/88 und in den ersten Monaten dieses Jahres haben die Angriffe aus dem Innern auf die Staatsgrenze erheblich zugenommen. Trotz bedeutender Anstrengungen im Innern und bei der Sicherung der Staatsgrenze gab es einen wesentlichen Anstieg von Grenzdurchbrüchen, darunter zahlreiche spektakuläre Aktionen, die durch hohe Gesellschaftsgefährlichkeit und Risikobereitschaft der Täter gekennzeichnet waren. Durch eine umfassende Vermarktung in den Medien des Gegners ist der DDR ein erheblicher politischer Schaden entstanden und die offensive Politik unserer Partei gestört worden. Diese Hetzkampagne wurde im Februar und März dieses Jahres im Zusammenhang mit der völlig gerechtfertigten Anwendung der Schusswaffe durch Angehörige der Grenztruppen der DDR, mit gelungenen und verhinderten ungesetzlichen Grenzübertritten, zum Teil mittels schwerer Technik sowie mit dem Überfliegen der Staatsgrenze zu Westberlin mit einem mit Gas gefüllten Ballon, weiter eskaliert.« in: BStU, ZA, DSt 103 582, S. 124f. Erich Mielke in einem Referat auf der Zentralen Dienstbesprechung des MfS am 28. April 1989 (Tonbandabschrift): »Ich will überhaupt mal was sagen, Genossen. Wenn man schon schießt, dann muss man es eben so machen, daß nicht noch der Betreffende wegkommt, sondern dann muss er eben da bleiben bei uns. Was ist das denn für eine Sache, was ist denn das, 70 Schuss loszuballern, und der rennt nach drüben, und die machen

eine Riesenkampagne. Da haben sie recht. Mensch, wenn einer so mies schießt, sollen sie eine Kampagne machen.« In: BStU, ZA, ZAIG TB 3.
16 Grasemann (Anm. 9) S. 1254.
17 Urteil des BGH vom 25. März 1993, Az. 5 StR 418/92, BGHSt 39, 168.
18 So wiedergegeben in: Hansgeorg Bräutigam, Die Toten an der Berliner Mauer und an der innerdeutschen Grenze und die bundesdeutsche Justiz. Versuch einer Bilanz, in: Deutschland-Archiv, 37 (2004) 6, S. 975.
19 Nach: Hansgeorg Bräutigam (Anm. 18), S. 970f.
20 Urteil des BGH vom 8. November 1999, Az. 5 StR 632/98, BGHSt 45, 270.
21 Urteil des EGMR vom 22. März 2001, zitiert nach: Roman Grafe, Deutsche Gerechtigkeit. Prozesse gegen DDR-Grenzschützen und ihre Befehlsgeber, München 2004, S. 337ff.
22 Grasemann (Anm. 9), S. 1222.
23 So Klaus-Dieter Baumgarten, Generaloberst der NVA a.D., und Peter Freitag, Oberst der NVA a.D., im Vorwort zu dem von beiden zusammen herausgegebenen Buch »Die Grenzen der DDR. Geschichte, Fakten, Hintergründe«, Berlin 2004.

Literaturhinweise

Klaus-Dieter Baumgarten/Peter Freitag, Die Grenzen der DDR. Geschichte, Fakten, Hintergründe, Berlin 2004.

Hansgeorg Bräutigam, Die Toten an der Berliner Mauer und an der innerdeutschen Grenze und die bundesdeutsche Justiz. Versuch einer Bilanz, in: Deutschland-Archiv, 37 (2004) 6, S. 969–976.

Karl Wilhelm Fricke, »Grenzverletzer sind festzunehmen oder zu vernichten«. Zur Ahndung von Tötungsdelikten an Mauer und Stacheldraht, in: Die politische Meinung, 46. Jahrgang (2001), Nr. 381, S. 11–17.

Roman Grafe, Deutsche Gerechtigkeit. Prozesse gegen DDR-Grenzschützen und ihre Befehlsgeber, München 2004.

Roman Grafe, Die Prozesse wegen der Tötung des Mauerflüchtlings Chris Gueffroy. Eine Dokumentation, in: Deutschland-Archiv, 37 (2004) 6, S. 977–982.

Hans-Jürgen Grasemann, Das DDR-Grenzregime und seine Folgen. Der Tod an der Grenze, in: Materialien der Enquete-Kommission »Überwindung der Folgen der SED-Diktatur im Prozess der deutschen Einheit«, Band VIII, 2, hrsg. vom Deutschen Bundestag (13. Wahlperiode), Baden-Baden 1999, S. 1209–1255.

Volker Koop, »Den Gegner vernichten«. Grenzsicherung der DDR, Bonn 1996.

Thomas Lindenberger, Diktatur der Grenze(n). Die eingemauerte Gesellschaft und ihre Feinde, in: Hans-Hermann Hertle/Konrad. H. Jarausch/Christoph Kleßmann (Hrsg.), Mauerbau und Mauerfall. Ursachen – Verlauf – Auswirkungen, Berlin 2002, S. 203–213.

Klaus Marxen (Hrsg.), Toralf Rummler (Mitarb.), Gewalttaten an der deutsch-deutschen Grenze, Berlin 2002.

Hendrik Thoß, Gesichert in den Untergang. Die Geschichte der DDR-Westgrenze, Berlin 2004.

3. Umgang mit der NS-Vergangenheit

Martin Sabrow

Die NS-Vergangenheit in der geteilten deutschen Geschichtskultur

Der Kampf um und gegen die nationalsozialistische Vergangenheit zählt zu den großen Gemeinsamkeiten der im doppelten Sinne geteilten deutsch-deutschen Nachkriegsgeschichte. Dennoch stößt eine deutende Zusammenschau des ost-westlichen Umgangs mit der NS-Zeit zwischen 1945 und 1989/90 auf erhebliche Schwierigkeiten: Zu unterschiedlich erscheinen die beiderseitigen Anstrengungen, die nahe Vergangenheit des nationalsozialistischen Zivilisationsbruchs für die Gegenwart handhabbar zu machen, und schon die Rhetorik gängiger Buchtitel wie »Divided Memory« von Jeffrey Herf[1] oder »Zweierlei Bewältigung« von Ulrich Herbert und Olaf Groehler[2] legen die Vermutung nahe, dass die in diesem Studienband verfolgte Absicht einer integrativen Perspektive in Bezug auf das Thema Vergangenheitsbewältigung trotz gleicher Ausgangslage am übergroßen Kontrast der betrachteten Phänomene scheitern könnte.

Diesem Ausgangsbefund einer fast polaren Entgegensetzung der beiden deutschen Wege zur Verarbeitung und Aneignung einer gemeinsamen Vergangenheit gilt der erste Teil der folgenden Überlegungen.

Vergangenheitsbewältigung im Systemkonflikt

Nach 1945 waren beide deutsche Nachfolgestaaten des »Dritten Reiches« vor die Aufgabe gestellt, eine Vergangenheit zu bewältigen, die der deutschen Gesellschaft nicht von außen oktroyiert worden, sondern aus ihrer Mitte erwachsen war. Der ostdeutsche Staat reagierte mit einer bis zum Untergang des SED-Staates offiziösen Kultur der Heroisierung, die über dem aktiven Kampf gegen das NS-Regime das passive Leiden an ihm ebenso überging wie den Massenkonsens mit ihm. Die kommunistisch dominierten Vorstände der Verfolgtenverbände drangen anfangs sogar darauf, Juden, Sinti und Roma, Zeugen Jehovas und Homosexuelle als »Nur-Opfer« und »Nicht-Kämpfer« aus der Kategorie »Opfer des Faschismus« auszugrenzen[3], zu der nach einer sächsischen Richtlinie vom September 1945 allein »Kämpfer gegen den Faschismus« zu zählen seien, die in der Zeit ihrer NS-Haft und danach »ihre kämpferische Einstellung« bewiesen hätten.[4] Eine so enge Auslegung des »Kämpferideals« musste zwar schon im September 1945 zu Gunsten einer Integrationspolitik wieder aufgegeben werden, die auch rassisch Verfolgte als Opfer des Faschismus anerkannte[5]; sie setzte sich aber in einer Hierarchisierung der Opfergruppen fort, die den Kämpferstatus für die Gruppe der »politischen Überzeugungstäter« reservierte.[6] Schon 1948 war das Schicksal von Verfolgten außerhalb des kommunistischen Widerstandes und besonders der Opfer der nationalsozialistischen Rassenpolitik im Rundfunk der Sowjetischen Besatzungszone kein Thema mehr.[7]

Statt dessen stieg der im KZ ermordete KPD-Führer Ernst Thälmann, der in den ersten Nachkriegsjahren nur eine Randrolle in der kommunistischen Erinnerungspolitik spielte, zur Ikone eines parteisakralen Heldenkultes auf, der die Standhaftigkeit des Parteiführer-Märtyrers in die Unsterblichkeit verlängerte und sein passives Opferleiden zum aktiven Heldenopfer überhöhte.[8] Wie stark die offizielle Gedenkkultur der frühen DDR von einem heroischen Antifaschismus beherrscht wurde, die dem passiven Opfer keinen Erinnerungswert mehr beimaß, enthüllte der Arbeitsplan des Zentralvorstandes der VVN für 1950, in dem unter dem Punkt »Beschaffung von Material für das National-Museum Auschwitz« zu Erläuterung festgehalten wurde: »Fotografien, Lebensbeschreibungen usw. von den in Auschwitz ermordeten Widerstandskämpfern«; für die ermordeten Juden sah der Arbeitsplan offenbar keine Materialrecherchen vor.[9]

Dieselbe geschichtspolitische Kanonisierung beherrschte die DDR-Geschichtsschreibung über den Antifaschismus auch noch in den achtziger Jahren. So erklärte das zuständige Verlagslektorat über eine ihm 1981 vorgelegte Darstellung zum deutschen Widerstand 1933 bis 1939 bündig: »Das Buch können wir in der vorliegenden Form nicht veröffentlichen. Die gravierendsten Einwände sind: Von bürgerlichen Historikern wird immer wieder behauptet, der kommunistische Widerstand sei zwar heroisch, aber politisch sinnlos gewesen, weil die auf Außenaktivität und ansatzweise auf Massenarbeit gerichtete KPD-Strategie unrealistisch war und unnütze Opfer verursachte. [...] Der hiesige Leser kann den Eindruck gewinnen, dass die Darstellung dies unfreiwillig bestätigt.«[10]

Grundsätzlich anders reagierten Staat und Gesellschaft in der Bundesrepublik. Hier herrschte über viele Jahre eine Verdrängungshaltung vor, die sich als »Selbstviktimisierung« bezeichnen lässt und die die eigene Täterschaft hinter der Selbstwahrnehmung als Opfer brauner Verführung, angloamerikanischer Bombardierung und sowjetischer Siegerwillkür zurücktreten ließ. In den Westzonen und der frühen Bundesrepublik wurde die Abwehr der von den westlichen Besatzungsmächten in Gang gesetzten und schnell als oktroyiert empfundenen Reinigung zum Ausgangspunkt einer Vergangenheitsbewältigung, die die Monstrosität des nationalsozialistischen Regimes und seiner Verbrechen weitgehend verdrängte. Die mit Hilfe von Fragebogen und Spruchkammerverfahren betriebene Entnazifizierungspolitik der West-Alliierten stieß nicht nur bei den Betroffenen auf Widerstand; sie löste eine Solidarisierungs- und Entlastungsbewegung gegen die vermeintliche Kollektivschuldzumessung aus, die bis an das Ende der fünfziger Jahre anhielt und den westdeutschen Umgang mit dem Nationalsozialismus nachhaltig beeinflusste. Dass prominente NS-Größen zur Rechenschaft gezogen wurden, traf auf allgemeine Zustimmung; im Übrigen aber regierte eine nicht zuletzt von der evangelischen wie der katholischen Kirche massiv unterstützte »Persilschein«-Mentalität, die auch den am tärksten Verstrickten das Entlastungszeugnis nicht versagen wollte und der Entnazifizierungspraxis in der Forschungsliteratur das Etikett einer »Mitläuferfabrik« eintrug.[11]

In derselben Viktimisierungshaltung bewegte sich auch die historische Fachwissenschaft in den ersten Nachkriegsjahren. Das Bild der »deutschen Katastrophe« (Friedrich Meinecke), das sie Studenten und Lesern nahezubringen versuchte, trug die Züge eines Unbegreiflichen, dem man zum Opfer gefallen sei und das sich nur in mythischen Wendungen vergegenwärtigen lasse: »Wir sind allesamt im Dickicht. In einem dunklen Wald sind wir vom Weg abgekommen«, lauteten die Eröffnungsworte des Tübinger Historikers Rudolf Stadelmanns zu seiner Vorlesung im Wintersemester 1945/46, und ähnlich sprach Siegfried A. Kaehler vom »dunklen Rätsel deutscher Geschichte« während es Johannes Haller erschien, »als wären wir einem bösen Zauber erlegen«.[12]

Der Holocaust war in der frühen Bundesrepublik noch kaum in das Bewusstsein der Deutschen vorgedrungen und wurde zum erstenmal 1957 Thema einer Fernsehsendung. Nicht er bildete das zentrale Negativereignis der NS-Zeit im Bewusstsein der Zeitgenossen, sondern der Zweite Weltkrieg und hier besonders die von der Roten Armee Zug um Zug zurückgedrängte Wehrmacht und das mit dem Krieg einhergehende Leid der Zivilbevölkerung, das durch Massenvertreibung, Bombenkrieg und Niederlage geprägt war. Selbst das erschütternde Buch von Eugen Kogon über den »SS-Staat« schilderte entsprechend dem Erleben des Verfassers das System der Konzentrationslager, nicht jedoch das der Vernichtungslager und ließ so das Schicksal der ermordeten Judenheit gegenüber dem der vergleichsweise kleinen Gruppe der politischen KZ-Häftlinge in den Hintergrund treten.[13]

Das sich unter diesen Bedingungen bildende Geschichtsbewusstsein trug zugleich enthistorisierende und reduktionistische Züge. Es konturierte den Nationalsozialismus als Durchbruch einer im Menschen angelegten Destruktivität und blendete seine politischen und ideologischen Entstehungszusammenhänge so weit aus, dass das Hitlerreich als radikaler Bruch mit den Traditionen deutscher Geschichte erschien. Die Erklärung dafür, dass es dazu hatte kommen können, fand sich nach dieser Sicht in der dämonischen Gestalt Hitlers und seiner Clique, die Deutschland ideologisch verführt und durch einen übermächtigen Terrorapparat beherrscht hätten. Im Ergebnis setzte sich in der frühen Bundesrepublik eine auf das Viktimisierungsparadigma gegründete Abstrahierung und Entwirklichung des Nationalsozialismus durch, die die Deutschen sich selbst als sein Opfer fühlen ließen und ihre tatsächliche Verstrickung in die nationalsozialistische Konsensherrschaft und deren Verbrechen räumlich und mental in weite Ferne schoben.

Der Kontrast zwischen den beiden Geschichtskulturen in der Zeit der deutschen Teilung ist also denkbar grell. In Ost und West schied sich die Erinnerung an die »zwölf Jahre des Tausendjährigen Reiches«[14] nach den Grenzlinien des Kalten Krieges und diente der wechselseitigen Systemintegration mit Hilfe der spiegelbildlichen geschichtspolitischen Interpretationsmuster, die einmal den kommunistischen Widerstand und zum anderen den nationalkonservativen und christlichen Widerstand akzentuierten, einmal die verhängnisvolle Macht des Monopolkapitals beschworen und zum anderen die Verführungskraft von Umsturzideologien. Doch selbst diese Polarität macht einen integrativen Blick auf die doppelte deutsche Vergangenheitsverarbeitung keineswegs sinnlos.[15] Welche fachlichen Erkenntnis- und didaktischen Vermittlungschancen in der Zusammenschau auch kontrastierender Entwicklungen der deutsch-deutschen Nachkriegsgeschichte liegen, soll im Folgenden mit Hilfe von drei Zugriffen angedeutet werden, die einmal die realgeschichtliche Verflechtung und zum anderen die zeitliche Phasenparallelität von Vergangenheitspolitik, Erinnerungskultur und fachhistorischer Erkenntnisbildung in Ost und West thematisieren sowie schließlich drittens nach strukturellen Übereinstimmungen in der inhaltlichen Gegensätzlichkeit fragen.

Vergangenheitsbewältigung als Beziehungsgeschichte

Die nächstliegende Rechtfertigung einer integrativen Betrachtungsperspektive beruht auf dem Umstand, dass die Vergangenheitspolitiken beider deutscher Staaten isoliert voneinander nicht zureichend zu erklären sind; beide deutschen Bewältigungsmuster waren ungeachtet ihrer Gegensätzlichkeit in einer – wenngleich deutlich asymmetrischen – Wechselbeziehung gefangen. Allein die Existenz der Bundesrepublik als Projektionsfläche erlaubte der SED-Führung die integrationsfördernde Exterritorialisierung des NS-Erbes, die in den ersten zwanzig Jahren des zweiten deutschen Staates eine NS-Verfolgung in der DDR praktisch zum Erliegen brachte[16]; umgekehrt lieferten die angeblichen Lehren aus der Vergangenheit der Abgrenzungspolitik gegenüber dem westlichen Konkurrenten das antifaschistische Legitimationsfundament. Ohne den Willen zur Abgrenzung vom kommunistischen Feind auf nationalem Boden wäre auf der anderen Seite die Dynamik des restaurativen Umschwungs in der Vergangenheitspolitik der Bundesrepublik nicht zu erklären, ebenso wie in der westdeutschen Geschichtswissenschaft die ideologische Offensive des SED-Regimes gegen die braune Belastung der historischen Ostforschung besonders seit dem Trierer Historikertag 1958 dazu beitrug, die Selbstreflexion der Disziplin über ihre personelle und inhaltliche Verstrickung in den Nationalsozialismus bis nach 1989 hinauszuschieben.[17]

Neben dieser indirekten Rückwirkung des jeweils anderen auf den eigenen Umgang mit der Vergangenheit lassen sich aber auch unmittelbare Einflussnahmen anführen, die das Kontrastbild zweier getrennt nebeneinander stehenden Vergangenheitsbewältigungen relativieren. Hier ist vor allem auf direkte politische Eingriffe der DDR-Führung in die Innenpolitik der Bundesrepublik hinzuweisen, wie sie sich in der publizistischen Beeinflussung von Amnestiedebatten oder in der strategischen Ausrichtung der KPD-Politik bis 1956 bzw. der DKP ab 1968 niederschlug, aber möglicherweise sogar bis in die Täterschaft bei den Kölner Synagogenschmierereien im Jahre 1959 reichte, die eine erhebliche innere Mobilisierungswirkung in der Bundesrepublik hatte.[18] Einen Beitrag zur Versteifung der bundesdeutschen Haltung gegenüber der eigenen Belastung leisteten auch die von der SED in den sechziger Jahren initiierten Kampagnen, die seit dem Eichmann-Prozess die gewachsene internationale Sensibilität gegen den deutschen Völkermord nutzten, um mit teils echten, teils gefälschten Belegen die Rolle deutscher Politiker wie Hans-Maria Globke, Theodor Oberländer, Kurt-Georg Kiesinger oder Heinrich Lübke in der NS-Zeit offenzulegen und die Bundesrepublik politisch international zu diskreditieren.[19]

Weniger stark sind Beeinflussungen in die umgekehrte Richtung nachweisbar, wenngleich auch sie nicht ganz fehlen. So führte ein justizieller Materialaustausch im Zuge des Limburger »Euthanasie«-Prozesses 1963 dazu, dass die ostdeutsche Seite sich zu einem eigenen Pendant-Prozess gedrängt sah, um sich in der Vergangenheitspolitik nicht in den Schatten ihres westdeutschen Konkurrenten stellen zu lassen.[20] In welcher Weise die Situation in der Bundesrepublik die Haltung der ostdeutschen Strafverfolgungsorgane bestimmte, illustriert ein MfS-Vermerk über die Zweckmäßigkeit eigener Ermittlungen gegen belastete DDR-Bürger: »Falls einzuleitende Feststellungen ergeben, dass keiner der belasteten westdeutschen Ärzte strafrechtlich verfolgt werden, könnte unsererseits der Beweis angetreten werden, dass im Gegensatz zu Westdeutschland in unserem Staat derartige Verbrechen geahndet werden.«[21] Auf der anderen Seite sah sich das SED-Regime nicht selten gezwungen, der innerdeutschen Konkurrenzsituation dadurch Rechnung zu tragen, dass sie Fälle eigener NS-Belastung in besonderer Weise kaschierte oder besonders hart verfolgte. In jedem Fall richtete sich die ostdeutsche Bewältigungspraxis in entscheidendem Maße danach, ob die Strafverfolgung oder Strafvereitelung geeignet war, die eigene antifaschistische Legitimation zu erhöhen und die des Bonner Staates zu mindern.[22]

I. Die zeitlichen Parallelen der NS-Aufarbeitung

Eine zweite Perspektive, in der ein integrativer Blick auf die doppelte deutsche »Vergangenheitsbewältigung« erkenntnisaufschließend sein kann, richtet sich auf die zeitliche Dimension des Geschehens und lenkt den Blick auf die Frage, ob sich in den einzelnen Phasen des Umgangs mit der NS-Vergangenheit in Ost- und Westdeutschland zeitliche Übereinstimmungen erkennen lassen.

Hier zeigt sich schnell, dass unter Zugrundelegung des im Einleitungsbeitrag entwickelten Stufenmodells die Vergangenheitsbewältigung sich in Ost und West zunächst weitgehend synchron, später aber zunehmend asynchron entwickelte. In allen vier Zonen ließen der Zusammenbruch der Wirtschaft, die Auflösung der staatlichen Strukturen und die Millionen durch Deutschland irrenden Displaced Persons nach dem Untergang des NS-Staates den besiegten und befreiten Deutschen wenig Raum über die unmittelbare Existenzsicherung hinaus: »Ein ›Aufarbeiten der Geschichte‹, mit leerem Magen und in Trümmern, konnte schwerlich stattfinden«, fasste Annemarie Renger das Gefühl der »Stunde Null« im Rückblick zusammen.[23] In der unmittelbaren Nachkriegszeit waren der Genozid an den

Juden und auch die Erinnerung an die Lagerhaft in allen Besatzungszonen aus unterschiedlichen Gründen nicht im öffentlichen Bewusstsein – aus tatsächlicher Unkenntnis, aus verdrängter Schuld, infolge von Traumatisierung oder in der SBZ auch aus politischer Rivalität zwischen den tonangebenden Moskauer Emigranten und den in Deutschland aus der Lagerhaft Befreiten, die im Kampf um die Macht zurückstehen mussten.

In allen vier Zonen lagen weiterhin die politische und symbolische Säuberung von den Resten der nationalsozialistischen Vergangenheit und die Umerziehung der Bevölkerung zunächst ausschließlich bei den Besatzungsmächten. Aber auch nach der weitgehenden Rückübertragung der politischen Verantwortung von den Alliierten an die Deutschen folgte die ›Vergangenheitsbewältigung‹ in den fünfziger Jahren und anfangs der sechziger Jahre ungeachtet ihrer unterschiedlichen Ausrichtung in der Substanz analogen Bewältigungsstrategien, die sich als antinomische Kongruenz von restaurativer und fortschrittsorientierter Verdrängung fassen lassen. In beiden Gesellschaften griff eine soziale Integration bei politischer Distanzierung vom Nationalsozialismus um sich, die zugleich eine tendenzielle Ausblendung des Holocaust in beiden deutschen Historiographien bedeutete, wobei im Westen die Vertreibungsperspektive dominierte und im Osten der Blick auf den Mord an der polnischen und sowjetrussischen Bevölkerung.

Beide Staaten verabschiedeten nach ihrer Gründung in kurzer Zeit eine Reihe von Amnestiegesetzen, die die politische Integration der Bevölkerung erleichterte, wenngleich die administrative Amnestierung in der Bundesrepublik erheblich weiterging und anders als in der DDR auch ehemalige NS-Eliten in soziale und politische Führungspositionen aufsteigen ließ – dass Ende der fünfziger Jahre noch Hunderte ehemalige Kriegs- und Feldrichter und Angehörige von NS-Sondergerichten in der bundesdeutschen Justiz tätig waren, fand in der DDR keine Entsprechung. Analog aber operierte die Politik beider Staaten in der Kriegsgefangenenfrage, die besonders nach dem Juniaufstand von 1953 zu parallelen Offensiven gegenüber der Sowjetunion führte und beiden Regierungen einen nicht geringen Legitimationszuwachs bescherte.

In der Bundesrepublik wie in der DDR lief die Strafverfolgung von NS-Tätern anfangs der fünfziger Jahre im Zeichen der Blockkonfrontation und ihrer Folgen aus. Das SED-Regime schloss seine strafrechtliche Bereinigung 1950 mit den Waldheimprozessen gegen ehemalige Internierte der nun aufgelösten sowjetischen Speziallager ab und projizierte in der Folge »die Täterfrage auf das politische und wirtschaftliche System der Bundesrepublik«[24], während das strafpolitische Interesse in der Bundesrepublik sich zunehmend vom NS-Unrecht auf die Abwehr einer kommunistischen Bedrohung verlagerte und die Arbeit der NS-Ermittler überdies dadurch behindert wurde, dass die nationalsozialistische Vernichtungspolitik sich überwiegend im sowjetischen Herrschaftsbereich abgespielt hatte, der für eine juristische Kooperation schon aus rechtsstaatlichen Gründen ausfiel.

Erst in den siebziger und achtziger Jahren relativierte eine zunehmende Differenzierung von West und Ost aufgrund gesellschaftlicher und systembezogener Eigenlogiken die zeitlichen Übereinstimmungen, die die ›Vergangenheitsbewältigung‹ in der Frühphase beider deutscher Gesellschaften prägten. In der Bundesrepublik brach der bisherige Schweigekonsens auf und führte zu einer auch generationell bedingten Aufkündigung der restaurativen »Stille« der fünfziger Jahre. Im letzten Jahrzehnt der deutschen Teilung durchlief die Bundesrepublik schließlich eine förmliche historische Revolution, die in eine bis heute anhaltende Memorialisierung und Viktimisierung mündete, in deren Sog erst am Ende parallel zu ihrer legitimatorischen Herrschaftserosion auch die DDR und ihre historische Herrschaftskultur gerieten.

Für die DDR und ihren historischen Herrschaftsdiskurs mit seiner staatlich sanktionierten Sicht auf die Geschichte sind bis in die Mitte der achtziger Jahre solche Brüche hingegen nicht oder nur in Ansätzen feststellbar. Vom ersten bis zum letzten Tag behielt die NS-Zeit zentrale geschichtspolitische Bedeutung für das historische Selbstverständnis des ostdeutschen Teilstaates. Ungeachtet einer zögernden Entkopplung von Kapitalismus und Genozid besonders in den achtziger Jahren, die nicht mehr starr darauf beharren ließ, dass die nationalsozialistische Massenvernichtungspolitik primär ökonomischen Interessen des deutschen Imperialismus gehorcht habe, blieb die Ermordung der europäischen Judenheit in der DDR auch später noch ein verschwiegenes, wenngleich nicht mehr gänzlich unterdrücktes Thema.[25] Das erste Jahrbuch für Geschichte in der DDR, das im Kontext des auch in der DDR offiziell gewürdigten 50. Jahrestags der Pogromnacht vom 9. November 1938 Antisemitismus und Judenvernichtung zum Thema machen wollte, fiel dem Zusammenbruch des SED-Staates zum Opfer und wurde nicht mehr gedruckt.[26] Immer lastete die »antizionistische« Israel-Politik des SED-Staates auch auf der historischen Forschung und sorgte dafür, dass die Erinnerung an das jüdische Leiden in der NS-Zeit als unliebsame Legitimationskonkurrenz empfunden wurde. Bis zum Ende – und nicht zuletzt aus Furcht vor Restitutionsansprüchen – war das 1945 in die Hände der Roten Armee gefallene und vom Zentralen Staatsarchiv der DDR übernommene »Gesamtarchiv der Juden« wie andere jüdische Archivalien zeit der DDR für jede Nutzung gesperrt. Selbst die ehemalige »Sippenkartei« der Gestapo, also die Gesamtkartei der deutschen Juden 1939, wurde 1981 eilends aus der Jüdischen Gemeinde in das Zentrale Staatsarchiv überführt und damit unter staatlichen Verschluss genommen, um einen Kopierwunsch des New Yorker Leo Baeck-Instituts abzuwehren.[27]

Erst in den achtziger Jahren lockerte sich die antizionistische Haltung der SED-Führung, die im Gefolge der stalinistischen Verfolgungskampagnen das Bekenntnis zu einer jüdischen Identität jahrzehntelang nahezu unmöglich gemacht und zahlreiche jüdische Bürger in den Westen getrieben hatte, zu Gunsten einer vorsichtigen und zögerlichen Öffnung gegenüber dem jüdischen Leid auf, während gleichzeitig eine immer stärkere Ritualisierung und Entleerung des Antifaschismuskonzepts die politische Kultur des SED-Staates prägte.

II. Strukturelle Gemeinsamkeiten der deutsch-deutschen Vergangenheitsbewältigung

In der zeitlichen Phasenkoinzidenz deutet sich bereits an, dass der entscheidende Erkenntnisgewinn einer integrierten Betrachtungsperspektive aus der strukturellen Ähnlichkeit der beiden deutschen Bewältigungskulturen folgt. Befördert durch die politischen Entwicklungen der Zeit, namentlich den Kalten Krieg, entwickelten beide Gesellschaften ein kohärentes Konsensmodell der Vergangenheitsaneignung, das die Erinnerung an die NS-Geschichte in politischer Absicht nutzte und das in beiden Fällen als Integrationskonzept sehr erfolgreich war. Im Osten trat es als Antifaschismus, im Westen als Antitotalitarismus in Erscheinung und besaß auf beiden Seiten einerseits hohe politische Instrumentalität, trug andererseits starke tabuisierende Züge und konnte deswegen trotz seiner inhaltlichen Gegensätzlichkeit eine in West und Ost gleichermaßen ausgeprägte Entlastungsfunktion wahrnehmen.[28]

Der »Legitimationsantifaschismus«[29] in der DDR trug politisch instrumentelle Züge, die ihn zu einem wirkungsmächtigen Mittel der kommunistischen Herrschaftsetablierung im Osten Deutschlands machten – etwa in der Beseitigung alter und in der Schaffung neuer sozialer Eliten – und zu einem schlagkräftigen Argument im propagandistischen Kampf gegen die demokratische Ordnung im Westen Deutschlands. Aus der Identifizierung von Nationalsozialismus und westlicher Demokratie, von Faschismus und Antikommunismus erwuchs die ideologische Begründung, die die Bodenreform in der SBZ und nicht anders die Verstaatlichung industrieller Schlüsselbetriebe als Ausdruck antifaschistischer Politik zur Abrechnung mit Kriegsverbrechern und nationalsozialistischen Volksfeinden erscheinen ließen. Ein geplantes Entschädigungsgesetz für jüdische Opfer des Faschismus scheiterte nach langen Verhandlungen in Übereinstimmung mit dem sowjetischen Kurswechsel von 1948 gegenüber Israel. Die DDR, die sich nicht als Rechtsnachfolgerin des Deutschen Reiches betrachtete, zeigte sich von vornherein nicht bereit, »die Verletzung kapitalistischer Interessen vieler Rasseverfolgter wiedergutzumachen«.[30] Entschädigungszahlungen an Israel wehrte die SED mit dem Argument ab, dass die DDR ein »unschuldiger«, weil nämlich antifaschistischer Staat sei, während Israel dem imperialistischen Weltsystem angehöre und mit dem faschistischen Nachfolgestaat in Bonn Geschäfte mache.[31]

Der ostdeutsche Antifaschismus war zugleich verordneter Antifaschismus, insofern er das parteioffizielle Geschichtsdenken gegen konkurrierende und zuwiderlaufende Deutungsmuster der Vergangenheit durchsetzte. Für die Zeit ab 1948 lässt sich in Bezug auf den antifaschistischen Widerstand immer deutlicher die Überlagerung eines kommunikativen Gedächtnisses durch ein homogenisiertes kulturelles Gedächtnis beobachten, das an die Stelle vieler individueller Erfahrungen die »institutionalisierte Mnemotechnik« der geltenden Parteilinie in Form von historischen Erzählungen, literarischen und medialen Vergegenwärtigungen und öffentlichen Gedenkritualen setzte. Den wohl entscheidenden Schritt auf diesem Weg ging die SED mit der Auflösung der Vereinigung der Verfolgten des Naziregimes (VVN), deren Mitgliedschaft bis zum Schluss zwischen 20 und 55 % Parteilose aufwies und vielfach dem Führungsanspruch der SED wie ihrer forcierten Politik zur Integration nomineller Nazis kritisch gegenüberstand. Die VVN hatte in ihrem eigenen Verlag zahlreiche Verfolgtenberichte publiziert, die die Vielfalt des politischen und religiösen Widerstandes dokumentierten und damit die angestrebte Identifizierung von Antifaschismus und SED-Politik untergruben. Mittlerweile ist aus unterschiedlichen Perspektiven detailliert nachgezeichnet worden, wie die ursprüngliche politische und soziale Breite des Diskurses über den Widerstand in der SBZ und frühen DDR immer weiter verengt und kanonisiert wurde.[32] Im April 1947 sprach man auf der Leitungsebene der VVN von einer erforderlichen »planvollen Lenkung der kommenden KZ-Literatur«, und es etablierte sich die Unterscheidung zwischen einer abzulehnenden »Greuelliteratur« aus der bloßen Opferperspektive auf der einen Seite und einer KZ-Literatur auf der anderen, in der »das Eigenleben, die Seele und die bewiesene Stärke der antifaschistischen Kämpfer sichtbar gemacht wird«.[33] Ungeachtet ihrer raschen Anpassung an die geforderte Sichtweise wurden die VVN und ihr Verlag im Februar 1953 mit der Begründung aufgelöst, sie seien nicht in der Lage gewesen, »ernsthafte Werke zur Geschichte des illegalen Kampfes unter dem Hitlerregime oder über einzelne Helden des Widerstandskampfes zu gestalten«[34], und durch ein neugegründetes »Komitee der antifaschistischen Widerstandskämpfer« ersetzt.

Der ostdeutsche Legitimationsantifaschismus wies schließlich tabuisierende Züge auf, indem er wesentliche Aspekte des Nationalsozialismus aus dem kollektiven Gedächtnis wie aus der wissenschaftlichen Forschung verbannte, darunter so zentrale Fragen wie die Massenattraktivität des Hitler-Regimes und die Teilhabe der Bevölkerung an Verfolgung und Vernichtung. Nie brachte die DDR-Geschichtswissenschaft eine Hitler-Biographie hervor, und bis zum Schluss hielt sie an einem dogmatisierten Denken fest, das Hitler als bloßen Handlanger der Monopole verstand, die KPD als führende Kraft des Widerstandes und das deutsche Volk als verführtes Opfer der Fremdherrschaft einer kleinen Clique. Die erste Überblicksdarstellung der DDR-Geschichtswissenschaft zur NS-Zeit widmete der Shoah kein Kapitel und keinen Unterabschnitt, sondern konzentrierte sich in den vier von 260 der »faschistische(n) Barbarei in den okkupierten Gebieten« gewidmeten Seiten auf die deutschen Greueltaten in den besetzten Teilen der Sowjetunion. Juden wurden als Opfergruppe in diesem Zusammenhang nur ein einziges Mal und zwar als Teil der sowjetischen Bevölkerung erwähnt, und auch der Leidensbilanz dieses Opferkapitels, das mit den zukunftsgerichteten Ausbeutungsplänen der deutschen Okkupanten schloss, vermochte der Verfasser noch einen heroisierenden Schlusssatz abzugewinnen: »Die Sowjetvölker vereitelten alle diese Pläne.«[35]

Dennoch besteht kein Zweifel, dass das Deutungs- und Legitimationsmodell »Antifaschismus« in der DDR-Gesellschaft bis zum Ende des zweiten deutschen Staates – und darüber hinaus – hohe soziale Eindringtiefe besaß und ein Legitimationspotenzial entfalten konnte, das weit über die Anziehungskraft des Marxismus-Leninismus oder sozial- und nationalstaatliche Abgrenzungsversuche gegenüber der Bundesrepublik hinaus ging. Wie tief der antifaschistische Konsens tatsächlich ging, wird sich freilich wohl nie überzeugend feststellen lassen. Von der Kraft des antifaschistischen Ideals zeugen die Verständnislosigkeit und oft auch Empörung, die seine kritische und selbstkritische Befragung nach 1989 unter DDR-Historikern hervorrief, oder der Widerstand in der Bevölkerung, auf den die Auflösung antifaschistischer Traditionskabinette in Berlin stieß.[36] Vor der Enquête-Kommission des Deutschen Bundestag sprach der PDS-Abgeordnete Dietmar Keller nicht nur für seine Fraktion, als er 1994 in der Öffentlichen Anhörung zu »Antifaschismus und Rechtsradikalismus« Missbrauch und Instrumentalisierung des Antifaschismus in der DDR einräumte und doch als »ein Bekenntnis zum Frieden« verstanden wissen wollte: »Ich weiß über den

Missbrauch und die Instrumentalisierung..., aber mir hat niemand Antifaschismus verordnet. Ich bin groß geworden mit ›Nackt unter Wölfen‹, ich bin groß geworden mit Literatur, mit Film, mit Erzählungen und mit einer wahnsinnigen Scham vor den Verbrechen der Deutschen im zweiten Weltkrieg. Und wenn das Wort ›Antifaschismus‹ fiel, war das für mich immer das Wort, etwas für den Frieden tun zu müssen.«[37] Im Glauben an die moralische Überlegenheit der antifaschistischen DDR über die Bundesrepublik und ihre unbewältigte Vergangenheit suchte Christa Wolf rückblickend die Antwort, warum es die Demokratiebewegung in der DDR so schwer gehabt habe: »Vor kurzem hat ein Regisseur von uns, Frank Beyer, dessen beste Filme in den sechziger Jahren verboten wurden, formuliert, warum diese Generation, zu der er und auch ich gehören, diese Bindungen an diesen Staat hatten. Weil wir als sehr junge Menschen, aufgewachsen im Faschismus, erfüllt waren von Schuldgefühlen und denen dankbar waren, die uns da herausgeholt hatten. Das waren Antifaschisten und Kommunisten, die aus Konzentrationslagern, Zuchthäusern und aus der Emigration zurückgekehrt waren und die in der DDR mehr als in der Bundesrepublik das politische Leben prägten. Wir fühlten eine starke Hemmung, gegen Menschen Widerstand zu leisten, die in der Nazizeit im KZ gesessen hatten.«[38]

Eine vergleichbare politische Instrumentalität und Tabuisierungskraft besaß auf der anderen Seite der Grenze der bundesdeutsche Antitotalitarismus. Sie zeigte sich im Umgang etwa mit dem kommunistischen Widerstand, der in der Bundesrepublik aus der symbolischen wie der materiellen Integration ausgeschlossen blieb. Sie zeigte sich ebenso in der Wiedergutmachungspolitik gegenüber den Opfern der nationalsozialistischen Gewaltherrschaft: Der zur westlichen Hemisphäre zählende Staat Israel erhielt Entschädigungsleistungen, osteuropäische Staaten erhielten sie bis 1989 nicht. Politischer Opportunität genügte das Antitotalitarismus-Konzept, das ähnlich unscharf war wie das ostdeutsche Antifaschismus-Konzept, indem es der Logik des Kalten Krieges folgend der Abrechnung mit der nationalsozialistischen Vergangenheit weniger Aufmerksamkeit zu schenken erlaubte als dem Bemühen, die historische Erfahrung der Rechtsdiktatur im Inneren wie nach außen umstandslos auf die Politik gegenüber der kommunistischen Linken zu übertragen: »Wenn die Bundesregierung entschlossen ist, dort wo es ihr vertretbar erscheint, Vergangenes vergangen sein zu lassen, in der Überzeugung, dass viele für subjektiv nicht schwerwiegende Schuld gebüßt haben, so ist sie andererseits doch unbedingt entschlossen, aus der Vergangenheit die nötigen Lehren gegenüber all denjenigen zu ziehen, die an der Existenz unseres Staates rütteln, mögen sie nun zum Rechtsradikalismus oder zum Linksradikalismus zu rechnen sein«, erklärte Bundeskanzler Konrad Adenauer in seiner ersten Regierungserklärung vom 20. September 1949.[39]

Seine tabuisierende Kraft bewies der bundesdeutsche Antitotalitarismus, indem er das Bild des christlichen und konservativen Widerstands ebenso von unwillkommenen Zügen zu reinigen erlaubte, wie es der Antifaschismus in Bezug auf den kommunistischen Widerstand vermochte. Die antidemokratischen und teils sogar antisemitischen Grundüberzeugungen vieler Männer des 20. Juli 1944, die in den Anfangsjahren der NS-Herrschaft oft überzeugte Hitler-Anhänger gewesen waren, blieben ebenso im Verborgenen wie die erst jüngst näher beleuchtete Frage der Verstrickung des militärischen Widerstandsflügels in den nationalsozialistischen Genozid.[40] Diese von kritischen Zeitgenossen wie Dolf Sternberger schon früh als »vitale Vergeßlichkeit«[41] bewertete Haltung belastete die frühe Bundesrepublik mit einer unheilvollen und bis zum Anschein der Komplizenschaft reichenden Symbiose von Amnesie und Amnestie[42], die aus heutiger Sicht als ein empörender »Triumph des ›Beschweigens‹« vor uns steht[43], sie erlaubte aber zugleich analog zur staatlich verfolgten und gesellschaftlich verlangten Wiedereingliederungspolitik die unzweideutige Verurteilung des NS-Systems, ohne seine ehemaligen Träger und Anhänger auszugrenzen.[44]

Die Entlastungsfunktion des bundesdeutschen Antitotalitarismus nahm in der DDR der offiziöse Antifaschismus wahr, der die Mitverantwortung der eigenen Bevölkerung für das nationalsozialistische Unrecht auszublenden und gleichsam in die Bundesrepublik zu exportieren ermöglichte. In heroisierender Manier verwandelte eine Sicht, die die eigene Bevölkerung zu den 1933 verführten und 1945 befreiten Opfern der braunen Herrschaft erklärte, den 8. Mai 1945 von der Niederlage des Dritten Reichs zum Sieg seiner Bevölkerung und versetzte sie in die Lage, sich als »Befreite« und »Sieger der Geschichte« zu betrachten. Ganz ohne die Schrecken der Hitler-Barbarei und das Leid ihrer Opfer zu mildern oder wie in der Bundesrepublik der fünfziger und sechziger Jahre weitgehend zu verdrängen, leistete der »Antifaschismus« in der DDR damit einer entindividualisierenden Sicht Vorschub, die nicht nach der Schuld und Verantwortung des Einzelnen fragte, sondern das Bekenntnis zur antifaschistischen DDR als Zertifikat der erfolgten Reinigung nahm. Schon im Januar 1946 gab die Sowjetische Militäradministration (SMAD) eine Weisung Stalins an die KPD-Führung weiter, der zufolge aktive Nazis weiter bekämpft, nominelle Parteimitglieder aber zum Aufbau der neuen Ordnung herangezogen werden sollten. Ende Februar 1948 erklärte die SMAD die Entnazifizierung für abgeschlossen, und schon vier Wochen vorher hatte Ulbricht auf einer Innenministerkonferenz im Interesse der eigenen Herrschaft einen pragmatischeren Umgang mit NS-Belasteten gefordert: »Wir müssen an die ganze Masse der Werktätigen appellieren, auch an die nominellen Nazis, an die Masse der technischen Intelligenz, die Nazis waren. Wir werden ihnen offen sagen: Wir wissen, dass Ihr Nazis ward (sic!), wir werden aber nicht weiter darüber sprechen; es kommt auf Euch an, ehrlich mit uns mitzuarbeiten.«[45] Die entlastende Übertragung der faschistischen Verantwortung an eine kleine Clique gewissenloser Nazis und ihrer monopolkapitalistischen Hintermänner befreite die Mehrheit der Ostdeutschen ebenso nachhaltig von der eigenen Schuld wie die »gewisse Stille«, auf deren Integrationsfunktion für die bundesdeutsche Gesellschaft der fünfziger und sechziger Jahre Hermann Lübbe gepocht hat.[46] Darüber hinaus wirkte diese Übertragung systemstabilisierend, indem sie zahllosen »Volksgenossen« des Dritten Reiches die Chance eröffnete, die Scharte ihrer einstigen Verfehlung nun als Bürger der DDR durch beflissene Anpassung an die neue, antifaschistische Ordnung auszuwetzen: »Jeder Bürger konnte sich nun als Sieger der Geschichte fühlen. Dadurch, dass man dem Volk diese Schmeichelei sagte und es entlastete, war es dann leichter zu regieren. Es ist schwer, auf die Dauer Leute zu regieren, die sich irgendwie schuldig fühlen. Mit dieser Formel erlangte die DDR gleichzeitig auch eine gewisse politische Autorität.«[47]

Geteilte Vergangenheit und gemeinsame Gegenwart

Wie sich gezeigt hat, sollten die inhaltlichen Kontraste im Umgang mit der Last der NS-Vergangenheit in der DDR und in der Bundesrepublik nicht über die wechselseitige Verflochtenheit der vergangenheitspolitischen Bewältigungsmuster und deren phasenweise bis zu Spiegelbildlichkeit reichenden Strukturgemeinsamkeiten hinwegtäuschen. Ein nicht von der Hand zu weisendes Plädoyer für die Zusammenschau der deutschen Teilgeschichten liefert der Verlauf der Geschichte selbst, die mit der deutschen Vereinigung von 1990 dafür gesorgt hat, dass die mit wachsendem Abstand immer stärker von der Last des nationalsozialistischen Zivilisationsbruchs geprägte Geschichtskultur der Bundesrepublik sich heute aus den teils gemeinsamen, teils unterschiedlichen Traditionen einer vierzigjährigen Teilungszeit speist und in ihrer gegenwärtigen Entwicklung nur aus dieser Gemengelage heraus sich erklären lässt.

Dabei ist zunächst von einem in seinen Grundsätzen weitgehend einheitlichen Reservoir an Erinnerungen, Traditionen und Werten in Bezug auf die NS-Zeit auszugehen. Die überragende Bedeutung des Holocaust für die deutsche Geschichte, das Bewusstsein einer nationalgeschichtlichen Gebrochenheit, das einem nationalen Geschichtsstolz nach amerikanischem oder französischem Muster fernsteht, das Bedürfnis nach einem eher historisch-kritischen als historisch-affirmativen Geschichtsbild einigen heute im Grundsatz Ost und West.

Daneben zeigen sich bekanntlich aber auch fortwirkende Ost-West-Akzentunterschiede in Bezug auf den geschichtspolitischen und erinnerungskulturellen Stellenwert der NS-Zeit und besonders der Judenvernichtung. Tatsächlich schien zumindest bis zu der von der Wehrmachtsausstellung in den späten neunziger Jahren erzeugten Aufmerksamkeit nur in der Erinnerung der Ostdeutschen auch der deutsche Angriffskrieg und das Schicksal der unter deutscher Verantwortung umgekommenen über drei Millionen sowjetischen Kriegsgefangenen ähnlich intensiv wahrgenommen worden zu sein, während in der Bundesrepublik das Holcoaust-Gedenken zu einer politisch unmittelbar umsetzbaren Staatsräson als »Geschäftsgrundlage und Mittel der internationalen Politik« wurde[48], wie sich etwa im Kosovo-Konflikt zeigte, als Befürworter und Gegner eines deutschen Militäreinsatzes gleichermaßen auf die Lehren von Auschwitz rekurrierten.[49] Erkennbare Differenzen zeigen sich weiter in der anhaltenden Debatte um die verbrecherische Wesensgleichheit von rechtem und linkem Totalitarismus, die sich etwa in der zuspitzenden Gegenüberstellung von »braunem« und »rotem« Holocaust findet.[50] Verallgemeinernd lässt sich sagen, dass das moralische Singularitätspostulat des Holocaust im zusammenwachsenden Europa um so mehr an Gewissheit und Prägungskraft verliert, je weiter man von West nach Ost geht. Dass die geschichtskulturellen Unterschiede in Deutschland noch keineswegs völlig eingeebnet sind und die ostdeutsche Diktaturverarbeitung in mancher Hinsicht stärker von der osteuropäischen Auseinandersetzung mit dem Erbe des Stalinismus geprägt ist als von dem identitätsstiftenden Bezug auf den nationalsozialistischen Völkermord, den die Holocaust-Konferenz europäischer Regierungschefs in Stockholm 2000 bekräftigte[51], lassen viele Anzeichen vermuten. Hierzu zählt etwa der Skandal, den die ehemalige lettische Außenministerin Sandra Kalniete im Frühjahr 2004 mit einer ›Rede über KZ und GULag‹ zur Eröffnung der Leipziger Buchmesse verursachte, als sie die die totalitären Regime des Nazismus und des Kommunismus »gleichermaßen verbrecherisch« nannte.[52] In die gleiche Richtung wies ein in der Öffentlichkeit heftig umstrittener CDU-Entschließungsantrag über »würdiges Gedenken aller Opfer beider deutscher Diktaturen«[53], den der ostdeutsche Bürgerrechtler Günter Nooke im November 2003 initiierte und der im Regierungslager, aber auch von Vertretern von Opferverbänden und Holocaust-Gedenkstätten als erinnerungspolitischer Paradigmenwechsel hin zu einer »unhistorischen Gleichstellung von NS-Opfern und Opfern der SED-Diktatur« empfunden wurde.[54]

In diesen wie in anderen Fällen wird offenbar, dass auch in Bezug auf die Auseinandersetzung mit der gemeinsamen NS-Vergangenheit, die nicht mehr vergehen kann, eine integrierende Sicht auf die deutsche Nachkriegsgeschichte zwischen 1945 und 1990 und die deutsch-deutsche Erinnerungskonkurrenz einen wichtigen Beitrag leisten kann.

Anmerkungen

1 Jeffrey Herf, Divided Memory. The Nazi Past in the Two Germanys, Cambridge/Mass. 1997. Die deutsche Ausgabe (Berlin 1998) trägt den Titel: Zweierlei Erinnerung. Die NS-Vergangenheit im geteilten Deutschland.
2 Ulrich Herbert/Olaf Groehler, Zweierlei Bewältigung. Vier Beiträge über den Umgang mit der NS-Vergangenheit in beiden deutschen Staaten, Hamburg 1992.
3 »Opfer des Faschismus sind Millionen Menschen, sind alle diejenigen, die ihr Heim, ihre Wohnung, ihren Besitz verloren haben, Opfer des Faschismus sind die Männer, die Soldat werden mussten und in die Bataillone Hitlers eingereiht wurden, sind alle, die für Hitlers verbrecherischen Krieg ihr Leben lassen mussten. Opfer des Faschismus sind die Juden, die als Opfer des faschistischen Rassenwahns verfolgt und ermordet wurden, sind die Bibelforscher und ›Arbeitsvertragssünder‹. Aber so weit können wird den Begriff ›Opfer des Faschismus‹ nicht ziehen. Sie haben alle geduldet und Schweres erlitten, aber sie haben nicht gekämpft.« Vorläufige Richtlinien zur Betreuung der Opfer des Faschismus in Berlin und Sachsen, 28. 6. 1945 zit. n. Karin Hartewig, Zurückgekehrt. Die Geschichte der jüdischen Kommunisten in der DDR, Köln/Weimar/Wien 2000, S. 301.
4 Verordnung zur Wiedergutmachung für die Opfer des Faschismus in der Provinz Sachsen vom 9. 9. 1945, zit. n. ebd. (Anm. 3).
5 »Juden sind auch Opfer des Faschismus«, betitelte die Deutsche Volkszeitung am 25. 9. 1945 ihren Bericht, dass dem Berliner Hauptausschuss der OdF vorgeschlagen worden war, »die rassisch Verfolgten in den Kreis der von ihm betreuten Opfer des Faschismus einzubeziehen«. Zit. n. Olaf Groehler, Integration und Ausgrenzung von NS-Opfern. Zur Anerkennungs- und Entschädigungsdebatte in der Sowjetischen Besatzungszone Deutschlands 1945 bis 1949, in: Jürgen Kocka (Hrsg.), Historische DDR-Forschung. Aufsätze und Studien, Berlin 1993, S. 105–127, hier S. 109. Dieser Vorschlag blieb allerdings umstritten und ließ im Oktober 1945 einen thüringischen OdF-Vertreter erklären: »Opfer des Faschismus ist ein bestimmter Typ des Kämpfers, und den wollen wir erhalten. Können wir es vertreten, dass alle diese Leute nun auf einmal Opfer des Faschismus sind?« Ebd. (Anm. 3), S. 110.
6 Ebd. (Anm. 3), S. 110f. Siehe auch Christoph Hölscher, NS-Verfolgte im »antifaschistischen Staat«. Vereinnahmung und Ausgrenzung in der ostdeutschen Wiedergutmachung (1945 bis 1989), Berlin 2002.
7 Christoph Classen, Faschismus und Antifaschismus. Die nationalsozialistische Vergangenheit im ostdeutschen Hörfunk (1945 bis 1953), Köln/Weimar/Wien 2004, S. 263.

8 »Thälmann und Thälmann vor allen, Deutschlands unsterblicher Sohn, Thälmann ist niemals gefallen – Stimme und Faust der Nation«, lautet der Refrain des 1951 von Kurt Bartel (»Kuba«) getexteten »Thälmannliedes«. Siehe auch Annette Leo, »Stimme und Faust der Nation ...« – Thälmann-Kult contra Antifaschismus, in: Jürgen Danyel (Hrsg.), Die geteilte Vergangenheit. Zum Umgang mit Nationalsozialismus und Widerstand in beiden deutschen Staaten, Berlin 1995, S. 205–211.

9 Arbeitsplan des Zentralvorstandes der VVN, Januar–März 1950, zit. n. Annette Leo, Das kurze Leben der VVN. Von der Vereinigung der Verfolgten des Nazi-Regimes zum Komitee der antifaschistischen Widerstandskämpfer der DDR, in: Günter Morsch (Hrsg.), Von der Erinnerung zum Monument. Die Entstehungsgeschichte der Nationalen Mahn- und Gedenkstätte Sachsenhausen, o. O. 1996, S. 93–100, hier S. 96.

10 Archiv der Berlin-Brandenburgischen Akademie der Wissenschaften (i. f. ABBAW), AV 3082, Mammach, Geschichte der deutschen antifaschistischen Widerstandsbewegung 1933 bis 1945, Band 1, 1933 bis 1939, o. D. [1981].

11 Lutz Niethammer, Die Mitläuferfabrik. Die Entnazifizierung am Beispiel Bayems, Neuausgabe Bonn 1982.

12 Winfried Schulze, Deutsche Geschichtswissenschaft nach 1945, München 1989, S. 16 f.

13 Eugen Kogon, Der SS-Staat. Das System der deutschen Konzentrationslager, zuerst München 1946.

14 So der Buchtitel eines kurz nach der Auslieferung in der DDR verbotenen Buches von Günter Paulus: Die zwölf Jahre des Tausendjährigen Reiches. Streiflichter auf die Zeit der faschistischen Diktatur über Deutschland, Berlin (O) 1965.

15 Zur Nützlichkeit einer komparatistischen Untersuchung der beiden deutschen Erinnerungskulturen: Jan Holger Kirsch, »Wir haben aus der Geschichte gelernt«. Der 8. Mai als politischer Gedenktag in Deutschland, Köln/Weimar/Wien 1999, S. 140 ff.

16 Vgl. zu diesem Komplex die Studie von Annette Weinke, Die Verfolgung von NS-Tätern im geteilten Deutschland. Vergangenheitsbewältigung 1949 bis 1969 oder: Eine deutsch-deutsche Beziehungsgeschichte im Kalten Krieg, Paderborn u. a. 2002, S. 314 ff.

17 Zur ebenso breiten wie kontroversen Debatte um die Rolle der deutschen Ostforschung in der NS-Zeit vgl. Willi Oberkrome, Volksgeschichte. Methodische Innovation und völkische Ideologisierung in der deutschen Geschichtswissenschaft 1918 bis 1945, Götlingen 1993; Michael Fahlbusch, Wissenschaftlich im Dienst der nationalsozialistischen Politik? Die »Volksdeutschen Forschungsgemeinschaften« von 1931 bis 1945, Baden-Baden 1999; Ingo Haar, Historiker im Nationalsozialismus: Die deutsche Geschichtswissenschaft und der »Volkstumskampf« im Osten, Halle 1998. Den Selbstbefragungsschub der Zunft seit der zweiten Hälfte der neunziger Jahre dokumentieren: Winfried Schulze/Otto Gerhard Oexle (Hrsg.), Deutsche Historiker im Nationalsozialismus, Frankfurt a. M. 1999; Rüdiger Hohls/Konrad H. Jarausch (Hrsg.), Versäumte Fragen. Deutsche Historiker im Schatten des Nationalsozialismus, Stuttgart/München 2000; Christoph Kleßmann, DDR-Historiker und »imperialistische Ostforschung«. Ein Kapitel deutsch-deutscher Wissenschaftsgeschichte im Kalten Krieg, in: Deutschland-Archiv, Bd. 35 (2002), 1, S. 13–30.

18 Juliane Schwibbert, Die Kölner Synagogenschmierereien Weihnachten 1959 und die Reaktionen in Politik und Öffentlichkeit, in: Geschichte in Köln, 33 (1993),

S. 73–96; Hubertus Knabe, Die unterwanderte Republik. Die Stasi im Westen, Berlin 1999, S. 126–132. Zur Intensivierung der politischen Bildungsarbeit als Reaktion auf die Synagogenschändungen in Düsseldorf, Köln und anderswo: Peter Reichel, Vergangenheitsbewältigung in Deutschland. Die Auseinandersetzung mit der NS-Diktatur von 1945 bis heute, München 2001, S. 147 ff.

19 Michael Lemke, Instrumentalisierter Antifaschismus und SED-Kampagnenpolitik im deutschen Sonderkonflikt 1960 bis 1968, in: Danyel (Hrsg.), Die geteilte Vergangenheit (Anm. 8), S. 61–86; Stephan Reinhardt, »Der Fall Globke«, in: Neue Gesellschaft – Frankfurter Hefte, Nr. 5 (1995), S. 437–447; Philipp-Christian Wachs, Der Fall Theodor Oberländer (1905 bis 1998). Ein Lehrstück deutscher Geschichte, Frankfurt a. M./New York 2000.

20 Weinke, Die Verfolgung von NS-Tätern (Anm. 16), S. 328 ff.

21 Zit. n. Ute Hoffmann, »Das ist wohl ein Stück verdrängt worden ...«. Zum Umgang mit den »Euthanasie«-Verbrechen in der DDR, in: Annette Leo/Peter Reif-Spirek (Hrsg.), Vielstimmiges Schweigen. Neue Studien zum DDR-Antifaschismus, Berlin 2001, S. 51–66, hier S. 56.

22 Henry Leide, Die verschlossene Vergangenheit. Sammlung und selektive Nutzung von NS-Materialien durch die Staatssicherheit zu justiziellen, operativen und propagandistischen Zwecken, in: Roger Engelmann/Clemens Vollnhals (Hrsg.), Justiz im Dienst der Parteiherrschaft: Rechtspraxis und Staatssicherheit in der DDR, Berlin 1999, S. 495–530, bes. S. 505 ff.

23 Annemarie Renger, Die Trümmer in den Köpfen der Menschen, in: Gustav Trampe (Hrsg.), Die Stunde Null. Erinnerungen an Kriegsende und Neuanfang, Stuttgart 1995, S. 225–233, hier S. 231. Ebenso Karl Jaspers: »Wir leben in Not, ein großer Teil der Bevölkerung in so großer, so unmittelbarer Not, dass er unempfindlich geworden zu sein scheint für solche Erörterungen. Ihn interessiert, was der Not steuert, was Arbeit und Brot, Wohnung und Wärme bringt. Der Horizont ist eng geworden. Man mag nicht hören von Schuld, von Vergangenheit, man ist nicht betroffen von der Weltgeschichte. Man will einfach aufhören, zu leiden, will heraus aus dem Elend, will leben, aber nicht nachdenken. Es ist eher eine Stimmung, als ob man nach so furchtbarem Leide gleichsam belohnt, jedenfalls getröstet werden müsste, aber nicht noch mit Schuld beladen werden dürfte.« Karl Jaspers, Die Schuldfrage, in: Ders., Hoffnung und Sorge. Schriften zur deutschen Politik 1945 bis 1965, München 1965, S. 67–149, hier S. 75.

24 Weinke, Die Verfolgung von NS-Tätern (Anm. 16), S. 336.

25 Detailliert zu den vereinzelten Vorstößen der DDR-Geschichtsschreibung, die politisch gewollte Verdrängung der Judenvernichtung aus dem Geschichtsdiskurs zu durchbrechen: Olaf Groehler, Der Holocaust in der Geschichtsschreibung der DDR, in: Herbert/Groehler, Zweierlei Bewältigung (Anm. 2), S. 41–66.

26 Die einzelnen Beiträge befinden sich im Ms. in: ABBAW, ZIG 161/6. Die staatlichen Aktivitäten im Umfeld des 50. Jahrestages behandelt Angelika Timm, Der 9. November 1938 in der politischen Kultur der DDR, in: Rolf Steiniger (Hrsg.), Der Umgang mit dem Holocaust. Europa – USA – Israel, Wien/Köln/Weimar 1994, S. 246–262, hier S. 260 f.

27 Joachim Käppner, Erstarrte Geschichte. Faschismus und Holocaust im Spiegel der DDR-Geschichtswissenschaft und Geschichtspropaganda der DDR, Hamburg 1999, S. 212.

28 Zur wechselseitigen Abgrenzungsqualität von ostdeutschem Antifaschismus und

westdeutschem Antitotalitarismus gegenüber dem jeweils anderen Staat siehe: Jürgen Danyel, Die geteilte Vergangenheit. Gesellschaftliche Ausgangslagen und politische Dispositionen für den Umgang mit Nationalsozialismus und Widerstand in beiden deutschen Staaten nach 1945, in: Jürgen Kocka (Hrsg.), Historische DDR-Forschung. Aufsätze und Studien, Berlin 1993, S. 129–147, hier S. 133 ff.

29 Jürgen Danyel, Zum Umgang mit der Widerstandstradition und der Schuldfrage in der DDR, in: Ders. (Hrsg.), Geteilte Vergangenheit (Anm. 8), S. 31–46, hier S. 35.

30 Hartewig, Zurückgekehrt (Anm. 3), S. 295.

31 Ebd. (Anm. 30), S. 299.

32 Antonia Grunenberg, Antifaschismus – ein deutscher Mythos, Hamburg 1993, S. 120 ff; Lutz Niethammer (Hrsg.), Der ›gesäuberte‹ Antifaschismus. Die SED und die roten Kapos von Buchenwald. Dokumente, Berlin 1994; Simone Barck, Antifa-Geschichte(n). Eine literarische Spurensuche in der DDR der fünfziger und sechziger Jahre, Köln/Weimar/Wien 2003, S. 21 ff.

33 Simone Barck, Zeugnis ablegen. Zum frühen Antifaschismus-Diskurs am Beispiel des VVN-Verlages, in: Martin Sabrow (Hrsg.), Verwaltete Vergangenheit. Geschichtskultur und Herrschaftslegitimation in der DDR, Leipzig 1997, S. 259–291, hier S. 266.

34 Ebd. (Anm. 33), S. 289 f.

35 Walter Bartel, Deutschland in der Zeit der faschistischen Diktatur 1933 bis 1945, Berlin (Ost) 1956, S. 215.

36 Mythos Antifaschismus. Ein Traditionskabinett wird kommentiert, hrsg. vom Kulturamt Prenzlauer Berg und dem Aktiven Museum Faschismus und Widerstand in Berlin e. V., Berlin 1992.

37 Enquête-Kommission »Aufarbeitung von Geschichte und Folgen der SED-Diktatur in Deutschland«, Bd. III, 1: Rolle und Bedeutung der Ideologie, integrativer Faktoren und disziplinierender Praktiken in Staat und Gesellschaft der DDR, Baden-Baden 1995, S. 155.

38 Christa Wolf, Schreiben im Zeitbezug, Gespräch mit Aafke Steenhuis, in: Dies., Reden im Herbst, Berlin (Ost) und Weimar 1990, S. 131–157, hier S. 135 f.

39 Verhandlungen des Deutschen Bundestages, 1. Wahlperiode 1949, Stenographische Berichte, Bd. 1, Bonn 1950, S. 22.

40 Christian Gerlach, Männer des 20. Juli und der Krieg gegen die Sowjetunion, in: Hannes Heer/Klaus Naumann (Hrsg.), Vernichtungskrieg. Verbrechen der Wehrmacht 1941 bis 1944, Hamburg 1995, S. 427–446. Zu den Thesen Gerlachs: Klaus Jochen Arnold, Verbrecher aus eigener Initiative? Der 20. Juli 1944 und die Thesen Christian Gerlachs, in: Geschichte in Wissenschaft und Unterricht, 53 (2002), S. 4–19.

41 Dolf Sternberger, Versuch zu einem Fazit, in: Die Wandlung, 4 (1949), S. 700–710, hier S. 701.

42 Eine besonders eindringliche Interpretation, die die »Geschichte des Verbrechens und die Amnestierung der Verbrecher [...] als zusammengehörigen Akt, der die Bundesrepublik und das III. Reich unselig miteinander verbindet«, lieferte Jörg Friedrich, Die kalte Amnestie. NS-Täter in der Bundesrepublik, Frankfurt a. M. 1984 (das Zitat ist dem Klappentext entnommen).

43 Norbert Frei, Vergangenheitspolitik. Die Anfänge der Bundesrepublik und die NS-Vergangenheit, München 1996, S. 15.

44 Entsprechend definierte Frei die von einem breiten Konsens bis in die Opfergruppen

hinein getragene »Vergangenheitspolitik« der Adenauer-Zeit als »Prozess der Amnestierung und Integration der vormaligen Anhänger des ›Dritten Reiches‹ und der normativen Ausgrenzung vom Nationalsozialismus«. Ebd. (Anm. 43), S. 397. Zur »Doppelstrategie der frühen Bundesrepublik«, die großzügige soziale Integration der NS-Belasteten an die politische Distanzierung vom Nationalsozialismus zu binden, siehe auch: Helmut König, Die Zukunft der Vergangenheit – Der Nationalsozialismus im politischen Bewusstsein der Bundesrepublik, Frankfurt a. M. 2003, S. 24 ff.

45 Zit. n. Hartewig, Zurückgekehrt (Anm. 3), S. 259.

46 »Diese gewisse Stille war das sozialpsychologisch und politisch nötige Medium der Verwandlung unserer Nachkriegsbevölkerung in die Bürgerschaft der Bundesrepublik Deutschland. [...] In dieser Diskretion vollzog sich der Wiederaufbau der Institution, der man gemeinsam verbunden war, und nach zehn Jahren war nichts vergessen, aber schließlich einiges ausgeheilt.« Hermann Lübbe, Der Nationalsozialismus im deutschen Nachkriegsbewusstsein, in: Historische Zeitschrift, 236 (1983), S. 579–599, hier S. 585 ff.

47 Stephan Hermlin, Wo sind wir zuhause? Gespräch mit Klaus Wagenbach, Frühjahr 1979, in: Ders., In den Kämpfen dieser Zeit, Berlin 1995, S. 28.

48 Michael Jeismann, Auf Wiedersehen Gestern. Die deutsche Vergangenheit und die Politik von morgen, Stuttgart 2001, S. 141.

49 In kritischer Abgrenzung: Hartmut Kühne, Rot-Grün als Retter vor einem neuen Faschismus. Wie Schröder und Fischer mit der Vergangenheit Politik machten, in: Manfred Agethen/Eckhard Jesse/Ehrhart Neubert (Hrsg.), Der missbrauchte Antifaschismus. DDR-Staatsdoktrin und Lebenslüge der deutschen Linken, Freiburg/Basel/Wien 2002, S. 354–360.

50 Stéphane Courtois, Das Schwarzbuch des Kommunismus: Unterdrückung, Verbrechen und Terror, 3. Aufl. München 1998; Jens Mecklenburg/Wolfgang Wippermann (Hrsg.), Roter Holocaust? Kritik des Schwarzbuchs des Kommunismus, Hamburg 1998.

51 Michael Jeismann, Schuld – der neue Gründungsmythos Europas? Die internationale Holocaust-Konferenz von Stockholm (26. bis 28. Januar 2000) und eine Moral, die nach hinten losgeht, in: Historische Anthropologie, 8 (2000), H. 3, S. 454–458; Klas-Göran Karlsson/Ulf Zander (Hrsg.), Echoes of the Holocaust. Historical Cultures in Contemporary Europe, Lund 2003.

52 Richard Herzinger, Geteilte Erinnerung, in: Die Zeit, 1. 4. 2004. Zum erinnerungspolitischen Ost-West-Gefälle und die »asymmetrische Erinnerung« vgl. auch Joachim Güntner, Unkenntnis und ungleiches Gedenken. Gulag und Holocaust – Nachbetrachtungen zum Eklat von Leipzig, in: Neue Zürcher Zeitung, 3. 4. 2004.

53 Antrag Günter Nooke u. a.; Fraktion der CDU/CSU, Förderung von Gedenkstätten zur Diktaturgeschichte in Deutschland – Gesamtkonzept für ein würdiges Gedenken aller Opfer der beiden deutschen Diktaturen, in: Verhandlungen des Deutschen Bundestages, 15. Wahlperiode. Drucksachen, Band 731, Berlin 2003, 15/1874, 4. 11. 2003. Der Relativierungsvorwurf stützt sich besonders auf folgenden Satz der Entschließung: »Beide deutsche Diktaturen waren von einer Gewaltherrschaft geprägt, die sich in der systematischen Verfolgung und Unterdrückung ganzer Bevölkerungsgruppen manifestiert hat.«

54 Streit um »würdiges Gedenken«, Debatte im Bundestag – Weniger Geld für Aufarbeitung der SED-Diktatur, in: Die Welt, 24. 3. 2005.

Michaela Hänke-Portscheller

Senne und Mühlberg – Sperrige Erinnerungsorte als didaktische Herausforderung

NS-Kriegsgefangenenlager in der doppelten deutschen Geschichtskultur

Mit diesem Beitrag wird die Frage nach dem didaktischen Potential eines Vergleichs ostdeutscher und westdeutscher Erinnerungskulturen gestellt. Im Mittelpunkt stehen dabei die Modi denkbar gegensätzlicher Bewältigungskulturen der NS-Vergangenheit, hier exemplarisch untersucht an öffentlichen Kommunikationsprozessen im Umfeld ehemaliger NS-Kriegsgefangenenlager in Senne und Mühlberg.

Die didaktische Skizze verlässt den Weg der bloßen Referierung, Kontrastierung und Bewertung beider offizieller Gedenkkulturen. Stattdessen werden in einem vergleichenden Doppelblick auf West und Ost charakteristische Verdrängungsprozesse untersucht. Das paradigmatische Schicksal eines sowjetischen Kriegsgefangenen im NS-Lagersystem von Senne und Mühlberg soll dabei zunächst die gemeinsame verflochtene Ausgangslage bis zum Ende des Krieges verdeutlichen. Die parallelisierende Gegenüberstellung der unterschiedlich motivierten Teilnahmsferne der Anwohner zur Zeit der geteilten deutschen Nachkriegsgeschichte will den schwierigen Zusammenhang von individuellem und kollektivem Gedenken beleuchten.

Die Rekonstruktion der Mühlberger Lagervergangenheit nimmt insbesondere das Problem der doppelten Diktaturgeschichte auf deutschem Boden in den Blick. Denn auf dem Gelände des ehemaligen Kriegsgefangenenlagers errichtete der sowjetische Geheimdienst NKWD das Speziallager Nr. 1, dessen Existenz bis zum Ende der DDR 1989 offiziell geheim gehalten wurde. Die multiperspektivische Erweiterung der nationalstaatlichen Perspektive um eine osteuropäische verweist zudem auf eine zentrale didaktische Intention dieses Entwurfs zur politischen Bildung einer asymmetrisch verflochtenen deutschen Nachkriegsgeschichte: historische Aufklärung statt Moralisierung.

Historische Gemeinsamkeiten der beiden NS-Lagerorte Senne und Mühlberg

Abb. 1:
Passfoto von Wladimir Ssemenow

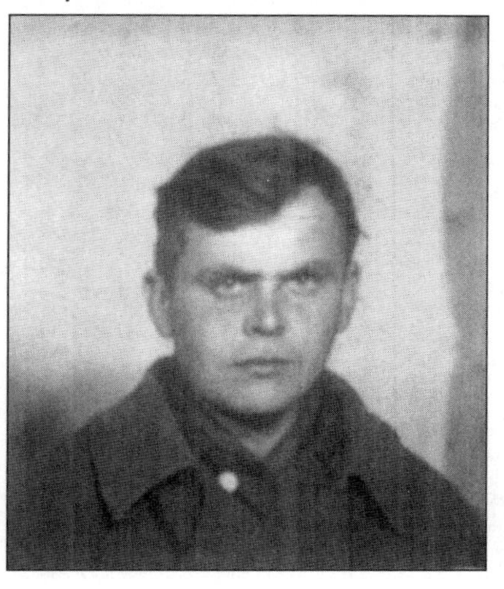

Wladimir Ssemenow war einer von 1,2 bis 1,5 Millionen sowjetischen Kriegsgefangenen im deutschen Reich.[1] Er wurde am 8. September 1920 in Rußland im Altaj-Gebiet als Sohn von Piotr Ssemenow geboren, war mit Marja Ssemenowa verheiratet und von Beruf Eisenbahner.[2] Als er am 14. März 1942 in Charkow, in der Ukraine, in deutsche Kriegsgefangenschaft geriet, war er nach eigenen Angaben Leutnant der Roten Armee. Im Gegensatz zu Tausenden anderer Sowjetsoldaten hat er den Transport nach Deutschland überlebt. Für ihn begann damit eine Odyssee durch deutsche Kriegsgefangenenlager. Seine Personalkarte als Kriegsgefangener erhielt Ssemenow im »Kriegsgefangenen-Mannschaftsstammlager« 326 (VI K) Senne, also im heutigen Ostwestfalen-Lippe.

Nach der Musterung überstellte man ihn, wie man der Personalkarte weiter entnehmen kann, in das ausschließlich für den Bergbau zuständige Stalag VI A Hemer, also ins Ruhrgebiet, von dem aus der Weitertransport in den Bergbau organisiert wurde. Im August 1943 wurde Wladimir Ssemenow nach Lothringen in das Stalag XII F Johannis-Bannberg überwiesen, 1944 in das Stalag XII A nach Limburg, von dem aus er in das Stalag IV B in Mühlberg an der Elbe, heute zu Brandenburg gehörig, transportiert wurde. Aus bisher ungeklärten Gründen bekam er dort eine neue Personalkarte mit einer neuen Personennummer. Im Oktober 1944 wurde er nach Hartmannsdorf in das Stalag IV F deportiert.

Zwei der vielen Kriegsgefangenenlager waren prägend für Ssemenows Transporte durch das deutsche Staatsgebiet: Senne[3] im Westen und Mühlberg[4] in der Mitte des Deutschen Reiches. Die »Kriegsgefangenen-Mannschaftsstammlager« Senne und Mühlberg waren insbesondere für Kriegsgefangene des Vernichtungskrieges gegen slawische »Untermenschen« eingerichtet worden. In beide Lager wurden neben sowjetischen Kriegsgefan-

Abb. 2: Personalkarte aus Mühlberg

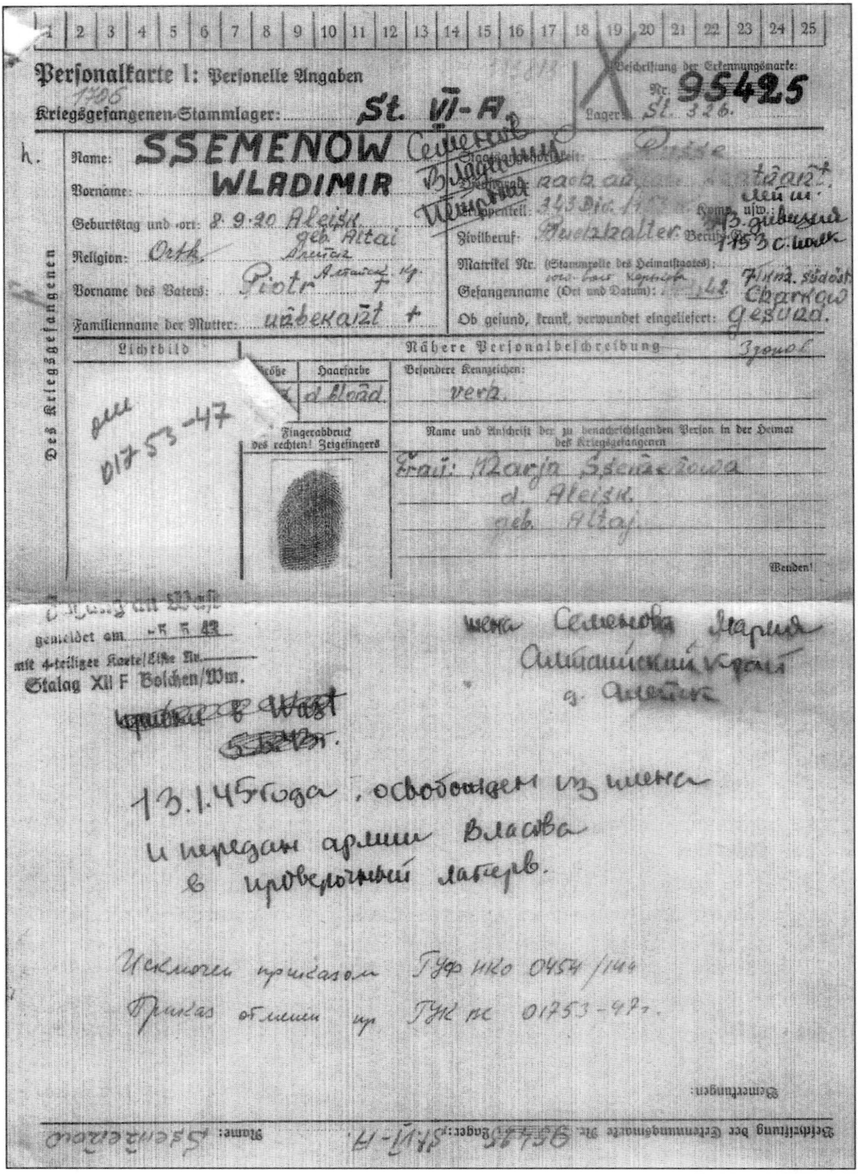

1 2 3 4 5 6 7 8 9 10 11 12 13 14 15 16 17 18 19 20 21 22 23 24 25

Personalkarte I: Personelle Angaben

Kriegsgefangenen-Stammlager: St. VI-A

Beschriftung der Erkennungsmarke: Nr. 95425 Lager: St. 326

Des Kriegsgefangenen

Name: SSEMENOW

Vorname: WLADIMIR

Geburtstag und -ort: 8.9.20 Aleisk geb. Altai

Religion: Orth.

Vorname des Vaters: Piotr

Familienname der Mutter: unbekannt

Staatsangehörigkeit:

Dienstgrad:

Truppenteil: 343 Div.

Komp. usw.

Zivilberuf: Buchhalter. Berufs-Gr.

Matrikel Nr. (Stammrolle des Heimatstaates):

Gefangennahme (Ort und Datum): 42

Ob gesund, krank, verwundet eingeliefert: gesund.

Lichtbild

Nähere Personalbeschreibung

Größe | Haarfarbe | Besondere Kennzeichen:
d. blond | verh.

01753-47

Fingerabdruck des rechten! Zeigefingers

Name und Anschrift der zu benachrichtigenden Person in der Heimat des Kriegsgefangenen

Frau: Marja Ssemenowa
d. Aleisk
geb. Altaj

Wenden!

gemeldet am -5.5.43

mit 4-teiliger Karte/Liste Nr.

Stalag XII F Bolchen/Wm.

13.1.45 года, освобожден из плена
и передан армии Власова
в проверочный лагерь.

Bemerkungen:

Beschriftung der Erkennungsmarke Nr. 95425 Lager: St. VI-A Name: Ssemenow

Abb. 3: Personalkarte von Wladimir Ssemenow, ausgestellt in Mühlberg

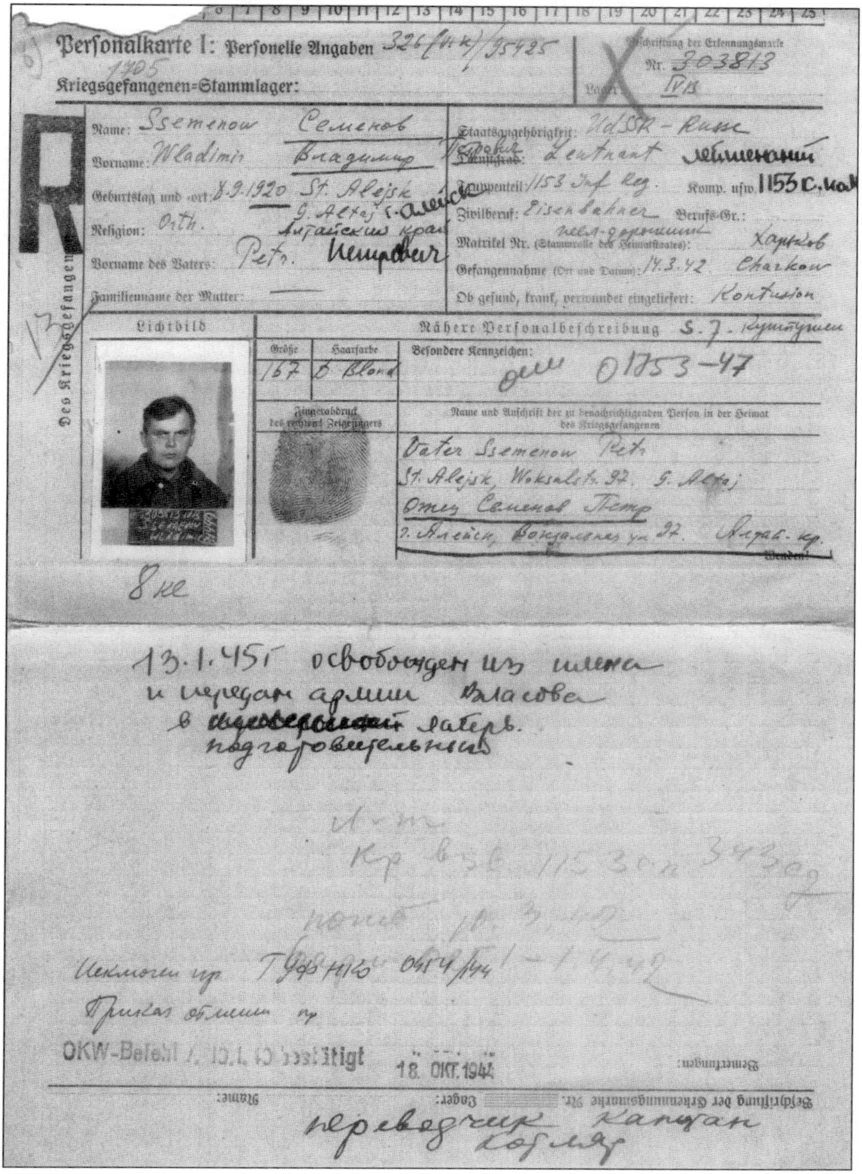

Personalkarte I: Personelle Angaben 326 (IV K) / 95425
Kriegsgefangenen-Stammlager: 1705

Beschriftung der Erkennungsmarke Nr. 303813 Lager: IV B

R

Name: Ssemenow Семенов
Vorname: Wladimir Владимир
Geburtstag und -ort: 8.9.1920 St. Alejsk g. Alejsk г. Алейск Алтайский край
Religion: Orth.
Vorname des Vaters: Petr. Петрович
Familienname der Mutter: —

Staatsangehörigkeit: UdSSR – Russe
Dienstgrad: Leutnant лейтенант
Truppenteil: 1153 Inf. Reg. Komp. usw. 1153 с.полк
Zivilberuf: Eisenbahner Berufs-Gr.: железнодорожник
Matrikel Nr. (Stammrolle des Heimatstaates): Харьков
Gefangennahme (Ort und Datum): 14.3.42 Charkow
Ob gesund, krank, verwundet eingeliefert: Kontusion

Des Kriegsgefangenen

Lichtbild

Nähere Personalbeschreibung S. 7.

Größe	Haarfarbe	Besondere Kennzeichen:
167	d. Blond	01753-47

Fingerabdruck des rechten Zeigefingers

Name und Anschrift der zu benachrichtigenden Person in der Heimat des Kriegsgefangenen
Vater Ssemenow Petr
St. Alejsk, Woksalst. 92. g. Alejsk
Отец Семенов Петр
г. Алейск, Вокзальная ул. 92. Алтай. кр.

Wenden!

8 кл

13.1.45 г. освобожден из плена и передан армии Власова в лагерь.

OKW-Befehl v. 10.1.45 bestätigt 18. OKT. 1944

Bemerkungen:

Beschriftung der Erkennungsmarke Nr. Lager: Name:

переводчик капитан

Abb. 4: Ausschnitt aus Personalkarte mit Kriegsgefangenenlagern

Beschriftung der Erkennungsmarke Nr. 95425.
Lager: St. 326.

Charaktereigenschaften u. a.	Besondere Fähigkeiten	Sprachkenntnisse	Führung

Strafen im Kr.Gef.Lager

Datum	Grund der Bestrafung	Strafmaß	Verbüßt, Datum

Schutzimpfungen während der Gefangenschaft gegen			Erkrankungen				
Pocken	Sonstige Impfungen (Ty-Parat. Ruhr, Cholera usw.)		Krankheit	Revier von	bis	Lazarett — Krankenhaus von	bis
am	am	am					
Erfolg	gegen	gegen					
am	am	am					
Erfolg	gegen	gegen					
am	am	am					
Erfolg	gegen	gegen					
	am	am					
	gegen	gegen					

Versetzungen

Datum	Grund der Versetzung	Neues Kr.-Gef.-Lager	Datum	Grund der Versetzung	Neues Kr.-Gef.-Lager
	Kommt v. St.	VI-A.		перемещения	из лагеря
	Ersatz	Stalag XII-F.			
[illegible]	Ueberstellt	nach St. X.			
15.1o/44 Stalag IVB				в лагерь	

Kommandos

Datum	Art des Kommandos	Rückkehrdatum
	Vorl. St. VI-A. Hemer. из лагеря VI A Хемер	
	A.K. 2175 раб. к-да 2175	
5.3.43.	A.K. 2226 Joh. Rohrbach. [illegible] 6061. 6400	р-к 2226
15. 8. 43	AK 31 Stieringen Z/19959 A/20355 раб. к-да 31	Штиринген
19. 8. 43	R Lager J.Bannberg. A/20353 Z/20338 лаг. Баннберг	1. [illegible] 43
14.12.43.	AK 2067 Karosseriewerke 30488/A 30541/Z р-к	2067
10.1.44.	Russ. Lag. Joh. Bannberg 9041/A 963/Z лаг	Баннберг
21.5,44	St.XII A/v.St.XII F/ лаг. XII A из лаг. XII Ф	
1.6.44	A.K. 1594 Mainz Z/4548 р-к 1594 Майнц	
11/9.44	St XII A лагерь XII A	
15.1.45	von Stalag IV F an Sammlungslager Zietenhorst bei Neuruppin (Wlassow-Armee) abgegeben, und aus der Kriegsgefangenschaft entlassen	
	из лагеря IV Ф передан в лагерь Цитенгорст р-н Нойруппин (Власовская армия) и освобожден из плена.	
	Перевел ст. лт [illegible]	

Abb. 5: Ausschnitt aus der Personalkarte von W. Ssemonow, in der seine Aufenthaltsorte in Kriegsgefangenenlagern verzeichnet sind

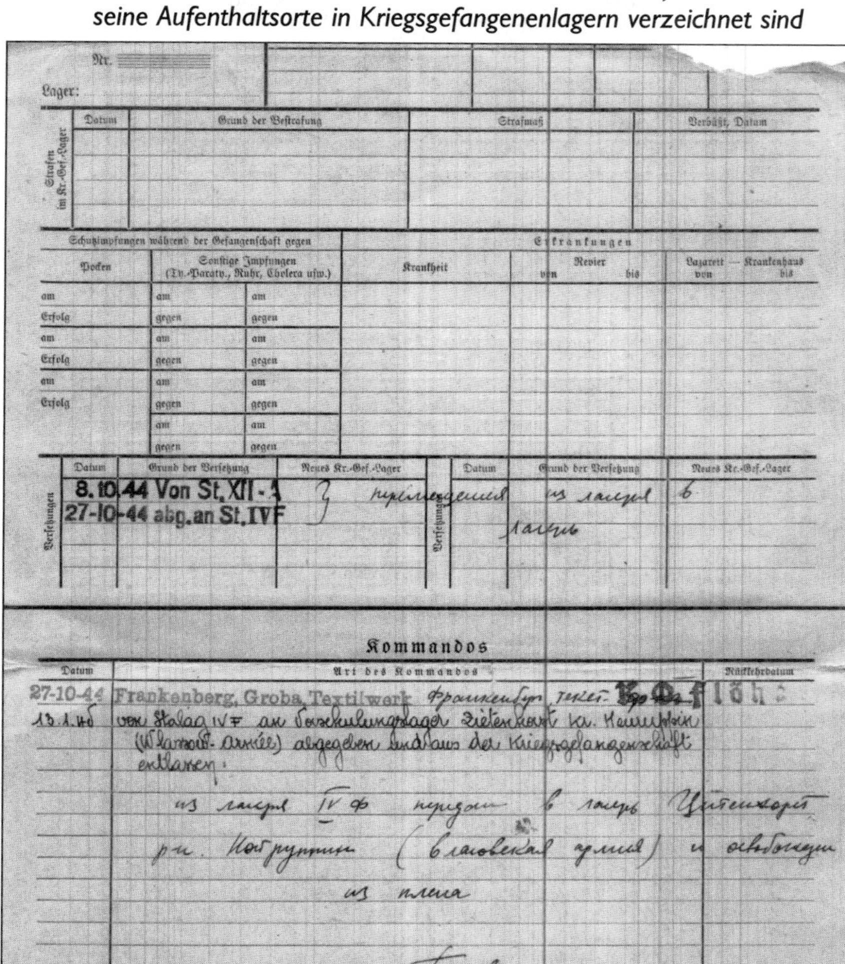

Nr.

Lager:

Strafen im Kr.-Gef.-Lager

Datum	Grund der Bestrafung	Strafmaß	Verbüßt, Datum

Schutzimpfungen während der Gefangenschaft gegen			Erkrankungen				
Pocken	Sonstige Impfungen (Ty.-Paraty., Ruhr, Cholera usw.)		Krankheit	Revier von	bis	Lazarett — Krankenhaus von	bis
am	am	am					
Erfolg	gegen	gegen					
am	am	am					
Erfolg	gegen	gegen					
am	am	am					
Erfolg	gegen	gegen					
	am	am					
	gegen	gegen					

Versetzungen

Datum	Grund der Versetzung	Neues Kr.-Gef.-Lager	Datum	Grund der Versetzung	Neues Kr.-Gef.-Lager
8.10.44	Von St. XII - [illegible]				
27-10-44	abg. an St. IVF				

Kommandos

Datum	Art des Kommandos	Rückkehrdatum
27-10-44	Frankenberg, Groba, Textilwerk	Flöha
13.1.45	vom Stalag IVF an [illegible] Zietenhorst Kr. Neuruppin (Wlassow-Armee) abgegeben und aus der Kriegsgefangenschaft entlassen.	

Quelle der Abb. 1 bis 5: »Archiv des Verteidigungsministeriums der Russischen Föderation, Abt. 11 Offizierskartei. Erschlossen durch ein internationales Gemeinschaftsprojekt, gefördert aus Mitteln der Beauftragten der Bundesregierung für Kultur und Medien sowie im Rahmen der deutsch-russischen Historikerkommission aus Mitteln des Bundesministeriums des Inneren, eingesehen in der Dokumentationsstätte Stalag 326 Senne«.

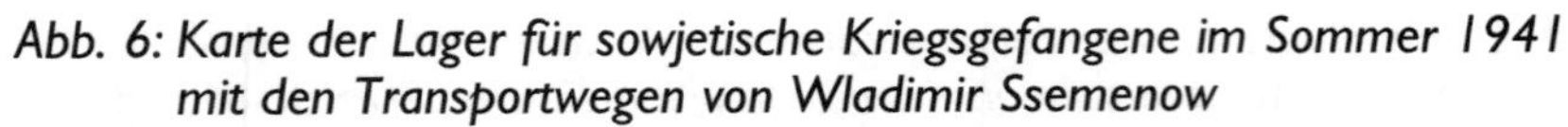

Abb. 6: Karte der Lager für sowjetische Kriegsgefangene im Sommer 1941 mit den Transportwegen von Wladimir Ssemenow

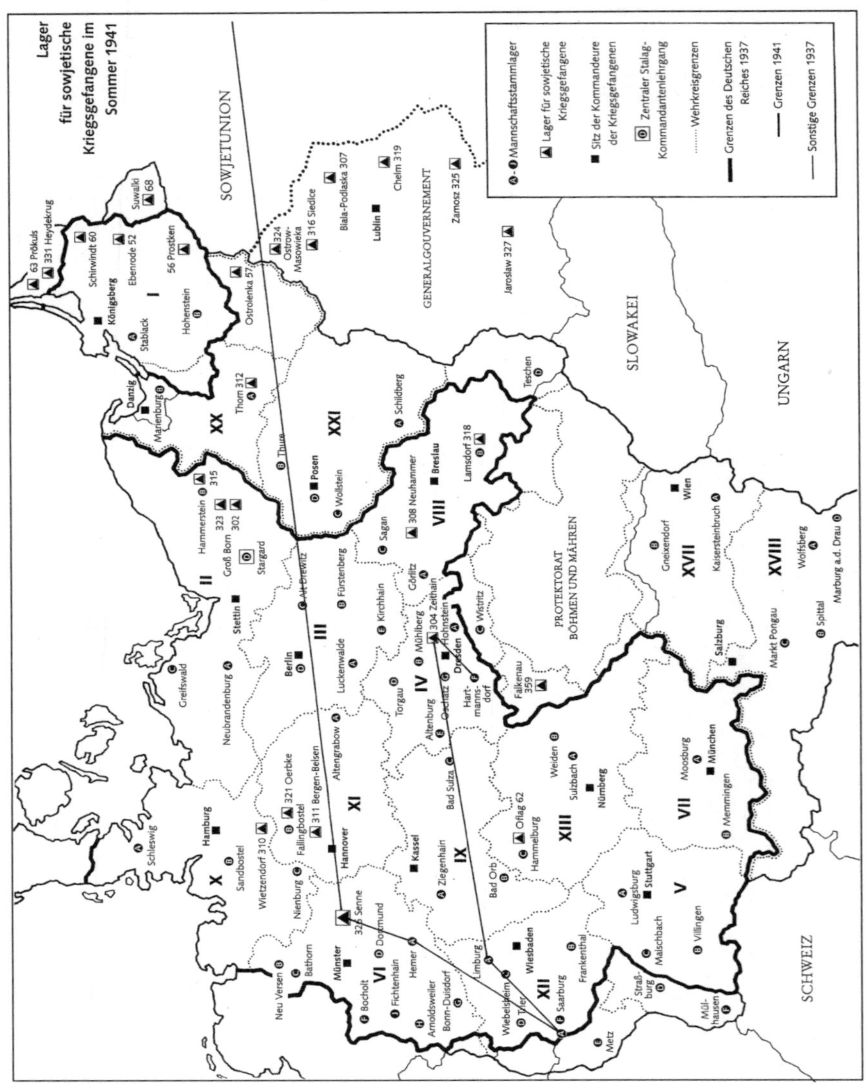

Quelle: Reinhard Otto, Das Stalag 326 (VI K) Senne. Ein Kriegsgefangenenlager in Westfalen, Münster 2000 (Landschaftsverband Westfalen-Lippe), S. 11.

genen außerdem noch Gefangene der anderen kriegsführenden Nationen gebracht, ab Ende 1943 auch Italiener. Beide Lager waren Sammel-, Durchgangs- und Verteilungslager für den Arbeitseinsatz im Bergbau, in der Industrie und in der Landwirtschaft. Damit erfüllten sie zentrale Aufgaben für die NS-Wirtschaft. Außerordentlich hohe Todeszahlen durch entbehrungsreiche Transporte, Flecktyphus-Epidemien, Unterernährung und Aussonderungen in das Vernichtungslager Buchenwald spiegeln die völkerrechtswidrige Behandlung der gefangenen Rotarmisten sowie die rassistisch begründete Abwertung von Slawen wider. Das Oberkommando der Wehrmacht trennte klar zwischen der Behandlung von sowjetischen Kriegsgefangenen einerseits und dem Umgang mit westlichen Soldaten andererseits. Im Gegensatz zu den westalliierten Kriegsgefangenen waren die sowjetischen dem nationalsozialistischen Vernichtungskampf ohne Schutz durch internationale Vereinbarungen ausgeliefert. Nach damaliger deutscher Auffassung galten die Maßstäbe der Genfer Konvention von 1929 für gefangene Rotarmisten nicht, weil die Sowjetunion dieses Abkommen nicht ratifiziert hatte.[5]

Im Januar 1945 nutzte Wladimir Ssemenow einen schmalen Handlungsspielraum und ließ sich für ein Schulungslager der Wlassow-Armee anwerben.[6] Seine sichtbaren Spuren in den Akten der Kriegsgefangenenverwaltung verlieren sich im Januar 1945.[7] Die beiden Lagerorte Senne und Mühlberg befanden sich bis zum Kriegsende im April 1945 in einer weitgehend ähnlichen Situation: Beide Orte lagen gleichermaßen abgelegen im ländlichen Raum, beide waren mit wichtigen Funktionen in das NS-Lagersystem eingebunden, beide Lager fungierten in gleichartiger Weise als Durchgangs- und Verteilungslager und hatten damit zentrale Bedeutung für die NS-Kriegswirtschaft. Zum Teil wurden sogar dieselben Kriegsgefangenen durch die beiden Lager geschleust, wie beispielsweise Wladimir Ssemenow.

Während der NS-Zeit glichen sich die beiden Lagerorte Senne und Mühlberg in vielen wichtigen Merkmalen. Im Verlauf des geteilten deutschen Nachkriegsgedenkens riss die Kette weiterer Gemeinsamkeiten immer noch nicht ab: Denn im offiziellen historischen Erinnern der zwei deutschen Teilstaaten spielten beide Orte, wenn auch aus ganz unterschiedlichen Gründen, im großen und ganzen *keine* Rolle. Ab den neunziger Jahren jedoch wurden beide Orte auf ihre Weise, sowohl für Zeitzeugen als auch für nachwachsende Generationen, zu wichtigen Bezugspunkten historischer Orientierung. Insofern ist es durchaus naheliegend, in einem Vergleich der Erinnerungsprozesse nach Auflösung der Kriegsgefangenenlager danach zu fragen, in welcher besonderen Weise man sich an beiden Orten mit den

Geschehnissen während der NS-Zeit auseinander setzte. In Anlehnung an die Bezugsfelder und Entwicklungsstufen einer integrierten deutsch-deutschen Nachkriegsgeschichte von Christoph Kleßmann[8] werden im folgenden die örtlichen Erinnerungs- und Vergessensweisen in einem west-östlichen ›Doppelblick‹ untersucht, um Faktoren und Rahmenbedingungen für die unterschiedlich wirkenden kollektiven Verdrängungsprozesse in den Blick nehmen zu können. Mit dem längsschnittartig angelegten Vergleich der schwierigen Gedenk- und Orientierungsabläufe in West und Ost werden eigentümliche Kommunikationsdynamiken betrachtet, die dazu beitrugen, dass die beiden Orte Senne und Mühlberg nach dem Zusammenbruch der DDR allmählich zu Erinnerungsorten[9] wurden, von denen nunmehr Impulse für die historisch-politische Bildung ausgehen können.

Bezugsfelder des Erinnerns und Vergessens in Senne und Mühlberg

Zum Ende des Krieges[10] näherten sich aus dem Westen und aus dem Osten die alliierten Truppen und befreiten die beiden Lager mit den dort noch existierenden Gefangenen. Im Lager *Senne* fanden die Amerikaner am 2. April 1945 ca. 9000 sowjetische Gefangene vor. In den folgenden Wochen unterstützten sie die Überlebenden dabei, ihre Kameraden zu beerdigen, den Friedhof anzulegen und ein Denkmal nach dem Entwurf eines ehemaligen Lagerhäftlings, dem Maler und Architekten Alexander Antonowitsch Mordan, zu errichten. Die ehemaligen Kriegsgefangenen bauten einen 8,50 m hohen dreieckigen Obelisken. Auf einer Inschrifttafel in englischer, russischer und deutscher Sprache war zu lesen: »Hier ruhen die in faschistischer Gefangenschaft zu Tode gequälten russischen Soldaten. Ruhet in Frieden Kameraden! 1941–1945.« Über jeder Tafel war ein dreieckiger Sowjetstern angebracht, auf der Spitze eine rote Fahne. Noch im Sommer 1945 fügte man in die Inschrift die Zahl »65000« ein. Vielleicht um den widersprüchlichen, von 30000 bis 100000 Verstorbenen reichenden Meldungen ein Ende zu machen, schlug die US-Armee vor, den Mittelwert zu nehmen, eben 65000.

In *Mühlberg* wurde die deutsche Lagerherrschaft am 23. April 1945 durch die Rote Armee abgelöst. Am 25. April, also zwei Tage später und nur wenige Kilometer entfernt, nämlich im sächsischen Torgau, trafen Rote Armee und US-Armee zusammen. Bei dieser historischen Begegnung kamen die Mühlberger Gefangenen nicht vor. In Tagebüchern und Erlebnisberichten

Abb. 7: Denkmal-Einweihung auf dem Soldatenfriedhof Stalag 326, 2. Mai 1945

Quelle: Bildarchiv der Dokumentationsstätte Stalag 326 Senne.

Abb. 8: 25. April 1945: Treffen von Roter Armee und US-Armee in Torgau

Quelle: Süddeutscher Verlag-Bilderdienst

schrieben die meisten Gefangenen, dass sie die Ankunft der sowjetischen Armee nicht als Befreiung empfunden hätten.[11]

In einer zweiten Entwicklungsstufe[12], in der sich die Blockbildung abzuzeichnen begann, erhielten beide Lagergelände neue Funktionen. Nach Festlegung der Besatzungszonen wurde das Lager *Senne* an die Briten übergeben, die es zunächst als Kriegsgefangenenlager weiterführten, um das Gelände anschließend, von September 1946 bis Januar 1948, unter der Bezeichnung ›Eselheide‹ zu nutzen. In dem Civil Internment Camp 7 (CIC 7) waren 8885 Männer interniert, die sich im Sinne des Nationalsozialismus betätigt hatten.[13]

Die knapp 9000 Internierten wohnten in den noch vorhandenen Holzbaracken und einigen neu errichteten Hütten. Die Mehrheit, etwa 6500 Inhaftierte, wurden im Verlauf der Haftzeit vor das extra dafür eingerichtete Spruchgericht in Bielefeld gestellt.[14] 1988 portraitierte die ›Neue Westfälische‹ den evangelischen Pfarrer Günter Deutsch, der in diesem Lager von 1946 bis 1947 als Seelsorger tätig war. Deutsch erinnert sich an zahlreiche Fälle persönlicher Vergangenheitsbewältigung, die er als Seelsorger begleitete. Er wohnte mitten im Lager unter den Häftlingen und verbrachte in langen Einzelgesprächen viel Zeit mit ihnen. Deutsch erzählt von nachdenklichen und von verstörten Internierten, aber auch von solchen, die noch im nachhinein von der Richtigkeit »der Sache« überzeugt waren.[15]

In *Mühlberg* übernahm der sowjetische Geheimdienst NKWD im September 1945 das völlig heruntergekommene Lagergelände und baute es aus, um an der selben Stelle ein sowjetisches Isolierungslager, das Speziallager Nr. 1, zu errichten. *Mühlberg* war das erste von insgesamt neun weiteren Speziallagern. Der ursprüngliche Zweck dieser Lager bestand darin, Verantwortliche und Mitverantwortliche für die nationalsozialistischen Verbrechen festzuhalten, zu isolieren und damit eventuelle Widersacher gegen die Besatzungsmacht auszuschalten. Im Gegensatz zu den westlichen Internierungslagern fehlten in den sowjetischen Speziallagern, wie Lutz Niethammer in einem Vergleich exemplarisch vorgeführt hat, die SS-Angehörigen, das KZ-Personal und die KZ-Wachmannschaften, ebenso das Führungskorps von Waffen-SS und SA.[16] Diese Personengruppen waren bereits zur Zwangsarbeit in die Sowjetunion deportiert worden.[17] Die operativen Organe inhaftierten missliebige Personen ohne Klärung der Schuldfrage. In aller Regel reichten bloße Vermutungen. Neben ehemaligen NSDAP-Mitgliedern kamen Menschen in das Lager, die von ihren Nachbarn oder Kollegen als politisch Verdächtige denunziert worden waren, die unter Werwolfverdacht standen, die Sozialdemokraten oder in Ungnade gefallene Kommunisten waren. Ohne Haftbefehl und ohne Gerichtsverfahren wurden sie »zur völligen Isolierung«[18] eingewiesen. Insgesamt durchliefen fast 22 000 »Arrestanten« das Speziallager *Mühlberg.* In Verbindung mit Hunger, Kälte, einseitiger Beköstigung, miserabelster Unterbringung und Versorgung, fehlender Hygiene, nicht vorhandenen Medikamenten sowie einer totalen Kontaktsperre ergaben sich verheerende physische und psychische Auswirkungen und eine hohe Sterblichkeit, meist durch Dystrophie (unzureichende Ernährung), Tuberkulose oder Ruhr. Die Moskauer Zentrale betrachtete die Speziallager offensichtlich als »Nachschubbasen« für die Zwangsarbeitslager in Sibirien.[19] Für das Mühlberger Speziallager sind bis jetzt 6765 Todesfälle nachgewiesen. Die Toten verscharrte man in Massengräbern am Rande des Geländes. Im September 1948 übernahm das Speziallager Nr. 2 Buchenwald die verbliebenen 3611 Arrestanten.[20]

Im Westen und Osten Deutschlands waren also nicht nur die Umstände der Befreiung der Kriegsgefangenenlager grundlegend voneinander verschieden, sondern ebenso auch die Haftbedingungen in den Internierungslagern, in denen Teile der Bevölkerung des »Dritten Reiches« von den jeweiligen Besatzungsmächten nach ihren Vorstellungen zur Rechenschaft gezogen wurde.

Eigendynamik des Erinnerns und Vergessens

In einer dritten Entwicklungsstufe[21] entwickelten sich an beiden ehemaligen Lagerorten ab Ende der vierziger Jahre systembedingte Eigendynamiken des Erinnerns und Vergessens, deren Artikulationsmuster immer prägnanter durch die kämpferische Semantik des Kalten Krieges geprägt wurden. Das offizielle Gedenken an die Zeit des Nationalsozialismus wurde zu einem wesentlichen Faktor gegenseitiger Abgrenzung beider politischer Systeme. In *Senne* fand die antikommunistische Einstellung 1956 ihren symptomatischen Niederschlag in der Entfernung der roten Fahne auf dem Obelisk, den die sowjetischen Überlebenden ihren toten Kameraden errichtet hatten. Stattdessen setzte man jetzt ein orthodoxes Kreuz auf das Denkmal. Denn in Ostwestfalen wollte man keine gehisste Sowjetfahne. Die Bürger des Ortes sahen sich mittlerweile selbst als Opfer der zurückliegenden Zeit.[22]

In *Mühlberg* gab es keinen erinnernden Hinweis auf die sowjetischen Opfer des nationalsozialistischen Vernichtungskampfes. Vielmehr wurde mit den Gewaltinstrumenten der Diktatur eine öffentliche Kommunikation über die Vergangenheit systematisch im Keim erstickt. Alles wurde dafür getan, um das gesamte Lagergelände Mühlberg, sowohl das Kriegsgefangenenlager als auch das Speziallager, vergessen zu machen: Sprengungen von

Abb. 9: Karte der Speziallager in der sowjetischen Besatzungszone

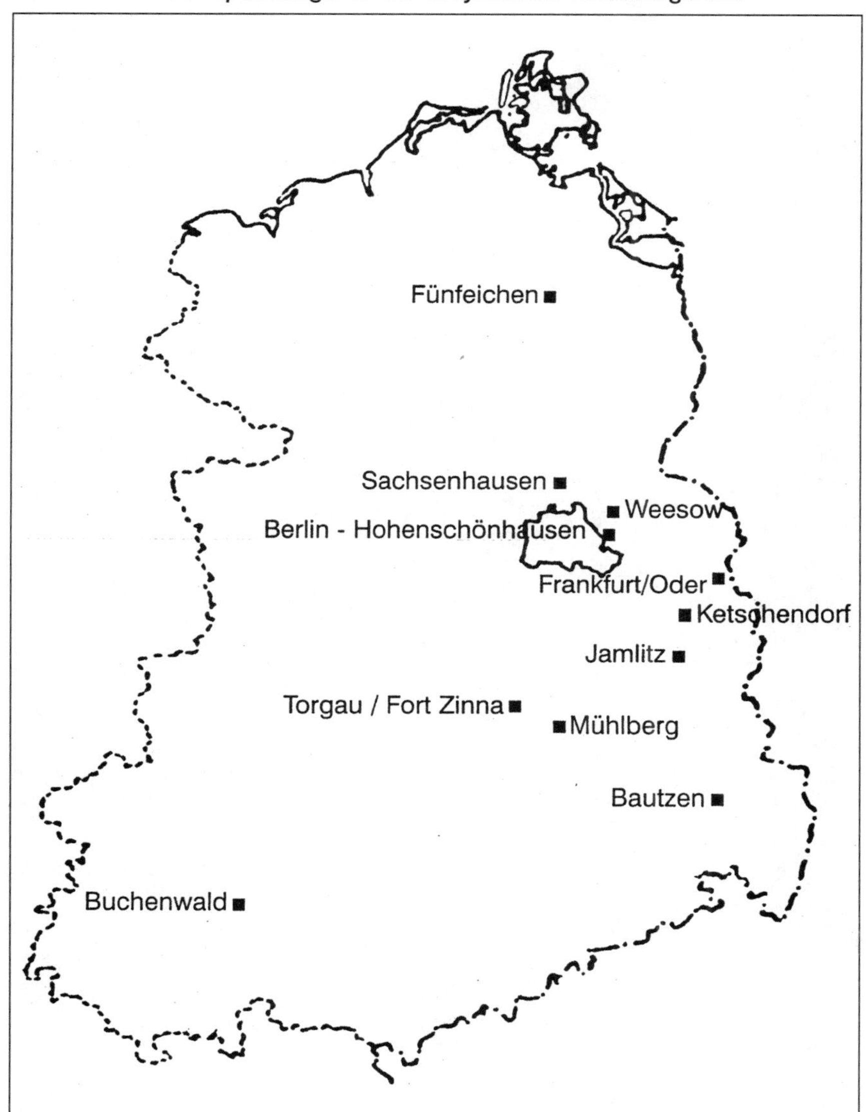

Quelle: Förderverein Alte Lateinschule Großenhain e.V. (Hrsg.), Bewahren, nicht vergessen! Großenhain 2000, S. 1.

Abb. 10: Obelisk mit Kreuz

Quelle: Arbeitskreis Blumen für Stukenbrock e.V. (Hrsg.), Stalag 326 Stukenbrock, Bielefeld o.J.

Steinbauten, Wildwuchs, gezielte Bepflanzungen und Planierungen sollten Erinnerungen an diese Stätte und ihre Opfer auslöschen. Blumengrüße wurden beseitigt. Lediglich ein Kreuz in der Mühlberger Kirche erinnerte an die zweifache Lagervergangenheit des Ortes. In der gesamten DDR wurde die Existenz sämtlicher Speziallager streng geheim gehalten. Überlebende waren verurteilt zu schweigen. Wer immer nach seiner Inhaftierung nach Hause kam, hatte sich zuvor verpflichten müssen, lebenslang nicht mehr über seine Lagererlebnisse zu sprechen. Das Schweigen über die Lagervergangenheit unter dem Nationalsozialismus wurde von einer Schicht des verordneten Schweigens über die Lagervergangenheit unter der russischen Besatzungsmacht überzogen. Der SED-Staat bewachte damit ein doppeltes Schweigen.

Die während der fünfziger Jahre immer prägnanter in Erscheinung tretenden offiziellen Gedenkweisen waren in West- und Ostdeutschland denkbar gegensätzlich und oft spiegelbildlich aufeinander bezogen. Meist wurden sie politisch instrumentalisiert. Im offiziellen Gedenken der Bundesrepublik trat zunehmend ein gegen die Sowjetunion gerichteter Antitotalitarismus und Antikommunismus in Erscheinung. In der offiziellen Vergangenheitsdeutung der DDR setzte die SED einen kämpferischen Antifaschismus durch. Ein in der zeithistorischen Forschung bisher vergleichsweise wenig beachteter gemeinsamer ›blinder Fleck‹ in den öffentlichen Erinnerungskulturen beider deutscher Staaten bestand darin, dass es sowohl im Westen als auch im Osten kein Gedenken an die sowjetischen Kriegsgefangenen in deutschen Lagern gab. Offizielle Gedenkweisen an die sowjetischen Überlebenden hätten auf beiden Seiten die Versuche einer kohärenten Vergangenheitsauslegung maßgeblich unterlaufen und gestört. Der ›blinde Erinnerungsfleck‹ in der Bundesrepublik hatte allerdings ganz andere Gründe als in der DDR. Beide deutsche Staaten profilierten die von ihnen jeweils favorisierten Opfergruppen des Nationalsozialismus in der Intention, ihre eigenen blockbezogenen Geschichtsdeutungen über den Nationalsozialismus im Kontext des sich entfaltenden Ost-West-Konflikts zu schärfen. Im Westen wurde das Feindbild gegen die Sowjetunion gefestigt und ausgebaut. Die Anerkennung sowjetischer Kriegsgefangener als offizieller Opfergruppe des Nationalsozialismus hätte die Etablierung dieses Feindbildes erheblich irritiert. Im Gegenzug inszenierte man im Osten »antifaschistische« Helden der Vergangenheit, um im Klassenkampf gegen den westlichen Kapitalismus kämpferische Leitbilder aufbieten zu können. Überlebende Kriegsgefangene der Roten Armee hätten derartig heroische Posen nicht glaubhaft verkörpern können, zumal etliche der Heimkehrer in der Sowjetunion immer noch nicht rehabilitiert worden waren.

In *Senne* wurden während der folgenden Entwicklungsphasen[23] bis zum Ende der deutschen Zweistaatlichkeit neben den Faktoren der blockbezogenen Abgrenzung auch spezifische Formen einer asymmetrischen Verflechtung von West- und Ostdeutschland sichtbar. 1967 gründete sich ein kommunaler Arbeitskreis, der es zu seiner Aufgabe erklärte, der ehemaligen sowjetischen Kriegsgefangenen zu gedenken. Dafür sollten »Menschen der verschiedensten Richtungen und Bekenntnisse« auf der Plattform eines »antifaschistischen Arbeitskreises« zusammen geführt werden, um ihren »Willen und ihre Handlungsbereitschaft gegen Krieg und Faschismus« zum Ausdruck bringen zu können.[24] Alljährlich im September zum Antikriegstag wurden bei Kundgebungen im Beisein offizieller Delegationen aus dem Ostblock und nach dem Verlesen zahlreicher Grußadressen aus dem sozialistischen Ausland Forderungen nach »politischer Entspannung, nach Anerkennung der Nachkriegsgrenzen« und »nach Beendigung des Wettrüstens zwischen Ost und West« geäußert. 1983 und 1984 appellierten die Kundgebungsteilnehmer an die Bundesregierung, »auf keinen Fall der Stationierung von Mittelstreckenraketen des Typs Pershing II und Marschflugkörpern zuzustimmen«.[25] So wurde *Senne* in Ostwestfalen alljährlich zu einem ›Wallfahrtsort‹ westdeutscher systemkritischer Gruppen und später der Friedensbewegung, die vor den systemübergreifenden Bedrohungsszenarien durch die atomare Hochrüstung der Supermächte warnten. Der langjährige örtliche Schweigekonsens war aufgebrochen und wandelte sich zu einer vielfältig ausgetragenen Streitkultur. Die Angereisten warfen sich gegenseitig, insbesondere aber auch den regionalen Politikern, ihre Erinnerungslücken vor. Die eigentümlich verlaufenden Kundgebungen in *Senne* trugen zu einem charakteristischen Profil der westdeutschen Gedenkkultur innerhalb Europas bei. Als Michail Gorbatschow im Juni 1989 zu Gast in der Bundesrepublik war, besuchte Raissa Gorbatschowa zusammen mit Hannelore Kohl und Christina Rau die Gedenkstätte in Ostwestfalen. Dieser Besuch fiel, wie wir heute wissen, bereits in die Endphase der deutschen Teilungsgeschichte. Der Trend zur Wiederannäherung der getrennten Ost-West-Vergangenheiten zeichnete sich damit auch in Ostwestfalen ab.

In *Mühlberg* wurde das historische Erinnern bis zum Ende der DDR unter dem hegemonialen Druck der UdSSR und SED mit aller Härte, gegen jeden Widerstand und bis zur Leblosigkeit kontrolliert. Erst im November 1989 wurde das verordnete Schweigen gebrochen. Die Enthüllungen trugen zum endgültigen Legitimationsabsturz der SED-Diktatur bei. In einem vergleichenden Blick auf die beiden Lagerorte in West und Ost wird nun noch einmal wie in einem Brennglas sichtbar, wie gegensätzlich man in beiden deutschen Staaten mit Widerspruch und Opposition umgegangen war.[26]

Abb. 11: Gedenkstätte in Mühlberg für die Kriegsgefangenen

Quelle: Bildarchiv Initiativgruppe Lager Mühlberg e.V.

Abb. 12: Gedenkstätte in Mühlberg für die Opfer des Kommunismus

Quelle: Bildarchiv Initiativgruppe Lager Mühlberg e.V.

Bedeutung der Erinnerungsorte Senne und Mühlberg für Unterricht und Lehre

In Anlehnung an das Konzept von Etienne François und Hagen Schulze wird der Begriff ›Erinnerungsort‹ hier ebenfalls als Metapher verwendet.[27] In ihrer asymmetrischen Verflochtenheit von Ost und West bieten die gewählten Erinnerungsorte Senne und Mühlberg unterschiedlichen Zielgruppen der historisch-politischen Bildung die Chance, sich mit Narrationen, Kommunikationen und Reflexionen über die deutsch-deutsche Nachkriegsgeschichte vergleichend auseinander zu setzen.

I. Narration

Mehrschichtige und perspektivenreiche Narrationen ebnen den Weg zu einem differenzierten Geschichtsbewusstsein. In dem hier entwickelten biographischen Beispiel wird die Geschichte von Wladimir Ssemenow zu einem Medium, das die NS-Herrschaftspraxis mehrdimensional, ambivalent und in Spannungsbögen historisch erzählt. Bei entsprechend aufbereiteten Materialien[28] ist die Aufgabe auch von Mittelstufenschülern zu bearbeiten. Die ansonsten meist anonyme Opfergruppe der sowjetischen Kriegsgefangenen erhält mit Ssemenow zunächst ein Gesicht. Bei einer genaueren Auseinandersetzung mit den Personaldateien bekommen Opfer und Täter Namen. Abstrakte Todeslisten erscheinen in einem Kontext. Im Nachvollzug seiner Transporte durch das deutsche Lagersystem konkretisieren sich geographische Angaben, Lagerfunktionen und Gewalt. Ehemalige NS-Lagerorte können bei Jugendlichen durch ihre historische Authentizität Irritationen auslösen und Fragehaltungen anstoßen, so dass menschenverachtende Herrschaftspraktiken und die Abgründigkeit ›normaler‹ Menschen, aber auch die Verstrickung Unbeteiligter in die Untaten durch Nichttun und Nichtleiden, vergleichend sichtbar werden und normal gebräuchliche Geschichtsbilder verunsichern. Eine besondere Herausforderung für den Geschichtsunterricht liegt darin, differenzierte Einsichten in Handlungsspielräume und prekäre existentielle Entscheidungssituationen der Vergangenheit zu vermitteln, ohne vorschnelle Urteile zu provozieren. Die konkrete Fallanalyse erschließt exemplarische Einsichten und lässt sich in zahlreichen Facetten weiten, beispielsweise durch andere Schicksale und zusätzliche Schicksalsgruppen.[29] Unterschiedliche und miteinander verknüpfte Anschlussfragen können gestellt werden. Die kontinuierliche Existenz der Orte lässt die Diskontinuität und Mehrdimensionalität der kollektiven Erinnerungsstrategien in West und Ost sinnfällig in Erscheinung treten.

II. Kommunikation

Künftige Lehrerinnen, Lehrer und Moderatoren in der Geschichtskultur können sich an Erinnerungsorten wie Senne und Mühlberg in den Dynamiken des aktuellen Erinnerungsdiskurses erproben und professionalisieren, indem sie kontroverse Diskurse begleiten und diese mit Ergebnissen der historischen Forschung konfrontieren. Denn an Erinnerungsorten wie Senne und Mühlberg konkurrieren die historischen Zugangsweisen Geschichte-als-Wissenschaft und Geschichte-als-Gedächtnis[30] in besonderer Weise. Die stattfindenden Dialoge zwischen den Generationen, die Dialoge zwischen

Ost und West, aber auch die Dialoge zwischen den verschiedenen europäischen Ländern sind ambivalent und mehrdimensional, weil Deutungen regelmäßig konfligierend und konkurrierend aufeinanderprallen. Die Orte Senne und Mühlberg bieten Studierenden, aber auch Oberstufenschülern im Projektunterricht die Möglichkeit, komplexe Gesprächssituationen über die doppelte deutsche Nachkriegsgeschichte zu beobachten, zu analysieren und sich damit einen unmittelbar eigenen – auch europäischen – Zugang zur Geschichtskultur der deutschen Nachkriegsgeschichte zu erschließen.

Zu derartigen Problemen und Fragestellungen erhalten Schülerinnen und Schüler erst einen umfassenden Bezug, wenn sie neben eigenständigen Quellenarbeiten auch Zeitzeugengespräche durchführen. Dafür ist es allerdings erforderlich, dass sich die moderierenden Lehrenden zuvor methodisch mit den Problemen von Zeitzeugenbefragungen befasst haben. Ihnen sollten die diffizilen Beziehungsgefüge von Erfahrungen und Gefühlen sowie die Dynamiken der permanenten Konflikte zwischen historischen Verdrängungen, Modifikationen und Veränderungen bekannt sein, um sie in ihrer Gesprächsführung angemessen berücksichtigen zu können. Darüber hinaus sollten sich Lehrende in Gesprächen mit Zeitzeugen ständig bewusst sein, dass Erinnerungen nie sachlich abgerufen oder neutral geschildert werden, sondern immer auch mit nachträglichen Deutungen und Wertungen versehen werden können.

Die beiden Erinnerungsorte Senne und Mühlberg waren auf ihre Weise jeweils Kristallisationspunkte kollektiver Orientierungsprozesse, die oft in einem Klima engagierter Emotionalität ausgefochten wurden: In Senne richteten Bürger gegen erheblichen Widerstand eine Dokumentationsstätte und eine Dauerausstellung ein. In Mühlberg führte man mit großem Engagement kontroverse Debatten über die Vergleichbarkeit beider Diktaturen auf deutschem Boden. Einige Male standen sich unterschiedliche Opfergruppen gegenüber, weil sie sich mit ihren eigenen schmerzhaften Erinnerungen von der jeweils anderen Opfergruppe nicht genügend gewürdigt fühlten. Würden Problemkonstellationen, wie die der doppelten Diktatur in Mühlberg, einfach mit leichter Hand beiseite geschoben und unberücksichtigt bleiben, überginge man prägende Wertbezüge und politische Sozialisationen mehrerer Generationen in Deutschland, ohne sie in das historische Lehren und Lernen einbezogen zu haben.

III. Reflexion

Lagerorte wie Mühlberg provozieren Fragen nach den Transformationsschwierigkeiten von Diktaturen in einen Rechtsstaat. Trotz enormer Bildungsanstrengungen und zahlreicher öffentlicher Kontroversen über Diktaturerfahrungen ist das demokratische Fundament unserer Gesellschaft immer wieder von neuem gefährdet, weil öffentliche Gedenkweisen in keinem inneren und reflektierten Verhältnis zur alltäglich kommunizierten Erinnerung stehen. Derartige Problemlagen sichtbar zu machen und neue Fragehorizonte zu öffnen, könnte ein reflexiver Bezugspunkt historischen Lehrens und Lernens an Erinnerungsorten wie Senne und Mühlberg sein. Historisches Lernen an Orten elementarer Menschenrechtsverletzungen bietet plausible Möglichkeiten, sperrige Vergangenheiten im Licht verflochtener und gegenläufiger Deutungen zu betrachten, zum Nachdenken über Völkerverständigung anzuregen und unterschiedliche Erinnerungsperspektiven wechselseitig, auch in ihrer Widersprüchlichkeit und Mehrdimensionalität, aufeinander zu beziehen. Im europäischen Zusammenhang veranschaulicht die Errichtung sowjetischer Speziallager an Orten ehemaliger NS-Gewaltherrschaft, welche heillosen Folgen die NS-Diktatur nach sich gezogen hat, oft bis in die Gegenwart hinein und weit über Deutschland hinaus.[31] Junge Menschen für die langfristigen Folgen von Menschenrechtsverletzungen zu sensibilisieren, sie mit gelebter Zivilcourage in der Vergangenheit bekannt zu machen, ihnen vor allem aber Denk- und Kommunikationsräume zu öffnen, in denen Quer-Denken und Selber-Denken ermutigt werden, das sind besondere Reflexionschancen sperriger Erinnerungsorte.

Anmerkungen

1 Mein besonderer Dank bei den Recherchen zum Stalag Senne gilt Reinhard Otto von der Dokumentationsstätte Stalag 326 (VI K) Senne. Er und Peter Müller haben die Datenbanken über sowjetische Kriegsgefangene mit viel Geduld und großer Ausdauer für mich »zum Sprechen« gebracht und mir die Türen zu den von ihnen verwalteten Archivalien geöffnet. Die im folgenden verwendeten Personalunterlagen wurden zugänglich durch das Projekt »Sowjetische Kriegsgefangene in deutscher Hand – Offiziere, Unteroffiziere und Mannschaften« - Archiv: CAMO Podolsk, Offizierskartei – PK I Ssemenow IV B 303813. Die Dokumente wurden erschlossen durch ein internationales Gemeinschaftsprojekt, gefördert aus Mitteln der Beauftragten der Bundesregierung für Kultur und Medien sowie im Rahmen der Gemeinsamen Kommission für die Erforschung der jüngeren Geschichte der deutsch-russischen Beziehungen aus Mitteln des Bundesministeriums des Inneren der Bundesrepublik Deutschland.

2 So die Angaben auf der Personalkarte, die im Stalag 326 (VI K) Senne für Wladimir Ssemenow angelegt wurde.

3 »Im Frühjahr des Jahres 1941 wurde auf dem Truppenübungsplatz Senne mit der Errichtung eines Stammlagers für Kriegsgefangene begonnen. Wenig später erhielt es die offizielle Bezeichnung »Stalag 326 (VI K) Senne«. Die dreistellige Zahl aus dem Bereich 300 machte deutlich, dass es sich hierbei um ein Lager für die Ostfront

handelte. Die Römische Ziffer stand für den Wehrkreis (VI = Münster), in dem es sich befand. Der Buchstabe »K« wurde in der Reihenfolge der Aufstellung (A, B, C, ...) vergeben. Das Stalag 326 war als einziges nicht nach einer konkreten Ortschaft benannt. Als Postadresse wurde »Forellkrug«, der Name einer Gaststätte angegeben. Gegenüber dem Forellkrug befand sich ein unbewohntes Gebäude, in dem die Kommandantur untergebracht wurde. Etwa 180.000 Gefangene sind im Stalag 326 registriert worden. Insgesamt haben etwa 310.000 Gefangene aus der Sowjetunion das Lager als Zwischenstation auf dem Weg zum Arbeitseinsatz im Ruhrgebiet durchlaufen.« Karsten Wilke, aus: http://www.stalag 326-senne.de

4 »Mühlberg – eine Kleinstadt an der Elbe zwischen Riesa und Torgau gelegen - gehörte bis 1944 zur Provinz Sachsen, danach zur Provinz Halle-Merseburg, unter sowjetischer Besatzung zur Provinz (ab Mitte 1947 Land) Sachsen Anhalt, in der DDR ab 1952 zum Bezirk Cottbus und ab 1990 zum Land Brandenburg. .... Der Name der Stadt Mühlberg wurde zum Synonym für zwei verschiedene Gefangenenlager an ein und dem selbem Standort in der Flur von Neuburxdorf: das Kriegsgefangenen-Mannschafts-Stammlager (M.-Stalag IV B) der Wehrmacht 1939–1945 sowie das sowjetische Speziallager Nr. 1 des NKVD-MVD 1945-1948.« Lutz Prieß, Rezension, über: Achim Kilian, Mühlberg 1938 bis 1948. Ein Gefangenenlager mitten in Deutschland, Köln 2001, aus: http://hsozkult.geschichte.hu-berlin.de

5 »In ihrem Weltanschauungskrieg gegen die Sowjetunion beobachtete die NS-Führung von Anfang an sorgfältig die innere Einstellung der deutschen Zivilbevölkerung zu dem propagierten Ausrottungskampf gegen das ›slawische Untermenschentum‹. Gleichzeitig nutzte sie ihre Verfügungsgewalt über Funk, Film und Presse rücksichtslos aus, um alle ›Volksgenossen‹ mit einer förmlichen Propagandaflut zu überschütten. Dabei knüpfte sie recht geschickt an eine in der Bevölkerung weit verbreitete antibolschewistische Stimmung an, die auch von den Kirchen geteilt wurde.« Karl Hüser/ Reinhard Otto, Das Stammlager 326 (VI K) Senne 1941 bis 1945. Sowjetische Kriegsgefangene als Opfer des Nationalsozialistischen Weltanschauungskrieges, Bielefeld 1992, S. 98.

6 Die Wlassow-Armee war eine auf deutscher Seite gegen Stalin kämpfende russische Armee unter der Leitung des sowjetischen Generals Andrei Wlassow. Die überwiegende Mehrheit der sowjetischen Kriegsgefangenen lehnte eine Anwerbung entschieden ab. Für diejenigen Soldaten, die der Wlassow-Armee dennoch beitraten, dürften die lebensbedrohlichen Bedingungen in den deutschen Kriegsgefangenenlagern einerseits und die Rückkehrperspektiven andererseits eine ausschlaggebende Rolle gespielt haben. Denn das Leid der sowjetischen Männer und wenigen Frauen, die die deutschen Lager überlebt hatten, fand dann nach dem Krieg auch weiter kein Ende. Viele Heimkehrer wurden von der kommunistischen Regierung der Kollaboration mit dem »Klassenfeind« beschuldigt. Sie galten als Verräter und Feinde, die nicht bis zum Tod gekämpft hatten, später oft gebrandmarkt durch fehlende Rentenzahlungen. Tausende gerieten nach ihrer Rückkehr in die Mühlen des stalinistischen Terrors, verschwanden in den Arbeitslagern des Archipel Gulag, ohne ihre Familien und Freunde je wiedergesehen zu haben. Mitglieder der Wlassow-Armee galten in Russland, auch wenn sie sich selbst als Patrioten betrachteten, erst recht als Verräter. Die meisten von ihnen wurden von den Amerikanern an die Sowjets ausgeliefert, von diesen dann ohne Aufschub hingerichtet oder ohne Gerichtsverfahren sogleich nach Sibirien weitertransportiert. Vgl. Joachim Hoffmann, Die Tragödie der »Russischen Befreiungsarmee« 1944/45, München 2003.

7 Die letzte Eintragung auf der Personalkarte von Wladimir Ssemenow ist mit dem 13. Januar 1945 datiert. Darin ist seine Entlassung aus der Kriegsgefangenschaft und die Abgabe an die Wlassow-Armee festgehalten.

8 Die in der folgenden Gegenüberstellung verwendeten »Bezugsfelder und Entwicklungsstufen einer integrierten deutsch-deutschen Nachkriegsgeschichte« lehnen sich direkt an das von Christoph Kleßmann in diesem Band dargelegte Konzept zur doppelten deutschen Nachkriegsgeschichte an.

9 In dem Konzept von Etienne François und Hagen Schulze wird der Begriff ›Erinnerungsort‹ nicht topographisch, sondern als Metapher verwendet. Erinnerungsorte können materieller wie immaterieller Natur sein: Zu ihnen gehören beispielsweise reale Personen und mythische Gestalten, historische Ereignisse und Prozesse, Gruppen und Institutionen, literarische Werke, Redewendungen und Kunstwerke, Gebäude und Denkmäler, Musik und Symbole, Feste und Rituale. Erinnerungsorte sind dabei Orientierungs- und Vermessungspunkte in den Weiten zwischen Vergangenheit und Zukunft. Die Blicke auf die Orte vergangenen Geschehens wandeln sich in ihrer Bedeutung und Symbolik, je nachdem aus welcher Perspektive geschaut wird und in welchem Kontext über die Vergangenheit öffentlich nachgedacht und geurteilt wird. Vgl. Etienne François/ Hagen Schulze, Einleitung, in: Dies. (Hrsg.), Deutsche Erinnerungsorte, Bd. 1, München ^{3}2002, S. 9–24.

10 Vgl. die erste Entwicklungsstufe bei Christoph Kleßmann: Ausgangspunkt der doppelten Nachkriegsgeschichte 1945 als Endpunkt der deutschen Katastrophe und Chance zum Neubeginn.

11 »Die Sowjetgefangenen schienen die Anwesenheit der Sowjetarmee als Signal zum stürmischen Ausbruch aus dem Lager hin zu den Mieten mit Kartoffeln und eventuell auch zu den nächstgelegenen Gehöften aufgefasst zu haben. Gewiss ahnten sie, dass dies für sie nur eine sehr kurze Freiheit sein konnte. Denn sie galten ja als Deserteure und Verräter ... Westalliierte Mitgefangene berichteten, dass alle Sowjetgefangenen auf sehr rigide Art und unter lautem Gebrüll zum Abmarsch abkommandiert wurden. Die Befreier von Mühlberg feierten ›ihren‹ 9. Mai ohne die ehemaligen sowjetischen Kriegsgefangenen.« Achim Kilian, Mühlberg 1939 bis 1948. Ein Gefangenenlager mitten in Deutschland, Köln-Weimar-Wien 2001, S. 182.

12 Vgl. die zweite Entwicklungsstufe bei Christoph Kleßmann: Blockbildung und die inneren Folgen.

13 Vgl. Heiner Wember, Umerziehung im Lager. Internierung und Bestrafung von Nationalsozialisten in der britischen Besatzungszone Deutschlands, Essen 1991, S. 75–79.

14 Ebenda (Anm. 13), S. 78.

15 Volker Pieper, Als Seelsorger unter NS-Internierten, in: Neue Westfälische vom 12. März 1988.

16 Lutz Niethammer, Alliierte Internierungslager in Deutschland nach 1945. Vergleich und offene Fragen, in: Sergej Mironenko u.a. (Hrsg.), Sowjetische Speziallager in Deutschland 1945 bis 1950, Bd. A: Studien und Bericht, hrsg. und eingel. von Alexander von Plato, Berlin 1998, S. 97–116.

17 Kritisch und ausführlich zur Speziallagerstatistik: Natalja Jeske, Kritische Bemerkungen zu den sowjetischen Speziallagerstatistiken, in: Sergej Mironenko u.a. (Hrsg.), Sowjetische Speziallager in Deutschland 1945 bis 1950, Bd. A: Studien und Bericht, hrsg. und eingel. von Alexander von Plato, Berlin 1998, S. 457–480.

18 So ein früher Buchtitel von Achim Kilian, der sich als ehemaliger Häftling des Speziallagers Mühlberg intensiv mit der doppelten Lagergeschichte auseinander gesetzt hat. Achim Kilian, Einzuweisen zur völligen Isolierung. NKWD-Speziallager Mühlberg/Elbe 1945 bis 1948, Leipzig 1992.
19 Annette Leo, Konzentrationslager Sachsenhausen und Speziallager Nr. 7, in: Günther Heydemann/ Heinrich Oberreuter (Hrsg.), Diktaturen in Deutschland – Vergleichsaspekte. Strukturen, Institutionen und Verhaltensweisen, Bonn 2003, S. 253.
20 So die Mitteilungen der Union der Opferverbände kommunistischer Gewaltherrschaft e.V. in: http://www.uokg.de
21 Vgl. die dritte Entwicklungsstufe bei Christoph Kleßmann: Entwicklung von Eigendynamiken in beiden deutschen Staaten.
22 So schrieb der Bürgermeister 1957 an den Ministerpräsidenten von Nordrhein-Westfalen: »Nicht unerwähnt möchten wir lassen, dass die Bewohner der Senne nach Beendigung des letzten Krieges durch das in diesem Gebiet vorhandene russische Kriegsgefangenenlager schwer heimgesucht worden sind.« Hauptstaatsarchiv Düsseldorf NW 179 200, in: Juliane Kerzel (Hrsg.), Gedenkstättenarbeit und Erinnerungskultur in Ostwestfalen-Lippe. Ein Projektbericht, Paderborn 2002, S. 172.
23 Dieser Abschnitt bezieht sich auf die vierte, fünfte und sechste Entwicklungsstufe bei Christoph Kleßmann: Formen der asymmetrischen Verflechtung, systemübergreifende Problemlagen und Trends der Wiederannäherung.
24 Arbeitskreis Blumen für Stukenbrock e.V. (Hrsg.), Stalag 326 Stukenbrock, Bielefeld o. J. S. 12.
25 Ebenda (Anm. 24), S. 13.
26 Beeindruckende Dokumente des mühevollen Erinnerungsprozesses nach den Jahrzehnten des Schweigens sind die Rundbriefe der Initiativgruppe Lager Mühlberg e.V., die seit 1991 an die ehemaligen Häftlinge, an die Mitglieder der Initiativgruppe und an die Angehörigen ehemaliger Häftlinge verschickt werden. Besonders danken möchte ich Angelika Stamm aus Mühlberg, die mir diese Rundbriefe zur Verfügung gestellt hat.
27 Vgl. E. François/H. Schulze (Anm. 9). Mit dem Begriff Erinnerungsorte greifen Hangen Schulze und Etienne François bewusst auf eine Metapher zurück, die die Fähigkeit des kulturellen Gedächtnisses beschreibt, sich in der Vergangenheit an bestimmten Fixpunkten zu orientieren. Nach dieser Vorstellung werden komplexe historische Verläufe oder auch Ketten von Ereignissen auf einen Ort oder einen Begriff reduziert. Bei einem Besuch des Ortes oder der Nutzung des Begriffs werden sämtliche im Gedächtnis verankerten Erinnerungsfragmente lebendig. Dies gilt nicht nur für solche Ereignisse, die in direktem Zusammenhang mit der Historie stehen, sondern auch für individuelle Erinnerungen, die mit dem Ort verknüpft sind.
28 Die Aufbereitung solcher Materialien ist eine gute Tradition in Didaktikseminaren an Universitäten und dürfte auch im konkreten Fall angesichts der Materialfülle eine interessante und gut lösbare Aufgabe sein.
29 Denkbar wären beispielsweise vergleichende Untersuchungen zu deutschen Kriegsgefangenen in der Sowjetunion.
30 François/Schulze (Anm. 9), S. 10f.
31 Vgl. Friedhelm Boll, Sprechen als Last und Befreiung. Holocaustüberlebende und politisch Verfolgte zweier Diktaturen, Bonn 2001.

4. Wirtschaftsgeschichte

André Steiner

Zwischen Wirtschaftswundern, Rezession und Stagnation. Deutsch-deutsche Wirtschaftsgeschichte 1945 bis 1989

Eine integrative Betrachtung der Wirtschaftsentwicklung der beiden deutschen Staaten in der Nachkriegszeit hat dem Umstand Rechnung zu tragen, dass gerade auf diesem Feld die Konkurrenz der Systeme ausgetragen wurde. Der wirtschaftliche Erfolg oder Misserfolg – von den Menschen ganz unmittelbar im Konsum spürbar – war ein wesentlicher Faktor, der darüber entschied, inwieweit das jeweilige System als legitim empfunden wurde. Gleichwohl waren die beiden Volkswirtschaften – entstanden aus einem einheitlichen Wirtschaftsraum – bis zum Ende ihrer getrennten Existenz in einem bestimmten Maße miteinander verflochten. Wie es zu dieser Entwicklung kam und was das praktisch bedeutete, soll im Folgenden gezeigt werden. Dazu wird zunächst auf die Ausgangsbedingungen getrennter Wirtschaftsentwicklung eingegangen, um dann zu behandeln, wie sich die unterschiedlichen, miteinander konkurrierenden Wirtschaftssysteme formierten. Nachfolgend sind die Formen der asymmetrischen Verflechtung auf dem Feld der Wirtschaft darzustellen und abschließend sollen systemübergreifende Problemlagen skizziert werden, mit denen sich beide Systeme konfrontiert sahen und für die sie Lösungen finden mussten.

Startbedingungen

Nach dem Zweiten Weltkrieg war die Lebenslage in den vier deutschen Besatzungszonen im Allgemeinen ähnlich schlecht, wobei sie sich aber regional und lokal stark unterschied. Seit dem Zusammenbruch der Lebensmittelversorgung Ende 1944, Anfang 1945 spürte auch die deutsche Bevölkerung die Konsequenzen des Krieges: Der Hunger breitete sich immer mehr aus. Dabei konnte Wohnraum in Folge des Bombenkrieges schon länger nicht mehr in ausreichendem Umfang zur Verfügung gestellt werden.[1] Wie sahen die Voraussetzungen aus, um die Lebenslage nach Kriegsende zu verbessern?

Die Westzonen und die Sowjetische Besatzungszone (SBZ) waren annähernd in gleichem Maße industrialisiert; im Schnitt war das Niveau in der östlichen Zone sogar etwas höher. Auch die Kriegszerstörungen erreichten in beiden Wirtschaftsgebieten ungefähr das selbe Ausmaß. Jedoch waren auf dem Gebiet der SBZ vor dem Krieg mehr Nahrungsmittel produziert worden, als die Versorgung der eigenen Bevölkerung erforderte. Dieser Vorteil wurde aber dadurch relativiert, dass die Bevölkerung in diesem Gebiet durch Flüchtlinge und Vertriebene erheblich gewachsen war, was sich erst in den späten vierziger Jahren infolge deren teilweisen Weiterzugs nach Westen »normalisierte«.

Für die Wirtschaftsstruktur der SBZ/DDR hatte allerdings die Teilung des einheitlichen Wirtschaftsraumes erheblich nachteiligere Konsequenzen: Diesem Gebiet mangelte es an Rohstoffen und die Grundstoffindustrie fehlte im Wesentlichen, während die Verarbeitungsindustrie dort stark ausgebaut war. Dieser Nachteil – auch vor dem Hintergrund, dass die Westzonen bzw. die spätere Bundesrepublik insgesamt ein größeres und damit auch wirtschaftlich homogeneres Gebiet bildeten – kam allerdings erst durch die entstehende Planwirtschaft und deren Tendenz voll zum Tragen, den Außenhandel zu minimieren bzw. sich abzuschotten.[2] Besonders schwer wog aber für den östlichen Teil Rumpfdeutschlands, dass er in der unmittelbaren Nachkriegszeit deutlich mehr Wiedergutmachungsleistungen (Demontagen und Reparationen) als die Westzonen aufzubringen hatte: Die laufenden Belastungen je Kopf der Bevölkerung lagen ohne die Besatzungskosten 52 mal höher.[3] Aus wirtschaftlicher Perspektive hatten die Reparationen durchaus einen ambivalenten Charakter: Sie sorgten zunächst für Wachstum und Beschäftigung, wenngleich die Produkte ohne Gegenleistung abflossen und damit für Investitionen und Konsum nicht zur Verfügung standen.

Alles in allem wies der östliche Teil Restdeutschlands gewisse Nachteile bei den Startbedingungen – strukturelle Ungleichgewichte und höhere Wiedergutmachungsleistungen – auf, die aber erst im Zusammenhang mit der Etablierung der Planwirtschaft ihre volle negative Wirkung entfalteten und somit keinesfalls allein die später zu beobachtenden Wachstumsrückstände gegenüber der Bundesrepublik erklären können.

Die Formierung und Konkurrenz der gegensätzlichen Wirtschaftssysteme in beiden Teilen Deutschlands

Bis 1948 war die Lebenslage der Menschen in allen Zonen sehr schlecht: Der Schwarzmarkt mit exorbitant hohen Preisen erfüllte angesichts des Geldüberhangs und der Warenknappheit eine wichtige Funktion: Auf ihm konnten über die Kartenrationen hinaus lebensnotwendige Güter beschafft werden. In diesem Zusammenhang spielten auch Hamsterfahrten aufs Land und »Felderstoppeln« eine große Rolle. Da die Reichsmark unter diesen Bedingungen die Geldfunktionen nicht mehr erfüllen konnte, wurden u. a. Zigaretten als Ersatzwährung genutzt.[4] Angesichts dieser Notsituation baute man in allen Zonen Bewirtschaftungssysteme auf und aus und etablierte nach und nach zonenweite wirtschaftslenkende Institutionen – in West den Wirtschaftsrat der Bizone und in Ost die Deutsche Wirtschaftskommission. Die Sowjets betrieben diese Politik zunächst vor allem, um sicherzustellen, dass die Reparationen erbracht würden. Die deutschen Kommunisten dagegen wollten auf diese Weise in der SBZ zum einen die sozialistische Utopie verwirklichen und zum anderen ihre im Windschatten der Roten Armee errungene politische Macht absichern. Legitimiert wurde dieses Vorgehen aber vor allem durch die Weltwirtschaftskrise zu Beginn der dreißiger Jahre und deren politische und soziale Folgen, die vielfach als Versagen des kapitalistischen Systems insgesamt begriffen wurde und sich nicht wiederholen sollte.[5] Wegen letzterem plädierte auch ein Teil der politischen Kräfte im Westen für staatliche Wirtschaftslenkung. Parteiübergreifend stand aber in diesem Zusammenhang eher die Bewältigung der unmittelbaren Notsituation im Vordergrund.[6] Vielfach brachte die Wirtschaftslenkung in den Westzonen aber nicht die erwünschten Ergebnisse, was auch daran lag, dass sie im Widerspruch zu dem grundsätzlich nach wie vor bestehenden Privateigentum an den Unternehmen stand.

Im Osten dagegen war man mit der Begründung, Naziaktivisten und Kriegsverbrecher zu bestrafen, dem bei den entscheidenden Akteuren in der SBZ vorhandenen Sozialisierungsimpetus gefolgt und hatte die Eigentumsverhältnisse umgestaltet: In der Bodenreform wurde der Großgrundbesitz zu Gunsten von landlosen und -armen Bauern sowie Flüchtlingen und Vertriebenen enteignet und die Groß- und Mittelindustrie in »Volkseigentum« umgewandelt.[7] Auch die damit verbundenen Begleitumstände führten schließlich dazu, dass im Westen auf Sozialisierungen und Bodenreform verzichtet wurde. Da auf diese Weise im Unterschied zum Westen sozialisiertes Eigentum und Bewirtschaftungssystem im Osten eine gewisse Konsistenz der Wirtschaftsordnung garantierten, war bis 1948 das

Wirtschaftswachstum in der SBZ sogar etwas höher als in den Westzonen.[8] Das änderte sich erst mit den separaten Währungsreformen in West und Ost 1948: Sie sollten nicht nur den bestehenden Geldüberhang beseitigen, sondern mit ihnen waren auch weitere Weichenstellungen für alternative Wirtschaftsordnungen verbunden.[9] Im Westen setzten sich endgültig die Ordoliberalen durch und legten die Grundlagen für die später so benannte »Soziale Marktwirtschaft«.[10] Im Osten wurden die Kompetenzen der zonenweiten Lenkungsinstanz, der Deutschen Wirtschaftskommission, erweitert und begonnen, Wirtschaftspläne nach sowjetischem Vorbild auszuarbeiten.[11]

Mit den separaten Währungsreformen setzte auch die getrennte Entwicklung auf dem Feld des Konsums ein: im Westen füllten sich die Schaufenster, wenn auch zu zunächst nicht immer erschwinglichen Preisen. Die Rationierung von Lebensmitteln wurde nach und nach bis Anfang der fünfziger Jahre aufgehoben.[12] Im Osten konnte zwar das Angebot auch verbreitert werden, aber bei weitem nicht in dem Maße wie im Westen und die Rationierung blieb bei wesentlichen Gütern bestehen. Darüber hinaus schuf man aber staatliche Läden (Handelsorganisation: »HO«), in denen zusätzlich Lebensmittel und später auch andere Konsumgüter zu exorbitant hohen Preisen verkauft wurden.[13] Mit der Initialzündung durch den Marshallplan – dessen Wirkung aber neben der Außenwirtschaft eher psychologisch im politischen und sozialen Bereich lag – wuchs die Wirtschaft in den Westzonen schneller als in der SBZ, wo mit dem Zweijahrplan 1949/50 begonnen worden war, die vorgefundene Ökonomie zu einer eigenen Volkswirtschaft umzustrukturieren. Im Jahr 1950 lag die volkswirtschaftliche Produktivität der DDR bereits um ein Drittel hinter der Bundesrepublik zurück, was den Demontagen und mehr noch den Reparationen, aber vor allem der Etablierung der Planwirtschaft und den damit verbundenen Kosten geschuldet war. Diese resultierten zum einen aus den Unzulänglichkeiten der Planung selbst und zum anderen aus dem mit ihr verbundenen Verlust an unternehmerischem Potential und fachlicher Kompetenz in Folge des durchgeführten Elitenaustauschs. Die mehr als 4000 Industrieunternehmen, die angesichts der Enteignungspolitik der SED einschließlich Führungs- und Fachkräften bis 1953 in den Westen verlagert wurden, stärkten wiederum die Wirtschaftskraft der Bundesrepublik.[14]

An der Wirtschaftskraft und vor allem an dem westdeutschen Wohlfahrtsniveau wurde der Erfolg der DDR von ihrer Bevölkerung gemessen. Das ergab sich zum einen aus der inzwischen unübersehbaren deutschen Teilung und zum anderen daraus, dass die SED-Spitze die bis Anfang der fünfziger Jahre geschaffene Planwirtschaft als ein Gegenmodell zum liberalen und marktverfassten System verstand. Damit wurde die Bundesrepublik quasi automatisch zur Referenzgesellschaft der DDR: Der Vergleich mit dem »Westen« blieb für wirtschaftspolitische Entscheidungen stets ein wichtiger Parameter. Zugleich musste die SED-Spitze immer bedenken, dass die DDR zum sowjetischen Block gehörte, denn das begründete ihre Existenz – sowohl in politischer und ideologischer als auch in militärischer und schließlich ökonomischer Hinsicht. Dagegen war die »Soziale Marktwirtschaft« in der Bundesrepublik von ihren Protagonisten als Antwort sowohl auf die gelenkte NS-Wirtschaft als auch auf das Systemversagen in der Weltwirtschaftkrise gedacht. Sie sollte ebenso einen Teil der Abwehrstrategie gegen den Kommunismus bilden, dessen Legitimität als soziale Alternative aber bestritten wurde. Dabei verstand man in den fünfziger Jahren auch im Westen die DDR noch als zwar nichtlegitime, aber tatsächliche Konkurrenz und der Ausgang des Systemwettstreits schien zunächst nicht ausgemacht, man denke an den »Sputnikschock« in Folge des ersten von der Sowjetunion 1957 ins All geschossenen Satelliten. Je stärker aber die DDR in der Wirtschaftsleistung und im Lebensstandard ab Ende der fünfziger Jahre gegenüber der Bundesrepublik offensichtlich zurückblieb, desto weniger erschien sie auch wirtschaftlich kaum jemandem als Alternative.

Ab Ende der fünfziger und in den sechziger Jahren bildete sich in der Bundesrepublik immer mehr eine Gesellschaft des Massenkonsums heraus: Konsumangebot und -nachfrage änderten sich auf der Basis stark steigender Realeinkommen aber auch zunehmender Sozialleistungen so schnell wie noch nie. Zuvor war der Verbrauch dem Nachholbedarf gefolgt: Nach der Währungsreform wollten die Haushalte nach Jahren der Entbehrung zunächst mit mehr Nahrungsmitteln ihren Grundbedarf decken und dann im Laufe der fünfziger Jahre Hausrat und Bekleidung ersetzen, die verloren gegangen oder beschädigt worden waren. Mit den steigenden Einkommen differenzierten sich ab Ende der fünfziger, Anfang der sechziger Jahre die Konsumbedürfnisse und -angebote immer weiter aus. Es rückten Fernsehgeräte, Autos, Urlaubsreisen, bessere Wohnungen und anderes mehr in den Mittelpunkt. Hier war in der Konsumentwicklung der Bundesrepublik eine deutliche Zäsur auszumachen. Zum Symbol des »Wirtschaftswunders« und des sich ausbreitenden Wohlstands wurde mehr und mehr die D-Mark und ihre zunehmende Kaufkraft.[15]

Der Massenkonsum war aber nur ein Faktor, der zu dem stabilen Wachstum führte, das die Grundlage des westdeutschen »Wirtschaftswunders« bildete. Eine entscheidende Rolle spielten auch die Rahmenbedingungen, wie die neue Sozialpartnerschaft zwischen Kapital und Arbeit, die schrittweise

Liberalisierung der Außenwirtschaft oder die ersten Schritte zur westeuropäischen Wirtschaftsintegration. Zudem basierte das Wachstum auf dem guten und im Überschuss vorhandenen Humankapital, das sich bis 1961 auch aus der ostdeutschen Zuwanderung speiste, was für die DDR wiederum einen Verlust bedeutete. Als Beitrag zum Wachstum war auch nicht zu unterschätzen, dass es den westdeutschen Unternehmen im Rahmen einer insgesamt außergewöhnlich schnell expandierenden Weltwirtschaft (»Golden Age«) gelang, ihre Exportmärkte schnell wiederzuerringen. Außerdem wirkte sich der überdurchschnittliche Strukturanteil der Investitionsgüterindustrien günstig aus, da vor allem deren Produkte in dieser Phase auf dem Binnen- und den Außenmärkten nachgefragt wurden und somit auf der Basis quantitativ und qualitativ nachholender Investitionen das Wachstum zu einem entscheidenden Teil trugen.[16] Zugleich erlebte aber auch die Landwirtschaft einen beispiellosen Produktivitätsaufschwung, der schließlich ebenfalls eine Voraussetzung für den Massenkonsum bildete. Diese Zunahme der Agrarproduktion beruhte auf einem Strukturwandel, in dem die Kleinstbetriebe immer mehr verschwanden oder in Nebenerwerbsbetriebe umgewandelt wurden. Dagegen vergrößerten die Vollerwerbsbetriebe ihre Flächen und setzten in wachsendem Maße Maschinen, Dünge- und Pflanzenschutzmittel u. a. m. ein.[17]

Mit diesem vorwiegend nachfragebasierten Wachstum in der Bundesrepublik konnte die DDR nicht mithalten. Das lag vor allem daran, dass sich die verschiedenen Mängel und Defekte in der Funktionsweise der Planwirtschaft klassischen Typs mehr und mehr bemerkbar machten. Da aber zudem bis 1953 auch noch Reparationen an die UdSSR zu entrichten waren und in Rückgriff auf die Marxsche Theorie und die Stalinsche Industrialisierungspolitik die Investitionsgüterindustrie im Mittelpunkt der SED-Industriepolitik stand, geriet der Konsum immer wieder ins Hintertreffen. Zwar hatte der Aufstand am 17. Juni 1953 der Parteispitze die Grenzen einer Politik deutlich gemacht, die den Konsum zu stark beschränkte. Aber diese Grenzen blieben immer relativ: Bei den für eine Planwirtschaft typischen wirtschaftspolitischen Entscheidungen über die Verteilung der erwirtschafteten Mittel erlangten im Interesse künftigen Wachstums und Verbrauchs die Investitionen bald wieder Priorität, ohne dass der gegenwärtige Konsum auch im Vergleich mit der Bundesrepublik allzu stark gedrückt werden konnte.[18] Jedoch entwickelte die Landwirtschaft ebenfalls nicht das Wachstumstempo, das erforderlich gewesen wäre, um das Ernährungsniveau durchgreifend zu verbessern. Anfangs war das eine Folge der mit der Bodenreform entstandenen klein- und kleinstflächigen Betriebsstruktur. Später wurden die bäuerlichen Betriebe mit größeren Nutzungsflächen systematisch behindert, um so den Neubauern und dann den Landwirtschaftlichen Produktionsgenossenschaften (LPG) Vorteile zu gewähren. Dazu kam noch, dass auch der Agrarbereich unzureichend mit Investitionen bedacht wurde. Nur mit Hilfe von zusätzlichen Importen konnte schließlich erst 1958 die Lebensmittelrationierung aufgehoben werden. Um auch in Konkurrenz zum Westen die landwirtschaftliche Produktion endlich zu konsolidieren, sollte sie im Vertrauen auf die Vorzüge der Genossenschaften 1960 vollständig kollektiviert werden. Das Ergebnis war aber ein weiterer Einbruch der Agrarproduktion und die neuen LPGs benötigten geraume Zeit, um sich wirtschaftlich zu stabilisieren. Das alles sorgte dafür, dass die ostdeutsche Landwirtschaft erst Mitte der sechziger Jahre wieder ihren Vorkriegsstand erreichte.[19]

Da es mit der Planwirtschaft »klassischen« Typs nicht gelang, die Produktivität so zu heben, dass sie überwiegend das Wachstum generierte, wurde nach dem Mauerbau 1961, der die Westflucht unterband und damit auch für neue wirtschaftliche Bedingungen sorgte, von der SED-Spitze eine Wirtschaftsreform eingeleitet. Mit dieser Umgestaltung sollten nun eher indirekte und monetär orientierte Instrumente zur Wirtschaftslenkung eingesetzt werden, um damit mehr Innovationen hervorzubringen und so die Effizienz der gesamten Wirtschaft zu steigern.[20] Zur gleichen Zeit wurde in der Bundesrepublik in Reaktion auf die erste Wirtschaftskrise nach den Wirtschaftswunderjahren 1966/67 mit der »Globalsteuerung« die wirtschaftslenkenden Eingriffe des Staates verstärkt.[21] Diese Parallelität war der Ausgangspunkt für die sich Ende der sechziger Jahre im Westen einer gewissen Beliebtheit erfreuende Konvergenztheorie, wonach sich die konkurrierenden Systeme aufeinander zu bewegen würden. Allerdings wurde dabei übersehen, dass in keinem Moment im Westen an eine Änderung beispielsweise der Eigentumsordnung oder im Osten mit der Reform an einen Verzicht auf die Grundcharakteristika der Planwirtschaft gedacht war. Trotzdem gelang es in der DDR, mit dieser Umgestaltung und einer gleichzeitigen Erhöhung der Investitionsrate vorübergehend die Wirtschaftsergebnisse und damit die Voraussetzungen für einen höheren Konsum zu verbessern.

Nach den eher kargen fünfziger Jahren verbesserte sich der Lebensstandard der DDR-Bevölkerung in den sechziger Jahren merklich: Die Versorgung mit Lebensmitteln wurde stabilisiert und das Angebot partiell breiter; die Ausstattung der Haushalte mit technischen Konsumgütern, wie Fernsehgeräten, Kühlschränken und Waschmaschinen, vervielfachte sich, wobei aber ihre Qualität und die Zahl weiter hinter der in der Bundesrepublik zurückblieb. Zum Symbol dieses Rückstandes wurde mehr und mehr die PKW-Verfügbarkeit: Zwar fand in der ersten Hälfte der sechziger Jahre im PKW-Bau eine umfassende Produkterneuerung statt und die neu auf den Markt kommenden Autos, wie »Trabant« und »Wartburg«, entsprachen zu dieser Zeit auch dem internationalen Standard. Gleichwohl wurden sie von Anfang an in viel zu geringen Stückzahlen gebaut, um so die ansteigende Nachfrage zu befriedigen oder die Branche – so wie im Westen – gar zu einer Wachstumslokomotive zu machen. Letzeres war auch nicht gewollt, so dass in diese Branche nur wenig investiert wurde, die produzierten Modelle nicht erneuert wurden und hoffnungslos veralteten. Gleichwohl erschienen die sechziger Jahre vielen in der DDR Lebenden auf Grund des wachsenden Lebensstandards und der stabilisierten Wachstumsraten, aber auch infolge der mit der Wirtschaftsreform zeitweise verbundenen neuen Offenheit in der Diskussion wirtschaftlicher und gesellschaftlicher Probleme als die »goldenen Jahre«.[22] Auch im Westen hatte sich die DDR trotz des wachsenden Rückstandes Respekt dafür erworben, was gegenüber den späten vierziger und frühen fünfziger Jahren erreicht worden war, was manchen Beobachter veranlasste, vom »roten Wirtschaftswunder« oder dem »geplanten Wunder« zu sprechen.[23]

Im letzten Drittel der sechziger Jahre konzentrierte die SED-Spitze mit einer Wachstums- und Technologieoffensive zu viele der Mittel auf die modernen Industriebranchen und vernachlässigte die Bereiche der Vorleistungs- und Energieproduzenten. Das, verstärkt durch die Inkonsistenzen der Wirtschaftsreform, führte in eine Wirtschaftskrise, die dann einen der Anlässe für den Wechsel an der SED-Spitze von Walter Ulbricht zu Erich Honecker bot. Solche Versuche, die Wirtschaftsentwicklung offensiv zu beschleunigen, wie er der Krise zugrunde lag, wurden in der DDR-Wirtschaftsgeschichte mehrfach unternommen, um so die Vorzüge des eigenen Wirtschaftssystems zu demonstrieren und die Bundesrepublik in ihrer Wirtschaftskraft zu übertreffen. Dann trafen die systemimmanenten Mängel der Planwirtschaft mit den erhöhten Zielvorgaben der SED-Spitze zusammen, die die volkswirtschaftlichen Möglichkeiten überforderten, was schließlich wiederholt in entsprechende Wirtschaftskrisen mündete.[24] Der neue SED-Chef setzte in der Wirtschaftspolitik nun andere Akzente: Vor dem Hintergrund der polnischen Unruhen im Dezember 1970 und zunehmender Streiks auch in der DDR sollten ein Zuwachs des Konsums und eine ausgeweitete Sozialpolitik vor allem die Arbeiter beruhigen und erst später die Grundlage für eine höhere Produktivität bilden.[25] Zumindest in den öffentlichen DDR-Verlautbarungen trat in den folgenden Jahrzehnten auf wirtschaftlichem Gebiet der Aspekt der Systemkonkurrenz zwischen den beiden deutschen Staaten – auch im Zeichen der Entspannungspolitik – zurück, ohne dass dieser Fixpunkt aus dem Denken der SED-Spitze verschwand.

Formen asymmetrischer wirtschaftlicher Verflechtung zwischen beiden deutschen Staaten

Die Bundesrepublik und die DDR entstanden zwar aus einem einheitlichen Wirtschaftsraum, aber ihre wechselseitigen Wirtschaftsbeziehungen hatten für die beiden immer jeweils ein unterschiedliches Gewicht. Die Bundesrepublik war schon als das größere Gebiet von vornherein weniger auf den innerdeutschen Handel angewiesen und auch infolge ihrer ab 1958 vollständig liberalisierten Außenwirtschaftsordnung eher in der Lage als die DDR, aus der Teilung resultierende Defizite aus ihrem eigenen Potential heraus und mittels Importe auszugleichen. Das fiel dem ostdeutschen Teilstaat auch deshalb schwerer, weil die Planwirtschaft systemimmanent den Außenhandel eher hemmte, weil man sich tendenziell von den Weltmarktentwicklungen unabhängig machen und keine Krisen von dort importieren wollte. Außerdem war die DDR als Staatshandelsland daran interessiert, bevorzugt mit anderen Staatshandelsländern Güter auszutauschen. Und nicht zuletzt fehlten mit einer konvertiblen Währung auch die Bedingungen für die Multilateralität des Handels.[26] In der Konsequenz war die Bundesrepublik an wirtschaftlichen Beziehungen zur DDR eher aus politischen Gründen interessiert, wohingegen die DDR bis zu ihrem Ende auf bestimmte Lieferungen aus Westdeutschland trotz aller gegenteiligen Bemühungen (»Störfreimachung«) ökonomisch angewiesen blieb. Im Zuge der Politik der Entspannung und des Status quo in Europa ab Ende der sechziger Jahre vertiefte sich dieses Interessenparallelogramm noch.[27]

Die wirtschaftliche Unterstützung der Bundesrepublik für die DDR – mehr oder weniger stark mit ökonomischen Begründungen kaschiert – im Gegenzug für politische Zugeständnisse bei den Besuchsregelungen u. ä. nahm ab den siebziger Jahren mehr und mehr zu. Anfang der achtziger Jahre bot die Bundesrepublik der DDR einen Ausweg aus ihrer Verschuldungskrise, denn die Bundesregierung fürchtete unkalkulierbare Folgen einer politischen Krise nach polnischem Muster in der DDR. 1983 und 1984 bürgte sie für zwei ungebundene Milliarden-Kredite westdeutscher Landes- und Privatbanken. Sie verschafften der DDR die Basis für die erforderlichen Umschuldungen, da sie wiederum als Guthaben bei westlichen Banken angelegt wurden und die Bonität der DDR vortäuschten. Aber auch der im innerdeutschen Handel gewährte Überziehungskredit, der Swing, und die anderen von der Bundesrepublik an die DDR jährlich geleisteten Zahlungen gaben ihr einen gewissen finanziellen Spielraum.[28] In Ansätzen versuchten in den siebziger und achtziger Jahren westdeutsche Unternehmen die DDR im Rahmen von Gestattungsproduktionen und Kompensationsgeschäften für sich als Billiglohnland mit Anspruch auf deutsche Qualitätsarbeit nutzbar zu machen, wobei die DDR in diesem Fall insofern davon profitierte, als die dabei produzierten Güter auch für die ostdeutschen Konsumenten zu meist sehr hohen Preisen verfügbar waren. Ähnlich agierten Versand- und Kaufhauskonzerne, die industrielle Konsumgüter aus der DDR unter dem Namen ihrer Hausmarken vor allem im Billigsegment verkauften.

Darüber hinaus waren die Bundesrepublik und die DDR insofern wirtschaftlich (einseitig) verflochten, als in der DDR im Widerspruch zu dem eigenen Anspruch, ein alternatives System zu entwickeln bzw. zu sein, technische und vor allem Konsumentwicklungen des Westens nachvollzogen wurden, ohne dass diese qualitativ und zumeist auch nicht quantitativ erreicht werden konnten. Insbesondere als sich ab den siebziger Jahren in der Bundesrepublik die Konsumansprüche immer mehr verfeinerten, wurde das für die SED-Spitze ein wachsendes Problem, denn die gestiegene Ausstattung der Haushalte mit Fernsehgeräten sorgte für die schnelle Information der DDR-Bürger über das sich auch qualitativ ausdifferenzierende Angebot im Westen. Dort ging es inzwischen nicht mehr um die Befriedigung der schlichten Konsumbedürfnisse, sondern es spielte zunehmend die Art der Kleidung oder die Marke des Autos etc. eine Rolle.[29] In der DDR griff das vor allem die jüngere Generation auf, die die entbehrungsreichen Nachkriegs- und Aufbaujahre nicht erlebt hatte, und erwartete entsprechende Angebote auch in Ostdeutschland. Dem konnte und wollte die SED-Spitze aber nicht Rechnung tragen, weil ihr Bild von dem notwendigen Konsum nach wie vor von den Erfordernissen einer Arbeiterfamilie in der Weimarer Zeit geprägt war, in der sie mehrheitlich sozialisiert worden war. Um den nie eingelösten Alternativanspruch des Ostens, eigene Konsummuster und -angebote zu schaffen, ging es in den siebziger und achtziger Jahren schon lange nicht mehr.

Systemübergreifende Problemlagen wirtschaftlicher Entwicklung

Beide deutschen Volkswirtschaften mussten sich allerdings auch Herausforderungen stellen, die an den Systemgrenzen nicht haltmachten und die sich in den siebziger und achtziger Jahren zu einem Problembündel verdichteten: Die weltweite Beschleunigung der technischen Entwicklung und deren neuer Charakter, die dramatisch steigenden Rohstoffpreise auf dem Weltmarkt und das zunehmende Bewusstsein für die ökologischen Folgen des

Wirtschaftswachstums veränderten die Rahmenbedingungen und Grundlagen des Wirtschaftens.

Auf den steigenden Stellenwert von Wissenschaft und Technik für die Entwicklung der Wirtschaft, aber auch der Gesellschaft reagierten West und Ost insgesamt ähnlich, indem im zunehmenden Maße Experten in die Politikgestaltung einbezogen wurden. In den sechziger Jahren zeigte sich auch in der Bundesrepublik eine technokratische Planungseuphorie, die viele Gebiete gesellschaftlichen Lebens erfasste, aber nicht entfernt eine solche Reichweite erreichen sollte, wie die in der DDR mit einem viel weiter gehenden Anspruch betriebene Planwirtschaft.[30] Dort erhielten die Experten erst im Rahmen der Wirtschaftreform ab 1963 eine neue Rolle und wurden unter Honecker ab den siebziger Jahren bereits wieder in den Hintergrund gedrängt, da Experten keinesfalls das Erklärungsmonopol der Partei in Frage stellen sollten.[31] Der neue Charakter der sich immer stärker ausdehnenden Informationstechnologie und die damit ermöglichte Flexibilisierung von Produktionsstrukturen führte in der westdeutschen Industrie dazu, dass sich zunehmend post-fordistische Strukturen herauszubilden begannen. Vor allem der Dienstleistungssektor profitierte von diesen neuen Technologien. Gleichwohl erreichten die mit ihnen erzielten Effizienzgewinne sowohl im sekundären als auch im tertiären Sektor selbst in der Bundesrepublik nicht das Ausmaß, das in Prognosen erwartet worden war.[32] Die DDR dagegen war wegen des Technologieembargos des Westens und der begrenzt zur Verfügung stehenden Devisen darauf angewiesen, diese Technologien selbst nachzuentwickeln. Da es nicht gelang, für die entsprechenden Entwicklungsarbeiten eine Arbeitsteilung innerhalb des östlichen Wirtschaftsbündnisses zu erzielen, musste der ostdeutsche Staat entsprechende Anstrengungen weitgehend allein machen. Mit einem milliardenschweren Programm versuchte die DDR ab 1977 eine Mikroelektronik-Branche aufzubauen. Jedoch reichte das ostdeutsche Wirtschaftspotential dafür nicht aus, die schließlich produzierten mikroelektronischen Bauelemente waren viel zu teuer und die dafür eingesetzten Mittel fehlten in anderen Branchen, wo der Verschleiß der Maschinen und Anlagen stark anstieg. Zudem stieß die mit dieser Technologie mögliche Flexibilisierung der Produktionsstrukturen an die Grenzen der in den siebziger und achtziger Jahren wieder stärker zentralisierten und konzentrierten Wirtschaftslenkung.[33]

Auch auf die in den siebziger Jahren weltweit explodierenden Rohstoffkosten antworteten die Bundesrepublik und die DDR zwar ähnlich, aber mit bezeichnenden Unterschieden: Die DDR reagierte auf diese Verteuerung erst spät, weil die SED-Spitze zunächst meinte, es handele sich um temporäre Probleme der westlichen Industrieländer, die sie infolge der

Rohstofflieferungen der Sowjetunion nicht betreffen würden. Dagegen griff die Bundesregierung relativ schnell ein und forderte die Bürger in einem »Kraftakt« zur Abwehr »äußerer Bedrohung« zu Konsumverzicht (»autofreier Sonntag«) auf.[34] Dergleichen konnte die DDR-Führung von ihrer Bevölkerung nicht verlangen, da sie in ihrer eigenen Propaganda die ostdeutsche Wirtschaft als unbeeinflusst von westlichen Krisen und erfolgreich bei der Hebung des Lebensstandards darstellte. Deshalb sollte der Konsumverzicht verdeckt durchgesetzt werden. So wurde die öffentliche Straßenbeleuchtung reduziert, der Verbrauch von Benzin, aber auch Papier für den Staatsapparat und die Betriebe limitiert, Kaffee, Kakao und Südfrüchte durften nicht mehr mit staatlichen Mitteln erworben werden. Schließlich sollten nur noch zwei Kaffeesorten und dazu eine Mixtur aus Kaffee und einem Surrogat angeboten werden. In öffentlichen Einrichtungen durfte nur noch der Mischkaffee angeboten werden. Nach massiven Beschwerden der Bevölkerung wurde allerdings der Rohkaffeeimport wieder erhöht. Aber die Kaffeepreise erhöhten sich dann praktisch. Insofern hatten die Sparmaßnahmen nur bedingt Erfolg. Letztlich stiegen die Aufwendungen für die verschiedensten Importe beträchtlich. Zugleich durfte sich das aus politischen Gründen nicht in den Verbraucherpreisen niederschlagen. Auch aus diesem Grund wurde ein wachsender Teil des Staatshaushalts für Subventionen ausgegeben.[35]

Außerdem nahm die Öffentlichkeit Ende der sechziger, Anfang der siebziger Jahre zunehmend auch systemübergreifend die ökologischen Folgen fortgesetzten Wirtschaftswachstums wahr. Die DDR erließ daraufhin ein im internationalen Vergleich frühes und weitreichendes Umweltrecht, das aber aus ökonomischen Gründen – trotz einer in den achtziger Jahren zunehmenden Umweltbewegung – nie durchgesetzt wurde.[36] In der Bundesrepublik forderten dergleichen zunächst außerparlamentarische Bewegungen und dann die Parteien und setzten es mit entsprechenden Sanktionen gegenüber der Industrie durch.[37] Vergleichbare Probleme bereitete auch die zunehmende – in der DDR weitaus mehr fortgeschrittene – Betriebsgrößenkonzentration in der Landwirtschaft. Vor allem die wachsende Belastung von Böden und Gewässern mit Dünger und Pestiziden wurde in diesem Zusammenhang thematisiert. Jedoch hatte ein Umdenkprozess auf diesem Feld sowohl in West als auch Ost bis 1989 gerade erst begonnen.

Die ungenügende Fähigkeit der Planwirtschaft, auf die neuen systemübergreifenden Herausforderungen adäquat und flexibel zu reagieren, bildete auch ein Moment des sich in den achtziger Jahren abzeichnenden Niedergangs der DDR. Dagegen erwies sich das marktwirtschaftlich verfasste System der Bundesrepublik als so anpassungsfähig, dass in den achtziger Jahren ein neuer Aufschwung in Gang kam. Trotzdem zeigten sich auch hier strukturell-institutionelle Probleme bei der Reaktion auf den wirtschaftlichen Strukturwandel und den demographischen Wandel, die lange Zeit nicht ausreichend wahrgenommen wurden. Die entsprechenden Symptome bestanden in der steigenden Arbeitslosigkeit und der zunehmenden Überlastung der Sozialsysteme – widersprüchliches Ergebnis eines Bündels verschiedener Entwicklungen: die in einer seit den siebziger Jahren zunehmend globalisierten Wirtschaft erforderlichen Produktivitätsfortschritte und festgefahrene Strukturen in der Rahmenordnung des Wirtschaftens verhinderten eine substantielle Zunahme der Beschäftigung; die weitere Expansion der Sozialausgaben und die Verringerung des erwerbsfähigen Bevölkerungsanteils belasten die Sozialsysteme, was durch die Art und Weise der Finanzierung der Vereinigungskosten teilweise noch verschärft wurde. Diese Probleme wurden zum Teil zeitweise durch den Vereinigungsboom verdeckt. Der »Reformstau« blieb bis ins neue Jahrtausend bestehen. Das Ergebnis seines Abbaus wird aber erst die Zukunft zeigen.

Anmerkungen

1 Vgl. u. a. Rainer Gries, Die Rationen-Gesellschaft. Versorgungskampf und Vergleichsmentalität: Leipzig, München und Köln nach dem Kriege, Münster 1990.
2 Werner Abelshauser, Deutsche Wirtschaftsgeschichte seit 1945, München 2004, S. 60–74; André Steiner, Von Plan zu Plan. Eine Wirtschaftsgeschichte der DDR, München 2004, S. 19–24.
3 Rainer Karlsch, Allein bezahlt? Die Reparationsleistungen der SBZ/DDR 1945 bis 1953, Berlin 1993, S. 232–236.
4 Willi A. Boelcke, Der Schwarze Markt 1945 bis 1948. Vom Überleben nach dem Kriege, Braunschweig 1986.
5 André Steiner, »... der Gefahr von Krisen zu begegnen«. Die Etablierung der Planwirtschaft in der SBZ/DDR: Ablauf und Erwartungen, in: Jürgen Elvert/Friederike Krüger (Hrsg.), Deutschland 1949 bis 1989. Von der Zweistaatlichkeit zur Einheit, Stuttgart 2003, S. 119–133.
6 Vgl. u. a. Werner Plumpe, Vom Plan zum Markt. Wirtschaftsverwaltung und Unternehmerverbände in der britischen Zone, Düsseldorf 1987.
7 Arnd Bauerkämper (Hrsg.), »Junkerland in Bauernhand«? Durchführung, Auswirkungen und Stellenwert der Bodenreform in der Sowjetischen Besatzungszone, Stuttgart 1996; Tilman Bezzenberger, Wie das Volkseigentum geschaffen wurde. Die Unternehmensenteignungen in der Sowjetischen Besatzungszone 1945 bis 1948, in: Zeitschrift für neuere Rechtsgeschichte, 19, 1997, S. 210–248.
8 Abelshauser, Deutsche Wirtschaftsgeschichte (Anm. 2), S. 108; Christoph Buchheim, Die Wirtschaftsordnung als Barriere des gesamtwirtschaftlichen Wachstums in der DDR, in: Vierteljahrschrift für Sozial- und Wirtschaftsgeschichte, 82, 1995, S. 194–210, hier S. 200.

9 Christoph Buchheim, Die Errichtung der Bank deutscher Länder und die Währungsreform in Westdeutschland, in: Deutsche Bundesbank (Hrsg.), Fünfzig Jahre Deutsche Mark. Notenbank und Währung in Deutschland seit 1948, München 1998, S. 91–138; Frank Zschaler, Die vergessene Währungsreform. Vorgeschichte, Durchführung und Ergebnisse der Geldumstellung in der SBZ 1948, in: Vierteljahrshefte für Zeitgeschichte, 45, 1997, S. 191–224.
10 Gerold Ambrosius, Die Durchsetzung der Sozialen Marktwirtschaft in Westdeutschland 1945 bis 1949, Stuttgart 1977.
11 André Steiner, Die Deutsche Wirtschaftskommission – ein ordnungspolitisches Machtinstrument?, in: Hermann Wentker/Dierk Hoffmann (Hrsg.), Das letzte Jahr der SBZ. Politische Weichenstellungen und Kontinuitäten im Prozess der Gründung der DDR, München 2000, S. 85–105.
12 Michael Wildt, Am Beginn der »Konsumgesellschaft«: Mangelerfahrung, Lebenshaltung, Wohlstandshoffnung in Westdeutschland in den fünfziger Jahren, Hamburg 1993.
13 Jörg Roesler, Privater Konsum in Ostdeutschland 1950 bis 1960, in: Axel Schildt/Arnold Sywottek (Hrsg.), Modernisierung im Wiederaufbau. Die westdeutsche Gesellschaft der fünfziger Jahre, Bonn 1993, S. 290–303.
14 Steiner, Von Plan zu Plan (Anm. 2), S. 69–72.
15 Michael Wildt, Privater Konsum in Westdeutschland in den fünfziger Jahren, in: Axel Schildt/Arnold Sywottek (Hrsg.), Modernisierung im Wiederaufbau. Die westdeutsche Gesellschaft der fünfziger Jahre, Bonn 1993, S. 275–289.
16 Zusammenfassend: Harm G. Schröter, Von der Teilung zur Wiedervereinigung (1945 bis 2000), in: Michael North (Hrsg.), Deutsche Wirtschaftsgeschichte. Ein Jahrtausend im Überblick, München 2000, S. 351–420, hier S. 364–383.
17 Arnd Bauerkämper, Agrarwirtschaft und ländliche Gesellschaft in der Bundesrepublik Deutschland und der DDR. Eine Bilanz der Jahre 1945 bis 1965, in: Aus Politik und Zeitgeschichte, B 38/97, 12. 9. 1997, S. 25–37.
18 Zusammenfassend: Steiner, Von Plan zu Plan (Anm. 2), S. 101–110.
19 Jens Schöne, Frühling auf dem Lande? Die Kollektivierung der DDR-Landwirtschaft, Berlin 2005.
20 André Steiner, Die DDR-Wirtschaftsreform der sechziger Jahre. Konflikt zwischen Effizienz- und Machtkalkül, Berlin 1999.
21 Abelshauser, Deutsche Wirtschaftsgeschichte (Anm. 2), S. 409–416.
22 Zusammenfassend: Steiner, Von Plan zu Plan (Anm. 2), S. 152–159.
23 Fritz Schenk, Das rote Wirtschaftswunder. Die zentrale Planwirtschaft als Machtmittel der SED-Politik, Stuttgart 1969; Joachim Nawrocki, Das geplante Wunder. Leben und Wirtschaften im anderen Deutschland, Hamburg 1967.
24 André Steiner, Zur Anatomie der Wirtschaftskrisen im Sozialismus, in: Hendrik Bispinck/Jürgen Danyel/Hans-Hermann Hertle/Hermann Wentker (Hrsg.), Aufstände im Ostblock. Zur Krisengeschichte des realen Sozialismus, Berlin 2004, S. 131–143.
25 Peter Hübner/Jürgen Danyel, Soziale Argumente im politischen Machtkampf: Prag, Warschau, Berlin 1968 bis 1971, in: Zeitschrift für Geschichtswissenschaft, 50, 2002, S. 804–832.
26 Christoph Buchheim, Der Außenhandel – die Achillesferse der DDR, in: André Steiner (Hrsg.), Die DDR – eine Fußnote der deutschen Wirtschaftsgeschichte?, Berlin 2006 (i. E.)

27 Maria Haendcke-Hoppe-Arndt, Außenwirtschaft und innerdeutscher Handel, in: Eberhard Kuhrt (Hrsg.), Die wirtschaftliche und ökologische Situation der DDR in den achtziger Jahren, Opladen 1996, S. 55–62.
28 Armin Volze, Zur Devisenverschuldung der DDR – Entstehung, Bewältigung und Folgen, in: Eberhard Kuhrt (Hrsg.), Die Endzeit der DDR-Wirtschaft – Analysen zur Wirtschafts-, Sozial- und Umweltpolitik, Opladen 1999, S. 151–183.
29 Vgl. Schröter, Von der Teilung zur Wiedervereinigung (Anm. 16), S. 385 f.
30 Michael Ruck, Westdeutsche Planungsdiskurse und Planungspraxis der 1960er Jahre im internationalen Kontext, in: Heinz Gerhard Haupt/Jörg Requate (Hrsg.), Aufbruch in die Zukunft. Die 1960er Jahre zwischen Planungseuphorie und kulturellem Wandel. DDR, CSSR und Bundesrepublik im Vergleich, Weilerswist 2004, S. 289–325.
31 André Steiner, Wissenschaft und Politik: Politikberatung in der DDR?, in: Stefan Fisch/Wilfried Rudloff (Hrsg.), Experten und Politik: Wissenschaftliche Politikberatung in geschichtlicher Perspektive, Berlin 2004, S. 101–125.
32 Abelshauser, Deutsche Wirtschaftsgeschichte (Anm. 2), S. 432 ff.; Schröter, Von der Teilung zur Wiedervereinigung (Anm. 16), S. 393 f.
33 Günter Kusch/Rolf Montag/Günter Specht/Konrad Wetzker, Schlussbilanz – DDR. Fazit einer verfehlten Wirtschafts- und Sozialpolitik, Berlin 1991.
34 Harm G. Schröter, Ölkrisen und Reaktionen in der chemischen Industrie beider deutscher Staaten. Ein Beitrag zur Erklärung wirtschaftlicher Leistungsdifferenzen, in: Johannes Bähr/Dietmar Petzina (Hrsg.), Innovationsverhalten und Entscheidungsstrukturen. Vergleichende Studien zur wirtschaftlichen Entwicklung im geteilten Deutschland, Berlin 1996, S. 109–138.
35 Zusammengefasst: Steiner, Von Plan zu Plan (Anm. 2), S. 189 f., 215 ff.
36 Stefan Wolle, Die heile Welt der Diktatur. Alltag und Herrschaft in der DDR 1971 bis 1989, Bonn 1998, S. 210 ff.
37 Schröter, Von der Teilung zur Wiedervereinigung (Anm. 16), S. 397 f.

Literaturhinweise

Eine integrierende Darstellung der deutsch-deutschen Wirtschaftsgeschichte liegt bis heute nicht vor. Auch wenn die folgenden Titel teils anderes suggerieren, behandeln sie die DDR nur am Rande.

Werner Abelshauser, Deutsche Wirtschaftsgeschichte seit 1945, München 2004.

Lothar Baar/Dietmar Petzina (Hrsg.), Deutsch-Deutsche Wirtschaft 1945 bis 1990. Strukturveränderungen, Innovationen und regionaler Wandel. Ein Vergleich, St. Katharinen 1999.

Johannes Bähr/Dietmar Petzina (Hrsg.), Innovationsverhalten und Entscheidungsstrukturen. Vergleichende Studien zur wirtschaftlichen Entwicklung im geteilten Deutschland, Berlin 1996.

Harm G. Schröter, Von der Teilung zur Wiedervereinigung (1945 bis 2000), in: Michael North (Hrsg.), Deutsche Wirtschaftsgeschichte. Ein Jahrtausend im Überblick, München 2000, S. 351–420.

André Steiner, Von Plan zu Plan. Eine Wirtschaftsgeschichte der DDR, München 2004.

Martin Thunich

Käfer und Trabi – Ikonen auf Rädern

Unterrichtsplanung und historisches Erzählen am Beispiel deutsch-deutscher Wirtschaftsgeschichte

Der Befund wundert niemanden wirklich: Zwischen dem Wunsch Jugendlicher mehr über wirtschaftliche Zusammenhänge zu erfahren[1] und dem Stellenwert, der diesem Thema in den Lehrplänen der Schule zugewiesen ist, klafft eine Lücke. Erst kürzlich bestätigte eine Studie zum Stellenwert der DDR-Geschichte in schulischen Lehrplänen, dass die wirtschaftliche Entwicklung der DDR in den Lehrplänen deutscher Schulen nur partiell abgebildet werde und wirtschafts- und sozialpolitische Themen vor allem im Fach Sozialkunde angesiedelt seien.[2] Entsprechend der gegenwärtigen Tendenz, im Unterricht nur noch das zu vermitteln, was für eine spätere Berufskarriere der Schülerinnen und Schüler vermeintlich von praktischem Nutzen ist, entsorgen die Kultusministerien gleich ganze Themenbereiche und Epochen aus den Lehrplänen. Neben anderem fällt so auch die DDR-Wirtschaft schnell durch das Raster, denn – so die landläufige Meinung – die Geschichte hat die sozialistische Planwirtschaft gründlich diskreditiert, und so halten viele ihre Vermittlung für entbehrlich. Dabei ist es eine Binsenweisheit, dass eine qualifizierte Teilnahme am öffentlichen Diskurs über die deutsche Nachkriegsgeschichte selbstredend auch Kenntnisse in dem Bereich voraussetzt, in dem sich die beiden deutschen Staaten so fundamental unterschieden.

Zum Bildungswert deutsch-deutscher Wirtschaftsgeschichte

Wirtschafts- und Wachstumsprozesse und ihre gesellschaftlichen und politischen Voraussetzungen und Folgen gehören zu den bedeutenden Grunderfahrungen neuzeitlicher Geschichte. Die Entscheidungen in diesen Bereichen betreffen jeden Bürger jeden Tag. Der unter dem PISA-Schock verkündete Paradigmenwechsel in der didaktischen Diskussion von der input-Orientierung hin zu einem output-orientierten und abfragbaren Inhaltskanon rückt die Beantwortung der Frage, was Schüler von deutsch-

deutscher Wirtschaftsgeschichte zwischen 1945 bis 1989 eigentlich wissen sollen, plötzlich in den Mittelpunkt des Interesses. In einer demokratisch-pluralistischen Gesellschaft wie der unseren kann ein historischer Kanon nicht mehr als herrschaftliche politische Setzung, sondern nur noch als dauerhaftes Dialog-Thema formuliert werden. Der Kanon soll die Schülerinnen und Schüler in den Stand setzen, sich in verschiedenen Überblicken auszukennen und sie zu vergleichen. Für die Wirtschaftsgeschichte heißt das: Sich sowohl im liberal-marktwirtschaftlichen wie auch im sozialistisch-planwirtschaftlichen Modell und der jeweiligen Realisierung auszukennen. Eine dauerhaft und zentral festgelegte Liste wirtschaftshistorischer Daten, Fakten, Namen und Begriffe ist einerseits verlockend, andererseits ist sie mit dem Odium der Ideologie und Willkür behaftet. Unterrichtliche Inhalte müssen exemplarisch sein und gleichzeitig problemhaltige und Kontroversen eröffnende Begriffe und Theorien enthalten.[3] Dabei kommt der Geschichtsunterricht allerdings nicht ohne fundierte knappe informierende Überblicksdarstellungen zu diesem Themenfeld aus. »Erst auf solchen Grundlagen und in solchen Referenzrahmen wird die Hauptaufgabe sinnvoll und möglich, nämlich konkrete ›Fälle‹ genau und nach dem Prinzip des sich wiederholenden ›Pulsschlags von Abstraktion und Rekonkretisierung‹ auch des mehrfachen Wechsels zwischen Fall und Regel, Nahem und Fernem, Anschauung und Begriff, Detail und Struktur, Privatem und Öffentlichem, Individuum und Kollektiv zu verhandeln.«[4]

Eine unterrichtliche Behandlung des Themas der deutsch-deutschen Geschichte läuft immer Gefahr, die Wirtschaftsgeschichte vom Ende der DDR her zu denken und das Jahr 1989 als endgültigen Sieg des Marktes über den Plan zu interpretieren. Trotz aller ideologischen Trennschärfe in der Theorie ist das Verhältnis beider Systeme in der Praxis eher durch eine Gemengelage charakterisiert. Im Laufe des hier dargestellten Zeitraums werden beide Systeme verändert, ausdifferenziert, ergänzt, der jeweiligen Wirklichkeit angepasst, ohne dass aber die jeweils unterschiedliche Grundvoraussetzung in Frage gestellt worden ist. Ebenso sind die jeweiligen politischen Akteure nicht abzukoppeln von den historischen Erfahrungen, die sie gemacht haben: Die Soziale Frage des 19. und beginnenden 20. Jahrhunderts war noch nicht vergessen, ebenso wenig die Weltwirtschaftskrise und die ihr folgende Massenarbeitslosigkeit und Verelendung. Diese Erinnerungen führten zu unterschiedlichen Schlussfolgerungen, wie derartige Schrecknisse in Zukunft vermieden werden könnten. Ohne die Kenntnis dieser fundamentalen Fakten und ohne Wissen um das Menschenbild der damaligen Akteure beiderseits der späteren deutsch-deutschen Grenze wird es Schülerinnen und Schülern nicht gelingen, das jeweilige System angemessen zu bewerten. Zu den Besonderheiten einer deutsch-deutschen Wirtschaftsgeschichte gehört es, dass die DDR-Planwirtschaft während all der Jahre immer und überall an den Erfolgen der BRD-Wirtschaft und besonders an dem im Westen erreichten Konsumstandard gemessen wurde. Der Preis, der mitunter auch im Westen für diesen Fortschritt zu zahlen war, geriet für die Masse der DDR-Bürgerinnen und Bürger aus dem Blickfeld. Die beiden Wirtschaftssysteme waren von Anfang an asymmetrisch miteinander verflochten.

Die Frage der didaktischen Eignung der deutsch-deutschen Wirtschaftsgeschichte führt zu einem ganzen Fächer von Antworten:

- Hinter jedem dieser wirtschaftspolitischen Lösungsmodelle steht zunächst einmal ein höchst unterschiedliches Bild vom Menschen: dem freien, selbstverantwortlichen Individuum der Marktwirtschaft, das alle Chancen, aber auch alle Risiken alleine zu tragen hat, steht der grundsätzlich gleiche und sozialbestimmte Mensch der Planwirtschaft gegenüber.
- Die Schülerinnen und Schüler sollen wissen, dass die Wirtschaft sich nicht naturgegeben ereignet, sondern dass Wirtschaft von Menschen, die in staatlicher Verantwortung stehen, gestaltet wird. Der Gestaltungsspielraum wird durch die beiden Wirtschaftskonzepte gekennzeichnet, die zwischen 1945 und 1989 in den beiden deutschen Staaten real existierten: die soziale Marktwirtschaft und die staatlich gelenkte Planwirtschaft.
- Keines der beiden Systeme ging unverändert durch die vier Jahrzehnte der deutsch-deutschen Geschichte. Karl Schillers Globalsteuerung kombinierte die Marktwirtschaft mit Lenkungsmaßnahmen des Staates, wohingegen die Neue Ökonomische Politik (NÖP) Ulbrichts den Wettbewerbsgedanken in die Planwirtschaft zu implementieren versuchte.
- Das Angebot an Waren und Dienstleistungen regelt sich in der Marktwirtschaft über den Preis, der in der Planwirtschaft seiner Steuerungsfunktion beraubt ist. Hier tritt an seine Stelle die wie auch immer gewonnene »höhere Einsicht« einer Planlenkungsbehörde, die die Menschen bevormundet und ihnen die freie Wahl nimmt. Nun mag man trefflich darüber streiten, ob es Sinn macht, neben hundert verschiedenen Modellen eines Abfahrtskis, Fernsehgerätes oder Pkws noch Modell Nummer 101 anzubieten, aber die Entscheidung darüber, ob es angeboten wird, bleibt in der Marktwirtschaft dem einzelnen mündigen Produzenten vorbehalten und nicht einer staatlichen Plankommission.
- Beide Systeme sind mit Mängeln behaftet, auch das ist herauszuarbeiten. Seit Mitte der siebziger Jahre wurde deutlich, dass die Marktwirtschaft mit einer hohen Quote struktureller Arbeitslosigkeit leben muss, die sich

seit Mitte der achtziger Jahre im Westen auf einem Niveau von 7 bis 9 % stabilisierte. Arbeitslosigkeit kannte demgegenüber die sozialistische Planwirtschaft nicht, dafür konnte diese Wirtschaft bis zu ihrem Ende das Problem der ausreichenden Versorgung ihrer Bürger mit modernen und höherwertigen Waren nicht lösen.

- Die Konsummöglichkeiten und das Konsumniveau entschieden in Ost und West wesentlich über die Akzeptanz des jeweiligen Wirtschaftssystems.
- Der Beschluss des VIII. Parteitages 1971, die Wirtschaft sei »Mittel zum Zweck und nicht Selbstzweck«, klingt zunächst menschenfreundlich und sozial, die schwerwiegenden Folgen einer bedingungslosen Einordnung der Wirtschaft als Instrument der Sozialpolitik war den Bürgern und wohl auch vielen Parteimitgliedern nicht bewusst. Eine Wirtschaft, die ständig auf Pump lebt, ist auf Dauer nicht überlebensfähig. Gerhard Schürer, der Vorsitzende der staatlichen Planungskommission, kommt in seiner im Oktober 1989 von Egon Krenz in Auftrag gegebenen, schonungslosen Analyse der wirtschaftlichen Lage der DDR zu einem niederschmetternden Ergebnis.[5] Ohne massivste Hilfe vom westlichen Ausland – so Schürer – stehe der Bevölkerung der DDR ein Rückgang des Lebensstandards von 25 bis 30 % bevor. Die Auswirkungen würden die DDR unregierbar machen. Dieser Analyse der politisch Verantwortlichen steht das subjektive Empfinden vieler ehemaliger DDR-Bürger offensichtlich entgegen, dass sie zwar auf einige Annehmlichkeiten der westlichen Konsumwelt verzichten mussten, es ihnen aber spätestens seit Honecker »nicht mehr so schlecht ging«. Es muss andererseits aber auch aufgezeigt werden, dass die westlichen Volkswirtschaften sich seit Jahrzehnten in unvorstellbarem Ausmaß verschulden und ebenfalls auf Kosten der nachfolgenden Generationen leben, ohne dass eine Problemlösung in Sicht ist.
- Spätestens seit der regierungsamtlich verkündeten Agrarwende rücken Fragen der landwirtschaftlichen Produktion in den Fragehorizont der Schülerinnen und Schüler. Viele der unmittelbar an die DDR angrenzenden Regionen sind stark agrarisch geprägt gewesen und sind es heute immer noch. Nun ist die Agrarwirtschaft ein Stiefkind der Historiker, dieser Befund bietet aber andererseits die Chance, lebensweltliche Bezüge der Schülerinnen und Schüler einzubeziehen. Festzustellen bleibt allerdings, das keines der beiden Systeme die Probleme der Agrarwirtschaft und der Bauern angesichts der Technisierung und Globalisierung wirklich in den Griff bekommen hatte.
- Es gab bei aller gegenseitigen Abschottung eine Vielzahl deutsch-deutscher Wirtschaftsbeziehungen sowohl auf der nationalen wie auch auf der

regionalen Ebene, die in ihrer Vielzahl noch gar nicht aufgearbeitet sind, aber meistens durch chronischen Devisenhunger der DDR-Wirtschaft für den SED-Staat unverzichtbar waren.

Diese Liste erhebt nicht den Anspruch der Vollständigkeit, sondern sie muss von den Unterrichtenden vor dem Hintergrund der speziellen Lernsituation ergänzt, abwandelt und differenziert werden. Die Unterrichtenden haben zu entscheiden, nach welchen Grundsätzen sie aus der Fülle wissenschaftlicher Aspekte und Sonderforschungsbereiche Fakten und Problemstellungen adressatengerecht auswählen.[6] Es gehört zu den vornehmsten Aufgaben des Fachpädagogen, aus dem historischen Forschungsgegenstand »Wirtschaftsgeschichte Deutschlands« ein geschichtliches Unterrichtsthema zu formen, das neben wissenschaftspropädeutischen auch lebensweltlichen Ansprüchen der Lernenden genügt. In der didaktischen Reduktion eines Forschungsgegenstandes geht es dabei um drei Tätigkeitsfelder:

- verringern, damit die Schüler das Thema überschauen können,
- vereinfachen, damit sie das Exemplarische herausarbeiten können und
- verdichten, damit für die Schüler das Wesentliche erkennbar wird.

Die didaktische Reduktion darf sich nicht im Weglassen von Aspekten erschöpfen, sondern sie ist grundlegend, weil sie »die Erkenntnisse der Geschichtswissenschaft (...) bewusst und kontrolliert in die Lebenswelt zurückvermittelt, in der sie verwurzelt sind.«[7]

Verflochtene Konsumwelten als Unterrichtsinhalt

Die Behandlung des Themas der deutschen Geschichte nach 1945 erfolgt an deutschen Schulen in der Regel erstmals in den Abschlussklassen der Sekundarstufe I. In der Qualifikationsphase der gymnasialen Oberstufe taucht das Thema ein zweites Mal auf. Unter dem Diktat der knappen Unterrichtszeit ist für die Sekundarstufe I eine Unterrichtsplanung mit mehr als zwei Stunden für dieses Thema eher unrealistisch. Die neuen Stundendeputate für den Geschichtsunterricht in der gymnasialen Oberstufe reduzieren das Fach Geschichte auf ein Zweistundenfach, das insgesamt nur 2 Halbjahre zu belegen ist, beziehungsweise auf ein Profilfach, für das 4 Wochenstunden vorgesehen sind. Mehr als 6 Stunden dürften daher für die deutsch-deutsche Wirtschaftsgeschichte von 1945 bis 1989 kaum zur Verfügung stehen. Die Unterrichtenden müssen sich begründet entscheiden, was wirklich wichtig ist, und vor allem müssen sie wissen, was wegzulassen ist. Die dem Pädagogen innewohnende Sucht nach Vollständigkeit führt zu einer reinen »Erwähnungsdidaktik« im Geschichtsunterricht, die niemandem dient. Ob überhaupt und inwieweit Projektunterricht, Stationenlernen oder andere zeitintensive Modelle, so didaktisch sinnvoll sie sein mögen, im Unterrichtsalltag einer Schulklasse mit 30 Schülerinnen und Schülern praktikabel sind, ist an dieser Stelle nicht zu diskutieren.

In einem pädagogischen Universum, in dem alle Welt in Lehrerfortbildungen durch die Historie »klippert«[8], ist es aus der Mode gekommen, sich auch noch um Inhalte zu kümmern und sich sachanalytisch und adressatenbezogen Rechenschaft darüber abzulegen, warum bestimmte historische Themen im Unterricht behandelt werden sollen und andere nicht. Die kultusministeriell verordnete Standarddiskussion und die normative Kraft eingeführter Lehrbücher gehen mit der immer knapper werdenden Zeit, die den Pädagogen für die Unterrichtsvorbereitung zugebilligt wird, eine verhängnisvolle Allianz ein. So konzentriert sich die Unterrichtsplanung und -vorbereitung in erheblichem Maße auf Fragen der methodischen Umsetzung, wie das 2004 erschienene Handbuch zum Geschichtsunterricht feststellt.[9] Die neue alte Frage einer didaktisch begründeten Auswahl geschichtlicher Inhalte führt schnell zu dem vor fast einem halben Jahrhundert entwickelten Planungsmodell Wolfgang Klafkis. Befreit von allem ideologischen Ballast der Kritik der siebziger und achtziger Jahre, ist Klafkis didaktisches Planungsmodell erstaunlich zeitgemäß und praktikabel, so dass ein erneuter Blick auf Altbewährtes lohnt.[10] Fünf Grundfragen klären immer noch den Bildungsgehalt eines Stoffes und seine unterrichtliche Umsetzung:

1. Welchen größeren und allgemeinen Sinn- und Sachzusammenhang erschließt das Thema?
2. Welche Bedeutung hat der betreffende Inhalt im geistigen Leben der Schüler?
3. Worin liegt die Bedeutung des Inhalts für die Zukunft der Kinder?
4. Welche Struktur hat der Inhalt unter der speziell pädagogischen Sicht?
5. Welches sind die besonderen Fälle, Phänomene, Situationen, Versuche, in oder an denen die Struktur des jeweiligen Inhalts den Kindern dieser Bildungs- und Klassenstufe interessant und fragwürdig, zugänglich und anschaulich werden kann?

Konkrete Lehr- und Lernziele können nur in engem Zusammenhang mit der in den Blick genommenen Lerngruppe ermittelt werden. Eine Analyse der Lerngruppe nach Alter, Sozialisationshintergrund, Lebenserfahrung, Reifegrad, Stand des Geschichtsbewusstseins, fachspezifischen Fähigkeiten und Fertigkeiten ist daher unbedingt erforderlich, um Bedingungsfaktoren für den Unterricht zu erkennen. Nur so können die im historischen Inhalt liegenden Bildungsmöglichkeiten sowie die narrative Kompetenz lerngruppenorientiert erarbeitet werden und die didaktischen und methodischen Entscheidungen begründet getroffen werden.

Die Lernausgangslage einer Abschlussklasse der Sekundarstufe I ist aller Wahrscheinlichkeit nach dadurch gekennzeichnet, dass die fünfzehn- bis sechzehnjährigen Schülerinnen und Schüler das Thema Wirtschaft im bisherigen Geschichtsunterricht einige Male eher am Rande gestreift haben, etwa im Zusammenhang mit dem Absolutismus unter dem Aspekt staatlicher Einflussnahme auf die Wirtschaft oder unter sozialpolitischen Fragestellungen im Rahmen der Industrialisierung. Wirtschaft gilt den meisten Schülerinnen und Schülern als hermetisch abgeschlossenes Fachuniversum, das sie und ihre Eltern irgendwie betrifft, aber nicht berührt. Eine textlastige Gegenüberstellung der unterschiedlichen Wirtschaftstheorien und der verschiedenen Modelle staatlicher Wirtschaftslenkung scheidet aus, denn diese Aspekte sind höchst abstrakt und eher statisch. Sie entsprechen nicht dem Bedürfnis nach Konkretion und zeigen nicht die Lebendigkeit von Wirtschaft. Obendrein sind diese Themenaspekte in den eingeführten Lehrbüchern hinreichend enthalten oder die Grundlageninformationen können in einem konzentrierten und knappen Lehrervortrag dargeboten werden. Es gilt, einen Zugang zu finden, der das Interesse für wirtschaftliche Fragestellungen weckt und der die Lebenswelt eines jeden Einzelnen betrifft, der aber auch die Struktur des Themas Wirtschaftsgeschichte exemplarisch verdeutlicht. Der Konsumbereich erfüllt diese Bedingungen in hervorragender Weise, denn hier werden die Folgen wirtschaftspolitischer Entscheidungen und Setzungen für den Einzelnen unmittelbar spürbar.

Tab. 1: Ausstattung mit langlebigen Konsumgütern[11]

	Jahr	von 100 Haushalten hatten in der BRD + DDR				
		PKW	TV-Geräte	Kühlschränke	Kühl-Gefrier-Kombinat.	Waschmaschinen
DDR	1960	3,2	18,5	6,1	–	6,2
BRD	1963	27,3	34,4	51,8	–	8,6
DDR	1965	8,2	53,7	25,9	–	27,7
BRD	1969	44,0	72,7	83,6	–	38,8
DDR	1970	15,6	73,6	56,4	–	53,6
BRD	1973	56,3	87,2	92,5	–	58,5
DDR	1975	26,2	87,9	84,7	–	73,0
BRD	1978	61,8	93,2	84,0	14,4	69,6
DDR	1980	38,1	105,0	108,8	–	84,4
BRD	1983	65,3	93,8	79,0	20,1	82,5
DDR	1985	48,2	117,6	137,5	–	99,3
BRD	1988	67,8	94,9	77,8	23,1	85,7

Ein rein statistischer Vergleich der Ausstattung mit langlebigen Konsumgütern, so wie die Tabelle 1 ihn zeigt, verdeutlicht ein Angleichen der Ausstattungsrate, andererseits ist ein derartiger Vergleich nicht ganz unproblematisch, da es sich um gänzlich verschiedene Qualitäten in Ost und West handelte, die Verfügbarkeit nicht vergleichbar war und die Produkte für den Einzelnen auch einen unterschiedlichen Bedeutungswert besaßen.

Die Automobilindustrie in West und Ost

Um den Schülerinnen und Schülern die Unterschiede im Konsumgüterbereich in den beiden deutschen Staaten zu vermitteln, eignet sich der Blick in den Bereich der Automobilindustrie, deren Produkte jedem jederzeit vor Augen stehen. Hatte der Maschinen- und Fahrzeugbau insgesamt in beiden deutschen Staaten mit ca. 25 % nahezu einen gleich hohen Anteil, so traten beim Kraftfahrzeugbau erhebliche Differenzen zutage. Während in der Bundesrepublik die Kraftfahrzeugindustrie etwa 40 % der Produktion des Maschinen- und Fahrzeugbaus ausmachte, waren es in der DDR lediglich 18 %.[12] Niemals spielte die Autoindustrie beim Aufbau in den fünfziger Jahren in der DDR eine vergleichbar wichtige Rolle wie in der Bundesrepublik. Als im März 1956 die dritte Parteikonferenz der SED zu einer neuen industriellen Umwälzung aufrief und der Automobilbau stärker gefördert wurde, war es zu spät. Der Autobau erreichte nicht im Entferntesten die Führungsrolle, die er für die wirtschaftliche Entwicklung in Westdeutschland übernommen hatte. Es war feste Absicht der ostdeutschen Politiker, die Vorteile industrieller Großserien und rationeller Fertigung, wie sie Henry Ford in Amerika erstmals praktizierte, auch für die Produktion von Pkw zu nutzen, und so konzentrierten sie ihr Produktionsprogramm im Wesentlichen auf zwei Modelle: den Trabant und den Wartburg.

Zwei Ikonen der Konsumwelt der sechziger und siebziger Jahre veranschaulichen die unterschiedliche Entwicklung in den beiden deutschen Staaten eindringlich: der Trabi und der Käfer. Während der VW-Käfer in der BRD Ende der siebziger Jahre zunehmend durch den Golf abgelöst wird, bleibt bis 1989 der Trabant in der DDR dominierend. Sowohl der Käfer wie auch der Trabi waren für ihre Besitzer mehr als ein Auto, als quasi-Familienmitgliedern wurden ihnen häufig Kosenamen gegeben. Die Bezeichnung VW 1200 oder VW 1303 bzw. P 50 oder 601 wurden allenfalls von Technokraten benutzt, im Gespräch hieß es immer »mein Trabi« oder »mein Käfer«. Beide Autos nahmen unbestreitbaren Einfluss auf die

Mobilitätsgeschichte in Ost und West und beeinflussten das Alltagsleben der Menschen nachhaltigst. Um der Gerechtigkeit willen sei aber daran erinnert, dass bei dieser Gegenüberstellung in gewissem Sinne doch Äpfel mit Birnen verglichen werden, denn von dem Modellkonzept und der Motorleistung entsprach der Trabant eher dem bundesdeutschen Goggomobil, das erstmals 1955 vom Band lief und mit seinem 15 PS-Motor eine Spitzengeschwindigkeit von 85 km erreichte, oder der eintürigen Isetta von BMW, die mit ihrem 12 PS-Motor 1955 ebenfalls diese Geschwindigkeit erreichte.

I. Der Käfer

Die Anfänge dieses Autos reichen ins Jahr 1934 zurück, als Ferdinand Porsche der damaligen deutschen Reichsregierung die Konstruktionspläne für einen vollwertigen Kleinwagen übergab, der dann als KdF-Wagen für Furore sorgte, aber in dem von den Nazis errichteten Wolfsburger Volkswagenwerk nie in Serienproduktion ging. Nach dem Kriegsende wurden die Pläne für eine Serienproduktion des Käfers – wie ihn die New York Times 1939 abfällig nannte – unter der britischen Militärregierung wieder aufgenommen. Die Briten hatten dem Volkswagenwerk, dessen Betriebs- und Produktionsanlagen zu einem großen Teil den Krieg überstanden hatten, zunächst einen vierjährigen Demontageaufschub eingeräumt, weil sie das Werk für die Reparatur und Instandsetzung ihrer Militärfahrzeuge nutzten und bereits erteilte Produktionsaufträge der Besatzungsmacht erfüllt werden sollten. Der Nachkriegs-Volkswagen legte so die ersten Meter seines Siegeslaufs unter den Augen der Briten zurück. Am 14. Oktober 1946 lief der 10 000. Käfer vom Band. Nachdem 1949 das Werk endgültig von der Demontageliste gestrichen worden war, überschritt die Produktion im März 1950 die 100 000er-Marke. Das VW-Standardmodell kostete 4 800 DM. Die Millionengrenze wurde 1955 überschritten und mit 3 790 DM erreichte das Standardmodell seinen niedrigsten Preis; dafür musste ein Industriebeschäftigter rund 9,5 Monate arbeiten.

Die Erfolgsgeschichte ging weiter und am 17. Februar 1972 übertraf der Käfer das legendäre T-Modell von Ford mit 15 007 084 Stück. Neben innerbetrieblichen Gründen hat vor allem die Möglichkeit des VW-Konzerns, von technologischen Neuerungen auf den westlichen Märkten profitieren zu können, überragende Bedeutung für diese Erfolgsgeschichte. Der Import von Qualitätsstahl, von Spezialmaschinen etc. sorgte ständig für die Verbesserung der Wettbewerbslage dieses Werkes und auch des Käfers. 1965 hatten die Volkswagen-Techniker von 5008 Teilen des ersten Käfers gerade mal

Abb. 1: Der Käfer

Der Käfer in der Export-Ausführung mit Schiebedach aus dem Jahr 1955/1956, Vierzylinder-Boxermotor, 30 PS, synchronisiertes Vierganggetriebe, Höchstgeschwindigkeit 110 km/h, Preis für das Standardmodell 3 950 DM (für das Exportmodell 4 850 DM), Aufpreis für Schiebedach 250 DM

Quelle: Volkswagen AG, Wolfsburg

sechs unverändert belassen. Die Leistung des Vierzylinder-Motors steigerten die Ingenieure allmählich von 25 auf 30 PS im Jahr 1954 und eine Dauergeschwindigkeit von 110 km/h. Der Motor des Jahres 1959 leistete 34 PS, ab 1966 bzw. 1970 gab es zusätzliche Motorvarianten mit 40 und 44 PS, die die Dauergeschwindigkeit auf 125 km/h erhöhten, bis hin zu einer 50 PS starken Maschine. Der »eigentliche« Käfer blieb seit 1959 aber bei 34 PS. Die Erinnerung an dieses Auto ist bestimmt durch den Werbespruch: »Und läuft und läuft und läuft.« Seit 1947 setzte der VW-Konzern auf den Export des Käfers, zunächst in die Niederlande, dann folgten weitere europäische Länder und am 8. Januar 1949 wurde der erste Käfer in die USA verschifft. Dies spülte gerade am Beginn der Geschichte der Bundesrepublik wichtige Devisen in die VW-Kassen. Bereits in den fünfziger Jahren erkannte der damalige VW-Chef Heinrich Nordhoff, wie wichtig die Kundenbindung an das Produkt ist und machte den Kundendienst zur Chefsache. Alle liebten den Käfer irgendwie und sahen über seine Macken wie eine gottserbärmlich schlechte Heizung und Eisblumen auf den Scheibeninnenseiten im Winter, den immensen Benzindurst von 10 Litern (bei einem Preis von 50 Pfennig allerdings eine zu vernachlässigende Größe) oder das nicht zu überhörende metallische Rasseln des Vierzylinder-Boxermotors mit seinen etwas mehr als 30 PS hinweg. Gemessen an anderen Autozwergen der jungen Bundesrepublik wie der Isetta, dem Goggo oder dem Kabinenroller von Messerschmitt war der Käfer so groß wie ein Cadillac. Ein Käfer erzielte auch aus zweiter oder dritter Hand immer noch einen guten Preis. Er war im besten Sinne klassenlos, ob arm oder reich, am Steuer eines Käfers konnte jeder sitzen. Veränderungen am optischen Erscheinungsbild erfuhr der Käfer nur sehr behutsam, denn Volkswagen wollte den wirtschaftlichen Erfolg seines Produktes am Markt nicht durch allzu Fortschrittliches gefährden. Am 19. Januar 1978 lief der letzte in Deutschland gebaute Käfer in Emden vom Band und am 10. Juli 2003 stellte VW die Produktion des Käfers in Mexiko nach rund 21,5 Millionen gebauten Autos endgültig ein.

II. Der Trabi

Die Geschichte des DDR-Klassikers reicht zurück bis an den Beginn des 20. Jahrhunderts, als 1899 der Ingenieur August Horch eine Automobilfabrik gründete, die 1904 nach Zwickau kam. 1909 verließ Horch nach Differenzen mit dem Vorstand sein Unternehmen und gründete eine neue Firma, für die er die lateinische Übersetzung seines Namens wählte: audi. 1932 zwingt die Auftragslage die Firmen Horch, Audi, DKW und die Autoabteilung der Wanderer-Werke zur Fusion. Die Auto Union AG mit dem Zeichen der 4 Ringe entsteht. Der Krieg setzte dem zivilen Pkw-Bau ein Ende. Nach 1945 wurden die Produktionsanlagen der Auto Union AG von den Sowjets weitgehend demontiert und mit einem Produktionsverbot belegt. 1948 erfolgte die Löschung im Handelsregister der Stadt Chemnitz. Führende Mitarbeiter waren inzwischen nach Ingolstadt in Bayern übergesiedelt. Dort wurde am 3. September 1949 die Auto Union GmbH ins Leben gerufen, die Vorgängerin der heutigen AUDI AG.

In Zwickau konnten erst 1947 wieder Fahrzeuge produziert werden, zunächst Traktoren und LKW. Die ersten Pkw folgten 1949 auf der Grundlage von Konstruktionsentwürfen der Vorkriegszeit. Angesicht der in Westdeutschland sich einstellenden Volksmotorisierung und mittelbar sicher auch durch den Aufstand vom 17. Juni 1953 gerieten die DDR-Politiker unter Zugzwang. Sie ordneten zur Jahreswende 1953/54 die Entwicklung eines familientauglichen Kleinwagens mit Zweitaktermotor und Duroplast-Kunststoffkarosserie an. Der Serienstart war auf Mitte 1955 festgelegt, eine von Anfang an völlig unrealistische Planvorgabe. Erst am 10. Juli 1958 begann die serienmäßige Produktion des ersten Trabant mit der Typbezeichnung P 50. Die Bodengruppe des Trabant wurde im ehemaligen Horchwerk gefertigt, Karosserie und Endmontage fanden bei Audi statt, bevor beide Werke zum »VEB Sachsenring Auto-Mobilewerk Zwickau« vereinigt wurden. Der Preis betrug 7 450 DM (Ost).[13]

Abb. 2: Der Trabi

P50 Serienlimousine vom Januar 1959, Zweizylinder-Zweitakt, 18 PS, unsynchronisiertes Viergang-Getriebe, Höchstgeschwindigkeit 90 km/h, Preis 7 450 Mark. Das durchschnittliche monatliche Bruttoarbeitseinkommen der vollbeschäftigten Arbeiter und Angestellten in staatlichen Betrieben belief sich 1959 auf 531 Mark.

Quelle: Frank Rönicke, Trabant. Die Legende lebt. Stuttgart 1998, S. 64.

Der Trabant war der erste deutsche Gebrauchswagen mit einer serienmäßigen Kunststoffkarosserie. Die Idee der Kunstharzkarosserie stammte aus den dreißiger Jahren, denn Tiefziehstahl war nicht erst in der DDR eine teuere Mangelware. Duroplast, ein Gemenge aus 90 zusammengepressten Lagen Baumwolle, Lumpen und verschiedenen Kunstharzen, ersetzte das knappe Metall. Nach Produktionsbeginn des P 50 waren zunächst eine Reihe von Produktionsmängeln abzustellen wie Undichtigkeiten der Karosserie, ungleiche Stoßdämpfung, schlechte Bremsleistung und mangelhafte Verarbeitung. Seit 1960 besaß der Trabant P 50/2 einen neuen 20 PS starken Zweitakt-Motor, der den Wagen bis zu 100 km schnell machte. Zwei Jahre später lautete die Typen-Bezeichnung P 60 und ein vergrößerter 600 ccm Motor leistete 23 PS. Zwar hatte die Parteipropaganda 1961 versprochen, dass der Konsumgüterverbrauch in der DDR den in Westdeutschland übertreffen werde, aber nach dem VI. Parteitag erklärte die Partei dann dem Volk, dass der Privatbesitz von Personenkraftwagen für einen Vergleich des Lebensstandards nicht relevant sei.[14] Wer 1964 einen Trabant bestellte, musste im Schnitt drei Jahre warten. In der DDR wurden damals 5 Autos pro 1000 Einwohner hergestellt, in der BRD waren es siebenmal mehr. Das Nachfolgemodell, der P 601, hatte – anders als der Käfer im Westen – vor allem sein Äußeres verändert, innen war Vieles beim Alten geblieben. Von März 1978 wurden bis Produktionsende 3 Varianten des Trabant angeboten: das Standardmodell, ein Kombi als »S universal« und die Limousine »S de luxe«. Kostete 1964 ein 601er 7 890,60 MDN.[15], stieg der Preis für die Luxus-Limousine 1978 auf 9 450 MDN. 1985 betrug der Preis für die Limousine 10 170 Mark bei einem Durchschnittseinkommen von 1 140 Mark im Monat. Gegenüber 1959 hatte sich die Relation verbessert, zumal das Realeinkommen deutlich höher lag. 1988 war der Preis für den Trabant 601 auf 13 000 MDN geklettert, die Wartezeit betrug 15 Jahre. Auf dem Schwarzmarkt war ein fabrikneuer »Gebrauchter« für 20 000 MDN zu bekommen. Insgesamt wurden etwas mehr als 3 Millionen Trabi gebaut. Verändert wurde in all den Jahren nur wenig: ein paar PS mehr, statt 6 nun 12 V Bordspannung, eine Elektronikzündung, Krümmerheizung, hintere Schraubenfedern, H4-Licht und das war's auch im Wesentlichen. Der Trabi blieb was er war: ein relativ wartungsintensives, aber gleichzeitig auch wartungsfreundliches Auto: »Hast du Hammer, Zange, Draht, kommst du bis nach Leningrad«, so einer der vielen Trabi-Sprüche. Diese Typentreue war zu einem nicht geringen Teil auch eine Folge der »Fertigungstiefe« im Pkw-Kombinat, die sich auf etwa 80 % belief, ein Wert, der im Westen auf 40 bis 30 % reduziert worden war und in der japanischen Autoindustrie sogar nur bei 25 bis 15 % liegt. Eine hohe Quote bei der Fertigungstiefe wird gemeinhin als Innovationshemmnis interpretiert. Eine wirkliche Alternative zum Trabant war in der sozialistischen Planwirtschaft nicht vorgesehen. Alle in den nächsten Jahren weiterentwickelten Prototypen wie ein 50-PS-Auto mit Viertaktmotor gingen nie in die Produktion, denn die SED hatte entschieden, Autos seien Luxusgüter, Chemie-, Grundstoff und Verteidigungsindustrie hätten immer Vorrang. »Wir brauchen nur ein Auto für alle – und das für immer!«, lautete die Parteidoktrin.

Abb. 3: Trabi-Modelle 601

Seit März 1978 bis zum Produktionsende im April 1991 standen 3 Modellvarianten vom Trabant 601 zur Auswahl. Hier das Modelljahr 1984.

Quelle: Frank Rönicke (Abb. 3), S. 86.

Der Trabant blieb ein Vierteljahrhundert der Kleinwagen im Stil der späten fünfziger Jahre, anspruchslos in jeder Beziehung und bei DDR-Bürgern beliebt, anfangs jedenfalls, im Laufe der Jahre mischte sich auch eine Portion Hass und Zynismus dazu. Der erste Schritt zu einem Trabant war die Bestellung bei der HO Industriewaren bzw. beim VEB IFA-Vertrieb. Kam es dann nach Wartezeit schließlich zum Abschluss eines Kaufvertrags über den Trabant, musste der Käufer erklären, dass er in den letzten 3 Jahren keinen fabrikneuen Pkw käuflich erworben und nur eine Bestellung abgegeben hatte. Ferner räumte er für den Fall der Veräußerung dem Staatlichen Kontor für Maschinen und Materialreserven das Vorkaufsrecht ein. Etwa drei Monate vor Auslieferung des neuen Wagens hatte der Kunde die Möglichkeit, seine speziellen Wünsche nach den langen Jahren des Wartens endgültig festzulegen. Es geschah dann aber gar nicht so selten, dass der gelieferte Wagen ganz und gar nicht der Bestellung entsprach, man hätte dann noch

Abb. 4: Käfer-Lieferung

BISCHOFF & HAMEL
G. M. B. H.
VOLKSWAGEN-GROSSHÄNDLER
Bank: Norddeutsche Bank Hannover Nr. 6410 · Postscheck: Hannover Nr. 1018 · Fernsprech-Anschluß: 8 43 86 – 89

HANNOVER, den 10. Juli 1956
Hildesheimer Straße 13

Herrn
Franz Karbowy!
Hannover
Rampenstr. 8

Sehr geehrter Herr Karbowy!

Wir teilen Ihnen höflichst mit, daß der von Ihnen am 15.2.1956 bestellte Volkswagen in Export-Ausführung mit Schiebedach, Farbe: polarsilber, ab 17.7.1956 bei uns zur Zulassung bereitsteht.

Wir bitten um Ihren möglichst umgehenden Besuch, Mo-Fr. 8-12.30 Uhr und 14-17 Uhr, Sa. 8-13 Uhr. Wenden Sie sich bitte an unseren Herrn Nagel, der mit Ihnen die Zulassungsformalitäten vorbereiten wird. Hierfür ist Ihr Personalausweis erforderlich.

Der Abschluß einer Kfz-Versicherung kann hierbei gleichzeitig erfolgen. Zu Ihrer Orientierung fügen wir ein Sonderschreiben mit der Prämientabelle bei.

Wir empfehlen uns Ihnen

hochachtungsvoll
Bischoff & Hamel
G.m.b.H.

Anlagen
Na/kl

Der bestellte Volkswagen kostete 4855 DM, im Februar war bei der Bestellung der Monat Juni als Liefertermin zugesagt worden.

Quelle: Original im Privatbesitz.

Abb. 5: Trabi-Bestätigung

Betr.: Bestellung Ihres PKW

Bitterfeld, den 9. 4. 63

Unser Zeichen Tr./Int./39

Werter Kunde!

....

....

Wir bestätigen den Eingang Ihres Antrages vom 11. 1. 63 und teilen Ihnen mit, daß Sie in unserer Bestelliste eingetragen wurden.

Von persönlichen oder telefonischen Nachfragen über den Liefertermin bitten wir Abstand zu nehmen.

Wir sind nicht in der Lage, Ihnen den genauen Liefertermin des PKW im voraus bekanntzugeben.

HO Industriewaren Bitterfeld
Wessel, Direktor

Pd 944-61 8000 IV-2-23-1833

Die Pkw-Bestellung war der erste Schritt zum eigenen Auto, aber damit begann eine Wartezeit von anfangs etwa 3 Jahren, die sich bis auf 15 Jahre in den Achtzigern verlängerte.

Quelle: Original im Privatbesitz.

einmal 6 Monate auf seinen Wunsch-Trabant warten können, aber die meisten griffen dann eben doch zu und das »versteht nur, wer es in einem seiner bedeutendsten Lebensabschnitte, nämlich der Trabi-Wartezeit, selbst erlebt hat.«[16]

Als jedoch zu Beginn der achtziger Jahre die mit Zweitaktermotoren ausgestatteten DDR-Modelle in den anderen RGW-Ländern zunehmend abgelehnt wurden, weil sie mit ungünstigem Verbrauch und hohen Schadstoffemissionen die Umwelt belasteten, und auch die eigene Bevölkerung unzufrieden mit der Angebotspalette für Pkw wurde, beschloss die SED-Spitze 1983 ein begrenztes Innovationsprogramm für den Pkw-Bau. Es sollte allerdings immer noch kein Modellwechsel erfolgen, sondern die Trabant und Wartburgs sollten mit einem modernen Viertaktmotor ausgestattet werden.

Erste Verträge zwischen dem Volkswagenwerk und DDR-Betrieben hatte es bereits Mitte der fünfziger Jahre gegeben.[17] So hatte die Volkswagenwerk GmbH z. B. 1956 an die VEB Formenbau in Schwarzenberg einen Auftrag zur Fertigung von Schneide- und Ziehwerkzeugen vergeben, aber diese Geschäftsbeziehungen wurden zunächst nicht weiter verfolgt, unter anderem weil die DDR nicht zur »verlängerten Werkbank« der kapitalistischen Wirtschaft werden wollte. Ende der siebziger Jahre kam aber wieder Bewegung in die Geschäftsbeziehungen. Im Zusammenhang mit dem im November 1977 geschlossenen Liefervertrag über 10 000 Golf wurde nach langen Verhandlungen der Abschluss von Kompensationsgeschäften mit DDR-Unternehmen, die vor allem die Lieferung von Großpressen betrafen, vereinbart. Anfang der 1980er Jahre nahm Volkswagen Verhandlungen mit den zuständigen Stellen der DDR auf, um ein Motorenprojekt zu realisieren. 1986 beschloss das SED-Politbüro, auf der Basis der 1984 mit dem Volkswagenwerk abgeschlossenen Verträge über die Lieferung einer Motorenstraße von Ende 1988 an den Wartburg und von Mitte 1989 an den Trabant mit Viertakt-Ottomotoren auszustatten. Im August 1988 übergab der VW-Konzern eine komplette Fertigungsanlage für Viertaktmotoren. Über ein Kompensationsgeschäft sollte er später dafür einen Teil der gefertigten Motoren bekommen. Es war ein Wartburg, der 1988 als erster mit einem modernen Viertaktmotor vom Band lief. Im Herbst 1988 wurde der erste Trabant 1.1 mit einem 40 PS VW Lizenzmotor, neuem Grill und Blechmotorhaube, breiter Spur, Federbeinen und Scheibenbremsen vorn vorgestellt, am 21. Mai 1989 begann die Serienproduktion. Bis zum Fall der Mauer war dieses Modell durchaus erfolgreich, danach hatte es aber im direkten Vergleich mit den westlichen Modellen keine Chance mehr.[18] Am 30. April 1991 lief der letzte Trabant, ein pinkfarbener P 1.1. Universal, vom Band. Damit endete die Trabantproduktion in Zwickau.

Nun kann es im Geschichtsunterricht nicht um die Vermittlung von Modellgeschichte des Käfers und Trabis gehen. Der Geschichtsunterricht hat zu verdeutlichen, dass die beiden Ikonen nicht nur für das Warenangebot exemplarisch sind, sondern dass sich an ihnen aufzeigen lässt, welches Menschenbild hinter diesem Wirtschaftssystem steckt, wie die Wirtschaft hüben und drüben funktionierte, und sogar das Problem der Steuerungsfunktion des Preises kann veranschaulicht werden.

So beschreibt Irene Böhme 1986, wie in der Planwirtschaft DDR das Geld seine Wertaufbewahrungsfunktion verloren hat und der Preis seine marktsteuernde Funktion: »In der DDR regiert Geld die Welt nicht. Man hat ausreichend, um durchschnittlich zu leben, Wohnung und Grundnahrungsmittel zu bezahlen.

Für Geld lässt sich wenig kaufen. Auf ein Auto wartet man zehn bis zwölf Jahre, eine Nacht und einen Tag steht man vor dem Laden Schlange, um einen Farbfernseher zu erwerben, Grund und Boden sind nicht käuflich, Häuser und Segelboote sind rar. Da Geld nicht viel wert ist, muss »der Rubel rollen«. Man lebt für den Tag, die Stunde, isst und trinkt viel. Über Geld-Besitz spricht man nicht, man stapelt tief. Wenig Geld zu besitzen ist keine Schande, ein hohes Konto ist suspekt. Nach landläufiger Meinung »verschimmelt« das Geld auf dem Konto. Die obligatorischen 3 1/2 Prozent Zinsen fallen nicht ins Gewicht. Geld auf dem Konto gehört dem Staat. [...] Geld wäre kein Problem, gäbe es nur die Mark der DDR. Jedoch kursiert die D-Mark (West). Sie ist bei staatlichen Umtauschstellen in das staatliche Spielgeld »Forum-Scheck« einzutauschen. Mit »Forum-Schecks« zahlt der DDR-Bürger in »Intershop«-Läden und erhält Jeans, Kaffee, Schnaps, Süßigkeiten, Kosmetika, Autozubehör der westlichen Hersteller. Das Westgeld, im Volksmund »buntes Geld« oder »blaue Fliesen« genannt, öffnet dem Besitzer viele Türen, beschafft rare Ersatzteile, lässt Handwerker pünktlich erscheinen.

Auf dem »Schwarzen Markt« wird es »eins zu fünf« gehandelt. Dennoch ist nicht jede Ware dafür zu bekommen (es gibt sie einfach nicht). Das »bunte Geld« lässt sich nicht anlegen und vermehren, so kann es die Umgangsformen nicht gänzlich verwandeln. Auch hier gilt: »Der Rubel muss rollen«, und somit regiert Geld die DDR-Welt in keinem Fall.

Die Ware ist das wahre Zahlungsmittel des Landes. Wer etwas zu geben hat, hat Aussicht, etwas zu kriegen. Nach dem Zweiten Weltkrieg schossen Tauschzentralen aus dem Untergrund, die seriösen Schwestern des »Schwarzen Marktes«. Man tauschte Wecker gegen Schuhe, Schuhe gegen Töpfe, Töpfe gegen Wecker. Die DDR hat sich diesem Nachkriegszustand genähert. Mehr noch, sie macht den Warentausch zur hauptsächlichen wirtschaftlichen Verkehrsform. Das gilt für die Kompensationsgeschäfte des Staates im internationalen Stil wie für den Alltag. Seitenweise Tauschangebote in den Zeitungen, im Gebrauchtwarenhandel ist der Tausch institutionalisiert. Da Mangel an fast allem herrscht, ist fast alles Tauschobjekt.

[...] Gibt es im Autogeschäft Ersatzteile, stellen sich ganze Familien an, um größere Mengen für späteren Tausch einzukaufen. Werden einmal im Jahr Bestellungen für Gasetagenheizungen oder Baustoffe entgegengenommen, stellen sich zwei Tage und zwei Nächte Leute an, die das Material überhaupt nicht benötigen, sie können es günstig vertauschen. Gleiches gilt für Farbfernsehgeräte, Auslandsreisen, Karten für Beat-Konzerte, Termine zur Wagenpflege, für alles, was der Mensch gebrauchen könnte. Nicht nur Industrieprodukte, jede Art Dienstleistung ist zur Ware geworden:

Zahnarzttermin und Saunaplatz, der reservierte Tisch im Restaurant und die Auto-Inspektion. [...]

Menschen, die etwas »besorgen« können, sind angesehen. Meist haben sie einen ehrenhaften Beruf, den sie gewissenhaft ausüben. Bei ihren »Geschäften« bewegen sie sich innerhalb der Legalität. Organisationstalent, Energie, eine gehörige Portion Unverfrorenheit, begleitet von kumpelhafter Biederkeit, zeichnen sie aus. Ihr augenzwinkerndes Motto: »Privat geht vor Katastrophe«, oder: »Es geht alles seinen sozialistischen Gang«. Das Streben des DDR-Bürgers ist es, solche Talente in sich zu entwickeln. Wer nichts dergleichen bieten kann, verhält sich devot-bewundernd, hofft auf das Mitleid dieser Tüchtigen.«[19]

Trabi und Käfer als Gegenstände historischen Erzählens

Ein moderner Geschichtsunterricht darf sich nicht nur auf analytische Detailschritte der Quellenauswertung beschränken, sondern muss Schülerinnen und Schülern auch für (Re- und De-)Konstruktionsleistungen[20] und Umkonstruktionen fertiger Geschichtspräsentationen sowie der eigenen Produktion von Geschichtspräsentationen angemessenen Raum zubilligen. Erst dann können die Jugendlichen den Diskurs über Geschichte nicht nur verstehen, sondern auch – was ebenso wichtig ist – aktiv an ihm teilnehmen.[21] Anders ausgedrückt: Es kann im verantwortungsbewussten modernen Geschichtsunterricht zukünftig nicht mehr ausschließlich um Dekonstruktion von historischen Prozessen durch die Schülerinnen und Schüler gehen, sondern daneben tritt gleichberechtigt der Erwerb narrativer Kompetenz.[22] Hans-Jürgen Pandel hat vier Indikatoren definiert, um dem historischen Erzählen die Beliebigkeit zu nehmen und die Qualität historischen Erzählens zu messen. Diese vier Tätigkeiten können mit den Schülerinnen und Schülern eingeübt werden, um zu erreichen, dass die Jugendlichen auf der Grundlage des vorgelegten historischen Materials nicht nur eine Geschichte erzählen, sondern eine wirkliche »historische« Geschichte produzieren:[23]

1. Temporalisieren: Eine temporale Ereignisfolge ist herzustellen, die Ereignisse sind in ein vorher und nachher, ein früher und später, einzuordnen.
2. Verknüpfen: Sinnbildung während des Erzählens erfolgt durch die Art und Weise, wie die historischen Ereignisse syntaktisch verknüpft werden: additiv (und, oder), temporal (dann, bevor), kausal (weil, deshalb), adversativ (aber, obwohl), konditional (wenn/dann).

3. Modalität: Historisches Erzählen bringt Triftigkeiten und Triftigkeitsvorbehalte zum Ausdruck: gewiss, sicher, vermutlich, erwiesen, zweifelhaft.
4. Modellierung: Um gezielt erzählen zu können, ist die Kenntnis von Sinnbildungsmustern oder gängigen Erzählplänen erforderlich: Aufstiege (von Personen, Firmen, Familien, Reichen, Kulturen), Untergang, Verfall, Fortschritt, Karriere, Stillstand, Sieg, Niederlage, Katastrophe.

Damit Schülerinnen und Schüler überhaupt die Möglichkeit haben, selbst eigene historische Narrationen zu entwerfen, müssen ihnen in der Regel mehrere Textquellen oder Bilder zu einem Themenbereich angeboten werden. Die hier angeführten Materialien zum Käfer und Trabant lassen sich über Internet-Suchmaschinen oder über gängige Schulbücher ergänzen, wenn man Glück hat, finden sich sogar persönliche und unveröffentlichte Quellen, die Schülerinnen oder Schüler mit in den Unterricht bringen. So ist es möglich, die deutsche Wirtschaftsgeschichte am Unterthema »Konsum und seiner Befriedigung in den beiden deutschen Staaten« zu erzählen. Damit diese Erzählungen aber nicht in den Bereich des Anekdotenhaften abgleiten, sind wirtschaftstheoretische Basisinformationen und politische Vorgaben aus den Geschichtsbüchern mit einzubeziehen, um die erzählte Geschichte auch wirklich plausibel zu machen. Die verschiedenen Quellenaussagen fügen die Schülerinnen und Schüler sinnbildend zu einer von ihnen gefertigten Erzählung zusammen. Dabei suchen die Jugendlichen zwar subjektiv eine Sinn-Möglichkeit, dies ist aber kein freies Fabulieren, denn die Erzählung muss der historischen Plausibilität genügen.

Diese geforderte Erzählhandlung gliedert Pandel in fünf Typen, die sich auf unser Thema anwenden lassen:[24]

1. Erzählen: Die Schüler entnehmen einem Pool aus Geschichtsbuch, Sachbüchern wie Abelshauser und Steiner und weiteren Materialien zu den beiden Pkw-Modellen Informationen, um die deutsch-deutsche Wirtschaftsgeschichte zu erzählen, wobei die Modellentwicklung der Personenwagen die Gliederung vorgibt. Dabei wird neben anderem deutlich, dass beide Autos
   – an Ingenieurleistungen der dreißiger Jahre anknüpfen,
   – in Zusammenhang mit politischen Entscheidungen der Regierenden stehen: 1934 der »Volkswagen«, Beginn der Entwicklung eines bezahlbaren Kleinwagens in der DDR im August 1953,
   – und dass das steigende Einkommen die Ansprüche der Käufer differenziert und letztlich zum Ende der beiden Modelle führt.
2. Nacherzählen: Der Blick in einen der on-line Buchläden zeigt, dass es sowohl für den Trabi wie auch für den Käfer eine Fülle von Monographien gibt. An dieser Stelle lässt sich für diesen Erzähltypus anknüpfen.

3. Umerzählen: Der Text von Irene Böhme bietet für diese Erzählhandlung mehrere Möglichkeiten. In einem Arbeitsauftrag kann aufgefordert werden, die berichteten Fakten aus der Perspektive eines etwa 55-jährigen Arbeiters, der im Jahr 1965 in der DDR lebt und die Wirtschaftskrise der dreißiger Jahre in Deutschland als Jugendlicher in seiner Familie erlebte, umzuerzählen. Ein derartiger Erzählauftrag eröffnet eine Fülle von Spielarten und ist für eine Lerngruppe am Ende der Sekundarstufe I ein durchaus erfolgreicher Erzähltyp.
4. Rezensierendes Erzählen: Auch für diesen Erzähltypus bietet sich der Text von Böhme an, allerdings unter einer Zugehensweise, die empirische Daten aus den nun schon mehrfach erwähnten neueren Fachbüchern[25] einbezieht. Dieser Erzähltypus erfordert allerdings eine umfassendere Vorbereitungszeit. Er führt zu einem begründeten Urteil über die empirische Triftigkeit und die narrative Plausibilität des Böhme-Textes und scheint eher für Schülerinnen und Schüler der Sekundarstufe II bewältigbar.
5. Fiktionales Erzählen: Unter einem Oberthema wie »Kleines Auto – große Reise« lassen sich fiktionale, aber geschichtsauthentische Erzählungen zu den unterschiedlichsten Themenaspekten anfertigen wie »Mit dem Käfer in die Bayrischen Alpen« oder »Mit dem Trabi an die Ostsee«.

Sicher eignen sich nicht alle Erzähltypen für alle Lerngruppen und es würde auch keinen Sinn machen alle Typen am Inhalt der beiden Automobilmodelle durchzuführen. Letztendlich bestimmt die detaillierte Lerngruppenanalyse den endgültigen Zugriff auf das Thema und die Methode. Abschließend bleibt festzuhalten, dass der große Bereich des Konsums ein geeignetes Feld bietet, um die Schülerinnen und Schüler einmal für das Thema Wirtschaft in beiden deutschen Staaten zu interessieren und zum anderen lassen sich an diesem Thema Zugriffe finden, um ihre narrative Kompetenz zu schulen. Neben dem Bereich der Pkw-Produktion bieten sich weitere Bereiche an, in denen eine asymmetrische Verflechtung aufzudecken ist. Themenbereiche wären z.B. die Funktion der DDR als »Billiglohnland« für westdeutsche Handelsketten, die ihre »Hausmarken« im anderen Teil Deutschlands produzieren ließen, oder der umfangreiche Bereich der Agrargeschichte, schließlich lohnt ein Vergleich der chemischen Industrie. Bei all diesen Vorschlägen soll aber auch nicht verschwiegen werden, dass die Umsetzung eine umfangreiche Planungs- und Recherchearbeit der Unterrichtenden voraussetzt, deren Zeitkontingent für diese Tätigkeiten aber immer weiter zusammengestrichen wird, weil Derartiges nicht mehr zum Berufsbild des in Modulen ausgebildeten Bachelors of Education gehört.

Anmerkungen

1 IPOS: Bundesverband deutscher Banken-Jugendstudie, 05/2003, zitiert nach: http://www.schulbank.de/jugendstudie-spezial/kap2-2-p.asp: 67 % der 14- bis 17-Jährigen und 76% der 18- bis 20-Jährigen halten Informationen über wirtschaftliche Zusammenhänge für wichtig, bzw. sehr wichtig. 55% der Jugendlichen sehen hier die Schule in der Pflicht.
2 Ulrich Arnswald, Zum Stellenwert der DDR-Geschichte in schulischen Lehrplänen, in: Aus Politik und Zeitgeschichte, B 41-42/2004, S. 28-35, hier S. 31f.
3 Vgl. Bodo von Borries, Kerncurriculum Geschichte in der gymnasialen Oberstufe, (unter Mitarbeit von Karl Filser, Hans-Jürgen Pandel und Bernd Schönemann), in: Heinz-Elmar Tenorth (Hrsg.), Kerncurriculum Oberstufe II. Expertisen – im Auftrag der Ständigen Konferenz der Kultusminister. Weinheim und Basel 2004, S. 304.
4 Ebd., S. 305.
5 Deutschland Archiv, 10/92, S. 1112ff.; ähnlich äußert sich Günter Mittag, das für Wirtschaft zuständige Mitglied des Politbüros, im Spiegel 37/1991. Er gesteht ein, dass sich der ökonomische Kollaps bereits 1981 andeutete: »Ohne die Wiedervereinigung wäre die DDR einer ökonomischen Katastrophe mit unabsehbaren sozialen Folgen entgegengegangen, weil sie auf Dauer allein nicht überlebensfähig war.«
6 Vgl. André Steiner, Von Plan zu Plan, Stuttgart 2004; Harm G. Schröter, Von der Teilung zur Wiedervereinigung (1945 bis 2000). In: Michael North (Hrsg.), Deutsche Wirtschaftsgeschichte: Ein Jahrtausend im Überblick. München 2000, S. 351–420; Werner Abelshauser, Deutsche Wirtschaftsgeschichte seit 1945. München 2004. Die Publikationen werfen alle einen mehr oder weniger isolierten Blick auf die Wirtschaftssysteme. Der Beitrag von André Steiner in diesem Band behandelt das Thema unter einer integrierenden Fragestellung. Für die Schule bereitet erstmals das Klett-Buch: Geschichte und Geschehen, Sekundarstufe I, Band 4, Stuttgart 2005, S. 234–241 das Thema unter einem gemeinsamen Ansatz auf.
7 Jörn Rüsen, Geschichte als Wissenschaft, in: Klaus Bergmann u.a. (Hrsg.), Handbuch der Geschichtsdidaktik, 4. Auflage, Seelze-Velber 1992, S. 80.
8 Für viele vgl. das Buch des Diplomökonomen Heinz Klippert, Methodentraining. Übungsbausteine für den Unterricht, Weinheim/Basel, 14.(!) überarbeitete Auflage, 2004.
9 Vgl. Franziska Conrad und Elisabeth Ott, Didaktische Analyse, in: Ulrich Mayer/Hans-Jürgen Pandel/Gerhard Schneider (Hrsg.), Handbuch Methoden im Geschichtsunterricht, Schwalbach 2004, S. 561–576, hier S. 561.
10 Wolfgang Klafki, Didaktische Analyse als Kern der Unterrichtsvorbereitung, 1958.
11 Zusammengestellt von M. Thunich nach: Bundeszentrale für politische Bildung (Hrsg.), Geschichte der DDR (Informationen zur politischen Bildung, Nr. 231), Bonn 1991, S. 21; André Steiner, Von Plan zu Plan (Anm. 6), S. 157, S. 189; Statistisches Bundesamt Wiesbaden, Gruppe VIII D, Einkommens- und Verbrauchsstichprobe. Die unterschiedlichen Vergleichszeiträume sind durch die jeweiligen Erhebungsintervalle der Institutionen bedingt.
12 Vgl. Abelshauser (Anm. 6), S. 372f.
13 Vgl. Frank Rönicke, Trabant. Die Legende lebt, Stuttgart 1998, S. 63.
14 Vgl. ebd., S. 79f.
15 MDN = Mark der Deutschen Notenbank, offizielle Abkürzung der DDR-Währung seit August 1964.

16 Ebd. (Anm. 13), S. 88.
17 Für die Hinweise danke ich Dr. Manfred Grieger, Volkswagen AG, Konzernkommunikation, Abt. Historische Kommunikation, Wolfsburg.
18 Vgl. Steiner (Anm. 6), S. 211.
19 Irene Böhme, Die da drüben. Sieben Kapitel DDR, Berlin (West), 1986, S. 72ff., zit. nach: Christoph Kleßmann/Georg Wagner (Hrsg.), Das gespaltene Land. Leben in Deutschland 1945 bis 1990. Texte und Dokumente zur Sozialgeschichte. München 1993, S. 380–382.
20 Um die Termini noch einmal zu erklären. Eine Rekonstruktion liegt vor, wenn aus vorgelegtem Material aller Art – intellektuell redlich und methodisch geordnet – eine sinnvolle Geschichte erstellt wird. Eine Dekonstruktion besteht darin, bereits in der Gesellschaft erzählte und angebotene Geschichtsversionen zu rezipieren, zu prüfen und für sich – sei es bewusst unverändert, sei es begründet revidiert – zu übernehmen bzw. abzuwandeln und einzuordnen. Vgl. Bodo v. Borries (Anm. 3), S. 313.
21 Vgl. Bodo von Borries (Anm. 3), S. 236–321, hier. S. 312.
22 Vgl. Hans-Jürgen Pandel, Erzählen, in: Ulrich Mayer u.a, Handbuch (Anm. 9), S. 408–423, hier besonders S. 420f. Narrative Kompetenz konkretisiert sich nach Rüsen in vier Erzähltypen: a) Traditionales historisches Erzählen (Einverständnis mit der Weltordnung und den Lebensformen), b) exemplarisches historisches Erzählen (Argumentation mit Urteilskraft über Fälle, die allgemeine Handlungs- und Geschehensregeln demonstrieren), c) kritisches historisches Erzählen (Abgrenzen von Standpunkten, so dass Abweichungen von vorgegebenen historischen Orientierungen möglich werden), d) genetisches historisches Erzählen (Verdeutlichen reflexiver Beziehungen von Standpunkten und Perspektiven, die Veränderungen und neue Lebenschancen eröffnen). Vgl. Rüsen, in: Handbuch der Geschichtsdidaktik, 1992, (Anm. 7), S. 44–50.
23 Vgl. Pandel (Anm. 22), S. 420f.
24 Pandel (Anm. 22), S. 422.
Pandel fasst die fünf Typen der Erzählhandlung in folgender Übersicht zusammen:

Erzählhandlung	Beschreibung	Methode Umgang-Produktion-Analyse
Erzählen (im ursprünglichen Sinn)	Erzählen im ursprünglichen Sinne erzeugt erst erzählbare Geschichten, indem es einzelne Quellen zu einer Geschichte verarbeitet. In dieser Erzählhandlung entstehen neue Geschichten, die in einer Gesellschaft so noch nicht erzählt und gehört wurden.	Aus zeitdifferenten Quellen eine Erzählung machen. Es muss temporalisiert und Zusammenhänge müssen hergestellt werden.
Nacherzählen	Die Geschichte, die der Geschichtsunterricht oder das Geschichtsbuch darbietet, besteht aus Nacherzählungen.	Geschichte eines Ereigniszusammenhangs schreiben lassen und dabei die Grenzen narrativer Toleranz beibehalten. In der Oberstufe unter Einbeziehung von Theorien.
Umerzählen	Bestehende Nacherzählungen werden durch Einbezug neuer Quellen, Theorien und Fra-	Eine Erzählung nach neuen Gesichtspunkten, neuen Perspektiven umschreiben lassen. Aus

Erzählhandlung	Beschreibung	Methode Umgang-Produktion-Analyse
	gestellungen umgeschrieben. Umerzählen aktualisiert und reagiert auf neue Orientierungsbedürfnisse.	zwei Erzählpassagen über ein Ereignis, die aus verschiedenen Zeiten stammen, einen dritten Text schreiben lassen.
Rezensierendes Erzählen	Rezensionen überprüfen Erzählungen, Nacherzählungen, Umerzählungen auf deren empirische Triftigkeit und narrative Plausibilität. Sie orientieren sich an den pluralen Sinnbildungsangeboten der Gegenwart.	Umgang mit Rezensionen lernen; zwei Rezensionen vergleichen; selbst eine Rezension schreiben.
Fiktionales Erzählen	Fiktionales Erzählen füllt die semantischen Leerstellen der Quellen oder der Historiographie durch fingierte Personen oder Ereignisse und Situationen, die typen- und geschichtsauthentisch sein müssen.	Versuche im fiktionalen Schreiben machen lassen, arbeitsteilig fiktionale Erzählungen und historiographische zum gleichen Sachverhalt machen lassen und dann vergleichen.

25 Siehe Anm. 6.

5. Jugend

Konrad H. Jarausch

Jugendkulturen und Generationskonflikte 1945 bis 1990. Zugänge zu einer deutsch-deutschen Nachkriegsgeschichte

Für Schüler ist das Thema »Jugend« besonders als Einstieg in die doppelte Nachkriegsgeschichte geeignet, denn es setzt bei der Entwicklung der eigenen Altersgruppe an. Allerdings ist es notwendig, diesen Bereich zu historisieren, denn der Begriff »Jugend« wurde erst etwa um 1900 von Sozialpsychologen für ein separates Stadium des Lebenszyklus geprägt. Mit der Ausdehnung der Schulzeit und der Verlängerung der Abhängigkeit vom Elternhaus sollte er ein problematisches Zwischenstadium zwischen häuslicher Kindheit und öffentlichem Erwachsensein markieren.[1] Obwohl der Terminus *juventus* schon in älteren Darstellungen der verschiedenen Lebensalter auftaucht, wurde erst um die Jahrhundertwende daraus ein medizinischer Begriff der Adoleszenz, der die spezifische Problematik des Übergangs von Abhängigkeit zur Unabhängigkeit fassen sollte. Durch diese auch von Frank Wedekind literarisch dramatisierte Psychologisierung mutierte »Jugend« von einem poetisch romantisierten Reich der Freiheit zu einem besonders gefährdeten Lebensabschnitt.[2]

Historisch gesehen ist Jugend daher keine Konstante, sondern eine stets wechselnde Formation, die durch Einwirkungen von Erwachsenen wie dem Drang nach Selbstbestimmung geprägt wird. Einerseits institutionalisierte der Staat aus Sorge vor subversiven Tendenzen unter jungen Lehrlingen oder Fabrikarbeitern eine öffentliche Jugendpflege, die autoritäre Formen militaristischer Freizeitgestaltung verbreitete und monarchistisches Gedankengut favorisierte, während die Kirchen eigene Jugendgruppen entwickelten.[3] Andererseits entwickelte sich eine selbstbestimmte »Jugendbewegung«, welche die wilhelminische Dekadenz ablehnte und durch Wandern sowie Naturverbundenheit einen gesünderen Lebensstil propagierte und unklaren völkischen Ideen huldigte.[4] Dagegen organisierte die SPD eine eigenständige sozialistische Arbeiterjugend, zu der während der Weimarer Republik auch kommunistische Gegenstücke entstanden. Im NS-System wurde dann das ganze Spektrum einschließlich kirchlicher Gruppen in der HJ und dem BdM (Bund deutscher Mädchen) zwangsvereint.[5] Die Entwicklung der Jugend nach 1945 zeigt noch zahlreiche Spuren dieser widersprüchlichen Vorgeschichte.

Ein Vergleich der offiziellen Jugendpolitik und jugendlicher Subkulturen in Ost und West bietet gleichzeitig Chancen wie Risiken für das Verständnis der doppelten Zeitgeschichte. Die Rekonstruktion der Jugendperspektive ist wegen ihrer schnellen Reaktion auf Veränderungen und der Unbedingtheit ihrer Aussagen ein guter Indikator für politische Auseinandersetzungen sowie soziale Veränderungen. Auch haben Jugendgeschichten eine Unbekümmertheit und Dramatik, die den langsameren und vorsichtigeren Erzählungen über Erwachsene fehlen. Allerdings bleiben die zeitlichen Grenzen von »Jugend« oft unbestimmt, denn diese setzt mit der immer früher beginnenden Pubertät ein, geht aber zumindest bei der »akademischen Jugend« über die Schulzeit noch bis zum Ende des Studiums hinaus. Ebenso wird das ungestüme Verhalten der Jugend meist als Objekt von Erwachsenen kommentiert, denn Selbstzeugnisse jugendlicher Erfahrungen sind seltener, weil die Jugendzeit ein Durchgangsstadium bildet, das wenige Niederschriften für die Nachwelt hervorbringt. Jugend bleibt daher zwar eine vielbenutzte Kategorie, aber gleichzeitig ein methodisch schwieriges Terrain, in dem aktive Minderheiten das Geschichtsbild geprägt haben.[6]

In der Fachliteratur hat sich eine ganze Palette von konkurrierenden Ansätzen zur Geschichte der Jugend gebildet, die jeweils eigene Stärken und Schwächen besitzen. In autobiographischen Rückblicken und Bildungsromanen erscheint die Jugendzeit als eine Periode des Sturmes und Dranges, des Experimentierens mit unterschiedlichen Lebensentwürfen. Auch die zahlreichen Organisationschroniken wurden häufig in einem nostalgischen Ton geschrieben, der die eigene Vereinsgeschichte mit einem rosigen Schein versieht.[7] Dagegen folgt die sozialpsychologische Sozialisationsliteratur eher einem Ansatz, der vor allem die Schwierigkeiten der Identitätsfindung zwischen Elternhaus, Schule und Freundeskreis thematisiert.[8] Perioden besonderer Spannungen zwischen den Altersgruppen dramatisiert dagegen die auf Karl Mannheim aufbauende Generationsperspektive, die die Bewusstseinswerdung einer Kohorte zu einer historischen Generation zu beschreiben versucht.[9] Der *cultural turn* hat schließlich die Aufmerksamkeit auf die Entwicklung von sukzessiven Jugendkulturen gerichtet, die sich durch gemeinsame Stilelemente von anderen Kohorten absetzen.[10] Aber erst eine Kombination von unterschiedlichen Perspektiven erlaubt es, einige politische, soziale und kulturelle Entwicklungslinien zu skizzieren.

Hungern und Hoffen (1945 bis 1955)

I. Zusammenbruchserfahrung

Für Jugendliche war die Niederlage des Dritten Reichs im Frühjahr 1945 ein starkes Wechselbad der Gefühle. Zwar waren sie dem Tode entronnen, da die beängstigenden Bombenangriffe und Bodenkämpfe endlich aufgehört hatten. Auch hatten sie schon in den letzten Monaten der NS-Herrschaft ungeahnte Freiheiten genossen, denn Schulen wie Universitäten wurden geschlossen, der Dienst als Flakhelfer oder im Volkssturm wurde unregelmäßiger und die Ordnung der Kinderlandverschickung löste sich in einen Drang zur Heimkehr auf. Aber gleichzeitig gerieten Millionen von jungen Männern in alliierte Kriegsgefangenschaft und Millionen von jungen Frauen mussten sich während Flucht und Vertreibung verzweifelt ihrer Haut wehren. Wenn sie in den zerstörten Städten zu Hause auftauchten, gab es nichts zu essen, fehlte das Dach über dem Kopf und waren die Mütter so überstrapaziert, dass Kinder selbst auf dem Schwarzmarkt oder durch »Organisieren« ihren Lebensunterhalt heranzuschaffen hatten. Aus tiefer Enttäuschung über die Verlogenheit von Nazi-Versprechungen wandten sich viele Jugendliche neuen Leitbildern der Besatzungssoldaten zu.[11]

Die Wiederherstellung traditioneller Ordnung traf daher die frühreife, an Unabhängigkeit gewöhnte Jugend besonders hart. In den Familien führte die Rückkehr der Väter aus der Gefangenschaft unweigerlich zu Konflikten, wenn diese den Gehorsam von Halbwüchsigen einforderten. In den wiedereröffneten Schulen und Hochschulen mussten sich früh Gealterte wieder disziplinieren lassen, die schon Schreckliches erlebt und dem Tod ins Auge geschaut hatten. Am Arbeitsplatz hatten junge Leute regelmäßig zu erscheinen und sich Vorgesetzten unterzuordnen, obwohl sie sich vorher allein erfolgreich durchgeschlagen hatten. In der Öffentlichkeit waren sie gezwungen, sich ordentlich und anständig zu verhalten, auch wenn sie in Gruppen frei herumgelaufen waren und sexuell mit wechselnden Partnern experimentiert hatten.[12] Nur für diejenigen, die sich durch das Chaos bedroht gefühlt hatten, war die Rückkehr der Ordnung eine erhoffte Normalisierung – die anderen empfanden sie als Zwang von außen, dem sie sich beugen mussten, wenn sie sich nicht selbständig machen konnten.

II. Kalter Krieg um die Jugend

Zur Abwehr dieser verschiedenen Gefährdungen reaktivierte die Bundesrepublik die Traditionen einer staatlichen, aber pluralistischen Jugendpflege.

Bei den Besatzungsmächten waren es vor allem die Quäker, die den hohlwangigen jungen Leuten die begehrte Schulspeisung anboten, um sie überhaupt lernfähig zu machen. Gleichzeitig organisierten die amerikanischen GIs als Freizeitangebote Jugendclubs mit neuen Sportarten wie Baseball oder Swing als Tanzmusik.[13] Auch die herkömmlichen Jugendorganisationen wie Pfadfinder, Naturfreunde, kirchliche Jugendgruppen, Jugendabteilungen von Sportvereinen oder die sozialistischen Falken usw. entstanden wieder und boten eine Vielfalt von Ablenkung und Betätigung, obwohl die Wandervögel infolge ihrer Vereinnahmung durch die HJ zu diskreditiert waren, um wieder Fuß zu fassen. Unterstützt wurden diese Organisationen durch den Bundesjugendring, der offiziell anerkannte Gruppierungen finanzierte. Konservative Parteien und die Kirchen versuchten darüber hinaus einen Jugendschutz gegen »Schmutz und Schund« einzuführen, der sich aber, als Moralzensur verspottet, kaum durchsetzen konnte.[14]

Die DDR dagegen favorisierte das zentralistische Modell einer einheitlichen Jugendorganisation mit der FDJ. In der »Freien Deutschen Jugend« waren alle verschiedenen Gruppierungen mehr oder weniger freiwillig zusammengefasst, um die Jugend in antifaschistischer Gesinnung zu erziehen. Großes Vorbild waren die sowjetischen Komsomolzen, die einen eigenen, heroisch geschilderten Beitrag zum Aufbau des Sozialismus in Russland geleistet hatten. Als Vorstufe zur FDJ wurden dann auch noch für die Kleineren die »Jungen Pioniere« gegründet.[15] Aus dem weltanschaulichen Totalitätsanspruch ergaben sich Konflikte vor allem mit der evangelischen Jungen Gemeinde, die weiterhin auf der Konfirmation statt der neuheidnischen Jugendweihe bestand. Durch erheblichen Druck auf die Eltern im Betrieb und die Kinder in der Schule wurde die FDJ, zu der im Prinzip alle Jugendlichen gehören sollten, die sich zur DDR bekannten, langsam zur Zwangsorganisation. Einerseits verwässerte dies die ideologische Schulung, andererseits trieb dies aber auch manche Jugendliche, die nicht vom Regen der HJ in die Traufe der FDJ geraten wollten, zur Republikflucht.[16]

III. Wachsende Entfremdung

Trotz verbleibender Gemeinsamkeiten bot die Jugend in den beiden deutschen Staaten Mitte der fünfziger Jahre ein mehr und mehr kontrastierendes Bild. Im Westen sprach der Soziologe Schelsky von einer »skeptischen Generation«, die als gebrannte Kinder vorsichtig gegenüber jeder Ideologie war und sich eher auf das Privatleben und persönliches Fortkommen konzentrierte.[17] Aufgrund der stark dezimierten Kohorte der Männer von 20 bis 45 Jahren hatte die nachrückende HJ- oder Flakhelfer-Generation enorme Karrierechancen, da sie nach Abschluss der Ausbildung ungewöhnlich schnell in verantwortliche Positionen aufrücken konnte, die sie dann einige Jahrzehnte lang inne hatte. Gleichzeitig konnte sie die Früchte des Wirtschaftswunders genießen und hatte durch den wachsenden Wohlstand mehr Konsummöglichkeiten, als ihre Eltern kannten. Auch die Westbindung der Bundesrepublik eröffnete ihr unerwartete Gelegenheiten zum Kennenlernen der westlichen Nachbarländer, was den von Besatzungssoldaten in Gang gesetzten Prozess sozio-kultureller Amerikanisierung beschleunigte. Durch solche Erfolgserlebnisse wuchsen Jugendliche trotz erheblichen Widerstands gegen die Wiederbewaffnung langsam in die Demokratie hinein.[18]

Im Osten lobten die Staatsmedien wie das »Neue Deutschland« dagegen die »Aufbaugeneration«, die freiwillig zur Errichtung des Sozialismus Hand anlegte, um eine bessere Zukunft zu schaffen. Hier war es vor allem die rigorose Entnazifizierung innerhalb einiger Berufsgruppen wie Lehrern und Juristen sowie die soziale Revolution durch Enteignung der Industriellen und Junker, welche für linientreue, junge Kader ungeahnte Aufstiegsmöglichkeiten schuf, die zu gesteigerter Loyalität gegenüber dem Sozialismus führten. Zwar setzte das ostdeutsche Wirtschaftswunder ein halbes Jahrzehnt später ein und blieb auf bescheidenerem Niveau, aber auch hier begann eine Verbesserung der Lebensumstände, die sich positiv auswirkte.[19] Dagegen war das russische Vorbild durch die Schrecken des Kriegsendes, die wirtschaftliche Ausbeutung und die direktere Besatzungsherrschaft weniger attraktiv, so dass sich die kulturelle Sowjetisierung in Grenzen hielt. Trotz aller Behauptungen, dass die DDR »das bessere Deutschland« sei, war die ostdeutsche Jugend daher gezwungen, sich mit der Errichtung einer neuen, nun sozialistischen Diktatur und einem dadurch normierten Leben abzufinden.[20]

Rocken und Rebellieren (1955 bis 1975)

I. Blockübergreifende Populärkultur

Das überraschende Aufkommen des neuen Phänomens von »Halbstarken« unterbrach die relative Ruhe westlicher Jugendarbeit in der zweiten Hälfte der fünfziger Jahre. Der in Leder und Jeans gekleidete, lässig auf sein Motorrad gelehnte US-Filmstar James Dean strahlte ein freies Lebensgefühl aus, das jede Reglementierung abzulehnen schien. Dazu kamen die heißen Rock'n'Roll-Rhythmen von Bill Haley oder Elvis Presley, die über

RIAS oder RTL ausgestrahlt wurden und wildere Bewegungsformen verlangten als das konventionelle Angebot der Tanzstunde. Besonders junge Arbeiter und Arbeiterinnen übernahmen schnell die Frisuren, Kleidungsstile und Haltungen dieser neuen Idole, da sie über das nötige Geld verfügten, um sich die entsprechenden Schallplatten zu kaufen. Als enthusiastische Jugendliche bei Rockfilmen oder -konzerten das Mobiliar demolierten und sich mit der herbeigerufenen Polizei Saalschlachten lieferten, warnten konservative Moralisten vor den schlimmen Konsequenzen eines eklatanten Sittenverfalls. Aber die Erfindung einheimischer Pendants zu diesen amerikanischen Vorbildern wie Horst Buchholz, Peter Krauss oder Connie Froboess ermöglichte es liberaleren Beobachtern im Westen, einen dadurch gezähmten Rock wenigstens teilweise zu tolerieren.[21]

Im Osten verlief die Diskussion um eine zeitgemäße Tanzmusik jedoch in eine entgegengesetzte, restriktive Richtung. Obwohl manche SED-Mitglieder die Texte der Jazz- und Bluesmusiker auch als Protest von unterdrückten Schwarzen verstanden, lehnte die eher kleinbürgerlich denkende Parteiführung diese Musikformen als dekadent und imperialistisch ab. Trotz der Abschottung der Staatsgrenze drangen jedoch über den Äther westliche Musikstile herüber, die von einheimischen Bands auch ohne Noten nachgespielt wurden. Die SED konzedierte zwar zeitweilig westliche Rockimporte, verlangte aber, dass diese weniger als 40 % des Programms der Radiosender wie DT 64 ausmachten.[22] Stattdessen unterstützte sie eine eigenständige »Singebewegung« und hielt Festivals des »Roten Liedes« ab, das antiimperialistische Befreiungschansons aus der Dritten Welt anbot. Wenn Bands wie die Renft Combo oder Sänger wie Wolf Biermann systemkritische Texte wagten, wurden sie kurzerhand verboten. Diese Repressionen führten auch in der DDR zu Krawallen, die Beteiligte durch harte Strafen weiter politisierten, so dass sich über den Rock eine kritische Jugendszene etablierte.[23]

II. Rebellion und Abschottung

Bei den Jugendlichen aus den westdeutschen Oberschichten entluden sich die Spannungen zwischen den Generationen eigentlich erst in der Studentenbewegung der späten sechziger Jahre. Diese Revolte eines wachsenden Teils der Nachkriegskinder entzündete sich an den autoritären Strukturen der überkommenen Ordinarienuniversität, der amerikanischen Intervention im Vietnamkrieg und der unaufgearbeiteten Vergangenheit der eigenen Väter im Dritten Reich. Ihre gewaltfreien Formen des Sit-ins, des Teach-ins und der Verkehrsblockaden übernahmen die Protestierenden aus Anregungen der amerikanischen Bürgerbewegung, die gegen die Rassendiskriminierung demonstrierte. Der ideologische Kern war weitgehend ein westlicher Marxismus, den die Neue Linke wie z. B. Adorno oder Marcuse durch Zusätze von Psychologie und Kulturkritik modernisierte und daher im Gegensatz zu den dogmatisierten Phrasen der SED wieder attraktiv machte. Die Demonstrationen kulminierten in dem tragischen Tod von Benno Ohnesorg und dem Attentat auf den charismatischen Anführer Rudi Dutschke in Berlin in den Jahren 1967 und 1968. Diese brutalen Akte bewirkten wachsende Sympathie für die Studentenbewegung auch unter Schülern, die durch die autoritären Strukturen der Schulen ihren Faschismusverdacht bestätigt sahen, weil sie sich nach freieren Unterrichtsformen sehnten.[24]

Neben den organisatorisch führenden Neo-Marxisten im Sozialistischen Deutschen Studentenbund (SDS) waren es die eher spontanen Antiautoritären in den Kommunen, welche die Generationsrebellion in weitere Kreise trugen. Erstere bemühten sich durch Lektüre der Texte von nicht-stalinistischen Linken um die Erarbeitung einer systematischen Analyse der Probleme des »Spätkapitalismus«. Sie fühlten sich mit dem anti-imperialistischen Befreiungskampf in Lateinamerika oder anderen Ländern der Dritten Welt solidarisch und sie suchten vergebens Kontakt zu der durch Teilhabe am Wohlstand träge gewordenen Arbeiterschaft als Speerspitze einer zukünftigen Revolution. Die Antiautoritären hingegen probierten neue Lebensformen vor allem im sexuellen Bereich durch Einrichtung von Wohngemeinschaften aus. Sie praktizierten originelle Ironisierungen der Macht wie das geplante Puddingattentat auf den US-Vizepräsidenten Hubert Humphrey, und verstanden es, das Medieninteresse an ihrem unkonventionellen Aussehen auszunützen. Auch wenn die »Worte des Vorsitzenden Mao« zur Pflichtlektüre wurden, war die Revolte nicht von der SED ferngesteuert, denn es waren eher spielerische Elemente des Antiautoritarismus, die Breitenwirkung zeigten.[25]

Trotzdem entwickelte sich aus der Frustration über die ausbleibende Revolution bald eine Rechtfertigung von »Gegengewalt«, welche die Front der Unterdrücker aufbrechen sollte. Es begann in der linken Jugendszene als Abenteuerkonflikt mit den »Bullen«, eine Art von Spiel zwischen selbsternannten Revolutionären und Ordnungshütern, in dem Pflastersteine und »Mollis« flogen, Autos in Flammen aufgingen und die Scheiben der Springerpresse zu Bruch gingen. Die Verherrlichung von »Stadtguerilleros« als Nachahmung des lateinamerikanischen Befreiungskampfes führte dann bald auch zu Gewalt gegen Personen, die sich bei einer kleinen Minderheit zu einem regelrechten Terrorismus auswachsen sollte. Aber um die Täter der Roten Armee Fraktion, der Bewegung 2. Juni und anderer Gruppen gab es eine Sympathisantenszene von Intellektuellen, die den Krieg gegen das System rechtfertigten und immer neue Jugendliche unterstützten, die »abtauchten« und kriminell wurden, um ihre Illegalität zu finanzieren. Erst der blutige Höhepunkt der Schleyer-Entführung, der Mogadischu-Befreiung und der Baader-Meinhof-Selbstmorde vom deutschen Herbst 1977 machte die Konsequenzen des Terrorismus klar und brachte dann die meisten Radikalen zur Vernunft zurück.[26]

Die Mehrheit der Achtundsechziger bestand aber weder aus neo-marxistischen Revolutionären noch aus anti-autoritären Politclowns, sondern aus Jugendlichen, die das bundesrepublikanische System durch Reformen verbessern wollten. Willy Brandts Aufruf »mehr Demokratie wagen« aus dem Jahre 1969 wurde zur Losung für eine ganze Alterskohorte von Aktivisten, die »den langen Marsch durch die Institutionen« auf sich nahmen, um diese von innen heraus zu verändern. In den Universitäten bestanden sie auf dem Abbau von Hierarchien, der Sozialrelevanz von Forschung sowie der Mitbestimmung von Studierenden und Personal in drittelparitätischen Gremien. In den Schulen und Kindergärten forderten sie einen weniger autoritären Lernstil und klagten ihre eigenen Rechte gegenüber Lehrern ein. In den Kommunen verlangten sie den Abbau von bürokratischen Regeln und eine stärkere Beteiligung von Bürgern an lokalen Angelegenheiten. Obwohl sie in der öffentlichen Erinnerung an 1968 unterbelichtet blieben, waren es eher diese Radikaldemokraten, die viele der Reformen durchsetzten, welche zur »Fundamentalliberalisierung« der Bundesrepublik beitrugen.[27]

Dagegen fehlte in der DDR eine vergleichbare Generationsrevolte und deswegen auch eine ähnliche Auflockerung des SED-Systems. Zwar sympathisierten auch hier viele Jugendliche mit den tschechoslowakischen Reformen, die auf einen »Sozialismus mit menschlichem Antlitz«, also eine Demokratisierung des Kommunismus hinzielten. Aber die Partei und Stasi unterdrückten öffentliche Sympathiekundgebungen und verfolgten diejenigen, die ihre Anteilnahme zu offen zu erkennen gaben. Die Spannung zwischen den Generationen war im Osten weniger scharf, weil die SED-Führung für sich selbst den Bonus des »Antifaschismus« reklamierte, also das Verdienst des Widerstandes gegen den Nationalsozialismus für sich in Anspruch nahm.[28] Gleichzeitig erstickte die scharfe Überwachung jede abweichlerische Regung, ließ also keine Möglichkeit für öffentlichen Ausdruck von Protest. Auch fungierte die Familie als Rückzugsraum in der »durchherrschten« Gesellschaft, eine Sphäre der nichtpolitisierten Privatheit, die Jugendliche trotz aller Spannungen mit ihren Eltern nicht gerne aufs Spiel setzten. Erst in den 1980er Jahren bildete sich eine vergleichbare Subkultur von jungen Systemkritikern.

Anpassen und Aussteigen (1975 bis 1990)

I. Divergenz und Wiederannäherung

Das kulturelle Resultat der Generationsrevolte im Westen war ein verbreiteter »Wertewandel« unter den Jugendlichen, der ihr späteres Verhalten nachdrücklich veränderte. Dieser internationale Begriff deutet auf eine Abwendung von den bürgerlichen »Sekundärtugenden« wie Ordnung, Fleiß, Sauberkeit oder Respekt für Obrigkeit hin, die oft als Vorbedingungen des Nationalsozialismus verspottet wurden, obwohl sie mehr mit der Entwicklung einer liberalen Zivilgesellschaft zu tun hatten. Damit verbunden war eine Hinwendung zu »postmateriellen Werten«, d.h. zu Zielen wie Umweltschutz, Geschlechtergleichheit oder Frieden, also einer Sozialethik, die über die Anhäufung von individuellem Wohlstand und materiellem Konsum hinausging. Wo solche neuen Orientierungen sich auf das Gemeinwohl richteten, konnte dieser Wertewandel durchaus konstruktiv wirken, aber wo er mehr mit dem Genuss der vielfältigen Konsummöglichkeiten verbunden war, rechtfertigte er eher einen reinen Hedonismus.[29] In der DDR waren solche Strömungen, die die Jugend subkutan dem Projekt des Sozialismus entfremdeten, auch ansatzweise zu beobachten, aber wegen der »Fürsorgediktatur« von Honecker etwas schwächer ausgeprägt.[30]

Die konstruktiven Impulse des Wertewandels schlugen sich in den Neuen Sozialen Bewegungen nieder, die meist von jungen Erwachsenen und Jugendlichen getragen wurden.[31] Verärgert über das Macho-Gebaren der SDS-Führung, gründeten junge Feministinnen eine neue Frauenbewegung, die die Geschlechterdiskriminierung thematisierte, Freiräume für weibliche Entwicklung schuf und gesetzliche Gleichstellungsgarantien einforderte. Als Reaktion auf die zunehmende Verpestung der Umwelt durch unbegrenztes industrielles Wachstum entstand Anfang der siebziger Jahre eine neue Umweltbewegung, die weit über traditionellen Naturschutz hinausging, in zahlreichen Bürgerinitiativen für die Verbesserung lokaler Lebensbedingungen agitierte und besonders vor den Gefahren der Atomkraftentwicklung warnte. Im Kontext des zweiten Kalten Krieges und der Nachrüstungsdebatte formierte sich schließlich eine erneute Friedensbewegung, die unter dem Einfluss der Westarbeit des MfS vor allem auf die Westmächte gerichtet war, aber dennoch in ihren Ostermärschen und Proklamationen wie dem Krefelder Appell eine grenzübergreifende Abrüstung verlangte. Obwohl als kollektiver Ausstieg aus einer »no-future« Moderne konzipiert, mündeten diese Bewegungen mit der Gründung der Grünen Partei wieder in Reformversuche der Bonner Demokratie ein.[32]

Am anderen Ende des politischen Spektrums entstand zuerst im Westen, aber in kleinerem Maße auch im Osten, eine rechtsradikale Skinhead-Subkultur. Obwohl sich die Mehrheit der Jugendlichen in der Nachkriegszeit zu Demokratie oder Sozialismus bekannte, lebte in einer kleinen Minderheit eine romantisierte Erinnerung an das Dritte Reich fort, die von der verlorenen Größe Deutschlands träumte und Ostgebiete zurückforderte. Für unangepasste, aber autoritätsgläubige Jugendliche übten die Symbole des Nationalsozialismus eine enorme Faszination aus, gerade weil sie universell verpönt waren. Junge Männer fühlten sich zu dem Gruppenerlebnis von Alkohol und Gewalt hingezogen, besonders wenn es sich an identifizierbaren Feinden wie Punks oder Fremden austoben konnte und mit einem prickelnden Gefühl von Gefahr wegen illegaler Aktionen verbunden war. Auch wenn die meisten Fußballrowdys oder Skinheads eher apolitisch waren, boten sie doch ein fruchtbares Rekrutierungsfeld für neonazistische Bestrebungen.[33]

II. Konformität und Loyalitätsverlust

Trotzdem passte sich in den achtziger Jahren die große Mehrheit der westlichen Jugendlichen wieder an das nun liberalisierte System der Bundesrepublik an, so dass Altachtundsechziger über ihre fehlende Radikalität zu klagen begannen. Auch während der Generationsrevolte hatte ein erheblicher Teil der Alterskohorte aus konventionelleren katholischen oder evangelischen Elternhäusern nicht wirklich mitgemacht. Diese nun *jungen* Erwachsenen begrüssten eher die Kohlsche Rückwendung zu etablierten Werten, auch wenn sich die Ordnung der fünfziger Jahre nicht einfach wieder herstellen ließ. Gleichzeitig wandte sich ein weiterer Teil der Jugendlichen wieder dem neo-liberalen Credo des Wettbewerbs, der Leistung und der entsprechenden Belohnung zu, brach also mit dem dominanten Post-Marxismus der Linken.[34] Deswegen wirkten die diversen K-Gruppen, die an Universitäten noch ideologische Schlachten schlugen, immer mehr wie Fossilien im Vergleich zu den weniger politisch als karrieremäßig denkenden Altersgenossen. Die wachsende Europäisierung des Horizonts bei den neokonventionellen Jugendlichen gab dieser schleichenden Normalisierung jedoch auch eine attraktive Zukunftsperspektive.

In der DDR trug dagegen die erst Anfang der achtziger Jahre beginnende Entwicklung einer dissidentischen Gruppenszene substantiell zum Sturz des SED-Regimes bei. Aus Protest gegen die NVA-Wehrpflicht entwickelte sich im Schatten der Evangelischen Kirche auch dort eine Friedensbewegung, die die offizielle Propaganda beim Wort nahm und die Militarisierung der Gesellschaft anprangerte. Als Reaktion auf das Waldsterben im Erzgebirge und die Vergiftung von Luft und Wasser im Chemiedreieck um Halle-Bitterfeld entstand eine eigenständige Umweltbewegung, die lokale Initiativen zum Schutze der beschädigten Natur unternahm. Trotz der nominellen Geschlechtergleichheit und sozialer Unterstützungen für ledige Mütter bildete sich auch in Ostdeutschland eine unabhängige Frauenbewegung, die den sozialistischen Paternalismus bekämpfte. Die repressive Reaktion der Partei auf solche unautorisierte Bemühungen führte dann zur wachsenden Erkenntnis der Notwendigkeit von Menschenrechten und verwandelte die zersplitterten und von der Stasi durchsetzten Gruppen langsam in eine politische Opposition, die eine Demokratisierung des Sozialismus propagierte.[35]

Auch unter der Mehrheit der Jugendlichen aus der Arbeiterschaft verlor der Kommunismus bei aller noch notwendigen Anpassung immer mehr an ideologischer Bindekraft. Wenn man einigermaßen vernünftig leben wollte, musste man zwar mit dem System Kompromisse schließen, denn auch im realen Sozialismus war das Bestreben der jungen Leute immer mehr auf individuelle Befriedigung innerhalb des vorgegebenen Rahmens statt auf die Realisierung einer Utopie gerichtet. Aber die deutliche Unterlegenheit des Ostens im Wettbewerb der Populärkultur und des Massenkonsums untergrub langfristig die Loyalität der sonst eher konformistischen jungen Generation. Wer wirklich unabhängig sein wollte, versuchte entweder in den Westen auszureisen, und immer mehr junge Leute gingen in den späten achtziger Jahren dieses Risiko ein, oder er musste aus den Systemstrukturen aussteigen, seine beruflichen Hoffnungen begraben, konnte aber dafür in der Gruppenszene selbstbestimmter leben. Obwohl der demokratische Aufbruch vom Herbst 1989 keineswegs eine Jugendbewegung war, da er von der Altersgruppe der Vierzigjährigen geführt wurde, war er doch durch die dreifache Erosion der Legitimität unter den Jugendlichen in der Partei, unter den Ausreisewilligen und bei den Dissidenten vorbereitet worden.[36]

Transformationen von Jugend

Das Beispiel der Jugend zeigt ein Muster von erstaunlichen Gemeinsamkeiten und dennoch prägenden Systemunterschieden, die nur teilweise von internationalen Einflüssen überlagert wurden. Die gemeinsamen Grundsituationen von Zusammenbruch, Wiederaufbau, Teilung, Populärkultur, Wertewandel usw. brachten trotz politischer Gegensätze ähnliche, aber zeitversetzte Trends hervor. So sollte es nicht überraschen, dass sich z.B. die westliche Bewegung der Punks auch in kleinerem Maße in der DDR entwickelte, dort aber viel schärfere Konflikte hervorrief.[37] Allerdings waren die Organisationsformen der einheitlichen FDJ und der pluralen Jugendverbände durchaus unterschiedlich. Auch gab es im Westen mehr Anlässe, aber auch größere Möglichkeiten zur Artikulierung von Generationsspannungen. Organisierte Kontakte zwischen Jugendlichen in beiden Teilen rissen durch den Mauerbau immer mehr ab und konnten danach auch nur punktuell wieder geknüpft werden. Aber der enorme Einfluss der westlichen Rockmusik und der dazugehörigen Populärkultur drang schließlich doch über die Mauer und schuf gemeinsame Sozialisationserfahrungen. Daher zeigt sich auch in der Jugend der paradoxe Befund von gleichzeitiger Verflechtung und Abgrenzung.[38]

Darüber hinaus wurden Jugendliche in Ost und West von tiefgreifenden Wandlungsprozessen geprägt, die sich über kleinere Stilunterschiede der Alterskohorten hinweg zu drei größeren Generationsperspektiven verdichtet haben. Die »45er« (zwischen 1920 und 1935 geboren) waren die so genannte HJ- oder Aufbaugeneration, die sich von den NS-Illusionen distanzieren und aus den Trümmern des Zusammenbruchs wieder ein halbwegs normales Leben aufbauen musste. Teilweise schon in den fünfziger Jahren zu Macht und Einfluss gekommen, hat sie die Entwicklung der beiden deutschen Staaten bis 1990 dominiert. Die »68er« dagegen (zwischen 1935 und 1950 geboren) waren vor allem im Westen die Rebellen, die gegen die von ihnen als restaurativ empfundene Bürgerlichkeit der Bundesrepublik revoltierten, um eine friedlichere, gerechtere und demokratischere Gesellschaft zu schaffen. Ihr folgenreiches Scheitern hat durch eine Kulturrevolution die Werte und Verhaltensweisen nachdrücklich verändert, obwohl sie schließlich selbst Verantwortung für die Demokratie übernommen haben. Die »89er« (zwischen 1950 und 1970 geboren), die den Zusammenbruch des Kommunismus vorbereitet hatten und die »unverhoffte Einheit« erleben durften, haben, allen rechten Hoffnungen auf Re-Nationalisierung zum Trotz, noch keine einheitliche Generationssprache gefunden, sondern sind weiterhin auf der Suche nach einer kollektiven Identität.[39]

Während im Osten Jugendliche von der SED-Diktatur verführt worden sind, konnten sie sich im Westen zwischen 1945 und 1990 als Teil der gesellschaftlichen Liberalisierung größere Freiheiten erkämpfen. Zunächst haben sie hart daran mitgearbeitet, die materielle Not zu überwinden, so dass anfängliche Überlebensängste nur noch eine schemenhafte Erinnerung bilden. Danach haben sie sich politisch »westernisiert« und kulturell »amerikanisiert«, wodurch das problematische deutsche Sonderbewusstsein weitgehend verschwunden ist. Mit der Generationsrevolte haben sie es geschafft, autoritäre Strukturen in Schule, Familie und Arbeitsplatz aufzubrechen und durch kooperative Verhaltensweisen zu ersetzen, so dass sich die Disziplin deutlich gelockert hat. Durch die Dramatisierung der Folgen ihrer traditionellen Unterordnung haben sie eine Reihe von Persönlichkeitsrechten wie eine frühere Volljährigkeit gewonnen, die ihnen mehr Unabhängigkeit bot. Die daraus folgende Pluralisierung der Stile hat zur Auffächerung in unterschiedliche Subkulturen geführt, die vom Punk bis zum Yuppie und vom Christen bis zum Skinhead reichen. Mehr denn je sind Lebensentwürfe nun individuell wählbar geworden.[40] Ein Teil des demokratischen Aufbruchs im Osten war daher auch ein Versuch, sich im Sozialismus ähnliche Freiräume zu schaffen.

Die Erhebung der Jugend in einen Kultstatus durch die Medien ist dennoch nicht ohne neue Gefahren geblieben. Wenn Jugendlichkeit zum Leitbild der Reklame wird, verschwimmt die Altersgrenze zum Erwachsenwerden, was problematische Wortschöpfungen wie den »Twen« hervorgebracht hat. Auch das krampfhafte Bemühen von sportlichen Herren und gelifteten Damen um eine jugendliche Erscheinung in fortgeschrittenem Alter entbehrt nicht der Lächerlichkeit. Die Kommerzialisierung von Jugendstilen bewirkt eine neue Form der Abhängigkeit von Produkt-»labels«, Musiktrends und Kleidungsmoden, die den Generationsprotest zur Ware verformt hat. Vor allem die Verbreitung von Drogen, seien es weiche Formen wie Alkohol und Nikotin oder härtere Varianten wie Cannabis und Kokain, führt jugendliche Illusionen der Freiheit schnell in neue Suchtabhängigkeiten, von denen viele tödlich enden. Die Vielfalt der neuen Möglichkeiten hat anscheinend auch zu einer Verantwortungsverweigerung und Bindungsschwäche geführt, die eine gewisse psychologische Verkrüppelung mit sich bringt.[41] Trotz eindrucksvoller Befreiung aus alten Fesseln bleibt die Jugend daher weiterhin ein schwieriges Übergangsstadium, das sich nach der Bewältigung der alten Probleme nun mit einer ganzen Reihe von neuen Herausforderungen auseinandersetzen muss.

Anmerkungen

1 John R. Gillis, Youth and History. Tradition and Change in European Age Relations, 1770-Present, New York 1981, 2. rev. Aufl.; und Ulrich Herrmann, Jugend in der Sozialgeschichte, in: Wolfgang Schieder/Volker Sellin, (Hrsg.), Sozialgeschichte in Deutschland, Göttingen 1987, Bd. 4, S. 133–155.

2 Jürgen Reulecke, Jugend – Entdeckung oder Erfindung? Zum Jugendbegriff vom Ende des 19. Jahrhunderts bis heute, in: Willi Bucher (Hrsg.), Schock und Schöpfung. Jugendästhetik im 20. Jahrhundert, Darmstadt 1986, S. 21–25, sowie Christa

Berg, »Familie, Kindheit, Jugend«, in: Dies. (Hrsg.), Handbuch der deutschen Bildungsgeschichte, München 1991, Band 4, 1870–1918, S. 120ff.

3 Klaus Saul, Der Kampf um die Jugend zwischen Volksschule und Kaserne. Ein Beitrag zur »Jugendpflege« im wilhelminischen Reich, in: Militärgeschichtliche Mitteilungen (1983), H. 2, S. 97–143.

4 Gustav Wyneken, Der Kampf um die Jugend, Berlin 1919, 4. rev. Aufl.; Helge Pross, Jugend, Eros und Politik. Die Geschichte der deutschen Jugendverbände, Frankfurt 1964; Joachim H. Knoll, Wandervogel. Phänomene, Eindrücke, Prägungen, Neuwied 1988.

5 Cornelius Schley, Sozialistische Arbeiterjugend Deutschlands (SAJ). Sozialistischer Jugendverband zwischen politischer Bildung und Freizeitarbeit, Frankfurt 1987. Michael Buddrus, Totale Erziehung für den Totalen Krieg. Hitlerjugend und nationalsozialistische Jugendpolitik, München 2003.

6 Konrad H. Jarausch, Restoring Youth to its own History, in: History of Education Quarterly 15 (1975), S. 445–456.

7 So der Eindruck einer Stichprobe zur Nachkriegszeit der von Walter Kempowski gesammelten Autobiographien. Typische Organisationschroniken sind die Vereinsgeschichten der studentischen Korporationen. Vgl. Konrad H. Jarausch, Deutsche Studenten, 1800–1970, Frankfurt 1984.

8 Kenneth Keniston, Psychological Development and Historical Change, in: Journal of Interdisciplinary History 2 (1971), S. 329–45; Joseph Kett, Rites of Passage. Adolescence in America 1790 to Present, New York 1977.

9 Der Generationsansatz ist ebenso beliebt wie schwierig, weil er meist nur auf Minderheiten abhebt. Vgl. Mark Roseman (Hrsg.), Generations in Conflict. Youth Revolt and Generation Formation in Germany, 1770-1968, Cambridge 1995; Heinz Bude, Das Altern einer Generation. Die Jahrgänge 1938 bis 1948, Frankfurt 1995.

10 So z.B. Kaspar Maase, BRAVO – Amerika. Erkundungen zur Jugendkultur der Bundesrepublik in den fünfziger Jahren, Hamburg 1992.

11 Jürgen Kleindienst, Hungern und Hoffen. Jugend in Deutschland 1945 bis 1950, Berlin 2000.

12 Karl-Heinz Füssl, Die Umerziehung der Deutschen. Jugend und Schule unter den Siegermächten des Zweiten Weltkriegs 1945 bis 1955, Paderborn 1994; und Kimberly Redding, Growing up in Hitler's Shadow. Remembering Youth in Postwar Berlin, Westport 2004.

13 Maria Höhn, GIs and Fräuleins. The German-American Encounter in 1950s West Germany, Chapel Hill 2002.

14 Ulrich Herrmann (Hrsg.), Jugendpolitik in der Nachkriegszeit. Zeitzeugen, Dokumente, Forschungsberichte, Weinheim 1993.

15 Leonore Ansorg, Kinder im Klassenkampf. Die Geschichte der Pionierorganisation von 1948 bis Ende der fünfziger Jahre, Berlin 1997.

16 Ulrich Mählert, Blaue Hemden - Rote Fahnen. Die Geschichte der FDJ, Opladen 1996. Vgl. Helga Gotschlich, »Links und links und Schritt gehalten …« Die FDJ: Konzepte – Abläufe-Grenzen, Berlin 1994.

17 Franz-Werner Kersting, Helmut Schelskys »Skeptische Generation« von 1957. Zur Publikations- und Wirkungsgeschichte eines Standardwerks, in: Vierteljahrshefte für Zeitgeschichte, 50 (2003), S. 465–495.

18 Als Beispiel vgl. Helmut Kohl, Erinnerungen, Bd. 1: 1930–1982, München 2004.

19 Hans Modrow, Ich wollte ein neues Deutschland, Berlin 1998, 2. Aufl. Vgl. Auch Dorothee Wierling, Geboren im Jahr Eins. Der Jahrgang 1949 in der DDR. Versuch einer Kollektivbiographie, Berlin 2002.
20 Konrad H. Jarausch/Hannes Siegrist (Hrsg.), Amerikanisierung und Sowjetisierung in Deutschland 1935 bis 1970, Frankfurt 1997.
21 Uta Poiger, Jazz, Rock, and Rebels. Cold War Politics and American Culture in a Divided Germany, Berkeley 2000. Vgl. auch Maase, BRAVO – Amerika (Anm. 11).
22 Heiner Stahl, DT64 – Vom Festivalradio zur Jugendsendung. Handlungsspielräume zwischen Blauhemd, Beatmusik und 11. Plenum, in: Rundfunk und Geschichte, 29 (2003), S. 121–132.
23 Peter Skyba, Vom Hoffnungsträger zum Sicherheitsrisiko. Jugend in der DDR und Jugendpolitik der SED 1949 bis 1961, Köln 2000.
24 Ingrid Gilcher-Holtey, Die 1968er Bewegung. Deutschland – Westeuropa – USA, München 2001; Dies. (Hrsg.), 1968 – Vom Ereignis zum Gegenstand der Geschichtswissenschaft, Göttingen 1998.
25 Wolfgang Kraushaar, 1968. Das Jahr, das alles verändert hat, München 1998. Vgl. auch Dieter Kunzelmann, Leisten Sie keinen Widerstand! Bilder aus meinem Leben, Berlin 1998.
26 Gretchen Dutschke, Rudi Dutschke. Wir hatten ein schönes, barbarisches Leben. Eine Biographie, München 1998. Vgl. auch Butz Peters, Tödlicher Irrtum. Die Geschichte der RAF, Berlin 2004.
27 Elizabeth Peifer, 1968 in German Political Culture. From Experience to Myth, Diss. Univ. of North Carolina 1997; Konrad H. Jarausch, Die Umkehr. Deutsche Wandlungen 1945 bis 1995, München 2004, S. 204ff.
28 Florian Havemann, »68er Ost«, in: UTOPIE kreativ, H. 164 (Juni 2004), S. 544–556. Vgl. Wierling, Geboren im Jahr Eins (Anm. 20).
29 Begriff von Ronald Ingelhart, The Silent Revolution. Changing Values and Political Styles among Western Publics, Princeton 1997. Vgl. auch Gerd Langguth, Suche nach Sicherheiten. Ein Psychogramm der Deutschen, Stuttgart 1995, S. 21ff.
30 Konrad H. Jarausch, Realer Sozialismus als Fürsorgediktatur. Zur begrifflichen Einordnung der DDR, in: Aus Politik und Zeitgeschichte, B 20 (1998), S. 33–46.
31 Dieter Rucht, Neue Soziale Bewegungen. Deutschland, Frankreich und USA im Vergleich, Frankfurt 1994.
32 Andrei S. Markovits/Philip S. Gorski, Grün schlägt rot. Die deutsche Linke nach 1945, Hamburg 1997. Vgl. auch Hubertus Knabe, Die unterwanderte Republik. Stasi im Westen, Berlin 1999, S. 182ff., S. 234ff.
33 Christian Menhorn, Skinheads. Portrait einer Subkultur, Baden-Baden 2001; Hajo Funke, Brandstifter und Politik. Rechtsextremismus in der Berliner Republik, Berlin 2002.
34 Thomas Köhler, Jugendgenerationen im Vergleich. Konjunkturen des (Non-)Konformismus, in: Aus Politik und Zeitgeschichte, B 5 (2001), S. 7–13.
35 Ehrhard Neubert, Geschichte der Opposition in der DDR 1949-1989, Berlin 1997; Detlef Pollack, Politischer Protest. Politisch alternative Gruppen in der DDR, Opladen 2000.
36 Horst Dähn/Helga Gotschlich (Hrsg.), Und führe uns nicht in Versuchung – Jugend im Spannungsfeld von Staat und Kirche in der SBZ/DDR 1945 bis 1989, Berlin 1998; Peter Förster, Junge Ostdeutsche auf der Suche nach Freiheit. Eine Längs-

schnittstudie zum politischen Mentalitätswandel junger Ostdeutscher vor und nach der Wende, Opladen 2002.

37 Manfred Stock/Philipp Mühlberg, Die Szene von Innen. Skinheads, Grufties, Heavy Metals, Punks, Berlin 1990.

38 Christoph Kleßmann, Verflechtung und Abgrenzung. Aspekte der geteilten und zusammengehörigen deutschen Nachkriegsgeschichte, in: Aus Politik und Zeitgeschichte, B 29/30 (1993), S. 30–41. Dazu auch Konrad H. Jarausch, »Die Teile als Ganzes erkennen«. Zur Integration der beiden deutschen Nachkriegsgeschichten, in: Zeithistorische Forschungen, 1 (2004), S. 11 ff.

39 Vgl. zwei politikwissenschaftliche Beispiele von Generationskonstruktionen für die Nachkriegsgeschichte: Peter Merkl, German Unification in a European Context, University Park 1993, S. 40 ff.; Joyce Mushaben, From Post-War to Post-Wall Generations. Changing Attitudes toward the National Question and NATO in the Federal Republic of Germany, Boulder 1998, S. 15 ff.

40 Ulrich Herbert (Hrsg.), Wandlungsprozesse in Westdeutschland. Belastung, Integration, Liberalisierung 1945 bis 1980, Göttingen 2002.

41 Florian Illies, Generation Golf. Eine Inspektion, Berlin 1999.

Rolf Brütting

»Wir griffen nach den Sternen ...« Zwischen Konsens und Konflikt – Jugend als didaktische Kategorie

Didaktische Rahmenbedingungen

Zu den Kernaufgaben der Geschichtsdidaktik zählen nach Peter Gautschi die Erforschung, Begründung, Entwicklung und Reflexion von erfolgversprechenden Lernsituationen, Lernwegen und Lernumgebungen für den Geschichtsunterricht. Dies bedingt Forschungshandlungen in den Leistungsbereichen Empirie, Theorie und Strategie. Schüler sollen im Unterricht ihre Aufmerksamkeit auf Vergangenes richten, dieses wahrnehmen und für sich rekonstruieren und deuten. Oder mit anderen und genaueren Worten: Sie begegnen Partikeln aus der Vergangenheit und setzen sich mit historischen Narrationen auseinander, in denen Vergangenes bereits gedeutet wird, und sie akzeptieren und bilden Sinnzusammenhänge als Motivation für ihr zukünftiges Handeln. Solche Narrationen sind keineswegs nur wissenschaftliche und Quellentexte, sondern grundsätzlich jede Art der Darstellung von Geschichte, auch und gerade etwa Bilder, Denkmäler, Filme, Lieder oder Karikaturen. In der Denkbewegung der Rekonstruktion bauen die Lernenden Analyse, Sach- und Werturteil aufeinander auf. Die damit untrennbar notwendig zu verbindende Dekonstruktion wiederum untersucht Perspektivität, Standort und Aussageabsicht von Sinnbildungsangeboten.

In diesem wesentlichen Ansatz der Dekonstruktion von Narrationen – und Geschichte ist ja als Stoff immer abwesend und begegnet nur und ausschließlich im Gewand der Narration – lassen sich als zweites vor allem Jugendgenerationen auch und gerade didaktisch durch eine kultursoziologische Rekonstruktion unterschiedlicher Wahrnehmungszusammenhänge, v. a. durch die Kategorien »Erfahrungsraum« und »Erwartungshorizont« voneinander absetzen. Nach Reinhart Koselleck birgt der Erfahrungsraum »gegenwärtige Vergangenheit, deren Ereignisse einverleibt worden sind«; der Erwartungshorizont hingegen »zielt auf das Noch-Nicht, auf das nicht Erfahrbare, auf das nur Erschließbare«.[1] Erfahrungsräume Heranwachsender können weit, frei und kulturell reichhaltig sein – oder eng, öde, ja sogar, um mit Michael Rutschky zu sprechen »verderbt«[2]. Ihre Erwartungshorizonte wiederum können »zugezogen sein, verdüstert; oder aufgehellt, offen, sogar von beängstigend diffuser Grenzenlosigkeit gekennzeichnet«[3] sein.

Als drittes hier greifendes didaktisches Prinzip folgt sachlogisch zwingend daraus die Frage nach den Antworten, die beide Gesellschaftsformationen im Nachkriegsdeutschland für vergleichbare Herausforderungen in systemübergreifenden Modernisierungsaufgaben – hier also gegenüber den jeweiligen Formulierungs- und Präsentationsstilen der Jugendkulturen – gefunden oder entwickelt haben,[4] und deren reaktive Wahrnehmung durch die verschiedenen Alterskohorten, worüber noch zu sprechen sein wird.

Nicht zuletzt das genuin didaktische Konzept der »Erinnerungsorte« muss ergänzend und erweiternd an Stationen und Metaphern festgemacht werden, die im folgenden in Umrissen darzustellen sind.

Gerade in der Alltagserfahrung der Schülerinnen und Schüler verbergen sich oft vorbewusst oder gar irrational historische Probleme. Ein darauf ausgerichteter Unterricht wird diese Vorerfahrungen ernst nehmen, sie diskursiv ins Bewusstsein heben und damit den Lernenden bei der Findung und Entwicklung ihrer eigenen Identität wesentlich helfen. In einem Prozess der didaktischen Reflexion verwandelt sich so der historische Gegenstand »Jugend« aus einem beliebigen Inhalt in ein unterrichtliches Thema, verknüpft sich mit einer Zielvorstellung in didaktischer Perspektive. Erst dieser Akt der Themensetzung ermöglicht eine gezielte, schülerorientierte Entfaltung der Fachinhalte.

Abb. 1: Didaktisches Strukturgitter

<table>
<tr><td colspan="2">Antworten beider Gesellschaftsformationen auf</td></tr>
<tr><td>Erfahrungsräume</td><td>Erwartungshorizonte</td></tr>
<tr><td colspan="2">und deren reaktive Wahrnehmung durch Jugendliche</td></tr>
<tr><td colspan="2">Schülerinnen und Schüler analysieren und interpretieren diese Problemlagen
in Rekonstruktion und Dekonstruktion historischer Narrationen</td></tr>
<tr><td colspan="2">und entdecken sie in der Manifestation von Erinnerungsorten
»Lieux de mémoire«</td></tr>
</table>

Jugend zwischen Erfahrungsraum und Erwartungshorizont

Zwei Herausforderungen gilt es immer und für jeden Jugendlichen zu bewältigen: Er soll sich individuieren und gleichzeitig – bei Ausweitung des adoleszenten Moratoriums (konsumptive Selbständigkeit vs. ökonomische Abhängigkeit) – in die Gesellschaft integrieren. Jugend wird gemeinhin als

Krise begriffen, wobei individuelle und gesellschaftliche Krisensituationen unterschieden werden. Auch Jugendliche sind in ihrem Alltag jeweils Mitglieder verschiedener Mikrosysteme, wie der Familie, der Schule und der Peer Group. Zwischen diesen Mikrosystemen gibt es Interaktionen, an deren Gestaltung die Jugendlichen selbst aktiv beteiligt sind, wobei einige Systempartikel gleichsam als Kristallisationskerne von Gleichaltrigenkulturen gelten dürfen. Heranwachsende sind aber außerdem Teil anderer Systeme, die sie kaum oder gar nicht beeinflussen können: Klasse und Schulsystem, Lehrpläne, Wohngebiet, Milieu. In diesem Bereich allerdings kommt der subjektiven Wahrnehmung eine große Bedeutung zu: Wer den Eindruck hat, zu den Verlierern zu gehören, wird anders reagieren als jemand, der diese Wahrnehmung nicht hat. Von daher ist zu warnen, den großstädtischen Gymnasiasten als stilbildendes Muster im Rahmen der Jugendkulturen zu sehen. Durch widerstreitende oder sich gar widersprechende Orientierungen Erwachsener und Jugendlicher in ihren jeweiligen Erfahrungsräumen und Erwartungshorizonten lassen sich derartige Generationenkonflikte besonders auch im Unterricht verschärft als Konflikte der Konstrukte und Visionen formulieren und analysieren. Eine solche didaktische Nutzanwendung der historischen Sozialisationsforschung greift auf deren Arbeitsergebnisse des Rekonstruktionsversuchs der jeweils zeittypischen Bedingungen der Lebenswelten und der in ihnen erworbenen Erfahrungen zurück und unterzieht diese dann der notwendigen Dekonstruktion.

Es bleibt allerdings eine immer gültige didaktische Forderung, die Interdependenz von Effekten auf der Mikroebene in verknüpfende und begründende Beziehung zu setzen zu den Prozessen des sozialen Wandels im Makrosystem mit seinen soziokulturellen, politischen und ökonomischen Strukturen – und das ist häufig schwer genug einzulösen. Sonst droht die Gefahr, Phänomene der Alltagsgeschichte mit den Methoden der Oral History, der Zeitzeugenbefragung, zwar sehr anschaulich werden zu lassen, aber begrifflich blind zu bleiben.

Paternalismus in Ost und West

Die erste schockierende Irritation in den westlichen fünfziger Jahren, der »Pubertät der Republik«, war eine akustische: Im Rock'n'Roll artikulierten vor allem Arbeiterjugendliche in einem subkulturellen Stil einen noch sprachlosen Protest, dessen habituelle Ablehnung der kleinbürgerlichen Alltagsordnung sich in den Krawallen zeigte, die die Tourneen etwa eines Bill Haley begleiteten. Als Thema im didaktischen Sinn eignet sich hier der letztlich vergebliche paternalistische Erklärungs- wie Betreuungsversuch einer – wenn auch nicht namensgleichen – »Schmutz-und-Schund-Kampagne« im Osten wie im Westen. Nach Überwindung dieser Bürgerschreck-Phase haben Konsum und Praxis von westlicher Musik aber insgesamt dazu geführt, dass die Jugend in der Bundesrepublik weltoffener und toleranter wurde. Die besonders attraktive Selbstdarstellung in der Artikulationsfigur des »Teenagers« – medial, kommerziell und somit politisch gewollt – kehrte seit dem Ende der fünfziger Jahre die Maßstäbe von Anpassung in kulturellen Stilen und Verhaltensmuster um; die in ihrer Domestikation harmlos-affirmativen Teenager beerbten die provokativen Halbstarken. Nun konnten sich die Erwachsenen in positiver Identifikation den Erscheinungsformen dieser Jugend angleichen. Der Soziologe Friedrich Tenbruck sprach 1962 sogar von einem »Puerilismus der Gesamtkultur« mit dem Signum, dass »Umgang, Vergnügen, Lektüre, Freizeit, Moral, Sprache, Sitte der Erwachsenen zunehmend jugendliche Züge« zeigten.[5] Erwachsene sahen Jugendliche jetzt und seitdem oft als Lotsen durch die Untiefen der neuen Konsumgesellschaft; bei Musik, Filmen, Mode, Kosmetika, Autos kannten Jugendliche sich deutlich besser aus als ihre Eltern und beide hatten oft dieselben Vorstellungen und Idole.

Für die DDR wiederum stand die Jugend im Zentrum der Planung des Aufbaus einer neuen Gesellschaft. War sie am Anfang die erste Altersgruppe, auf die die SED sich in einem »autoritären Befehlshaushalt«[6] verlassen zu können meinte, so wurde sie schließlich die erste, die Partei und Staat innerlich wie äußerlich verließ. So erinnert sich eine Bürgerin der ehemaligen DDR an ihre Jugendzeit: »Wir griffen nach den Sternen, wollten das höchste Menschenglück. (...) Lichte Horizonte ahnten wir. Und dort prangte ein Ziel, ein einziger Begriff für all das, was menschlich ist, Freiheit, Gleichheit, Brüderlichkeit. Das Zauberwort hieß: Kommunismus. Für ihn lohnte sich alle Mühe. Dafür lernten wir. Dafür wollten wir arbeiten. Mädchen genauso wie Jungen. Bei der Wahl des Berufes überlegte man weniger: Was würde mir Spass machen? Eher: Womit wäre ich am nützlichsten? Ich wuchs heran mit einem Wust von unerreichbaren Idealen, aus denen unerfüllbare Forderungen an mich entstanden. (...) Mit zwanzig, als Studentin der Jounalistik, schob ich die Spitzelwut, die Engstirnigkeit und Verlogenheit der Hochschullehrer und ihrer Helfer unter den Studenten auf ihre persönliche Unfähigkeit, nie aber auf den Sozialismus als Ganzes, mein Ziel und Ideal. (...) Ich war ein Pionier geblieben bis über die Dreißig. Und es gab viele wie mich ... Nein, es war nicht nur Angst und Feigheit. Und wir haben es auch nicht nur mit uns machen lassen. Wir haben es selbst gemacht. Wir sind einem falschen Ideal aufgesessen.«[7]

Der aktiven und innovativen Teilhabe am Aufbau in der Gründungsphase folgte – trotz einiger Menetekel – ein durchaus integriertes Mitmachen, aber am Ende standen eben die kleinen wie großen Fluchten. An der Generationenfolge lässt sich in der gleichheitsfixierten Verquickung von Herrschaft und Alltag gleichsam eine Sollbruchstelle in dem Prozess festmachen, der zur Trennung von System und Bevölkerung führte, hielten sich doch die »Gründerväter« zur Tragik aller Folgegenerationen mit aller Macht an den Hebeln derselben fest – und dies in deutlichem Gegensatz zum Weststaat.

Krisenerfahrungen in der DDR

Die politische Sozialisation der Jugendgenerationen war in der DDR im Unterschied zur Bundesrepublik des Wirtschaftswunders von Anfang an durch Krisenerfahrungen geprägt: Der 17. Juni 1953, der 13. August 1961, auch der kulturelle Kahlschlag von 1965 oder die Invasion in den Prager Frühling veränderten entweder von heute auf morgen oder doch in wahrnehmbaren Schritten ihren Erfahrungsraum wie Erwartungshorizont. Konflikte im eigentlichen engeren Alltagsraum der Jugendlichen bieten sich ergänzend als Fallstudien an, etwa FDJ vs. Junge Gemeinde oder Jugendweihe vs. Konfirmation. Hierzu liegt inzwischen reiches und farbiges Material in den Veröffentlichungen vor allem der Landeszentralen der neuen Bundesländer vor. Das Jugendkommuniqué und Jugendgesetz von 1963/64, das Jugendradio DT 64, ja selbst und gerade die Weltjugendfestspiele 1973 – die aufgrund ihrer exemplarischen Konkretheit allesamt didaktisch-methodische Fundgruben für den Geschichtsunterricht vor allem in der Sekundarstufe I bilden – gaukelten eine Scheinblüte vor, die immer wieder in starre Jahre der Stagnation mündete. Im Sinne ihres Selbstverständnisses einer aufklärerisch-volkserzieherischen Tradition versuchte die DDR bis in die siebziger Jahre hinein als Antwort auf Protest wie Verweigerung von Jugendlichen ein »kulturelles Hebungsprogramm« durchzuführen in der »Verwandlung der Gesellschaft in eine Umerziehungsanstalt mit Schule und Betrieb als bestimmenden Sozialisationsinstanzen«[8].

Jedoch: Der »American Way of Life« faszinierte von den späten vierziger bis zu den sechziger Jahren die Jugend eben nicht nur der Bundesrepublik. Die amerikanische Massenkultur aus Rock'n'roll, Jeans und Hollywood-Filmen wurde zum sichtbaren Ausdruck des Aufbegehrens gegen die Werte der Erwachsenen, zu einer Lebenshaltung auch in der DDR. So galt die Musik in den fünfziger Jahren als gefährliche Waffe des Klassenfeinds: »Der heutige »Boogie-Woogie« ist ein Kanal, durch den das barbarisierende Gift des Amerikanismus eindringt und die Gehirne der Werktätigen zu betäuben droht. Diese Bedrohung ist ebenso gefährlich wie ein militärischer Angriff mit Giftgasen. (...) Hier schlägt die amerikanische Amüsierindustrie mehrere Fliegen mit einer Klappe: Sie erobert den musikalischen Markt der Länder und hilft, deren kulturelle Unabhängigkeit durch den Boogie-Woogie-Kosmopolitismus zu untergraben; sie propagiert die degenerierte Ideologie des amerikanischen Monopolkapitalismus mit seiner Kulturlosigkeit, seinen Verbrecher- und Psychopathenfilmen, seiner leeren Sensationsmache und vor allem seiner Kriegs- und Zerstörungswut.«[9] Die Staatsführung musste letztlich erkennen, dass es keinen Sinn hatte, etwa westliche Popmusik zu verbieten, wo man diese im Fernsehen oder Hörfunk empfangen und aufzeichnen konnte. Schrittweise machte man Zugeständnisse, in der Hoffnung, die Jugend doch noch für sich gewinnen zu können. Übten allerdings Rockmusiker in ihren Texten Kritik an den politischen Verhältnissen im Lande, so wurde ihre Band mit Auftrittsverbot belegt oder gleich ganz verboten.

Die konfligierenden Generationen in den sechziger Jahren als methodische Chance

In den langen sechziger Jahren trafen in beiden Gesellschaftsformationen in Koexistenz und Konkurrenz fünf verschiedene, jeweils schon oder noch aktiv im Leben stehende Generationen aufeinander. »Generation« soll hier verstanden werden als soziale Formation bestimmter Geburtsjahrgänge, die durch spezifische Prägungen, Denk- und Handlungsmuster sowie durch ein vages Gefühl der Zusammengehörigkeit miteinander verbunden sind (nach Detlef Siegfried), wenn auch eine Skizzierung idealtypisch bleiben muss und daher kaum nach Herkunft und Region, Geschlecht oder sozialem Status differenzieren kann.

Neben den noch vor der Jahrhundertwende Geborenen und denen, die in der Weimarer Republik sozialisiert worden waren und in den dreißiger Jahren ihre Karrieren begonnen hatten, wurden die sechziger Jahre vor allem von denen geprägt, die als Kinder im »Dritten Reich« enkulturiert worden waren. Sie hatten das Kriegsende als Jugendliche erlebt und begannen ihr Berufsleben mit dem demokratischen Neuanfang. Sie sind als »Flakhelfer«- oder »45er«-Generation bezeichnet worden oder eben von Helmut Schelsky als »skeptische Generation« – ein Etikett, das sich durchsetzte und im Gedächtnis haften blieb. Anfangs betrachteten sie die nachfolgende Generation der 68er wohlwollend als mögliche Partner für eine politische und kulturelle Erneuerung der Bundesrepublik.

Abb. 2: Fünf Generationen der sechziger Jahre in Koexistenz und Konkurrenz

Im Kaiserreich sozialisiert: Konrad Adenauer (* 1876) Theodor Heuss (1884) Ludwig Erhard (1897) Heinrich Lübke (1894) Gustav Heinemann (1899)	*Im Kaiserreich sozialisiert:* Wilhelm Pieck (1876) Walter Ulbricht (1893) Otto Grotewohl (1894)
Im Ersten Weltkrieg/Weimar sozialisiert: Kurt Georg Kiesinger (1904) Herbert Wehner (1906) Eugen Gerstenmaier (1906) Axel Springer (1912) Willy Brandt (1913)	*Im Ersten Weltkrieg/Weimar sozialisiert:* Hilde Benjamin (1902) Erich Mielke (1907) Erich Honecker (1912) Kurt Hager (1912) Willi Stoph (1914) Host Sindermann (1915) Hermann Axen (1916)
Im Nationalsozialismus sozialisiert (die 45er): Helmut Schmidt (1918) Rudolf Augstein (1923) Rainer Barzel (1924) Hans-Dietrich Genscher (1927) Oswalt Kolle (1928) Klaus Rainer Röhl (1928) Hans Magnus Enzensberger (1929) Jürgen Habermas (1929) Günter Gaus (1929) Ralf Dahrendorf (1929) Kurt Biedenkopf (1930) Helmut Kohl (1930)	*Im Nationalsozialismus/Exil sozialisiert (die 45er):* Karl Eduard von Schnitzler (1918) Heinz Keßler (1920) Oskar Fischer (1923) Markus Wolf (1923) Günter Mittag (1926) Margot Honecker (1927) Hans Modrow (1928) Manfred Gerlach (1928) Günter Schabowski (1929)
In der Nachkriegszeit/ jungen BRD sozialisiert (die 68er): Ulrike Meinhof (1934) Dieter Kunzelmann (1939) Rudi Dutschke (1940) Gudrun Ensslin (1940) Andreas Baader (1943) Daniel Cohn-Bendit (1945) Gerhard Schröder (1944) Joschka Fischer (1948)	*In der Nachkriegszeit/ jungen DDR sozialisiert (die 68er?!):* Reiner Kunze (1933) Rudolf Bahro (1935) Wolf Biermann (1936) Manfred Stolpe (1936) Egon Krenz (1937) Jurek Becker (1937) Manfred Krug (1937) Lothar de Maizière (1940) Regine Hildebrandt (1941) Wolfgang Berghofer (1943) Wolfgang Thierse (1943) Rainer Eppelmann (1943) Friedrich Schorlemmer (1944) Bärbel Bohley (1945) Marianne Birthler (1948) Gregor Gysi (1948)
In den sechziger Jahren sozialisiert: Thomas Ebermann (1951) Jürgen Trittin (1954) Susanne Albrecht (1951)	*In den sechziger Jahren sozialisiert:* Markus Meckel (1952) Günther Krause (1953) Mathias Platzek (1953) Angela Merkel (1954) Steffen Reiche (1960)

Die fünfte Generation, geboren in den frühen fünfziger Jahren und sozialisiert in der zweiten Hälfte der Sechziger, stellte häufig die Anhänger und Wortführer in der Gegenkultur zahlreicher linkssozialistischer und kommunistischer Gruppierungen der siebziger Jahre.

Die Protagonisten in der erwähnten Gleichzeitigkeit der Generationen erweisen sich aber in Zuordnung und Bewertung als von hoher didaktischer Relevanz. Eine solche methodische Propädeutik prosopographischen Arbeitens, etwa mit Hilfe von Lexika und Internet, aber auch durch intergenerationelle Befragungen, öffnet den Schülern im Quer- wie Längsschnitt des Ansatzes den Blick für die oben vorgestellten disparaten »Erfahrungsräume« und daraus resultierenden »Erwartungshorizonte«, vor allem auch im Vergleich zwischen Bundesrepublik und DDR. Die Analyse und Bewertung derartiger biographischer Ungleichzeitigkeiten in der kalendarischen Gleichzeitigkeit wird leider häufig im Unterricht vernachlässigt, obwohl gerade dadurch oft – und keineswegs nur den Schülerinnen und Schülern! – verblüffende Einsichten gelingen können, jenseits der wohl bekannten Lebensläufe von Konrad Adenauer oder Walter Ulbricht.

Der Kontrast und das tendenzielle Konfligieren der Erfahrungswelten von Eltern und Kindern war tatsächlich zu keinem Zeitpunkt in der Nachkriegszeit größer als in den langen sechziger Jahren: »Sie schieben immer ihre Jugendzeit vor und glauben, dass sie uns beeinflussen können. Sie bedenken aber leider nicht, dass die Zeiten sich geändert haben, dass die Wissenschaft fortgeschritten ist, dass wir heute in einer Zeit des so genannten Wohlstands leben. Im Grunde sind sie ja vielleicht eifersüchtig, dass sie keine solche Jugendzeit verleben konnten, da sie in die Kriegsjahre fiel. Sie verharren auf ihren alten Methoden und Gebräuchen«.[10] Dennoch war das Verhältnis in der familiären Gemeinschaft in aller Regel wesentlich entspannter und vertrauensvoller als das soziale Generationenverhältnis; die zunehmende Inkompatibilität der Erfahrungswelten behinderte die Kommunikation vor allem in der gesellschaftlichen Öffentlichkeit, traf dort allerdings auf eine politisch gewollte Toleranz gegenüber abweichenden Stilen, mit der sich die »Cold War Liberals« (Uta G. Poiger) vom vergangenen Nationalsozialismus wie vom gegenwärtigen Staatssozialismus der DDR abzuheben gedachten. Im langen Schatten der NS-Vergangenheit begann sich die Rhetorik zwischen den Generationen mit einem »emanzipativen Überschussbewusstsein«[11] zu radikalisieren, wie Günter Gaus in seinem berühmten Fernsehgespräch mit Rudi Dutschke feststellte: »Der Unterschied (...) zwischen Ihrer Generation und der Generation der heute Vierzig- bis Fünfzigjährigen scheint mir darin zu bestehen, dass Sie, die Jüngeren, die aus den vergangenen Jahrzehnten gewonnene Einsicht in die Verbrauchtheit der

Ideologien nicht besitzen. Sie sind ideologiefähig«[12]. Ein späterer Spiegel-Kommentar von Cordt Schnibben zum 2. Juni 1967 konkretisierte: »Jede Menge Gebote und Verbote hatte die deutsche Sofakissendiktatur ihren jungen Bürgern zu bieten – sitz gerade, geh zum Friseur, mach die Negermusik leiser, geh zur Tanzstunde, wasch den Wagen (...) Um Distanz zu bekommen zu diesem Leben, das nicht ihr Leben war, sondern das Leben ihrer Eltern, zogen in den sechziger Jahren immer mehr Westdeutsche in die großen verlassenen Wohnungen West-Berlins und begannen, ein neues Zusammenleben auszuprobieren. (...) Was sich jahrelang an Spannungen aufgebaut hatte im Wirtschaftswunderdeutschland, entlud sich an diesem heißen Juniabend gewaltsam. (...) Der Tod des Studenten (...) machte aus einer antiautoritären Revolte in West-Berlin die Protestbewegung der 68er, die das Land umkrempelte und bis heute prägt.(...) 65 Prozent der Studenten gaben später an, in den Wochen nach dem Tod (Benno Ohnesorgs) seien sie politisch geworden.«[13] Das didaktische Thema um die Chiffre 1968 wird die Rebellen im Westen den »Hausherren von morgen« im Osten gegenüberstellen und die reale Fundamentalliberalisierung mit den theoretischen Ansätzen der DDR-Verfassung 1974 und dem gleichzeitigen neuen Jugendgesetz kontrastieren.

Konvergenz von Protest und Popkultur

Der Erfahrungsraum für die Jugend der siebziger Jahre im Westen ist einerseits geprägt von der wachsenden Kommerzialisierung der Freizeit, zum anderen durch die Spirale der Gewalt zwischen RAF-Terrorismus und dem Staat als Wahrer eines Gewaltmonopols, das er nach anfänglichem Zögern auch hart gegen Hausbesetzer, die Anti-AKW-Bewegung oder die Nato-Doppelbeschluss-Demonstranten durchzusetzen versuchte. Der Erwartungshorizont wiederum scheint gänzlich eingetrübt nach einer Lektüre wie »Grenzen des Wachstums« oder der Prognosen des Club of Rome: Das »No future«-Syndrom führt zu einem präsentistischen Hedonismus – »es geht doch sowieso alles den Bach runter« –, der vor allem nicht mehr an die Mach- und Steuerbarkeit gesellschaftlicher Prozesse glaubt, »Saturday Night Fever« in den Discos, das Outfit der Popper und Yuppies. Ob es wirklich ein »reflexiv abgefedertes falsches Bewusstsein« (Peter Sloterdijk) war oder nicht doch eher der vorbewusst-bequeme Weg einer Eventbefriedigung auf den Märkten der rasch expandierenden Kulturindustrie – die dadurch eben zur Bewusstseinsindustrie zu werden droht –, eine solche Diskussion drängt sich auf der Basis der didaktischen Kriterien von Erfahrungsraum und Erwartungshorizont im Vergleich der Schülergenerationen von Damals und Heute im Unterricht geradezu auf.

Im Osten ging die Partei davon aus, dass die »integrierte Generation« (Bernd Lindner) nichts als ihren Staat kannte, eben ihre »Heimat DDR«; noch als junge Familien kamen sie in den Genuss des anspruchsvollen Konzepts der »Einheit von Wirtschafts- und Sozialpolitik« und deren erhöhten Transferzahlungen in der Phase einer vermuteten tatsächlichen Prosperität, was auch über Krisen hinweg eine tragfähige emotionale Bindung zu ermöglichen schien. Hier sollten im Unterricht die gegensätzlichen Ideologeme »Ergebnisgleichheit versus Chancengleichheit«[14] zum Thema gemacht werden. Der didaktische Zugriff auf diese quasi gedoppelten 68er muss gegen anderslautende Deutungsansätze (Bude, Engler, Simon) festhalten, dass die Ost-68er in ihrer Generation marginal blieben (Lindner) und höchstens als »ausgebremste Generation« (Bude) angesehen werden können: »Ein miefiges Gefühl des Wohlseins und der Übereinstimmung mit dem System prägten die siebziger und frühen achtziger Jahre«.[15]

Die kulturellen Parallelen zu den jeweils Altersgleichen in der BRD waren aufgrund einer aus Ost- und West-Bestandteilen amalgamierten Identität der Jugendlichen in der DDR jedoch immer deutlicher ausgeprägt als mögliche politische Affirmation. Obwohl unter den Bedingungen einer fürsorglichen Repression – »alles für das Volk, nichts durch das Volk« – die Lebensstilrevolution in Ansätzen steckenbleiben musste, war auch in der DDR eine Konvergenz von Protest und Popkultur zu beobachten, wenn sie auch die Qualität einer im Westen eintretenden »Kernfusion von Gegenkultur und Kulturindustrie« (Schildt) nicht erreichen konnte.

Zentrale didaktische, insbesondere auch fächerübergreifende Untersuchungsaspekte seien in Stichworten angedeutet:

- Kommerzialisierung, Freizeitindustrien, Durchdringung der Lebenswelt mit Medien;
- die anfänglichen, dann jeweils vereinnahmten Subkulturen von Kunst, Musik, Mode;
- die Stilisierung der Protagonisten zu Pop-Ikonen mit dem Konfligieren der Konstrukte aus verschiedenen Medienwelten;
- querliegend: die rechtsradikale Skinhead-Subkultur;
- Wertewandel vs. »Fürsorgediktatur«.

Wenn angeblich ein Mainstream der Minderheiten zumindest in der veröffentlichten Meinung die Jahrzehnte bestimmte – Hippies und Studenten die sechziger, Punks und Hausbesetzer die siebziger, Techno und Love Parade die achtziger und neunziger – so sollte ein reflexiver wie selbstreflexiver didaktisch-methodischer Umgang mit diesen Stilen/Stilisierungen, die den heutigen Schülern nur noch und ausschließlich über Narrationen vermittelt sind, gerade die Dekonstruktionskompetenz stärken: Nicht das krude faktische »Was« eines Rekonstruktionsansatzes ist auch in diesem Fall das Wichtige und Wesentliche, sondern die diachrone Untersuchung von Artikulations- wie Rezeptionsmechanismen in ihrer gegenseitigen Dependenz mit Zustimmung, Protest, Duldung und weiteren Aktions- wie Reaktionsmöglichkeiten. Hier bieten sich eine Vielzahl von Fallstudien aus dem lokalen und regionalen Umfeld der Schüler an, etwa der Umgang mit abweichendem Verhalten in beiden Gesellschaftsformationen.

Verweigerung und Doppelidentität

Als der Wertewandel und Mentalitätsumbruch auch die DDR erreichte, der allseits gebildete sozialistische Mensch nun paradoxerweise tatsächlich nach »individuellem Wohlstand, kultureller Vielfalt und geistigem Freiraum« (Lindner) strebte, wurde die Grundhaltung der »distanzierten Generation« zum eigenen Staat die des Protestes durch Verweigerung.

Als letzte Jugendgeneration wurden die Kinder der Integrierten Generation, die »Zonenkinder« (Jana Hensel), abrupt dem kalten Wind des Wechsels ausgesetzt. Ihre bisherigen Erfahrungsräume drohten vielfach entwertet zu werden, wurden in rasch einfallender Nostalgie jedenfalls kaum als »verderbt« wahrgenommen oder erinnert, oftmals hingegen ohne Distanzierung von ihren Eltern in »melancholischer Solidarisierung«[16] erlebt. Diese Jugendlichen blieben in ihrer Suche nach Orientierung wegen der Befangenheit oder des Ausfalls der Älteren häufig sich selbst überlassen: eine »unberatene Generation«[17] in einer Art »Doppelidentität«[18], die pragmatisch tastend die aus der Vereinigung resultierenden Möglichkeiten für ihre Persönlichkeitsentwicklung, freiwillig in Jugendkulturen und Reisen, oft unfreiwillig in Ausbildung und Beruf, negativ in Arbeitslosigkeit, findet, erfindet und ausprobiert: »The power of now«.

Als Fallbeispiel einer linken Diktatur ist die DDR den Schülern in den alten und neuen Ländern inzwischen gleichermaßen fern. Daher gilt es auch in Zukunft im Schulunterricht einer bisweilen von der älteren Generation vermittelten einseitigen Sichtweise entgegenzuwirken (Übertreibung und Vereinfachung versus Verklärung und Verniedlichung). Dies kann gerade bei dem Thema Jugend nur gelingen, wenn das wissenschaftliche Konzept der asymmetrischen Verflochtenheit der deutsch-deutschen Nachkriegsgeschichte didaktisch fruchtbar gemacht wird. Auf diesem mühsamen, aber lohnenden Weg kann eine Geschichtskultur entstehen, in der histori-

Abb. 3: Das didaktische Schema des Aufsatzes

<table>
<tr><td colspan="2">Transformationen von Jugend in Deutschland nach 1945
als kulturelle Aneignungsprozesse</td></tr>
<tr><td>Bundesrepublik</td><td>SBZ/DDR</td></tr>
<tr><td colspan="2">HJ-Generation: Hungern und Hoffen</td></tr>
<tr><td>US-Jugendclubs
Bundesjugendring</td><td>FDJ
Junge Pioniere
Konflikte mit kirchlicher Jugendarbeit.</td></tr>
<tr><td>*Thema Schmutz + Schund-Kampagne*
»Skeptische Generation« (Schelsky)
Karrierechancen
Rockmusik, Beatles</td><td>*Thema Ev. Junge Gemeinde*
Aufbaugeneration
Entnazifizierung Lehrer/Juristen
»Singebewegung«
(vs. Renft-Combo, Wolf Biermann)
(NÖSPL)
Jugendkommuniqué 1963
Jugendgesetz 1964
Kahlschlagplenum 1965</td></tr>
<tr><td>*Thema Elvis Presley*</td><td>*Thema DT 64*</td></tr>
<tr><td colspan="2">*Mediatisierung, Kommerzialisierung als Sozialisierungsinstanzen*</td></tr>
<tr><td>1968er Rebellen
SDS, Spontis, Stadtguerilleros, RAF,
Bewegung 2. Juni</td><td>(Fehlanzeige)
»Hausherren von morgen«
Stasi unterdrückt und verfolgt</td></tr>
<tr><td>*Integration, Privatsache, Durchgangsphase*
Fundamentalliberalisierung,
langer Marsch durch die Institutionen</td><td>*Duldung vs. Durchgreifen*
1974 neue Verfassung
1974 neues Jugendgesetz</td></tr>
<tr><td>*Thema 1968*</td><td>*Thema Weltfestspiele 1973*</td></tr>
<tr><td colspan="2">peer group, autonome Jugendkultur</td></tr>
<tr><td>Wertewandel
Gemeinwohl vs. Hedonismus
Neue soziale Bewegungen: Umwelt,
Frauen, Frieden
münden in die Grüne Partei
Reformversuche
Rückwendung zu etablierten Werten
Wettbewerb, Leistung
Europäisierung, Globalisierung
NGOs</td><td>»Fürsorgediktatur« Honeckers
Dissidenten-Gruppenszene:
Friede, Umwelt, Frauen,

Menschenrechte, Demokratisierung

Kompromisse mit dem System
Ausreisebewegung, Aussteiger
Wir sind das Volk</td></tr>
<tr><td>*Fallstudie nach Vorschlag der Schüler*</td><td>*Fallstudie Schulkonflikt*</td></tr>
<tr><td colspan="2">*Querliegend*: Rechtsradikale Skinhead-Subkultur: Alkohol und Gewalt</td></tr>
<tr><td colspan="2">Wir sind ein Volk</td></tr>
<tr><td colspan="2">89er Generation: Pluralisierung und weitere Kommerzialisierung der Stile</td></tr>
</table>

sches »Fühlen, Wollen und Denken« (Jörn Rüsen) der gleichzeitig lebenden Generationen die Gesellschaft nicht zerreißt, sondern im Sinne von Ernest Renan als »tagtägliches Plebiszit« zu einer nationalen Identität beiträgt, die schließlich mit sich selbst Frieden geschlossen hat und nicht nach Europa flieht, sondern dort wirklich ankommen will.

Anmerkungen

1 Reinhart Koselleck, »Erfahrungsraum« und »Erwartungshorizont« – zwei historische Kategorien, in: Ders., Vergangene Zukunft. Zur Semantik geschichtlicher Zeiten, Frankfurt 1989, S. 349–375, hier S. 354f.
2 Michael Rutschky, Erfahrungshunger. Ein Essay über die siebziger Jahre, Köln 1980.
3 Thomas Köhler, Jugendgenerationen im Vergleich: Konjunkturen des (Non-)Konformismus, in: Aus Politik und Zeitgeschichte, B 5/2001, S. 7, dem das Referat auch andere Gedankengänge schuldet.
4 Vgl. Dietrich Mühlberg, Von der Arbeitsgesellschaft in die Konsum-, Freizeit- und Erlebnisgesellschaft, in: Christoph Kleßmann/Hans Misselwitz/Günter Wichert (Hrsg.), Deutsche Vergangenheiten – eine gemeinsame Herausforderung, Berlin 1999, S. 176–205.
5 Friedrich Tenbruck, Jugend und Gesellschaft, Freiburg 1962, S. 49f.
6 Jutta Ecarius, Ostdeutsche Kindheiten im sozialgeschichtlichen Wandel, in: Aus Politik und Zeitgeschichte, B 22–23/2002, S. 33.
7 Vera-Maria Baehr, Wir denken erst seit Gorbatschow, Recklinghausen 1990, S. 7–9.
8 Dietrich Mühlberg, Die DDR als Gegenstand kulturhistorischer Forschung, in: Mitteilungen aus der kulturwissenschaftlichen Forschung, 16/1993/33, S. 7–85, hier S. 39.
9 Ernst Hermann Meyer, Musik im Zeitgeschehen, Berlin-Ost 1952, S. 162, zit. nach Michael Rauhut, Rock in der DDR, Bonn 2002, S. 6.
10 Thilo Castner, Schüler im Autoritätskonflikt, Neuwied 1969, S. 40.
11 Vgl. Christian Krause/Detlef Lehnert/Klaus-Jürgen Scherer, Zwischen Revolution und Resignation, Bonn 1980.
12 Gretchen Dutschke-Klotz/Helmut Gollwitzer/Jürgen Miermeister (Hrsg.), Rudi Dutschke. Mein langer Marsch, Reinbek 1980, S. 49.
13 Cordt Schnibben, Der Tag, an dem Benno Ohnesorg starb, in: Der Spiegel, 2. 06. 1998, S. 109ff.
14 Heiner Meulemann, Werte und Wertewandel, Weinheim 1996, S. 372.
15 Stefan Wolle, Die »nachvollziehende Rebellion« der DDR-Achtundsechziger, in: Leviathan 1998, 4, S. 530.
16 Thomas Köhler, Jugendgenerationen im Vergleich: Konjunkturen des (Non-)Konformismus, in: Aus Politik und Zeitgeschichte, B 5/2001, S. 13.
17 Bernd Lindner, Die Generation der Unberatenen, in: Berliner Debatte Initial, 14, 2003.
18 Peter Förster, Junge Ostdeutsche heute: doppelt enttäuscht, in: Aus Politik und Zeitgeschichte, B 15/2003, S. 12.

6. Der Staatssicherheitsdienst

Roger Engelmann und Axel Janowitz

Die DDR-Staatssicherheit als Problem einer integrierten deutschen Nachkriegsgeschichte

Die Staatssicherheit: Nicht »Regionalgeschichte« sondern »Nationalgeschichte«

Die Frage nach der Verortung des Themenfeldes »Staatssicherheit der DDR« in einer integrierten Nachkriegsgeschichtsschreibung wirft besondere fachwissenschaftliche und didaktische Fragen auf, handelt es sich doch auf den ersten Blick um einen rein »ostdeutschen« Gegenstand. Die Tätigkeit des Ministeriums für Staatssicherheit (MfS) war zweifellos in erster Linie nach innen gerichtet, der mit Abstand größte Teil der von seiner Tätigkeit Betroffenen lebte folglich in der DDR. Doch kann das Wirken des MfS (wie auch die Geschichte der DDR insgesamt) deshalb nicht zu einem quasi regionalgeschichtlichen Thema degradiert werden. Das verbieten die vielfältigen deutsch-deutschen Bezüge der Thematik wie auch die banale Tatsache, dass deutsche Geschichte in der Phase der Teilung zwangsläufig die Geschichte beider Teile ist.

Forschung und Vermittlung im Bereich der Staatssicherheitsthematik[1] treffen auf unterschiedliche Adressatengruppen mit sehr unterschiedlichen Einstellungen, Erfahrungen, Kenntnissen oder Lern-Voraussetzungen. Publikationen und Veranstaltungen der politischen Bildung haben daher verschiedene Interessenlagen, Erfahrungshintergründe und Rezeptionsbedingungen zu berücksichtigen. Lehrerfortbildungen oder Schülerprojekte in Dresden, Hamburg, Tauberbischofsheim oder Eberswalde sind auch hinsichtlich der Vermittlungsinhalte und -formen nicht gleichzusetzen.

Bei Veranstaltungen mit Schülern spielen Ost-West-Unterschiede im Bereich des unmittelbaren persönlichen Erfahrungshintergrundes inzwischen kaum mehr eine Rolle. Zugleich aber kann ein durch das Elternhaus oder andere Sozialisationsinstanzen vermitteltes regionales »Sonderbewusstsein« als »Ossi« oder »Wessi« durchaus auch noch in dieser Generation wirksam sein, so dass auch die Arbeit mit dieser Adressatengruppe, die die deutsche Teilung nicht mehr oder nicht mehr bewusst erlebt hat, je nach regionaler Herkunft sehr unterschiedliche Anforderungen stellt. Zwar geht mit einem »ostdeutschen Sonderbewusstsein« nur sehr selten der Wunsch nach Wiederherstellung der alten Verhältnisse einher[2], doch lässt sich teilweise eine Tendenz zur Verklärung und Nostalgisierung der DDR beobachten, die von der Ausblendung elementarer Grundtatsachen der Herrschaftswirklichkeit im SED-Staat (politische Repression und Überwachung, Missachtung elementarer Grundrechte, unmenschliches Grenzregime, etc.) lebt.

Bei den Lehrkräften in den neuen Bundesländern können (berufs-)biografisch bedingte Abwehrhaltungen oder Rechtfertigungsstrategien in die Behandlung des Themas einfließen oder dazu führen, dass in der knappen Unterrichtszeit eine Fokussierung auf scheinbar politikferne Seiten der DDR-Realität erfolgt.

In den alten Bundesländern steht die Vermittlung des Themas DDR-Staatssicherheit vor anders gelagerten, aber ebenfalls erheblichen Herausforderungen. Lehrkräfte, Schüler/innen und Eltern haben hier größtenteils keinen persönlichen Bezug zur Thematik, teilweise nur geringe Kenntnisse der DDR-Geschichte und in der Regel schon gar kein fundiertes Wissen über das MfS. Auch bei Lehrkräften und Eltern in den alten Bundesländern bestimmen (frühere) politische Einstellungen das DDR-Bild. Auf diese Weise übertragen sich mitunter Prägungen der älteren Generation, die aus der politischen Sozialisation in der Bundesrepublik der 1970er und 1980er Jahre herrühren, auf heutige Schüler/innen.

Bei der Behandlung der DDR-Geschichte im Unterricht sind weitere Ost-West-Spezifika zu verzeichnen, die hier nur kursorisch angedeutet werden können. So wird in den alten Bundesländern die Geschichte der DDR oft nicht als Teil der eigenen »Nationalgeschichte«, sondern als Regionalgeschichte der östlichen Bundesländer begriffen. Auch in den neuen Bundesländern ist manchmal eine Tendenz zur »regionalen« Fokussierung vorhanden, die die Behandlung des Themas Staatssicherheit erschweren kann.

Zusammenfassend ist festzustellen, dass man im Bereich der Geschichtsvermittlung[3] mit dem Phänomen des geteilten Umgangs, einer geteilten Wahrnehmung und einer ungleichen Bereitschaft, sich des Themas »DDR-Staatssicherheit« als Teil einer gesamtdeutschen Vergangenheit anzunehmen, konfrontiert ist. Der Ansatz, die deutsche Nachkriegsgeschichte als integrierte Geschichte unter Vergleichsaspekten und unter dem Gesichtspunkt der asymmetrischen Verflochtenheit zu betrachten, erscheint insofern als viel versprechend und fruchtbar.

Abweichend von dem für andere Beiträge dieses Bandes gewählten Vorgehen, eine Fragestellung jeweils separat unter dem wissenschaftlichen und dem didaktisch-umsetzungsorientierten Aspekt zu erschließen, sollen hier die geschichtswissenschaftlichen und pädagogisch-didaktischen Aspekte zusammen behandelt werden. Diese Darstellungsform spiegelt den von den Autoren gewählten Erarbeitungsprozess wider. Zu wichtig erschien gerade in der Phase, in der sowohl fachwissenschaftlich als auch fachdidaktisch weitgehend Neuland beschritten wird, die enge Verbindung dieser beiden Bereiche und die gemeinsame und wechselseitige Entwicklung von Fragestellungen zu sein. Es soll hiermit der Versuch unternommen werden, das Konzept der integrierten Nachkriegsgeschichte durch eine ebenfalls integrierte wissenschaftlich-didaktische Herangehensweise zu operationalisieren. Auf den gegenwärtigen Werkstattcharakter des Vorhabens sei an dieser Stelle noch einmal ausdrücklich hingewiesen.

Im Folgenden sollen zunächst thematisch bedingte, spezifische Problemlagen erörtert werden. Die Betrachtung eines komparativen Ansatzes wird sich anschließen. Danach werden einige ausgewählte Themenfelder skizziert, die geeignete Ansatzpunkte für eine Beschäftigung mit dem MfS im Rahmen einer deutsch-deutschen Beziehungsgeschichte bieten:

- der deutsch-deutsche Systemkonflikt in der harten Phase des Kalten Krieges der 1950er Jahre, hieraus wird das Einzelthema »Die politische Justiz in der Bundesrepublik und der DDR der 1950er Jahre« in einem eigenen Abschnitt vertieft,
- »Westarbeit« der DDR – offene und verdeckte politische Beeinflussungsversuche der SED in der Bundesrepublik,
- deutsch-deutsche Entspannung und ihre Auswirkungen auf die inneren Verhältnisse der DDR und die Tätigkeit des MfS.

Abschließend wird anhand der Thematik »Abwanderung und Flucht in die Bundesrepublik als ein systemgefährdendes Dauerproblem der DDR« ein didaktischer Umsetzungsvorschlag skizziert.

Das Herrschaftsinstrument »Staatssicherheit« – Inhaltlich-didaktische Vorbemerkungen

Zunächst sollen das MfS und seine Rolle in der DDR unter dem Aspekt der Wissenschaftsorientierung, der Gesellschaftsorientierung und der Schülerorientierung in der Geschichtsvermittlung betrachtet und damit die Frage nach der Eignung als Unterrichtsthema oder als Thema eines außerschulischen Vorhabens verbunden werden.

Wissenschaftsorientierung

Der Forschungsstand zu Strukturen, Methoden und Wirkungsweise des MfS sowie zu seiner Verflechtung mit Staat und Gesellschaft, also die fachwissenschaftlichen Grundlagen für eine Beschäftigung mit dem Thema »DDR-Staatssicherheit« sind inzwischen relativ gut.[4] Zugleich ist, bedingt durch den fortschreitenden Erschließungsprozess der Unterlagen und einen unvermindert hohen Einsatz von Forschungsressourcen, in diesem Themenbereich nach wie vor eine relativ rasche Ausweitung des Kenntnisstandes zu verzeichnen. Neue Fragestellungen entwickeln sich im Forschungsprozess, wobei hervorzuheben ist, dass insbesondere in der Vergangenheit entsprechende Impulse auch aus nicht-akademischen Bereichen kamen. Der prozessuale Charakter der Geschichtsschreibung und die Besonderheiten der Zeitgeschichte als Geschichte der noch lebenden Generationen können an diesem Beispiel so deutlich gemacht werden, wie bei kaum einem anderen Thema. Anhand der Spezifik der Archivalien als Akten einer Geheimpolizei lässt sich die Perspektivgebundenheit von Quellen besonders gut verdeutlichen. Gerade die Dominanz dieser Überlieferung für bestimmte Themengebiete (Repression, Opposition, westliche Aktivitäten in der DDR) lässt das Erfordernis eines quellenkritischen Umgangs deutlich werden. Die unmittelbare Öffnung und intensive wissenschaftliche Auswertung des Aktenbestandes einer Geheimpolizei ermöglichen Einsichten in das Funktionieren eines solchen Apparates, die in dieser Zeitnähe und diesem Umfang als historisch bisher einmalig zu betrachten sind.

Gesellschaftsorientierung

Neben dem historischen Gegenstand »DDR-Staatssicherheit« sind auch damit im Zusammenhang stehende gegenwartsbezogene Aufarbeitungsthemen von hohem Interesse. Das MfS war kein »Staat im Staate«, wie früher teilweise postuliert wurde. Dieser nach wie vor noch populären Auffassung liegt zuweilen eine dämonisierende, häufiger aber die isolierende und exkulpierende Vorstellung zu Grunde, wonach die DDR ohne die Stasi ein gut funktionierender Staat ohne repressiven Charakter hätte sein können. Die kontextualisierte Auseinandersetzung mit dem Wirken der Stasi in den unterschiedlichen Bereichen der DDR-Gesellschaft wirkt vorhandenen Mystifizierungen entgegen und bietet die Grundlage für weiterführende und verallgemeinernde Fragen nach Wesen und Funktionsweise diktatorischer Systeme sowie den Voraussetzungen für funktionierende Demokratien.

In diesen Zusammenhang fügen sich auch die Beschäftigung mit dem Aufarbeitungsprozess von seinen Ursprüngen in der friedlichen Revolution

1989/90 bis in die Gegenwart und die Auseinandersetzung mit der gesellschaftlichen Debatte über das MfS sowie den Umgang mit den Stasi-Akten.

Schülerorientierung

Dietmar von Reeken hat sich dafür ausgesprochen, die Bedeutung der Geschichtskultur im Geschichtsunterricht zu thematisieren.[5] Als eine Dimension einer unterrichtspragmatischen Didaktik der Geschichtskultur empfiehlt er, Geschichtskultur selbst als Lerngegenstand zu wählen und als Quelle für die Analyse alltäglicher Artikulationen von Geschichtsbewusstsein zu nutzen. In den Mittelpunkt stellt er die Frage, wie eine Gesellschaft mit Geschichte umgeht, und er schlägt vor, die Schüler/innen regelmäßig zu fragen, wo und in welcher Form ihnen Geschichte im Alltag begegnet ist. Das Ziel ist, Schülern und Schülerinnen die Möglichkeit zu geben, ein Gefühl für die alltägliche Präsenz von Geschichte auch außerhalb der Schule zu entwickeln.

An tagespolitischen Anknüpfungspunkten für die Wahrnehmung der Präsenz der Geschichte der DDR im heutigen Alltag herrscht in Ost und inzwischen auch West (etwa im Zusammenhang mit den Debatten um die »Rosenholz«-Dateien oder die angeblich »unterwanderte Republik«) kein Mangel. Das Beispiel der kontrovers geführten Auseinandersetzungen über die Verwendung und den Wert der Stasi-Unterlagen kann in der Diskussion innerhalb von Kleingruppen oder im Klassenverband mit der grundsätzlichen Frage verbunden werden, ob die Aufarbeitung der SED-Diktatur ein rein ostdeutsches Problem darstelle. Die daraus zu entwickelnde Frage, warum die Beschäftigung mit den Stasi-Unterlagen und die Aufarbeitung der DDR-Vergangenheit für einen heute 16-Jährigen aus Leipzig von größerer Bedeutung sein sollten als für die 16-Jährige Hamburgerin, kann im Idealfall zu einer Diskussion der Einordnung der DDR-Geschichte in die gesamtdeutsche Nachkriegsgeschichte führen.

Schülerorientiertes Arbeiten erfordert natürlich auch, wo es möglich ist, den inhaltlichen Bezug zur Alltagsrealität der Schüler/innen herzustellen.[6] Dies kann bei der Auswahl von Quellen berücksichtigt werden: MfS-Unterlagen, die neben den MfS-Akten über jugendliche Betroffene oder IM auch Filme über die Observierung oder die ideologische Schulung Jugendlicher mit einschließen können, bieten sich an. Beispiele zu finden, die sich für eine integrative Geschichtsdarstellung eignen, heißt auch, die westdeutschen Schüler/innen nicht aus den Augen zu verlieren und neben den lebensweltlichen auch regionale Anknüpfungspunkte zu erschließen, z. B. durch Themen wie die Überwachung von Städtepartnerschaften durch das

MfS oder Gespräche mit Zeitzeugen, die geflüchtet oder ausgereist sind und ihre neue Heimat in der Region gefunden haben.

Umsetzung

I. Parallelen und Kontraste: Notwendigkeit und Grenzen eines Vergleichs von MfS und bundesdeutschen Diensten

Auf den ersten Blick scheint eine vergleichende Untersuchung der Geheimdienste von DDR und Bundesrepublik der nächstliegende Ansatz für die Beschäftigung im Rahmen einer integrierten Geschichtsdarstellung zu sein. Dieser Ansatz ist aber nur dann sinnvoll, wenn über die Parallelitäten die Kontraste nicht verwischt werden. Schließlich hatte das MfS als Herrschaft sichernde Geheimpolizei der SED-Diktatur in der geschlossenen Gesellschaft der DDR eine elementar andere Funktion und teilweise gänzlich andere Aufgaben als die Nachrichtendienste in der offenen, pluralen Gesellschaft der Bundesrepublik, in der gesellschaftliche Kontroversen – nicht zuletzt auch solche über die Befugnisse von Verfassungsschutz und anderen »Diensten« – öffentlich ausgetragen wurden und werden. So hatte das MfS unbeschränkte und unkontrollierte Befugnisse zur Postüberwachung, zum Abhören von Telefonen und der Innenraumüberwachung, zu konspirativen Wohnungsdurchsuchungen, und es konnte ohne Begründung und Antrag auf Informationen aus allen vorhandenen Datenspeichern (z.B. Meldekarteien, Kaderakten) zugreifen. Die Betroffenen erfuhren von diesen Vorgängen in der Regel nichts. Das MfS hatte außerdem exekutive polizeiliche und strafprozessuale Befugnisse. Betroffene saßen oft Monate lang ohne Rechtsbeistand und ohne jeden Kontakt zur Außenwelt bei der Stasi in U-Haft. Darüber hinaus war die vielfältige Präjudizierung der Urteile in politischen Strafverfahren durch politische Instanzen und die Geheimpolizei eher die Regel als die Ausnahme.

Die nahezu unbeschränkten Kontrollbefugnisse und Informationsmöglichkeiten des MfS umfassten alle staatlichen und gesellschaftlichen Bereiche der DDR mit Ausnahme des Parteiapparats. Heute gibt es daher kaum einen Bereich der historischen Forschung – das gilt auch für wirtschaftsgeschichtliche, alltagsgeschichtliche, sozialgeschichtliche und kulturgeschichtliche Forschungen –, der auf eine Einbeziehung der MfS-Unterlagen verzichten kann, ohne wichtige Realitätsbereiche auszublenden. Allein dieser Teil-Aspekt des umfassenden, gesamtgesellschaftlichen Informationswertes der Stasi-Unterlagen für die Geschichtsforschung verdeutlicht einen zentralen Unterschied von MfS und bundesdeutschen Geheimdiensten.

Auch hinsichtlich Tradition und Genese sind MfS und westdeutsche Geheimdienste sehr verschieden. Das MfS war und begriff sich als Geheimpolizei sowjetischen Typs und leitete seine Methoden und Aufgaben, zu denen in diesem Bezugssystem politische Repression und Disziplinierung gehörten, aus dieser »tschekistischen«[7] Traditionslinie ab. Die Niederschlagung der Aufstände und Reformversuche innerhalb des sozialistischen Lagers hatten unmittelbaren und teilweise weit reichenden Einfluss auf die Funktionsentwicklung des MfS. Bei einer komparativen Betrachtung dürfen allerdings die teilweise problematischen Ursprünge der westdeutschen Nachrichtendienste auch nicht unerwähnt bleiben (Abteilung »Fremde Heere Ost« der Wehrmacht als Vorläufer des Bundesnachrichtendienstes, anfänglich NS-belastetes Personal auch in den Verfassungsschutzämtern).

Vor dem Hintergrund dieser elementaren Unterschiede stellt sich die Frage, wie man die Rolle des MfS innerhalb des komplexen Wechselverhältnisses von Abgrenzung, Verflechtung und Aufeinanderbezogensein von DDR und Bundesrepublik darstellen kann und wie zugleich die elementaren Unterschiede verdeutlicht sowie ein für Schüler/innen gewinnbringender Gegenwartsbezug hergestellt werden können.

So sinnvoll ein komparativer Ansatz für einen ersten Zugang erscheint, so notwendig ist es, die Grenzen der Vergleichbarkeit zu verdeutlichen und formal ähnliche Erscheinungen in ihrem jeweiligen Kontext zu betrachten. Wo auf der normativen Ebene Parallelen bestehen, sind die vorhandenen Diskrepanzen oder Übereinstimmungen zwischen Norm und Praxis herauszuarbeiten. In der Beschäftigung mit konkreten Einzelfällen lässt sich sehr gut darstellen, wo das MfS im Auftrag der SED etwa auch gegen geltende Rechtsnormen der DDR verstieß.

Die Herrschaftspraxis in der DDR, die sich in der Tätigkeit des MfS manifestierte, kann quasi als Negativfolie für eine Annäherung an das Thema Grund- und Menschenrechte herangezogen werden. Mit Blick auf Relativierungs- oder Ostalgisierungstendenzen kann einer unkritischen Gleichsetzung der Geheimpolizei MfS mit den Geheimdiensten in der Bundesrepublik durch eine komparative Betrachtung von Dimensionen, Befugnissen, Methoden und Tätigkeitsfeldern entgegengewirkt werden. Dabei müssen auch die Justizsysteme in die Betrachtung einbezogen werden, weil sie funktional eng mit dem geheimdienstlich-polizeilichen Komplex verbunden sind.

Die Betrachtung sollte darüber hinaus eingebettet sein in einen größeren Vergleichsrahmen, der die beiden politischen Systeme insgesamt in den

Blick nimmt, und sollte deutlich anders akzentuiert sein als der »agnostische« Systemvergleich, wie er in der Bundesrepublik der 1970er und 1980er Jahre üblich war. Im Hinblick auf die DDR sind die tatsächlichen Machtstrukturen und die Machtpraxis der SED-Diktatur im Kontrast mit ihren pseudodemokratischen und pseudorechtsstaatlichen Fassaden (DDR-Verfassung, Rechtsgarantien in anderen Gesetzen, »sozialistisches Mehrparteiensystem«, Einheitswahlen, Rolle der Volkskammer usw.) zu behandeln. Auch in diesem Zusammenhang hat die Betrachtung der Tätigkeit der Staatssicherheit eine besondere Bedeutung, weil das MfS insbesondere in der Honecker-Ära zunehmend die Aufgabe hatte, Diskrepanzen zwischen Herrschaftsrealität und Herrschaftsfassade durch konspirativ-manipulative Eingriffe möglichst wenig in Erscheinung treten zu lassen.

Der komparative Ansatz birgt eine gewisse Gefahr der simplifizierenden und letztlich unkritischen Negativ-Positiv-Kontrastierung von DDR und Bundesrepublik. Dieser Tendenz kann entgegengewirkt werden, indem auch die gerade im Sicherheitskomplex vorhandenen Gefährdungen und Unvollkommenheiten des freiheitlich-demokratischen Rechtsstaates anhand von historischen Fallbeispielen thematisiert werden (politische Justiz in der Bundesrepublik der 1950er Jahre, »Spiegel-Affäre«, Terrorismusbekämpfung, insbesondere nach dem 11. September 2001).

Dimensionen des Vergleichs

a) Grundlegende Strukturen

DDR	Bundesrepublik
Kompetenzkonzentration: nachrichtendienstliche und exekutive polizeilich-strafprozessuale Befugnisse in einer Hand	Kompetenzverteilung: institutionelle Trennung von Auslands- und Inlandsnachrichtendienst (beide ohne exekutive Befugnisse) sowie der polizeilichen Ermittlungsbehörden
De-facto-Dominanz der politisch-geheimpolizeilichen Strukturen gegenüber den justiziellen (Problem der Divergenz von normiertem Recht und Rechtspraxis)	Polizei als Hilfsorgan der Staatsanwaltschaft, Unabhängigkeit der Gerichte
Politische Anleitung und Kontrolle durch die SED-Führung (das MfS als »Schild und Schwert« der Partei), nur formale Unterstellung unter den Ministerrat	Politische Anleitung durch Bundesregierung und Landesregierungen (bzw. die jeweiligen Innenministerien – beim BND Bundeskanzleramt), parlamentarische Kontrolle (und ihre Grenzen – problematisieren!)

b) Aufgaben/Befugnisse im Einzelnen

DDR	Bundesrepublik
Laut StPO-DDR vollständige polizeilich-strafprozessuale Befugnisse eines »Untersuchungsorgans« beim MfS (»Geheimpolizei«) Darüber hinaus im Widerspruch zum normierten Recht stark reduzierte Kontrollmöglichkeiten der Justizorgane Stark eingeschränkte Verteidigerrechte in MfS-Strafverfahren Vielfach faktische Dominanz des MfS gegenüber den Justizorganen im Strafverfahren (u a. Bestätigungsrecht des MfS für die in den Stasi-Verfahren zuständigen Haft- und Strafrichter) Dominanz des MfS gegenüber den anderen »Untersuchungsorganen« (Kriminalpolizei, Zollfahndung)	Exekutive strafprozessuale Befugnisse nur bei der Polizei (Unterwerfung unter das Legalitätsprinzip) Staatsanwaltschaft auch de facto Herrin des Ermittlungsverfahrens Unabhängigkeit der Richter Nachrichtendienste haben keine exekutiven Befugnisse (zumindest im Inland)
Unbeschränkte und unkontrollierte Befugnisse zur Postüberwachung, zum Abhören von Telefonen, zu Lauschangriffen auf Wohnungen, zu konspirativen Wohnungsdurchsuchungen, zur Nutzung von Informationen aus Datenspeichern	Polizeiliche Post- und Telefonüberwachung sowie Wohnungsdurchsuchungen nur auf richterliche Anordnung (außer bei »Gefahr im Verzug«) Problematik des »großen Lauschangriffs« Ermächtigung des BND zur Überwachung von Auslandsgesprächen auch ohne richterliche Anordnung Beschränkung der Sammlung und Nutzung von persönlichen Daten durch Datenschutzregelungen
Überwachung und Verfolgung von vermeintlichen und tatsächlichen Regimegegnern (»feindlich-negative Kräfte«) und anderen Personen, die als Sicherheitsrisiko eingestuft wurden, in allen gesellschaftlichen Bereichen Weit reichende Sicherheitsüberprüfungen von staatlichen und betrieblichen Funktionsträgern sowie von Reisekadern und Sportlern auch nach politisch-ideologischen Gesichtspunkten	Überwachung von Extremisten mit verfassungsfeindlichen Bestrebungen durch die Verfassungsschutzämter (Veröffentlichung von Verfassungsschutzberichten) Bei Straftaten und bei Notwendigkeit der Gefahrenabwehr Übergabe an die Polizei Sicherheitsüberprüfung eines relativ engen Personenkreises im staatlichen Bereich bei Verschlusssachen-Ermächtigungen (Hinweise auf eine mögliche gegnerische nachrichtendienstliche Tätigkeit)

c) Größenordnungen (1989): bezogen auf die Bevölkerungsgröße ca. 10 Mal so viele hauptamtliche Mitarbeiter in der DDR

DDR	Bundesrepublik
91 000 hauptamtliche Mitarbeiter (ohne Wachregiment, Personenschutz und SV Dynamo ca. 85 000)	Staatsschutzabteilungen der Polizei: ca. 260 Mitarbeiter beim BKA + unbestimmte Zahl in den Ländern (wohl kaum mehr als 1 000)
Bezugsgröße: 18 Mio. Einwohner = 0,47 % der Bevölkerung	Verfassungsschutzämter: ca. 5 000 (BfVS: 2 360; Landesämter zus. ca. 2 700) Bundesnachrichtendienst: ca. 7 500 Militärischer Abschirmdienst: 1 950 Bezugsgröße: 60 Mio. Einwohner = ca. 0,03 % der Bevölkerung
Darüber hinaus: 174 000 Inoffizielle Mitarbeiter (IM)	Darüber hinaus: V-Leute werden auf 10 000 bis 20 000 geschätzt

Eine gegenwartsbezogene Problematisierung mit Blick auf aktuelle Widersprüche zwischen demokratischem Anspruch und Realität (Bsp.: Guantanamo) ist aus der Interessenlage der Schüler/innen zwingend und wird von diesen im Rahmen von Veranstaltungen erfahrungsgemäß regelmäßig geleistet. Der genaue Blick auf vergangene diktatorische Herrschaftspraxis kann so zur Sensibilisierung für gegenwärtige Grundrechtsgefährdungen, -verletzungen oder -einschränkungen (Bsp.: China, Russland, Irak) und zu einer Problematisierung herausfordern. Als Beispiele wären hier zu nennen die öffentlich geführte Auseinandersetzung um den großen Lauschangriff, die am Beispiel des Entführers und Mörders von Jakob von Metzler geführte Diskussion über die Zulässigkeit von Folter oder Folterandrohung in »Notsituationen«. Die Gefahr, über nahe liegende Gegenwartsbezüge die historische Vergleichsebene aus dem Blick zu verlieren, ist allerdings groß.

Einige Dimensionen eines Vergleichs der Geheimdienste stellen die obigen Übersichten dar, die auch als Tafelbild zur Ergebnissicherung oder als Lernziel für eine Unterrichtsstunde denkbar wären.

II. Die deutsch-deutsche Beziehungsebene

Die komparative Perspektive stößt beim Thema »DDR-Staatssicherheit« bald an ihre Grenzen, weil die potentiellen Vergleichsbereiche letztlich zu unterschiedlich sind. Eine vergleichende »Geheimdienstgeschichte« würde somit in vielerlei Hinsicht an den Erkenntnisgewinn versprechenden Fragen vorbeigehen. Mit Blick auf eine integrierte deutsche Nachkriegsgeschichte erscheint es fruchtbarer, Tätigkeit und Entwicklung des MfS im realhistorischen Kontext deutsch-deutscher Verflechtungen und Abgrenzungen zu betrachten.

Es ist wissenschaftlich und didaktisch nur im Ausnahmefall sinnvoll, den Gegenstand »DDR-Staatssicherheit« vom weiteren politischen und gesellschaftlichen Handlungszusammenhang zu isolieren, weil auf diese Weise die konkreten Wirkungsbedingungen aus dem Blick geraten. Ein Mangel an Plausibilität und Anschaulichkeit wäre die Folge. Aussagekräftiger ist eine Behandlung der DDR-Geheimpolizei im Rahmen von relativ umfassenden und komplexen Themenfeldern, denen im Rahmen der deutschen Nachkriegsgeschichte naturgemäß ein ungleich größeres Gewicht zukommt als dem isolierten Gegenstand Stasi. Anhand solcher Themen können Kontinuitäten, Zäsuren und Diskontinuitäten veranschaulicht werden. Sie eignen sich für diachrone Betrachtungen ebenso wie für synchrone Zugänge, für die Vertiefungsangebote entwickelt werden können.

Bei zahlreichen Themen der deutsch-deutschen Beziehungs- und Abgrenzungsgeschichte spielt die Staatssicherheit eine zentrale Rolle. Gleichwohl ist sie in der Regel nur einer von mehreren Akteuren. Es kann daher nicht darum gehen, die Rolle des MfS herauszuheben oder gar zu isolieren, sondern sie im jeweiligen Kontext auf eine ihrer realen Bedeutung angemessene Weise zu betrachten. Trotz der didaktisch notwendigen Reduktion von Komplexität ist eine Entkontextualisierung zu vermeiden. Die folgende Themenauswahl ist nicht abschließend, sondern kann unter den unterschiedlichsten inhaltlichen Aspekten erweitert werden.

1. Der deutsch-deutsche Systemkonflikt in der harten Phase des Kalten Krieges der 1950er-Jahre

Diese Phase ist konstitutiv für den deutsch-deutschen Systemkonflikt. Gesamtdeutschland war anfangs noch Bezugsgröße für die Politik *beider* deutscher Staaten. Die Wiedervereinigung war erklärtes Ziel aller politischen Lager. In der politischen Auseinandersetzung zwischen den beiden deutschen Staaten galten tendenziell innenpolitische Maßstäbe. Der jeweils andere deutsche Staat wurde (nicht zu Unrecht) als Bedrohung der eigenen Existenz angesehen.

Die deutsch-deutschen Auseinandersetzungen sind in die internationalen Zusammenhänge einzuordnen, wobei berücksichtigt werden muss, dass beide deutschen Staaten weder de jure noch de facto vollständig souverän waren. Sowohl die deutschlandpolitischen Strategien der Sowjetunion als auch die US-amerikanische Containment bzw. Liberation Policy müssen in ihren Grundzügen vermittelt werden.[8] Dabei dürfen weltpolitische Faktoren, vor allem der Korea-Konflikt, nicht außer Acht gelassen werden.

Vor diesem Hintergrund sind die wechselseitigen Destabilisierungsstrategien in Deutschland zu behandeln, bei deren Umsetzung die Geheimdienste eine außergewöhnliche Rolle spielten, weil sie die grenzüberschreitenden Aktionen trugen oder zumindest steuerten bzw. flankierten (Propagandakrieg, »Krieg der Geheimdienste«).[9] Eine falsche Äquidistanz wäre bei der Behandlung dieses Themas nicht sachgerecht. Es sollte nicht aus dem Blick geraten, dass es sich hierbei auch um einen Konflikt zwischen Diktatur und Demokratie handelte, was an Inhalten und Formen der Auseinandersetzungen wie auch an ihren Trägern deutlich gemacht werden kann. Mit dem Systemkonflikt einhergehende fragwürdige Phänomene im Westen sollten jedoch nicht ausgespart werden. Neben der geheimdienstlichen Instrumentalisierung von politischem Widerstand in der DDR und dem Wirken von NS-Belasteten in Justiz, Polizei und Nachrichtendiensten ist in diesem Zusammenhang vor allem die ausufernde politische Justiz jener Zeit gegen Kommunisten in die Betrachtung einzubeziehen. Dieses Thema wird weiter unten in Rahmen eines Vertiefungsbeispiels nochmals aufgegriffen.

2. »Westarbeit« der DDR – offene und verdeckte politische Beeinflussungsversuche der SED in der Bundesrepublik 1957 bis 1989

Die Auseinandersetzung mit diesem Thema ist durch die Debatte über die »unterwanderte Republik« vorbelastet.[10] Sie ist relativ disparat, der Stasi-Aspekt dabei nicht unbedingt dominant, aber durchgängig vorhanden. Es ist sinnvoll, relativ geschlossene thematische Unterkomplexe herauszugreifen.

a) NS-Täter-Kampagnen

Hierbei handelte es sich um das einzige Feld der Auseinandersetzung, auf dem es der DDR gelang, die Bundesrepublik zeitweise in die Defensive zu drängen. Der interessierende Zeitrahmen erstreckt sich von 1957 (Blutrichterkampagne) bis 1968 (Lübke-Kampagne).[11] In den Kampagnen mischten sich die Instrumentalisierung tatsächlicher Verstrickungen von Funktionsträgern aus Justiz, Polizei, Politik und Wirtschaft und die Manipulation von Informationen, Dokumenten und Gerichtsverfahren (letzteres fiel überwiegend in die Zuständigkeit des MfS). Hervorzuheben ist die eminente Bedeutung des »Antifaschismus« für die Legitimation der DDR.

Spätestens Mitte der 1960er Jahre (insbesondere im Zusammenhang mit den Auschwitzprozessen) wurde deutlich, dass auch in der DDR verborgene NS-Altlasten vorhanden waren, die diese antifaschistische Legitimation in Frage stellten. Jetzt erhielt die Vergangenheitspolitik für die SED einen sehr hohen sicherheitspolitischen Rang. In der Folgezeit wurden alle einschlägigen Informationen und Akten von der Staatssicherheit monopolisiert, um unbeabsichtigte Wirkungen auszuschließen. Das MfS schuf in der Hauptabteilung IX/11 ein umfangreiches eignes NS-Sonderarchiv. In der Folgezeit wurde es Garant für ein weitgehend instrumentelles Vorgehen.

Die öffentliche Auseinandersetzung über dieses Thema ist von gegensätzlichen Vorurteilen und einäugigen Sichtweisen geprägt. Eine differenzierte Vermittlung dieser Thematik hat daher einen hohen didaktischen Wert. Sie ist geeignet, zu einer kritischen Auseinandersetzung mit der Geschichte der frühen Bundesrepublik und der frühen DDR vor dem Hintergrund der NS-Geschichte anzuregen, und setzt damit drei bedeutende Elemente der deutschen Zeitgeschichte zueinander in Beziehung.

b) Deutsch-deutsche Kontakte und Anerkennungspolitik

Ab 1956 dienten die Politik der Westkontakte und andere Formen der »Westarbeit« der SED in erster Linie zur Erlangung von außenpolitischen Anerkennungsgewinnen. Diese Aktivitäten wurden auf allen Ebenen bis hin zur »hohen« innerdeutschen Diplomatie vom MfS flankiert, d. h. unterstützt und kontrolliert.[12] Höhepunkte sind ab 1963 die verschiedenen Verhandlungen zu den Passierscheinabkommen (und die entsprechenden Kontakte im Vorfeld). Aber auch nach dem Grundlagenvertrag 1972 blieb das Muster deutsch-deutscher Sondierungen und Verhandlungen ähnlich. Im Kern ging es nach wie vor um Anerkennungsgewinne und zunehmend auch um wirtschaftliche Vorteile für die DDR, die nur im Austausch gegen »menschliche Erleichterungen« (innenpolitische Lockerungen, Verbesserung des deutsch-deutschen Reiseverkehrs u. Ä.) zu haben waren. Exemplarische Bedeutung hat hier etwa die Vorgeschichte des 1983 von Franz Josef Strauß eingefädelten Milliardenkredits. Es war dabei durchgängig die Aufgabe des MfS, die Verhandlungsposition der DDR durch konspirative Maßnahmen aller Art (und durch die Koordination scheinbar unabhängiger Initiativen und Kanäle) zu stärken und so die Kosten-Nutzen-Relation für die eigene Seite zu optimieren.

c) Friedensbewegung

Zwar gab es seit den 1950er Jahren eine westdeutsche Friedensbewegung, die unter dem Einfluss der DDR-»Westarbeit« stand, doch wirklich interessant wird das Thema eigentlich erst in den späten 1970er und frühen 1980er Jahren im Zusammenhang mit der Massenbewegung gegen den Nachrüstungsbeschluss der NATO im Bereich der atomaren Mittelstreckenraketen. Von Bedeutung sind dabei die teilweise erfolgreiche Transmission von SED-Positionen in die westdeutsche Friedensbewegung wie auch die Versuche, ostblockkritische Ansätze zu marginalisieren. Offene und konspirative Strukturen der Westarbeit griffen dabei ineinander.

Zu einem Problem der geheimpolizeilichen »Abwehr« wurde die Friedensbewegung dort, wo sie »blockübergreifende« Strategien verfolgte, das heißt: in Verbindung mit unabhängigen Friedeninitiativen in der DDR trat, also oppositionelle Bestrebungen (im MfS-Jargon »politische Untergrundtätigkeit«) unterstützte.[13]

3. Die deutsch-deutsche Entspannung und ihre Auswirkungen auf die inneren Verhältnisse der DDR

Die mit der Entspannung verbundene Politik der »menschlichen Erleichterungen«, die zur Verbesserung der innerdeutschen Kontaktmöglichkeiten und zu Milderungen in der Herrschaftspraxis der SED führte, hatte erhebliche Auswirkungen auf die inneren Verhältnisse der DDR. Die Vervielfältigung der grenzüberschreitenden Verbindungen und die zunehmend eingeschränkten Möglichkeiten offen repressiver Politik brachten neue Abwehrstrategien des SED-Staates hervor, in denen das Vorbeugungsprinzip und verdeckte Maßnahmen eine immer größere Rolle spielten.[14]

Die Ost-West-Entspannung (später insbesondere der KSZE-Prozess) führte zur Erweiterung der Spielräume für politische Opposition und Ausreisewillige und gleichzeitig zu einem starken Wachstum der Staatssicherheit, die mit einem immer größer werdenden Aufwand darauf reagieren musste.

Während die strafrechtliche Verfolgung politischer Opposition zurückging, expandierte die vorbeugende Überwachung dramatisch. Eine verdeckte Form der Neutralisierung politisch abweichenden Verhaltens, so genannte Zersetzungsmaßnahmen gegen Personen und Gruppen, trat teilweise an die Stelle justizieller Repression.[15] Hauptziel solcher »leisen« Herrschaftstechniken war die Simulation von Normalität und Konsens nach innen wie nach außen. Die Staatssicherheit war jedoch vom dauerhaften Zwang zur Subtilisierung seiner repressiven Mittel und von der Aufgabe einer flächendeckenden Sicherheitsprophylaxe auf lange Sicht überfordert. Mit den dynamischen Entwicklungen der Jahre 1988/89 konnte sie nicht Schritt halten.[16]

Exemplarische Vertiefungsangebote

1. Die politische Justiz in der Bundesrepublik und der DDR der 1950er Jahre

Es handelt sich hierbei um ein Thema der deutsch-deutschen Beziehungsgeschichte, denn zwischen der politischen Justiz der 1950er Jahre in der Bundesrepublik und in der DDR bestand ein relativ enger realhistorischer Zusammenhang. Vereinfacht gesprochen traf die politische Strafverfolgung in erster Linie jeweils die Anhänger des anderen Staates unter den eigenen Bürgern; zudem legitimierte sich die jeweilige Praxis in Ost und West in einem gewissen Umfang wechselseitig. Darüber hinaus hat die Thematik ein erhebliches komparatives Potential, das unter (schul-)didaktischen Geschichtspunkten der zweifellos wichtigere Aspekt sein dürfte. Die DDR-Staatssicherheit spielt in diesem Themenkomplex insofern eine wichtige Rolle, als sie im System der politischen Justiz der DDR das strukturell dominante Element war.

Wie bei anderen Themenfeldern der deutsch-deutschen Geschichte ist die Forschungslage asymmetrisch. Die politische Justiz der DDR ist viel intensiver erforscht worden als die der Bundesrepublik. Während es zu ersterer eine Reihe von aktengestützten dickleibigen Monografien und unzählige Aufsätze gibt,[17] ist das Thema für die Bundesrepublik lediglich durch Memoiren von beteiligten Rechtsanwälten[18] und eine einzige größere Arbeit aus der Feder eines Rechtswissenschaftlers, die allerdings sehr aussagekräftig ist,[19] abgedeckt. Die Zeithistoriker haben das Thema (wie viele andere Themen der Geschichte der Bundesrepublik) bisher stiefmütterlich behandelt. Zum Ausgleich sind die hier verfügbaren Strafverfahrensstatistiken umfassender und aussagekräftiger als für die DDR.

Eine vergleichende Behandlung der politischen Justiz dieser Jahre in Ost und West ist eine fachliche und didaktische Herausforderung, weil sie die damalige Strafverfolgungspraxis im Westen, die inzwischen – weitgehend unbestritten – als rechtsstaatlich fragwürdig gilt, angemessen kritisch beleuchten sollte, ohne die grundsätzlichen Unterschiede zur politischen Justiz in der SED-Diktatur einzuebnen.

Politische Strafverfolgung ist vereinfacht gesprochen Staatsschutzjustiz. Laut weithin akzeptierter Definition von Otto Kirchheimer spricht man von politischer Justiz, »wenn gerichtsförmige Verfahren politischen Zwecken dienstbar gemacht werden«.[20] Sie ist demnach kein Kennzeichen von Diktaturen, sondern auch in Demokratien ständige Praxis.

In Diktaturen dient die politische Justiz der Ausschaltung von politischer Opposition, sie basiert dort in der Regel auf unbestimmten, ausufernden Rechtsnormen, die im Zuge der Auslegung häufig noch weiter gedehnt werden. Wichtige strafverfahrensrechtliche Garantien sind entweder nicht vorhanden oder faktisch außer Kraft gesetzt.

In rechtstaatlichen Demokratien dient die politische Justiz der Abwehr von Angriffen auf die staatliche Ordnung, insbesondere auf die Verfassungsordnung. Es geht hier im Kern um die Normenkreise des Hoch- und Landesverrates. In Demokratien sollten diese Strafnormen möglichst eng gefasst sein, damit sie freie Willensbildung und demokratische politische Betätigung auch nicht indirekt beeinträchtigen. Gleichwohl gibt es in besonderen Bedrohungssituationen auch in Demokratien immer wieder Tendenzen der Ausweitung politischer Strafrechtsnormen und Einschränkungen von Rechtsgarantien, die unter rechtsstaatlichen Gesichtspunkten problematisch sind. In der harten Phase des Kalten Krieges in den 1950er Jahren war dies der Fall.

Wie schon eingangs festgestellt, enthält das Thema neben den komparativen auch interessante beziehungsgeschichtliche Aspekte: Das harte Vorgehen gegen Kommunisten in der Bundesrepublik legitimierte sich durch eine zumindest als real empfundene Bedrohung der demokratischen Verfassungsordnung durch die Machtpositionen des Gegners im Osten, der in seiner Herrschaftspraxis tagtäglich die Geringschätzung freiheitlich-demokratischer Prinzipien demonstrierte. Auf der anderen Seite lieferte diese von der SED als Verfolgung von »Patrioten« gebrandmarkte Praxis der DDR-Propaganda Entlastungsargumente, mit denen sie versuchte, von ihrer ungleich härteren und umfassenderen Repressionspraxis abzulenken.

Dass der innere Zusammenhang zwischen den Praxen der politischen Strafjustiz in Ost und West auch schon von den Zeitgenossen gesehen wurde, kann man an der Amnestiedebatte von 1956/57 deutlich machen, die teilweise mit einer deutsch-deutschen Zielrichtung geführt wurde. Bemerkenswert ist in diesem Zusammenhang insbesondere die FDP-Initiative zu einer gesamtdeutschen Amnestie für politische Häftlinge, die allerdings sowohl an der SED als auch an der Unionsmehrheit im Bundestag scheiterte.[21]

Im Hinblick auf das politische Strafrecht war der Ausgangspunkt für beide deutsche Staaten zunächst gleich. Mit den Kontrollratsgesetzen 1 (20. 9. 1945) und 11 (30. 1. 1946) wurde das bisherige (nationalsozialistische) Staatsschutzrecht aufgehoben. Nach 1949 gab es daher im Reichsstrafgesetzbuch, das anfangs sowohl in der DDR als auch in der BRD galt, keine politischen Strafrechtsnormen mehr. Die DDR behalf sich zunächst mit dem berüchtigten »Boykotthetze«-Artikel 6 der Verfassung; erst im Dezember 1957 kam es hier zu einem Strafrechtsergänzungsgesetz, das erstmals differenzierte Normen des politischen Strafrechts enthielt. Die Bundesrepublik erließ dagegen schon 1951 unter dem Eindruck einer massiven Verhärtung der Ost-West-Auseinandersetzung ein Strafrechtsänderungsgesetz, das die Straftatbestände des Hoch- und Landesverrates sowie der so genannten Staatsgefährdung normierte; dabei handelte es sich um Meinungs-, Organisations- und Kontaktdelikte. Interessant ist unter dem beziehungsgeschichtlichen Aspekt, dass die westdeutsche Begriffsprägung »Staatsgefährdung« 1957 auch im Strafrechtsergänzungsgesetz der DDR auftaucht und dort eine zentrale Rolle spielt.

Übersicht: Politische Strafrechtsnormen in beiden deutschen Staaten bis 1968

Bundesrepublik	DDR
ab 1951 Hochverrat, Landesverrat und diverse Staatsgefährdungsparagrafen des StGB, z. B. – § 90 a: Bildung einer verfassungsfeindlichen Vereinigung, – § 91: verfassungsverräterische Zersetzung – § 92: verfassungsfeindliche Nachrichtenübermittlung – § 93: verfassungsfeindliche Publikationen – nach dem KPD-Verbot im August 1956 rückwirkende Anwendung von § 90 a (faktischer nachträglicher Wegfall des durch das Parteienprivileg aus Art. 21 GG gegebenen Schutzes)	bis 1957 Artikel 6 der DDR-Verfassung von 1949 (»Boykotthetze«) nach 1957 Strafrechtsergänzungsgesetz (neben den Spionagedelikten §§ 14 und 15) – § 13: Staatsverrat (Zuchthaus nicht unter 5 Jahren) – § 16: Verbindung zu verbrecherischen Organisationen oder Dienststellen – § 17: Staatsgefährdende Gewaltakte – § 19: Staatsgefährdende Propaganda und Hetze – § 20: Staatsverleumdung

Im Folgenden sollen die wesentlichen Aspekte der politischen Justiz der 1950er Jahre in beiden deutschen Staaten ganz knapp skizziert und dabei Ähnlichkeiten und Unterscheide deutlich gemacht werden:

In der Bundesrepublik betraf die politische Justiz nahezu ausschließlich Kommunisten. Zwar gab es auch Ermittlungsverfahren und Anklagen gegen einige Nichtkommunisten, die man als so genannte »Fellow travellers« betrachtete. Diese wurden aber – außer in Landesverratsfällen (Beispiel: Otto John) – durchgängig freigesprochen. In der DDR wurde dagegen politische Opposition grundsätzlich nicht geduldet, und so waren alle vermeintlichen und tatsächlichen Gegner des SED-Regimes, einschließlich kommunistischer Abweichler, und sogar Personen, die lediglich in Teilbereichen alternative politische Auffassungen vertraten, von der politischen Strafverfolgung bedroht.

Daraus ergaben sich sehr unterschiedliche Größenordungen der politischen Verfolgung: Zwar war die Zahl der Ermittlungsverfahren auch in der Bundesrepublik beträchtlich; nach einer qualifizierten Schätzung belief sie sich in den Jahren 1951 bis 1968 auf 125 000. Daraus folgten jedoch nur etwa 6 000 bis 7 000 Verurteilungen, was (im Verhältnis zu den Ermittlungsverfahren) einer Verurteilungsquote von etwa 5 Prozent entspricht. Das ist sehr niedrig, bei kriminellen Delikten lag sie bei ca. 18 Prozent.[22]

Für die DDR sind aufgrund der schlechten statistischen Materiallage sowie der schwierigen Abgrenzung der politischen Straftatbestände nur grobe Schätzungen möglich. Hinzu kommt, dass bis 1953 ein nicht unbeträchtlicher Teil der politischen Strafjustiz von den sowjetischen Militärtribunalen ausging. Trotzdem muss man allein für die DDR-Justiz im Zeitraum 1951 bis 1968 von (vorsichtig geschätzt) 100 000 Verurteilungen in politischen Strafverfahren ausgehen.[23] Das ist im Vergleich zur Bundesrepublik etwa die 15-fache Größenordnung – proportional zur Bevölkerung sogar die 60-fache. Charakteristisch für die DDR ist auch eine sehr hohe Quote von Freiheitsstrafen im Verhältnis zu den Ermittlungsverfahren (etwa 80 Prozent).

Bei den Strafmaßen sind die Diskrepanzen ähnlich. Die politische Strafjustiz gegen Kommunisten in der Bundesrepublik war alles in allem relativ milde. Zwei Drittel der Strafen lagen unter neun Monaten Gefängnis und davon wurde wiederum ein Drittel zur Bewährung ausgesetzt. Die höchste Strafe (5 Jahre Zuchthaus) erhielt der Vorsitzende der West-FDJ Jupp Angenfort wegen Vorbereitung eines hochverräterischen Unternehmens.[24] In der DDR waren die Strafmaße unvergleichlich höher. Hier kam es bei so genannten Staatsverbrechen regelmäßig zur Verhängung langjähriger Zuchthausstrafen. Auch zahlreiche Todesurteile wurden in politischen Strafverfahren gefällt: Einschließlich der Spionagefälle waren es 57 im Zeitraum 1950 bis 1968; 44 von ihnen wurden vollstreckt.[25]

Aufschlussreich ist vor allem auch die Gegenüberstellung der Strafverfahrenspraxis. In der Bundesrepublik kam es im Zusammenhang mit politischen Verfahren zu einigen rechtsstaatlich durchaus bedenklichen Phänomenen: Der Bundesgerichtshof fungierte bei wichtigen Staatsschutzprozessen als erste und letzte Instanz, was eine bemerkenswerte Analogie zur Urteilspraxis des Obersten Gerichts der DDR darstellte. Außerdem war es Praxis, Angehörige des Verfassungsschutzes oder der politischen Polizei als »Zeugen vom Hörensagen« zu Sachverhalten zu befragen, zu denen sie selbst keinen direkten Zugang hatten, sondern über die sie lediglich durch Informanten und V-Leute, die vor Gericht ungenannt blieben, informiert waren. Schließlich gab es auch Versuche, die Verteidigung zu behindern:

Manche Richter lehnten grundsätzlich ihre Beweisanträge ab, und im Fall von Diether Posser gab es sogar den Versuch, ihm die Anwaltszulassung zu entziehen.[26]

So problematisch diese Erscheinungen für einen Rechtsstaat auch waren, sie sind nicht mit der Praxis der politischen Strafverfolgung in der DDR gleichzusetzen, die ein genuines Machtinstrument der Diktatur war. Ein besonderes Merkmal des Systems der politischen Strafjustiz der DDR war die absolute Dominanz des MfS in seiner Doppelfunktion als Geheimdienst und polizeiliche Ermittlungsbehörde, aus der sich eine Praxis der doppelten Aktenführung ergab. Die Staatsanwaltschaft, die auch gemäß DDR-Strafprozessrecht formal Herrin des Ermittlungsverfahrens war, hatte lediglich Einblick in die bereinigten offiziellen Verfahrensakten. Von einer Leitung des Ermittlungsverfahrens oder gar der Kontrolle des »Untersuchungsorgans« konnte daher keine Rede sein. Vielmehr kontrollierte die Stasi ihrerseits im Rahmen ihrer Überwachungsaufgaben das Justizpersonal und sorgte mit ihren Kaderbestätigungsrechten, insbesondere bei den politischen Abteilungen der Staatsanwaltschaften und politischen Gerichtssenaten, für eine Personalpolitik in ihrem Sinne. Die faktische Abhängigkeit der Justiz von der Geheimpolizei führte vor allem in der ersten Hälfte der 1950er Jahre zu einer direkten Einflussnahme auf Verfahren und Urteile. Vor der Anklageerhebung war das Ermittlungsverfahren vollständig in der Hand der Stasi. Für die politischen Untersuchungshäftlinge bedeutete dies die totale Isolierung von der Außenwelt einschließlich möglicher Kontakte zu einem Anwalt; eine ordentliche Verteidigung war unter diesen Bedingungen nicht möglich.[27]

Kennzeichen der politischen Justiz der DDR war die massive Präjudizierung der Urteile durch die außergerichtlichen Instanzen Staatsanwaltschaft, Stasi und Partei. Es sind mehrere Fälle belegt, bei denen die Todesurteile faktisch vom Politbüro oder vom Parteichef Ulbricht persönlich gefällt wurden.[28]

Doch selbst wenn solche massiven Eingriffe von außen im Einzelfall nicht erkennbar sind, war die politische Strafrechtspraxis der DDR in den 1950er Jahren durch faktische Rechtsbeugung gekennzeichnet, die sich vor allem in der ständigen Überdehnung der Strafnormen und in grob tendenziösen oder gar manipulierten Sachverhaltsfeststellungen äußerte.

Deutlich werden die Unterschiede zwischen Ost und West bei der Betrachtung der jeweiligen Selbstkorrekturpotentiale. In der Öffentlichkeit der Bundesrepublik wurde zunehmend Kritik an den politischen Strafrechtsnormen und der entsprechenden Rechtspraxis laut, die ab 1963 zu einer deutlichen Milderung und Abnahme der betreffenden justiziellen Tätigkeit führte. Die so genannte Spiegel-Affäre 1962 hatte zu dieser atmosphärischen Wende beigetragen. Schon 1961 hatte das Bundesverfassungsgericht § 90 a Abs. 3 StGB für verfassungswidrig erklärt, der zur nachträglichen Kriminalisierung auch derjenigen politischen Betätigung für die KPD, die noch vor ihrem Verbot erfolgt war, geführt hatte. 1968 schaffte der Gesetzgeber dann mit großer Mehrheit die Staatsgefährdungsnormen des Strafgesetzbuches ab und beseitigte damit in der Bundesrepublik diese Form der politischen Justiz.

In der DDR kam es phasenweise während der so genannten politischen »Tauwetter« (1956, 1962 bis 1964) und kontinuierlich über die Jahrzehnte zu Milderungen der Strafrechtspraxis. Amnestien führten ab 1960 zur regelmäßigen Leerung der chronisch überfüllten Gefängnisse, aber letztlich erfolgte keine grundsätzliche Änderung von Strukturen und Normen der politischen Justiz.

Als komparative Quintessenz ist festzuhalten, dass trotz einiger Parallelen zwischen der politischen Justiz der Bundesrepublik und der DDR in den 1950er Jahren keine graduellen, sondern prinzipielle Unterschiede bestanden, die im Wesentlichen an drei Punkten festzumachen sind:

- In der Bundesrepublik diente die politische Justiz der Bekämpfung von Gegnern der Verfassungsordnung, in der DDR der Herrschaftssicherung einer Diktatur.
- Im Westen bewegte sie sich trotz einiger bedenklicher Tendenzen grundsätzlich in rechtsstaatlichen Bahnen; es bestand die durch das Recht begründete Selbstbeschränkung. Im Osten herrschte auf dem Feld der politischen Strafjustiz dagegen der »Maßnahmestaat« (Fraenkel);[29] es fand eine sehr weitgehende bis vollständige Unterordnung des Rechts unter das machtpolitische Kalkül statt. Die Rechtsförmigkeit der Verfahren war demnach überwiegend Fassade.
- In der Bundesrepublik waren Normen und Praxis der politischen Justiz der öffentlichen Kritik ausgesetzt, wodurch Potentiale der Selbstkorrektur freigesetzt wurden. In der DDR bestanden diese Möglichkeiten nicht, weil die Kritik ihrerseits von Kriminalisierung bedroht war.

II. Abwanderung und Flucht als systemgefährdendes Dauerproblem der DDR 1952 bis 1989

Mangelnde Mitwirkungs-, Entfaltungs- und Konsummöglichkeiten sowie Diskriminierung und Repression führten in der DDR zu einer permanenten Abwanderungstendenz. Diese »Abstimmung mit den Füßen« war für die DDR nicht nur ein Legitimationsproblem erster Ordnung, sondern hatte auch mehr oder weniger schwerwiegende wirtschaftliche und soziale Folgen, die in manchen Phasen eine existenzbedrohende Dimension annahmen. Dies führte ab 1952 zu immer schärferen Reisebeschränkungs-, Überwachungs- und Grenzsicherungsmaßnahmen bis hin zur vollständigen Abriegelung des eigenen Herrschaftsbereichs durch den Bau der Berliner Mauer 1961. In der Zeit von 1949 bis 1961 waren 2,7 Mio. DDR-Bürger in den Westen geflohen.[30]

Die Staatssicherheit spielte bei der Bekämpfung von Flucht und Ausreise eine zunehmend wichtige, ab 1961 eine zentrale Rolle. Bei der unmittelbaren Grenzsicherung standen zwar die Grenztruppen im Vordergrund, aber die Zahl der Inoffiziellen Mitarbeiter (IM) in den Grenztruppen war außerordentlich hoch. Die unmittelbare Kontrolle der Reisenden übte das MfS durch die Passkontrolleinheiten direkt aus. Federführend war es auch bei der Überwachung von Fluchtverdächtigen, der Suche nach Flucht begünstigenden Umständen, der Verfolgung von »Republikflüchtigen« und Fluchthelfern sowie bei der Eindämmung der Ausreisebewegung. Die Todesfälle an der innerdeutschen Grenze können ohne die MfS-Akten nicht behandelt werden, weil die Stasi alle entsprechenden Ermittlungen an sich zog und führte.

1. Didaktische Vorüberlegungen

Für eine Beschäftigung mit der Rolle des MfS unter der Fragestellung der asymmetrischen Verflechtung ist das Thema »Flucht und Ausreise« aus unterschiedlichen Gründen geeignet:

1. Die Thematik »Flucht« und »Ausreise« aus der DDR spielt in den Lehrplänen aller Bundesländer eine Rolle und gehört zum Lernstoff der 10. Klassen. Die meisten Schüler/innen kennen zumindest grafische Darstellungen der Fluchtzahlen bis 1961 aus den Schulbüchern und verfügen daher über wenigstens rudimentäre Anknüpfungsmöglichkeiten.

2. Die Tatsache, dass Menschen unter Einsatz ihres Lebens und unter Aufgabe ihres bisherigen beruflichen und sozialen Umfelds aus dem östlichen Teil Deutschlands in den westlichen Teil flüchteten, ist Schülerinnen und Schülern kaum vorstellbar. Mit dem Ausreiseverfahren verbindet die heutige Schülergeneration vor dem eigenen Erfahrungshintergrund zunächst ein für die Ausreisenden lediglich formales rechtsstaatliches Verfahren. An diesem Beispiel kann gut herausgearbeitet werden, welche Fehleinschätzungen der Transfer von heutigem Begriffsverständnis auf historische Phänomene bewirken kann. Die Frage nach den individuellen Folgen

eines »rechtswidrig« gestellten Ausreiseantrags für die Antragsteller und deren Familien und die Methoden, mit denen die Antragsteller kriminalisiert wurden, kann auch anhand der Akten des MfS aufgezeigt werden.

3. Die Zurückdrängung der Ausreisebestrebungen und die Verhinderung bzw. Vertuschung von Fluchtversuchen geschahen zwar in der DDR, sind aber als Aspekt der deutsch-deutschen Beziehungs- und Abgrenzungsgeschichte zu verstehen. So wurden diese Erscheinungen von der SED-Führung und dem MfS als exogen und vom Westen gesteuert gedeutet. Gerade die MfS-Unterlagen zeigen aber, dass intern durchaus auch endogene Ursachen erkannt wurden. Diese können – neben den Erfahrungsberichten der Beteiligten – vor allem aus den Stasi-Unterlagen erschlossen werden.

4. Die Ablehnung von Anträgen und Kriminalisierung von Antragstellern vor dem Hintergrund verbesserter deutsch-deutscher Kontaktmöglichkeiten seit 1972 und der Dauerpräsenz von Westmedien veranschaulichen das Interdependenzgefüge zwischen beiden Teilen Deutschlands.

5. Die individuellen Folgen für die Ausreisenden, die Frage nach der Integration in der Bundesrepublik in der Zeit der Entspannungspolitik in den 1970er und 1980er Jahren und die so genannten »Rückverbindungen«, also Kontakte von ehemaligen DDR-Bürgern aus der Bundesrepublik in die DDR, verweisen auf den jeweiligen bundesrepublikanischen Kontext. Die Aufmerksamkeit des MfS galt teilweise auch den in der Bundesrepublik lebenden Geflüchteten, Ausgewiesenen oder Ausgereisten. Die Beobachtung oder gar Bearbeitung durch das MfS konnte in Einzelfällen bis in den Herbst 1989 andauern, obwohl die Betroffenen zu dieser Zeit teilweise schon seit Jahrzehnten in der Bundesrepublik lebten.

6. Das Thema bietet weiterführende und fächerübergreifende Anknüpfungspunkte zur Frage nach Migrationsursachen, Integrationsleistungen und -schwierigkeiten der Gegenwart. Aus dieser gegenwartsbezogenen Perspektive heraus kann die Spezifik der deutsch-deutschen »Migration« deutlich werden.

7. Eine Diskussion der verwendeten Termini (Flucht vs. Grenzdurchbruch, Abwanderung, Migration, Verbleiber, Ausreiseantragsteller versus »rechtswidriger Antragsteller«, Wanderungsbewegung, republikflüchtig versus Republikflüchtling, Fluchthelfer vs. krimineller Menschenhändler etc.) stellt eine notwendige Voraussetzung für die Beschäftigung mit dem Themenkomplex dar. Sie bietet somit auch die Möglichkeit, politisch, alltagssprachlich oder fachsprachlich verwendete Begriffe auf die ihnen jeweils zugrunde liegenden Interessen oder Vorstellungen zu prüfen sowie mögliche Instrumentalisierungen oder ideologische Verwendungszusammenhänge zu reflektieren.

8. In aller Regel berührt der Themenkomplex den Erfahrungshorizont von Lehrern und Eltern der heutigen Zehntklässler, da fast alle Deutschen über 35 mit der Realität der geschlossenen deutsch-deutschen Grenze in irgendeiner Form konfrontiert waren.

9. Den Schülerinnen und Schülern wird anschaulich vermittelt, dass ein Recht, das ihnen heute als Selbstverständlichkeit erscheint, für ein Viertel der Deutschen vor 1989 ein fast unerreichbares Gut war (Wertschätzung von Grundrechten).

10. Sowohl in Längs- als auch in vergleichenden Querschnittsuntersuchungen kann das Themenfeld der deutsch-deutschen Flucht und Ausreisethematik gewinnbringend als Folie und Interpretationsgrundlage für die jeweilige politische, gesellschaftliche oder wirtschaftliche Beziehungsgeschichte der beiden Staaten herangezogen werden. Als diachrone Teilausschnitte sollen im Folgenden die Zeiträume 1949 bis 1961 und 1970 bis 1989 näher betrachtet werden.

2. Chronologischer Zugang

Die Fluchtzahlen von 1949 bis 1961 werden in zahlreichen Schulbüchern dargestellt und als Ursache für den Mauerbau 1961 behandelt, das Thema »Flucht« ist in dieser Form häufig Bestandteil des Geschichtsunterrichts. Die Thematik eignet sich zunächst einmal dafür, den Umgang mit Statistiken zu üben. Für einen integrativen Zugang zum Thema »Abwanderung und Flucht« bietet sich für die 1950er Jahre an, ebenfalls die West-Ost-Wanderung zu beachten, die es neben der exorbitanten, die DDR destabilisierenden Abwanderung auch gab. Quantitativ und qualitativ[31] bei weitem nicht vergleichbar, bietet diese Wanderung dennoch die Möglichkeit, nach den Motivlagen für das Verlassen der Heimat aus beiden bzw. in beide Richtungen zu fragen. Von den West-Ost-Wandernden in der Zeit bis 1961 waren zwei Drittel Rückkehrer, Menschen also, die zuvor aus der DDR in die Bundesrepublik gegangen bzw. geflüchtet waren und von dort wieder zurückkehrten.[32] Die Tatsache, dass vor allem Jüngere wieder in die DDR zurückkehrten, wurde von der DDR-Propaganda als Hinweis auf das brutale Gesicht des Kapitalismus gedeutet, eine Legitimationsstrategie, die das offizielle BRD-Bild der DDR bis 1989 bestimmen sollte und teilweise bis heute nachwirkt. Von den neu aus der Bundesrepublik in die DDR Ziehenden verfügten viele nur über geringe berufliche Qualifikationen und hatten im Westen schlechte Berufsperspektiven. Massive Vorbehalte der DDR-Bürokratie und Ressentiments in der Bevölkerung waren teilweise so stark, dass viele Neubürger der DDR bald wieder den Rücken kehrten.[33] Natürlich standen alle in die DDR eingereisten Zuwanderer unter besonderer Kontrolle der Stasi.

Die West-Ost-Wanderung führte bei der Bundesregierung zu einer gewissen Beunruhigung, die sich jedoch wieder legte, nachdem sich die Hinweise verdichteten, dass viele der in die DDR Ausgereisten aufgrund der wirtschaftlichen und gesellschaftlichen Realität in der DDR wieder in die Bundesrepublik zurückkehrten.[34] Die Verflochtenheit der beiden deutschen Staaten spiegelt sich also in der Wanderungsbewegung wider und war zugleich Reflex und Impuls für die jeweilige wirtschaftliche Entwicklung. So übte der Aufschwung der bundesdeutschen Wirtschaft seit Mitte der 1950er Jahre eine große Anziehungskraft aus. Dem gegenüber standen in vielen Berufsbereichen der DDR schlechtere Arbeitsbedingungen und Lohnverhältnisse sowie massive Einschränkungen und Restriktionen bis hin zum Entzug der originären Lebensgrundlagen, zum Beispiel bei Unternehmern, Handwerkern oder Landwirten. Die Wirtschaft in der Bundesrepublik profitierte vom Zuzug der seit Mitte der 1950er Jahre immer dringender nachgefragten Arbeitskräfte mit teilweise sehr guten Qualifikationen. Das Beispiel der Menschen, die mehrfach zwischen beiden deutschen Staaten wechselten, zeigt auch, dass unterhalb der Schwelle der Block- und Systemkonfrontation auch noch das Bewusstsein wirksam sein konnte, lediglich von einem Teil Deutschlands in den anderen zu wechseln und wieder zurückkehren zu können.

Tab. 1: Abwanderungen aus der DDR und Zuwanderungen in die DDR[35]

Jahr	Abwanderungen aus der DDR nach Westdeutschland und West-Berlin	Zuwanderungen in die DDR von Westdeutschland und West-Berlin	Jahr	Abwanderungen aus der DDR nach Westdeutschland und West-Berlin	Zuwanderungen in die DDR von Westdeutschland und West-Berlin
1950	81 121	23 335	1956	363 661	73 707
1951	187 791	47 115	1957	351 668	77 952
1952	185 778	23 134	1958	215 530	54 846
1953	296 174	31 792	1959	144 225	63 152
1954	226 355	75 867	1960	202 711	42 943
1955	315 235	72 858	1961	212 814	34 039

Am Beispiel der Flüchtenden und Wandernden in der Zeit von 1950 bis 1961 kann also die Ost-West-Verflechtung unter den Bedingungen einer konfrontativen System- und Blockauseinandersetzung bei einer noch bedingt offenen Grenze behandelt werden.

Es folgte ab 1961 eine Phase, in der es der SED-Führung darum ging, die geschlossene Grenze möglichst unüberwindbar zu machen. Hierbei übernahm das MfS wichtige Funktionen (Entwicklung von Strategien für den »pioniertechnischen Ausbau« der Grenzsicherungsanlagen, Passkontrolle, Überwachung der Transitstrecken, systematische Bekämpfung von Fluchthilfeorganisationen u. a.). In der Zeit von 1961 bis Ende 1988 kamen rund 616 000 Menschen in die Bundesrepublik, davon 235 000 auf unterschiedlichen Wegen ohne Genehmigung, also als »Republikflüchtige«, sei es über andere sozialistische Länder, versteckt in Fahrzeugen oder als »Verbleiber« nach einer Westreise.[36] Etwa 38 000 Menschen riskierten die Flucht über die deutsch-deutsche Grenze. Mindestens 765 Menschen kamen unmittelbar bei dem Versuch, die Grenze der DDR zu überwinden, ums Leben.[37]

Tab. 2: Tötungen von »Grenzverletzern« 1949 bis 1989[38]

	Berlin	West-grenze	Ostsee	Ausland	Gesamt
Erschossen/Minen/Selbstschussanlagen	113	209	1	3	326
Ertrunkene/Wasserleichen	35	44	114	15	208
Verunglückt/Verstorben bei Flucht bzw. nach Festnahme	7	5	0	10	22
Selbstmord bei Festnahme	2	8	0	3	13
Tod ohne nähere Angaben	45	65	66	20	196
Summe	202	331	181	51	765

Rund 382 000 Menschen gelangten von 1961 bis 1988 auf legale Weise aus der DDR in die Bundesrepublik. Grundsätzlich gab es kein Recht auf Auswanderung aus der DDR, Ausreiseersuchen oder -anträge galten als rechtswidrig. Erst 1983 kam es zu einer gesetzlichen Regelung für einen eng begrenzten Kreis, so konnte Rentnern und Invaliden die Ausreise bewilligt werden. Kinder und vereinzelt auch Eheschließende konnten im Rahmen der Familienzusammenführung in die Bundesrepublik gelangen, aber selten problemlos und nie auf der Basis einklagbarer Rechtsansprüche. Fast 33 000 politische Häftlinge wurden darüber hinaus von der Bundesrepublik bis 1989 freigekauft. Für Menschen unterhalb des Rentenalters gab es bis zu einer sehr restriktiven Verordnung von 1988 keinen legalen Weg, die DDR zu verlassen. Sie konnten zwar einen Antrag auf »Übersiedlung in die Bundesrepublik stellen«, galten dann aber als »rechtswidrige Antragsteller«.[39]

In der Zeit des »Wandels durch Annäherung« seit 1969 bzw. seit der Unterzeichnung des Grundlagenvertrags 1972 operierte das MfS unbeirrt mit dem Instrumentarium des Kalten Krieges vor dem Hintergrund einer schematischen Freund-Feind-Wahrnehmung. Als Grundlage für die Thematisierung des scheinbaren Widerspruchs zwischen Entspannungsbestrebungen auf der einen und gleichzeitigem Ausbau des Kontroll- und Repressionsapparats auf der anderen Seite bieten sich die Akten der Zentralen Koordinierungsgruppe (ZKG) des MfS zur Bekämpfung von Flucht und Übersiedlung an.[40] Diese Gruppe war 1975 als Reaktion auf die seit Anfang der 1970er Jahre verbesserten Ost-West-Kontakte gegründet worden. Aus Sicht des MfS stellte die Forcierung der Kontaktpolitik und Kontakttätigkeit ein vorrangiges Instrument des Gegners in der gegenwärtigen Klassenauseinandersetzung dar. Das Wörterbuch der Staatssicherheit bezeichnet in dem Artikel »Kontaktpolitik, gegnerische« diese konsequent als:

> »Bestandteil der Politik der Regierungen imperialistischer Länder, insbesondere der »neuen Ostpolitik« der BRD, gegenüber der DDR und anderen sozialistischen Ländern. Die K[ontaktpolitik] entstand als Mittel und Methode unter den Bedingungen des sich ständig zu Gunsten des Sozialismus verändernden Kräfteverhältnisses und dem damit verbundenen Anpassungszwang des Imperialismus an diese veränderten Lagebedingungen. Die K[ontaktpolitik] verfolgt das Ziel, die sozialistische Gesellschaftsordnung aufzuweichen und zu zersetzen, Widerstand gegen die Politik der kommunistischen Parteien und die sozialistische Staatsmacht hervorzurufen, eine politische Untergrundtätigkeit und »innere Opposition« zu entwickeln und damit einen Prozess der Restauration imperialistischer Verhältnisse in den sozialistischen Ländern in Gang zu setzen.«[41]

Zunächst galt das Hauptaugenmerk der ZKG der Bekämpfung der Fluchten und des »staatsfeindlichen Menschenhandels«, also der Fluchthilfe, vor allem entlang der neuen Transitwege.[42] Ab 1975 erhielt die Aufgabenstellung der ZKG durch die internationale Anerkennungspolitik der DDR eine neue Dimension. Mit der Unterzeichnung der KSZE-Schlussakte verpflichtete sich die DDR zur Einhaltung der Menschenrechte. In dem Maße, in dem diese Menschenrechtsaspekte bei den DDR-Bürgern ins Bewusstsein rückten, nahm die Zahl der Menschen, die einen Antrag auf Ausreise stellten, sprunghaft zu. Die Zurückdrängung der Aussiedlungsersuchen stellte von nun an bis zum Ende der DDR die Hauptaufgabe der ZKG und der ihr untergeordneten Bezirkskoordinierungsgruppen (BKG) dar.[43]

Von 1977 bis 1988 wurden durch das MfS und die Polizei rund 20 000 Ermittlungsverfahren gegen Antragsteller eingeleitet. Davon lagen 12 000 Verfahren in den Händen des MfS.[44] Das Ausmaß nicht nur der Zahl der Flüchtenden und tatsächlich Ausgereisten und Ausgewiesenen, sondern auch derjenigen, deren Anträge nicht bewilligt wurden, geht aus internen Statistiken der Koordinierungsgruppen des MfS hervor, die hier vorgestellt werden sollen:

Tab. 3: Fluchtfälle 1976 bis 1988[45]

Jahr	gelungene Fluchtversuche	verhinderte Fluchtversuche	Jahr	gelungene Fluchtversuche	verhinderte Fluchtversuche
1976	951	3620	1983	697	2910
1977	927	3601	1984	627	1968
1978	778	2886	1985	627	1509
1979	832	2856	1986	1539	2173
1980	872	3321	1987	3565	3006
1981	663	2912	1988	6543	4224
1982	647	3077	bis 8. 10. 1989	53576	keine Angaben

Tab. 4: Antragsteller und tatsächlich Ausreisende 1977 bis 1989[46]

Jahr	Antragsteller	Ausreisende	Jahr	Antragsteller	Ausreisende
1977	–	3500	1984	50600	29800
1978	–	4900	1985	53000	17400
1979	–	5400	1986	78600	16000
1980	21500	4400	1987	105100	7600
1981	23000	9200	1988	113500	25300
1982	24900	7800	bis 30. 6. 1989	125400	34600
1983	30400	6700			

Sehr anschaulich kann auf der Basis dieser Daten herausgearbeitet werden, inwieweit sich aus der zunehmenden deutsch-deutschen Annäherung und der internationalen Anerkennung, die die DDR jahrzehntelang angestrebt hatte, für diese negative Folgen entwickelten. Die Motive der Ausreisewilligen wurden von der ZKG akribisch gesammelt. Zu den unterschiedlichen Strategien zur Reduzierung der Ausreisezahlen gehörten vielfältige repressive und integrative Gegenmaßnahmen, für die das MfS federführend war. So versuchte das MfS, durch die massenhafte Genehmigung von Ausreiseanträgen im Jahre 1984 das Konfliktpotential zu reduzieren, eine Maßnahme, die ebenso wirkungslos blieb wie andere Strategien.

3. Biografischer Zugang und Fallanalysen

Für Schüler/innen bietet die intensive Beschäftigung mit einem oder mehreren der unzähligen Einzelfälle, die in den Unterlagen überliefert sind, einen anschaulichen und konkreten Zugang zu einem zunächst komplexen und abstrakten Stoff. Hier werden betroffene Menschen sichtbar, erhalten »ein Gesicht«: Die weit reichenden Einflussmöglichkeiten des MfS auf den Lebensweg von Menschen, das Leid und Ausgeliefertsein vieler Betroffener werden sichtbar. An den Beispielen für Mut, Zivilcourage und Widerstand werden aber auch die in einer Diktatur bestehenden Handlungsspielräume erkennbar. Auch die Motive der hauptamtlichen Mitarbeiter des MfS (1989 insgesamt 91 000) und der Inoffiziellen Mitarbeiter können erkannt und in den historischen Gesamtzusammenhang eingeordnet werden.

Die Arbeit mit Einzelfällen bietet gute Ansatzpunkte für einen vielfältigen Methodeneinsatz, entdeckendes Lernen und die Auseinandersetzung mit unterschiedlichen Perspektiven und Interpretationsansätzen. Einzelfälle mit exemplarischem Charakter können in Form von Zeitzeugengesprächen, Quellenbeispielen oder medial aufbereitet herangezogen werden.[47]

Idealerweise sollte der persönliche Austausch mit Zeitzeugen mit anderen Überlieferungsformen verbunden werden, zum Beispiel mit Aktenüberlieferungen. Ein Zeitzeugengespräch mit einem Flüchtling, einem Ausgereisten oder einem »abgelehnten Antragsteller« unter Berücksichtigung verschiedener Perspektiven kann mit den Verhörprotokollen und Maßnahmeplänen, die das MfS, zur »Bearbeitung dieses Objekts« angelegt hat, verglichen werden: eine gute Methode, die Perspektivgebundenheit sowohl der erkennbar subjektiven Zeitzeugenaussagen als auch der scheinbar objektiveren Quellen sowie das Erfordernis von Quellenkritik zu thematisieren.

Aufgrund der quantitativen Bedeutung ist die Arbeit mit Fallbeispielen von Ost-West-Fluchten in der knappen Unterrichts- oder Projektzeit maßgebend. Auch die Beschäftigung mit Biografien bietet Möglichkeiten, Interdependenzen herauszuarbeiten, denn in allen Einzelschicksalen wird eine DDR- und eine bundesrepublikanische Dimension erkennbar.

Zunächst ist hier die Bedeutung der Flucht oder Ausreise, die immer einen tiefen Einschnitt im Leben bedeutete, für den einzelnen Menschen zu nennen. In Zeitzeugengesprächen kann über die Flucht- bzw. Ausreisemotive, -ursachen und -umstände hinaus gezielt nach der weiteren biografischen Entwicklung, der Integration oder der Nichtakzeptanz in der Bundesrepublik gefragt werden. Der Umgang mit den ehemaligen DDR-Bürgern in der Bundesrepublik spiegelt jeweils auch die Phase wider, in der sich die deutsch-deutschen Beziehungen gerade befanden. Die Frage nach der Akzeptanz eines DDR-Flüchtlings in den 1950er, 1970er und 1980er Jahren kann an den jeweiligen biografischen Besonderheiten diskutiert werden. Ehemalige DDR-Bürger, die sich in der Bundesrepublik politisch engagierten, sich für politische Gefangene in der DDR einsetzten oder den Unrechtscharakter des SED-Regimes öffentlich anprangerten, konnten in den 1950er und frühen 1960er Jahren auf breiten Konsens und Akzeptanz hoffen; in der Zeit des »Wandels durch Annäherung« konnten sie dagegen durchaus als Störenfriede wahrgenommen und dargestellt werden, die auch der Sache der in der DDR Verfolgten schadeten.

Anhand der Stasi-Akten lässt sich belegen, dass viele der Geflüchteten, Ausgewiesenen oder Ausgereisten auch in der Bundesrepublik vom MfS weiter beobachtet oder gar bearbeitet wurden, vor allem, wenn sie öffentlich in Erscheinung traten. Die Beispiele des Fußballers Lutz Eigendorf, der bis zu seinem rätselhaften Unfalltod unter kontinuierlicher Beobachtung des MfS stand, oder des Autors Jürgen Fuchs, der im Westen massiven Zersetzungsmaßnahmen ausgeliefert war, stellen besonders prominente und dadurch herausragende, aber keine Einzelfälle dar.[49] Auch über die so genannten »Rückverbindungen« von ehemaligen DDR-Bürgern aus der Bundesrepublik zu Freunden oder Verwandten in der DDR informieren die Stasi-Akten. Die Integrationserfahrungen, über die die ehemaligen DDR-Bürger ihren in der DDR lebenden Bekannten, Arbeitskollegen oder Verwandten berichteten, hatten einen höheren Glaubwürdigkeitsgrad als das Westfernsehen oder die Berichte von West-Verwandten. Sie erweiterten das Gehörte und Gesehene um die Dimension des Erlebten von Menschen mit einem vergleichbaren Sozialisationshintergrund. Die »Rückverbindungen« wurden vom MfS daher als eine der wichtigsten Ursachen für die zunehmende Bereitschaft, die DDR trotz aller zu befürchtenden Repressionen zu verlassen, angesehen und bearbeitet.[50]

In Ergänzung zu den genannten »Ost-West-Fallbeispielen« sollte im Rahmen eines integrativen Zugangs zur deutschen Nachkriegsgeschichte auch eine Fragerichtung »West-Ost« Raum finden. Das MfS hat sowohl die Ost-West-Fluchten und Ost-West-Ausreisen intensiv beobachtet und zurückzudrängen versucht, als auch die Bürger, die aus der Bundesrepublik in den Osten kamen, misstrauisch überwacht.

Die Frage, warum Menschen in den 1950er Jahren aus der Bundesrepublik in die DDR gingen, kann anhand der wirtschaftlichen, der menschlichen (Rückwanderer) oder der ideologischen Dimension betrachtet werden. Dabei bieten Biografien von Künstlern wie Wolf Biermann oder Manfred Krug, die in ihren jungen Jahren aus der Bundesrepublik der 1950er Jahre in die DDR zogen und in den 1970er Jahren ausgewiesen wurden (Biermann) bzw. wieder ausreisten (Krug) zwar untypische, aber auch fächerübergreifend zu behandelnde Beispiele. Fallbeispiele von »Normalbürgern« können anhand der Akten des MfS erschlossen werden, die deren Kontrolle oder »Bearbeitung« dokumentieren. Diskutiert werden kann auch, warum die Zahl der in die DDR Ziehenden trotz der nach 1968 im Westen erheblich gestiegenen Zahl von fundamentalen Gegnern des bundesrepublikanischen Gesellschaftssystems so gering war. Untypische, aber auf ihre Art durchaus signifikante Beispiele für West-Ost-Lebenswege finden sich bei den Terroristen der RAF und der »Bewegung 2. Juni«, die von der Staatssicherheit geschützt und mit Legenden versehen in den DDR-Alltag integriert wurden.[51]

Schlussbemerkung

Eine Beschäftigung mit der DDR-Staatssicherheit im Rahmen einer integrierten deutschen Nachkriegsgeschichte ist viel versprechend, wirft aber spezifische Fragen auf. So ist ein komparativer Zugang unter der Prämisse einer Betrachtung potentieller Parallelitäten zwischen MfS und westdeutschen Nachrichtendiensten nur sehr begrenzt tragfähig. Angemessener erscheint der hier vorgestellte kontrastierende Ansatz, der die jeweiligen Herrschaftsrealitäten und Systemvoraussetzungen, vor allem aber den konstitutiven Unterschied zwischen Diktatur und Demokratie einbezieht. Genese, Dimension, Zielsetzung und Funktion sowie Kontrollmechanismen von bundesdeutschen Diensten und dem MfS bieten sich im Unterricht als aussagekräftige Folie für eine Diskussion der essentiellen Unterschiede zwischen der bundesdeutschen parlamentarischen Demokratie und der Parteidiktatur in der DDR an. Ein Geheimdienstvergleich sollte also, analog zum klassischen Ansatz des Systemvergleichs, primär mit dem Ziel angestellt werden, die Unterschiede zu erkennen und benennen zu können. Der Ansatz sollte jedoch so angelegt sein, dass die Bundesrepublik nicht lediglich als normatives Kontrastmodell dient, sondern selbst in die kritische Betrachtung einbezogen wird. Dies ist eine wichtige didaktische Prämisse auch für eine Behandlung des Themas unter beziehungsgeschichtlichen Fragestellungen.

Die Bedeutung der Staatssicherheit in unterschiedlichen deutsch-deutschen Themenkomplexen ist erheblich, weil die Stabilität der SED-Herrschaft im »halben Land« DDR in einem hohen Maße von innerdeutschen Faktoren abhängig war. Dies äußerte sich in einer eigentümlichen »Westfixierung« des MfS, die durch rationale wie irrationale Ängste der Machthaber, die anhaltende Westorientierung großer Teile der DDR-Bevölkerung und nicht zuletzt durch objektive Defizite im Systemwettbewerb bedingt war. Der hohe Informationsgehalt von MfS-Quellen zu deutsch-deutschen Themenaspekten und der starke Bezug zwischen MfS-Aktivitäten und deutsch-deutschen Beziehungskomplexen sind Ausgangspunkt wissenschaftlich und didaktisch viel versprechender Ansätze.

Das gilt für eine kritische Betrachtung des Umgangs mit der NS-Vergangenheit in beiden deutschen Staaten ebenso wie für eine synchrone Untersuchung der Friedensbewegung in der Bundesrepublik und in der DDR. In gewissem Umfang gilt es auch für eine beziehungsgeschichtliche und komparative Betrachtung der politischen Justiz in der Bundesrepublik und in der DDR der 1950er Jahre, weil die Staatssicherheit im System der politischen Strafverfolgung des SED-Staates eine strukturell dominante Rolle spielte, was sich auch in der Aktenüberlieferung niederschlägt: Die Unterlagen zur politischen Justiz der DDR finden sich ganz überwiegend in den Beständen der Geheimpolizei.

Vor allem die Thematik »Flucht und Abwanderung« eignet sich für eine Betrachtung vielfältiger Aspekte der deutsch-deutschen Wirklichkeit. Längsschnittuntersuchungen am Beispiel der Entwicklung der Fluchtzahlen, der sich verändernden Abwanderungsmotive und der Gegenstrategien des SED-Staates in den jeweiligen historischen Zusammenhängen sind ebenso fruchtbar wie individuelle biografische Zugänge u. a. auf der Grundlage der MfS-Akten. Die spezifische Situation des geteilten Landes bis 1961 mit der offenen Grenze in Berlin und den für die DDR systemgefährdend hohen Fluchtzahlen, später – nach dem Mauerbau – die mühsam gebändigte Abwanderungstendenz, die sich in den 1980er Jahren in der Ausreisebewegung wieder Bahn brach, und die beabsichtigte, aber nie wirklich gelungene Abschottung gegenüber dem Westen sind zentrale Aspekte der deutsch-deutschen Beziehungsgeschichte, bei denen die DDR-Staatssicherheit eine bedeutende Rolle spielte. Die besondere Ausprägung des ostdeutschen Überwachungsstaates und die historisch einmalige (relative) Größe seiner Geheimpolizei sind nicht zuletzt vor dem Hintergrund fortbestehender deutsch-deutscher Verflechtungen zu erklären, die die SED-Diktatur vor ungleich größere Herrschaftsprobleme stellte als ihre sozialistischen »Bruderstaaten«. In dieser Hinsicht berührt die deutsch-deutsche Perspektive einen Kernaspekt der Staatssicherheitsthematik.

Anmerkungen

1 Grundlage für die Arbeit der Bundesbeauftragten für die Unterlagen des Staatssicherheitsdienstes der ehemaligen Deutschen Demokratischen Republik (BStU) ist das Gesetz über die Unterlagen des Staatssicherheitsdienstes der ehemaligen Deutschen Demokratischen Republik (Stasi-Unterlagen-Gesetz – StUG). § 1 (3) schreibt als eine zentrale Aufgabe der Behörde fest, »... die historische, politische und juristische Aufarbeitung der Tätigkeit des Staatssicherheitsdienstes zu gewährleisten und fördern«. Nach § 37 hat die BStU die Aufgabe und Befugnis der »Aufarbeitung der Tätigkeit des Staatssicherheitsdienstes durch Unterrichtung der Öffentlichkeit über Struktur, Methoden und Wirkungsweise des Staatssicherheitsdienstes ...« (5) und der »Einrichtung und Unterhaltung von Dokumentations- und Ausstellungszentren« (8).

2 Vgl. 14. Shell-Jugendstudie, Frankfurt/M. 2002. Für die jungen Menschen, die 1987 14 Jahre alt waren, konstatiert Förster eine anhaltende Doppelidentität, die wiederum auf deren Kinder zurückwirken dürfte. Vgl. Peter Förster, Junge Ostdeutsche heute: doppelt enttäuscht. Ergebnisse einer Längsschnittstudie zum Mentalitätswandel zwischen 1987 und 2002, in: Aus Politik und Zeitgeschichte, B 15/2003, S. 6–17.

3 Die BStU stellt in Berlin und den Außenstellen seit Jahren eine Reihe von Angeboten für Schulen zur Verfügung, auch in den alten Bundesländern werden Veranstaltungen mit Schulen durchgeführt. Weitere Informationen – auch zur Geschichte und Struktur der Behörde – finden sich auf der Website der BStU unter www.bstu.de.

4 Als erster Zugang auch für Schüler/innen empfehlenswert: Jens Gieseke, Die DDR-Staatssicherheit. Schild und Schwert der Partei, Bonn 2001 (erschienen in der Reihe ZeitBilder der Bundeszentrale für politische Bildung); außerdem ausführlicher auf dem derzeitigen Forschungsstand: Ders., Mielke-Konzern. Die Geschichte der Stasi 1945 bis 1990, Stuttgart/München 2001. Über die Publikationen zur Staatssicherheit informiert umfassend die Bibliografie auf der Website der BStU (URL: http://www.bstu.de/bibliothek/bibliografie.pdf).

5 Dietmar von Reeken, Geschichtskultur im Geschichtsunterricht. Begründungen und Perspektiven. In: Geschichte in Wissenschaft und Unterricht, 4/2004, S. 233–240.

6 Mit einer kleinen Reihe »Quellen für die Schule« stellt die BStU Auszüge aus Akten für die Projektarbeit in Schulen zur Verfügung. Die Quellen und Arbeitsempfehlungen werden im Rahmen von Lehrerweiterbildungen der BStU vorgestellt.

7 Die 1917 gegründete »Tscheka« (Tschreswytschainaja Kommissija = Außerordentliche Kommission) war die Geheimpolizei der gerade an die Macht gelangten Bolschewiki.

8 Grundlegend zu beiden Themenbereichen: Gerhard Wettig, Bereitschaft zu Einheit in Freiheit? Sowjetische Deutschlandpolitik 1945 bis 1955, München 1999; Bernd Stöver, Die Befreiung vom Kommunismus. Amerikanische Liberation Policy im Kalten Krieg 1947–1991, Köln u.a. 2002.

9 Vgl. ebenda sowie Karl Wilhelm Fricke/Roger Engelmann, »Konzentrierte Schläge«. Staatssicherheitsaktionen und politische Prozesse in der DDR 1953 bis 1956, Berlin 1998.

10 Hubertus Knabe, Die unterwanderte Republik. Stasi im Westen, Berlin 1999.

11 Henry Leide, NS-Verbrecher und Staatssicherheit. Die geheime Vergangenheitspolitik der DDR, Göttingen 2005; Annette Weinke, Die Verfolgung von NS-Tätern im geteilten Deutschland: Vergangenheitsbewältigungen 1949 bis 1969 oder: Eine deutsch-deutsche Beziehungsgeschichte im Kalten Krieg, Paderborn 2002; Philipp-Christian Wachs, Der Fall Oberländer (1905 bis 1998). Ein Lehrstück deutscher Geschichte, Frankfurt/M. 2000; Annette Rosskopf, Friedrich Karl Kaul, Anwalt im geteilten Deutschland (1906 bis 1981), Berlin 2002.

12 Die Erforschung der spezifischen Rolle des MfS ist leider noch nicht sehr weit fortgeschritten. Einschlägig sind vor allem: Mary Elise Sarotte, Nicht nur Fremde ausspioniert. MfS-Dokumente zu den deutsch-deutschen Verhandlungen Anfang der siebziger Jahre, in: Deutschland Archiv, 30 (1997) 3, 407–411. Mit einer problematischen Deutung: H. Knabe, (Anm. 10), S. 31–38; und ders., Der diskrete Charme der DDR. Stasi und Westmedien, S. 53–165. Außerdem in Vorbereitung:

Reinhard Buthmann, DDR in Geldnot. Das Zürcher Modell und die Stasi (Publikationsort noch nicht bekannt).

13 Udo Baron, Kalter Krieg und heißer Frieden. Der Einfluss der SED und ihrer westdeutschen Verbündeten auf die Partei »Die Grünen«, Münster 2003; Thomas Auerbach, Der Frieden ist unteilbar. Die blockübergreifende Friedensbewegung im Visier der Stasi-Hauptabteilung XX/5 1981 bis 1987, in: Linke Opposition in der DDR und undogmatische Linke in der BRD, hrsg. von der Geschichtswerkstatt Jena, Jena 1996. S. 72–87.

14 Vgl. Roger Engelmann, Funktionswandel der Staatssicherheit, in: Christoph Boyer/Peter Skyba (Hrsg.), Repression und Wohlstandsversprechen. Zur Stabilisierung der Parteiherrschaft in der DDR und CSSR, Dresden 1999, S. 89–97, sowie J. Gieseke (Anm. 4), S. 84–92.

15 Vgl, Sonja Süß, Repressive Strukturen in der SBZ/DDR. Analyse von Strategien der Zersetzung durch Staatsorgane der DDR gegenüber Bürgern der DDR, in: Materialien der Enquete-Kommission »Überwindung der Folgen der SED-Diktatur im Prozess der deutschen Einheit«, Bd. 11/1, Baden-Baden 1999, S. 193–250; Sandra Pingel-Schliemann, Zersetzen – Strategie einer Diktatur. Eine Studie, Berlin 2002.

16 Umfassend: Walter Süß, Staatssicherheit am Ende. Warum es den Mächtigen nicht gelang, 1989 eine Revolution zu verhindern, Berlin 1999.

17 Standardwerk von vor 1990: Karl Wilhelm Fricke, Politik und Justiz in der DDR. Zur Geschichte der politischen Verfolgung 1945 bis 1968. Bericht und Dokumentation, Köln 1979. Wichtigste Publikationen von nach 1990: Falco Werkentin, Politische Strafjustiz in der Ära Ulbricht. Berlin 1995; R. Engelmann, C. Vollnhals (Anm. 11); Hermann Wentker, Justiz in der SBZ/DDR 1945 bis 1953. Transformation und Rolle ihrer zentralen Institutionen, München 2001; Dieter Pohl, Justiz in Brandenburg 1945 bis 1955. Gleichschaltung und Anpassung, München 2001; Petra Weber, Justizverwaltung und politische Strafjustiz in Thüringen 1945 bis 1961, München 2000.

18 Diether Posser, Anwalt im Kalten Krieg. Ein Stück deutscher Geschichte in politischen Prozessen 1951 bis 1968, München 1991, Bonn 2000; Heinrich Hannover, Die Republik vor Gericht. Erinnerungen eines unbequemen Rechtsanwalts, Bd. 1: 1954 bis 1974, Berlin 2000.

19 Alexander von Brünneck, Politische Justiz gegen Kommunisten in der Bundesrepublik Deutschland 1949 bis 1968, Frankfurt/Main 1978.

20 Otto Kirchheimer, Funktionen des Staats und der Verfassung. Zehn Analysen, Frankfurt./M. 1972, S. 143.

21 A. v. Brünneck (Anm. 19), S. 320–324; Roger Engelmann/Paul Erker, Annäherung und Abgrenzung. Aspekte deutsch-deutscher Beziehungen 1956 bis 1969, München 1993, S. 21 und 51–54.

22 Zahlen bei A. v. Brünneck (Anm. 19), S. 236–242.

23 Diese Zahl beruht auf einer eigenen Schätzung auf der Grundlage von unterschiedlichen Teilstatistiken. Vgl. die im Ganzen höher liegende Schätzung von Werkentin für die Gesamtzeit der DDR: Falco Werkentin, Das Ausmaß politischer Strafjustiz in der DDR, in: Ulrich Baumann und Helmut Kury (Hrsg.), Politisch motivierte Verfolgung: Opfer von SED-Unrecht, Freiburg 1998, S. 49–74.

24 Vgl. A. v. Brünneck (Anm. 19), S. 280–284.

25 Vgl. Falco Werkentin, »Souverän ist, wer über den Tod entscheidet«. Die SED-

Führung als Richter und Gnadeninstanz bei Todesurteilen, in: R. Engelmann/ C. Vollnhals (Anm. 11), S. 181–204, hier 184.
26 Vgl. A. v. Brünneck (Anm, 19), S. 250–253 und S. 258–261.
27 Vgl. Roger Engelmann, Staatssicherheitsjustiz im Aufbau. Zur Entwicklung geheimpolizeilicher und justitieller Strukturen im Bereich der politischen Strafverfolgung 1950 bis 1963, in: R. Engelmann/C. Vollnhals (Anm. 11), S. 133–164.
28 Vgl. die Fälle Hans-Dietrich Kogel und Joachim Wiebach bei K. W. Fricke/ R. Engelmann (Anm. 9), S. 159–181.
29 Die Terminologie wurde von Fraenkel am Beispiel des Nationalsozialismus entwickelt. Ernst Fraenkel, Der Doppelstaat, Frankfurt/M. und Köln 1974.
30 Vgl. Helge Heidemeyer, Flucht und Zuwanderung aus der SBZ/DDR 1945/49 bis 1961: Die Flüchtlingspolitik der Bundesrepublik Deutschland bis zum Bau der Berliner Mauer, Düsseldorf 1994. Inzwischen liegen zahlreiche komprimierte und einführende Überblicke vor, von denen hier nur eine Auswahl genannt werden soll: Henrik Bispinck, »Republikflucht«: Flucht und Ausreise als Problem für die DDR-Führung, in: Dierk Hoffmann/Hermann Wentker (Hrsg.), Vor dem Mauerbau: Politik und Gesellschaft in der DDR der fünfziger Jahre, München 2003, S. 285–309; Bernd Eisenfeld, Gründe und Motive von Flüchtlingen und Ausreiseantragstellern aus der DDR, in: Deutschland Archiv, 37 (2004) 1, S. 89–105. Ergiebig sind auch die Materialien der 1. Enquete-Kommission: Die Flucht- und Ausreisebewegung in verschiedenen Phasen der DDR-Geschichte – öffentliche Anhörung, in: Materialien der Enquete-Kommission »Aufarbeitung von Geschichte und Folgen der SED-Diktatur in Deutschland«, Band VII/1, Baden-Baden 1995, S. 314–449; Hartmut Wendt, Die Deutsch-deutschen Wanderungen. Bilanz einer 40jährigen Geschichte von Flucht und Ausreise, in: Deutschland-Archiv, 24 (1991) 4, S. 386–395; Jörg Roesler, »Abgehauen«. Innerdeutsche Wanderungen in den fünfziger und neunziger Jahren und deren Motive, in: Deutschland-Archiv, 36 (2003) 4, S. 562–574.
31 Vgl. Andrea Schmelz, Die West-Ost-Migration aus der Bundesrepublik in die DDR 1949 bis 1961. In: Archiv für Sozialgeschichte, 42. Band, 2002, S. 19–54.
32 Vgl. J. Roesler (Anm. 30), S. 567.
33 Vgl. A. Schmelz (Anm. 31), S. 48 ff.
34 Zur Klärung dieser Frage gab das Bundesministerium für gesamtdeutsche Fragen eine Studie bei Infratest in Auftrag. Die West-Ost-Wanderung ehemaliger Sowjetzonen-Flüchtlinge, Infratest, München, 1961; und: Die West-Ost-Wanderung von Bürgern der Bundesrepublik, Hrsg. Infratest München, 1962.
35 Nach H. Bispinck (Anm. 30), S. 306. Bispincks Angaben fußen auf den Angaben der Staatlichen Plankommission der DDR. Sie weichen für den Bereich der Ost-West-Wanderung und Fluchten stark ab von den in der Regel verwendeten Daten, die im Notaufnahmeverfahren erhoben wurden. Vgl. DDR-Handbuch, Bundesministerium für innerdeutsche Beziehungen (Hrsg.), Köln 1985, S. 418 ff. Sehr differenzierte Daten auf der Basis unterschiedlicher Datenquellen der DDR liefert Schmelz, (Anm. 31), S. 38 ff. Sie stellt auch die großen Differenzen zwischen den unterschiedlichen DDR-Datenquellen und der Fortzugsstatistik der Bundesrepublik dar.
36 H. Wendt (Anm. 30), S. 387.
37 Zu dieser Zahl gelangt Jens Gieseke, in: The Ministry for State Security of the German Democratic Republic, in: Lukasz Kaminski/Krysztof Persah (ed.), Handbook of the Communist Security Apparatus in Central and East Central Europe

1944/45–1989, Warsaw 2005. Er berücksichtigt zwar Herzattacken bei der Grenzkontrolle, Erschießungen von westlichen Grenzverletzern etc., lässt aber beispielsweise Selbstmorde von Grenzsoldaten, tödliche Waffenunfälle bei Grenzsoldaten, Todesfälle von Grenzverletzern, die in keinem direkten Zusammenhang mit der Grenzverletzung/Festnahme etc. stehen, z. B. Jahre später Selbstmord in der Haft, unberücksichtigt. Diese rechnet er aus der von der Arbeitsgemeinschaft 13. August angegebenen Zahl von 1 065 Todesopfern des Grenzregimes heraus. Vgl. Alexandra Hildebrandt (Hrsg.), Neue Zahl der Todesopfer des DDR-Grenzregimes – keine Endbilanz, 137. Pressekonferenz der Arbeitsgemeinschaft 13. August e. V., 12. 08. 2004.

38 Quelle: Berechnet aus Angaben der Arbeitsgemeinschaft 13. August, Berlin 2004, von Gieseke (Anm. 37).

39 Vgl. B. Eisenfeld (Anm. 30).

40 Bernd Eisenfeld, Die Zentrale Koordinierungsgruppe. Bekämpfung von Flucht und Übersiedlung, Berlin 1995. (MfS-Handbuch III/17); ders., Strategien des Ministeriums für Staatssicherheit zur Steuerung der Ausreisebewegung, in: Ausreisen oder dableiben? Regulierungsstrategien der Staatssicherheit: öffentliche Veranstaltung am 26. Oktober 1995, Berlin 1997 (Reihe B – Analysen und Berichte 1997, 1), S. 6–181; ders., Kampf gegen Flucht und Ausreise – die Rolle der Zentralen Koordinierungsgruppe, in: Hubertus Knabe, West-Arbeit des MfS. Das Zusammenspiel von »Aufklärung« und »Abwehr«, Berlin, 1999, S. 273–283.

41 Siegfried Suckut (Hrsg.), Das Wörterbuch der Staatssicherheit. Definitionen zur politisch-operativen Arbeit, Berlin 2001 (3. Aufl.), S. 219.

42 Eisenfeld, (Anm. 40).

43 In der Dienstanweisung 2/83 von Erich Mielke heißt es: »Bei allen zu treffenden Entscheidungen zu Übersiedlung, einschließlich der Genehmigung der Wohnsitzänderung und der Zustimmung zur Eheschließung (gemeinsamer Wohnsitz in nichtsozialistischen Staaten oder WB) hat das MfS das Einspruchsrecht gegenüber den zuständigen Organen des MdI und den Bereichen Inneres wahrzunehmen.« Dienstanweisung 2/83, abgedruckt in: Eisenfeld (wie Anm. 40), Anhang.

44 Vgl. Eisenfeld (Anm. 30), S. 94, der auch aufzeigt, dass diese Verfahren in der Regel mit Gefängnisstrafen wegen »staatsfeindlicher Verbindungsaufnahme«, »Beeinträchtigung staatlicher Tätigkeit« oder Fluchtgefahr endeten.

45 Quelle: Bernd Eisenfeld (Anm. 40).

46 Quelle: Bernd Eisenfeld (Anm. 40).

47 Die BStU bietet Auszüge aus Akten mit exemplarischen oder besonderen Beispielen für die Quellenarbeit mit Schüler/innen an. Bisher sind 2 Bände erschienen (BStU für Schulen. Quellen für die Schule, Bd. 1, 2004 und Bd. 2, 2005).

48 Für eine Diskussion der Flüchtlingszahlen, die auf unterschiedlichen Quellengrundlagen und Erfassungsrastern basieren, durch die sich teilweise deutliche Abweichungen ergeben, ist hier nicht der geeignete Ort, es sei auf die in Anm. 30 genannten Arbeiten verwiesen. Trotzdem soll die Größenordnung noch einmal verdeutlicht werden: Die DDR mit 17 Millionen Bewohnern verließen in der Zeit von 1949 bis zur Grenzöffnung 3,5 Millionen Menschen in Richtung Bundesrepublik. Aus der 61 Millionen Einwohner umfassenden Bundesrepublik gingen im selben Zeitraum rund 470 000 Menschen in die DDR. Nach Eisenfeld (Anm. 30) S. 92.

49 Vgl. hierzu Hubertus Knabe, Die unterwanderte Republik: Stasi im Westen, Berlin 1999.

50 Die oben erwähnte Dienstanweisung 2/83 betont die Wichtigkeit der Kontrolle von Rückverbindungen: »7.1. Die Leiter aller operativen Diensteinheiten haben unter Nutzung der Möglichkeiten operativer Kräfte, Mittel und Methoden zu gewährleisten, dass aus ihrem Verantwortungsbereich übersiedelte Personen weitgehend daran gehindert werden, vom Operationsgebiet aus Bürger der DDR im Zusammenhang mit Übersiedlungsversuchen zu Straftaten und anderen feindlich-negativen Handlungen zu inspirieren. Bei ausgewählten operativ bedeutsamen Personen, von denen mit Sicherheit zu erwarten ist, dass sie nach erfolgter Übersiedlung gegen die DDR feindlich tätig werden, sind bereits vor der Übersiedlung die erforderlichen Maßnahmen zur Diskreditierung dieser Person sowie zur Desinformation und Verunsicherung des Gegners einzuleiten. Zur Realisierung der oben genannten Aufgabenstellung sind bereits vor der Übersiedlung Möglichkeiten einer Bearbeitung mit IM im Operationsgebiet vorzubereiten. Durch die Anwendung operativer Kombinationen und Legenden sind die ausgewählten Personen noch vor der Übersiedlung zu verunsichern und in das Blickfeld gegnerischer Abwehrorgane zu rücken.« Wie Anm. 43.

51 Die frühere Terroristin Inge Viett beschreibt ihr Leben in der DDR in der Autobiografie »Nie war ich furchtloser«, Hamburg 1997. Dabei bringt sie ihre idealisierte Sicht der von ihr erfahrenen realsozialistischen Wirklichkeit, in der sie durchgängig auf starke Unterstützung des MfS rechnen konnte, und die durchgängige Ablehnung des bundesrepublikanischen Systems klar zum Ausdruck.

III.
Literatur

Ulrich Bongertmann

Deutsche Geschichte 1945 bis 1990 – Literatur und Medien für Schule und politische Bildung

Dokumente und Materialien

Arnd Bauerkämper, Gemeinsam getrennt. Deutschland 1945 bis 1990 in Quellen, Wochenschau-Verlag, Schwalbach 2004 [für die Schule gut geeignete Auswahl]

Bundesministerium für innerdeutsche Beziehungen (Hrsg.), Zahlenspiegel BR Deutschland/DDR. Ein Vergleich, Bonn 1988 [Fundgrube für statistische Daten und anschauliche Grafiken, erstellt kurz vor dem Kollaps der DDR]

Deutscher Bundestag (Hrsg.), Materialien der Enquete-Kommission »Aufarbeitung von Geschichte und Folgen der SED-Diktatur in Deutschland« (12. Wahlperiode), 9 Bde. in 18 Teilen, Nomos Baden-Baden, Suhrkamp Frankfurt/M. 1995–97 [Protokolle, Beiträge und Sichtweisen in noch ungebändigter Fülle]

Deutscher Bundestag (Hrsg.), Materialien der Enquete-Kommission »Überwindung der Folgen der SED-Diktatur im Prozess der deutschen Einheit« (13. Wahlperiode), 8 Bde. in 14 Teilen, Nomos Baden-Baden, Suhrkamp Frankfurt/M. 1999 bis 2000 [s. o.]

Dierk Hoffmann/Karl-Heinz Schmidt/Peter Skyba (Hrsg.), Die DDR vor dem Mauerbau. Dokumente zur Geschichte des anderen deutschen Staates 1949–1961, Piper München 1993 [zentrale Dokumente für die Frühphase der DDR]

Matthias Judt (Hrsg.), DDR-Geschichte in Dokumenten. Beschlüsse, Berichte, interne Materialien und Alltagszeugnisse, Links Berlin 1997 (bpb Schriftenreihe 350, Bonn 1998) [breiter Einblick in viele Facetten der DDR]

Jürgen Kleindienst (Hrsg.), Hungern und Hoffen. Jugend in Deutschland 1945 bis 1950, Zeitgut Berlin 2000; Von hier nach drüben. Grenzgänge, Reisen und Fluchten 1945 bis 1961, 38 Geschichten und Berichte von Zeitzeugen, Zeitgut Berlin 2001; Halbstark und tüchtig. Jugend in Deutschland 1950 bis 1960, 48 Geschichten und Berichte von Zeitzeugen, Zeitgut Berlin 2002; Deutschland – Wunderland, Erinnerungen an den Neubeginn 1950 bis 1960, 44 Zeitzeugen-Erinnerungen aus Ost und West, Zeitgut Berlin 2003; Mauer-Passagen, Grenzgänge, Fluchten und Reisen 1961 bis 1989, 47 Geschichten und Berichte von Zeitzeugen, Zeitgut Berlin 2004; [sehr anschauliche Erzählungen zur Jugendphase, für jüngere Schüler gut geeignet]

Christoph Kleßmann/Georg Wagner (Hrsg.), Das gespaltene Land, Leben in Deutschland 1945 bis 1990, Texte und Dokumente zur Sozialgeschichte, Beck München 1993 [klassische Fundgrube zur Alltags- und Erfahrungsgeschichte mit vielen Sichtweisen aus der betroffenen Bevölkerung]

Rainer A. Müller (Hrsg.), Deutsche Geschichte in Quellen und Darstellung, Bd. 10 Besatzungszeit, Bundesrepublik und DDR 1945 bis 1969, hrsg. v. M. Niehuss/U. Lindner, Reclam Stuttgart 1998; Bd. 11 Bundesrepublik und DDR 1969 bis 1990, hrsg. v. D. Grosser u. a., Reclam Stuttgart 1996; [gute, verständliche Überblicke und zentrale Dokumente]

Heinrich Potthoff, Die »Koalition der Vernunft«, Deutschlandpolitik in den achtziger Jahren, dtv München 1995 [breite Dokumentation von Politikergesprächen und Telefonaten zwischen Kohl und Honecker bzw. Krenz, zugleich Versuch einer »Ehrenrettung« der neuen Ostpolitik der oppositionellen SPD]

Rolf Steininger, Deutsche Geschichte seit 1945 bis zur Gegenwart, Darstellung und Dokumente in 4 Bänden, Fischer Tb Frankfurt/M. 2002 [solide Informationen und mit vielen Dokumenten]

Clemens Vollnhals (Hrsg.), Entnazifizierung. Politische Säuberung und Rehabilitierung in den vier Besatzungszonen 1945 bis 1949, dtv München 1991

Biographien

Bernd Rainer Barth/Helmut Müller-Enbergs/Jan Wielgohs/Dieter Hoffmann (Hrsg.), Wer war wer in der DDR? Ein biographisches Handbuch, Fischer Tb Frankfurt/M. 1995, neue Aufl. Links Berlin 2006 (auch als CD-Rom in der Digitalen Bibliothek, Nr. 51, directmedia Berlin 2001)

Darstellungen für Ost- und Westdeutschland

Arnd Bauerkämper/Martin Sabrow/Bernd Stöver (Hrsg.), Doppelte Zeitgeschichte. Deutsch-deutsche Beziehungen 1945 bis 1990, Dietz Bonn 1998 [in 32 Beiträgen die wichtigsten Aspekte der »doppelten Zeitgeschichte« und viele Gemeinsamkeiten]

Peter Bender, Episode oder Epoche? Zur Geschichte des geteilten Deutschland, dtv München 1996 [früher Versuch einer parallelen, von den Gemeinsamkeiten bestimmten Betrachtung der beiden deutschen Staaten in den 40 Jahren der Teilung]

Rainer Geißler, Die Sozialstruktur Deutschlands. Die gesellschaftliche Entwicklung vor und nach der Vereinigung, 3. überarb. Aufl., Westdeutscher Verlag Wiesbaden 2002 [sehr guter Überblick über die sozialen Strukturen in beiden Teilen]

Hermann Glaser, Deutsche Kultur. Ein historischer Überblick von 1945 bis zur Gegenwart, Hanser München 1997 (3. erw. Aufl. bpb Lizenzausgabe, Bonn 2003) [anregende Darstellung der Leitlinien und Akzente wichtiger kultureller Entwicklungen in beiden Teilen, gute Basis für fächerverbindenden Unterricht]

Manuela Glaab, Geteilte Wahrnehmungswelten. Zur Präsenz des deutschen Nachbarn im Bewusstsein der Bevölkerung, in: Christoph Kleßmann/Hans Misselwitz/Günter Wichert (Hrsg.), Deutsche Vergangenheiten – eine gemeinsame Herausforderung, Links Berlin 1999, S. 206–220

Martin und Sylvia Greiffenhagen, Ein schwieriges Vaterland. Zur politischen Kultur im vereinigten Deutschland, List München/Leipzig 1993 [Aufsätze zu diversen politischen und kulturellen Aspekten vor und nach der deutschen Vereinigung]

Konrad H. Jarausch, »Die Teile als Ganzes erkennen« – Zur Integration der beiden deutschen Nachkriegsgeschichten, in: Zeithistorische Forschungen I (2004), S. 10–30, [in die Problematik einführender Aufsatz mit eigenem Phasenmodell]

Konrad H. Jarausch, Die Umkehr. Deutsche Wandlungen 1945 bis 1995, DVA München 2004 (bpb Schriftenreihe 469, Bonn 2005) [Distanzierter Blick eines Historikers aus den USA, teilweise Umsetzung des oben vorgestellten Konzeptes]

Peter Graf Kielmannsegg, Nach der Katastrophe. Eine Geschichte des geteilten Deutschland, Siedler Berlin 2000 [Abschlussband der Reihe Siedler Deutsche Geschichte, normative Abrechnung mit dem Scheitern der DDR]

Christoph Kleßmann, Die doppelte Staatsgründung. Deutsche Geschichte 1945 bis 1955, Vandenhoeck & R. Göttingen, überarb. und erw. 5. Aufl. 1991 (bpb Schriftenreihe 193, Bonn 1991) [frühester Entwurf einer verflochtenen Parallelgeschichte]

Christoph Kleßmann, Zwei Staaten, eine Nation. Deutsche Geschichte 1955 bis 1970, Vandenhoeck & R. Göttingen 2. erw. u. überarb. Aufl. 1997 (bpb Schriftenreihe 265, Bonn 1997) [Fortsetzung des o. g. Buches]

Christoph Kleßmann, Verflechtung und Abgrenzung. Aspekte der geteilten und zusammengehörigen deutschen Nachkriegsgeschichte, in: Aus Politik und Zeitgeschichte, B 29–30 (1993), S. 30–41 [früher Aufsatz zur Einführung in die Problematik]

Christoph Kleßmann/Hans Misselwitz/Günter Wichert (Hrsg.), Deutsche Vergangenheiten – eine gemeinsame Herausforderung, Links Berlin 1999 [viele wichtige Aufsätze zur Einführung in verschiedene Sachbereiche einer neuen Geschichtsschreibung]

Karl-Rudolf Korte/Dietmar Grosser/Wolfgang Jäger/Werner Weidenfeld, Geschichte der deutschen Einheit, 4 Bde., DVA Stuttgart 1998 [ausführliche Darstellung aus dem Blickwinkel der vorzeitig zugänglich gemachten Akten von Bundeskanzler Kohl]

Lutz Niethammer, Methodische Überlegungen zur deutschen Nachkriegsgeschichte. Doppelgeschichte, Nationalgeschichte oder asymmetrisch verflochtene Parallelgeschichte?, in: Christoph Kleßmann/Hans Misselwitz/Günter Wichert (Hrsg.), Deutsche Vergangenheiten – eine gemeinsame Herausforderung, Berlin 1999, S. 307–327

Gerhard A. Ritter, Über Deutschland. Die Bundesrepublik in der deutschen Geschichte, Beck München 1998 [Blick u. a. auf die Amerikanisierung bzw. Sowjetisierung der beiden Teile]

Hannes Siegrist/Konrad H. Jarausch (Hrsg.), Amerikanisierung und Sowjetisierung in Deutschland 1945 bis 1970, Campus Frankfurt/New York 1997

Stiftung Haus der Geschichte der BRD (Hrsg.), Ungleiche Schwestern? Frauen in Ost- und Westdeutschland, Bonn 1997 [Katalog zur Ausstellung]

Werner Weidenfeld/Hartmut Zimmermann (Hrsg.), Deutschland-Handbuch. Eine doppelte Bilanz 1949 bis 1989, Hanser München 1989 (bpb Schriftenreihe 275, Bonn 1989) [inhaltlich sehr breit angelegter Vergleich unmittelbar vor der Wende]

Werner Weidenfeld/Karl Rudolf Korte (Hrsg.), Handbuch zur deutschen Einheit 1949 – 1989 – 1999, aktual. u. erw. Ausgabe (bpb Schriftenreihe 363) Bonn 1999

Heinrich A. Winkler, Der lange Weg nach Westen, Bd. 2, Deutsche Geschichte vom »Dritten Reich« bis zur Wiedervereinigung, 5. Aufl. Beck München 2002 (bpb Schriftenreihe 463, Bonn 2005) [anerkanntes Standardwerk für fortgeschrittene Leser]

Darstellungen zur Besatzungszeit

Till Bastian, Niemandszeit. Deutsche Porträts zwischen Kriegsende und Neubeginn, Beck München 1999 [Aspektreiche biografische Darstellungen]

Wolfgang Benz, Potsdam 1945. Besatzungsherrschaft und Neuaufbau im Vier-Zonen-Deutschland, dtv München 2005 (zuerst 1986) [auch für jüngere Leser geeigneter Überblick zur Nachkriegszeit]

Michael Schwartz, Vertriebene und »Umsiedlerpolitik«. Integrationskonflikte in den deutschen Nachkriegsgesellschaften und die Assimilationsstrategien in der SBZ/DDR 1945 bis 1961, Oldenbourg München 2004 [vergleichende Studie zum Vertriebenenproblem]

Dietrich Staritz, Die Gründung der DDR. Von der sowjetischen Besatzungsherrschaft zum sozialistischen Staat, dtv München 3. erw. Auflage 1995 [guter Überblick von 1945 bis zum »Aufbau des Sozialismus« 1952, teilweise auch für jüngere Leser geeignet]

Darstellungen zur Bundesrepublik Deutschland

Anselm Doering-Manteuffel, Wie westlich sind die Deutschen? Amerikanisierung und Westernisierung im 20. Jahrhundert, Vandenhoeck & R. Göttingen 1999 [im Mittelpunkt stehen die fünfziger und sechziger Jahre im Westen, Westernisierung meint die Herausbildung eines gemeinsamen Wertekanons beiderseits des Atlantiks]

Manfred Görtemaker, Geschichte der Bundesrepublik Deutschland. Von der Gründung bis zur Gegenwart, Beck München 1999 [ausführliches Standardwerk zum Westen, doch wenig zur Geschichte der DDR]

Rudolf Morsey, Die Bundesrepublik Deutschland. Entstehung und Entwicklung bis 1969, Oldenbourg Grundriss der Geschichte 19, 4. Aufl. München 2000 [sehr gute Einführung in die Fragen und Probleme der Forschung]

Andreas Rödder, Die Bundesrepublik Deutschland 1969 bis 1990, Oldenbourg Grundriss der Geschichte 19a, München 2004 [Fortsetzung des o.g. Buches von Morsey]

Axel Schildt/Arnold Sywottek, Modernisierung im Wiederaufbau. Die westdeutsche Gesellschaft der fünfziger Jahre, aktual. Studienausgabe, Dietz Bonn 1998

Kurt Sontheimer, Die Adenauer-Ära. Die Grundlegung der Bundesrepublik, dtv München 2003 (zuerst 1991) [guter Überblick über die innere Entwicklung der fünfziger Jahre]

Bernd Stöver, Die Bundesrepublik Deutschland. Kontroversen um die Geschichte, Wissenschaftliche Buchgesellschaft Darmstadt 2002 [Einführung in anregende wissenschaftliche Streitfragen]

Darstellungen zur DDR

Arnd Bauerkämper, Die Sozialgeschichte der DDR, EdG 76, Oldenbourg München 2005

Richard Bessel/Ralph Jessen (Hrsg.), Die Grenzen der Diktatur. Staat und Gesellschaft in der DDR, Vandenhoeck & R. Göttingen 1996 [Aufsätze über Berufe, soziale Gruppen und Herrschaftsausübung in der DDR, Grundsätzliches über Methodik und Alltagsgeschichte]

Rainer Eppelmann/Horst Möller/Günter Nooke/Dorothee Wilms (Hrsg.), Lexikon des DDR-Sozialismus, 2 Bde., UTB Stuttgart 1997

Rainer Eppelmann/Bernd Faulenbach/Ulrich Mählert (Hrsg.), Bilanz und Perspektiven der DDR-Forschung, Schöningh Paderborn 2003 [ein Zwischenstand mit Anregungen für weitere Arbeiten]

Günther Heydemann, Die Innenpolitik der DDR, EdG 66, Oldenbourg München 2001

Gunter Holzweißig, Die schärfste Waffe der Partei. Eine Mediengeschichte der DDR, Böhlau Köln 2002

Beate Ihme-Tuchel, Die DDR. Kontroversen um die Geschichte, Wissenschaftliche Buchgesellschaft Darmstadt 2002 [adäquates Pendant zu B. Stövers Buch über die BRD]

Konrad H. Jarausch, Die unverhoffte Einheit 1989 bis 1990, Suhrkamp Frankfurt/M. 1995 [detaillierte Darstellung und Einordnung des letzten Jahres der DDR]

Hartmut Kaelble/Jürgen Kocka/Hartmut Zwahr (Hrsg.), Sozialgeschichte der DDR, Klett-Cotta Stuttgart 1994 [richtungweisende Aufsätze zur historischen Einschätzung der DDR]

Hubertus Knabe, 17. Juni 1953. Ein deutscher Aufstand, Propyläen München 2003 [solide Darstellung des Aufstandes auf neuem Forschungsstand]

Ilko-Sascha Kowalczuk, 17. 6. 1953. Volksaufstand in der DDR, Edition Temmen Bremen 2003 [mit Audio-CD]

Ulrich Mählert, Kleine Geschichte der DDR 1949 bis 1989, 4. überarb. Aufl., Beck München 2004 [Standardwerk, sehr geeignet auch für jüngere Leser]

Sigrid Meuschel, Legitimation und Parteiherrschaft. Zum Paradox von Stabilität und Evolution in der DDR 1945 bis 1989, 2. Aufl., Suhrkamp Frankfurt/M. 1999 (zuerst 1992)

Klaus Schroeder/Steffen Alisch, Der SED-Staat. Partei, Staat und Gesellschaft 1949 bis 1990, Hanser München 1998 (Sonderausgabe für die Bayerische Landeszentrale für politische Bildung, München 1998) [informatives Handbuch mit historischem und systematischem Teil]

Dietrich Staritz, Geschichte der DDR, Erw. Ausg., Suhrkamp Frankfurt/M. 1996 [recht ausführlicher Überblick]

Clemens Vollnhals/Jürgen Weber (Hrsg.), Der Schein der Normalität. Alltag und Herrschaft in der SED-Diktatur, Olzog München 2002 [Aufsätze zu vielen Facetten des DDR-Alltags]

Dieter Vorsteher (Hrsg.), Parteiauftrag: Ein neues Deutschland. Bilder, Rituale und Symbole der frühen DDR, Katalog zur Ausstellung im DHM 1996/97, Koehler & Amelang München Berlin 1996 [Katalog mit unerschöpflichem Bildmaterial]

Hermann Weber, Geschichte der DDR, dtv München 1999 (zuletzt Area 2004) [Standardwerk des Mannheimer »Patriarchen« der DDR-Forschung]

Hermann Weber, Die DDR 1945 bis 1990, Oldenbourg Grundriss der Geschichte 20, 3. Aufl., München 2000 [Kurzfassung mit Forschungsüberblick zur Einführung]

Stefan Wolle, Die heile Welt der Diktatur. Alltag und Herrschaft in der DDR 1971 bis 1989, Links Berlin 1998 (bpb Schriftenreihe 349, Bonn 1998) [Standardwerk zur Alltagsgeschichte der DDR]

Diktatur, Opposition und Widerstand

Karl-W. Fricke u.a. (Hrsg.), Opposition und Widerstand in der DDR. Politische Lebensbilder, Beck München 2002

Günther Heydemann/Heinrich Oberreuter (Hrsg.), Diktaturen in Deutschland – Vergleichsaspekte. Strukturen, Institutionen und Verhaltensweisen, (bpb Schriftenreihe 398) Bonn 2003

Hubertus Knabe (Hrsg.), Freiheit und Öffentlichkeit. Politischer Samisdat in der DDR 1985 bis 1989. Eine Dokumentation, Berlin 2002 (Robert Havemann Gesellschaft e.V.)

Thomas Lindenberger, Volkspolizei. Herrschaftspraxis und öffentliche Ordnung im SED-Staat 1952 bis 1968, Böhlau Köln 2003 [grundlegende Studie zur Geschichte der »Vopo's«, der Deutschen Volkspolizei, mit ihren überall präsenten Abschnittsbevollmächtigten, Aktionen gegen »Rowdies« und Beatfans]

Ehrhart Neubert, Geschichte der Opposition in der DDR 1949 bis 1989, 2. Aufl., Links Berlin 1998 (bpb Schriftenreihe 346, Bonn 1999) [Standardwerk zu den oppositionellen Gruppen]

Ulrike Poppe/Rainer Eckert/Ilko-Sascha Kowalczuk (Hrsg.), Zwischen Selbstbehauptung und Anpassung. Formen des Widerstandes und der Opposition in der DDR, Links Berlin 1995

Detlef Schmiechen-Ackermann, Diktaturen im Vergleich. Kontroversen um die Geschichte, Wissenschaftliche Buchgesellschaft Darmstadt 2002 [Überblick über die kontroversen Vergleiche zwischen dem NS-Staat und der DDR]

Staatssicherheit

Roger Engelmann/Clemens Vollnhals (Hrsg.), Justiz im Dienste der Parteiherrschaft. Rechtspraxis und Staatssicherheit in der DDR, Links Berlin 1999

Bernd Eisenfeld, Die Zentrale Koordinierungsgruppe. Bekämpfung von Flucht und Übersiedlung, Berlin 1995 (MfS-Handbuch III/17)

Karl Wilhelm Fricke/Roger Engelmann, »Konzentrierte Schläge«. Staatssicherheitsaktionen und politische Prozesse in der DDR 1953 bis 1956, Links Berlin 1998

Jens Gieseke, Die DDR-Staatssicherheit. Schild und Schwert der Partei, Bonn 2000 (ZeitBilder der Bundeszentrale für politische Bildung)

Jens Gieseke, Mielke-Konzern. Die Geschichte der Stasi 1945 bis 1990, DVA Stuttgart/München 2001

Hubertus Knabe, Die unterwanderte Republik. Stasi im Westen, Ullstein Berlin 1999 [Aufdeckung vieler williger Helfer der Stasi im Westen und ihre Einflussnahme auf viele Lebensbereiche]

Dieter Krüger/Armin Wagner (Hrsg.), Konspiration als Beruf, Deutsche Geheimdienstchefs im Kalten Krieg, Links Berlin 2003 [biographische Darstellungen mit den beiderseitigen Verflechtungen]

Siegfried Suckut (Hrsg.), Das Wörterbuch der Staatssicherheit. Definitionen zur politisch-operativen Arbeit, Berlin 3. Aufl. 2001

Falco Werkentin, Recht und Justiz im SED-Staat, Bonn 2. Auflage 2000 (ZeitBilder der Bundeszentrale für politische Bildung)

Innerdeutsche Grenze und Berliner Mauer

Marion Detjen, Ein Loch in der Mauer. Die Fluchthilfe im geteilten Deutschland 1961 bis 1989, Siedler Berlin 2005

Thomas Flemming/Hagen Koch, Die Berliner Mauer. Geschichte eines politischen Bauwerks, Bebra/Berlin 2001 [anschauliches Standardwerk zur Mauer]

Helge Heidemeyer, Flucht und Zuwanderung aus der SBZ/DDR 1945/49 bis 1961: Die Flüchtlingsproblematik der Bundesrepublik Deutschland bis zum Bau der Berliner Mauer, Droste Düsseldorf 1994

Heinrich Potthoff, Im Schatten der Mauer. Deutschlandpolitik 1961 bis 1990, Propyläen Berlin 1999 [kritische Bewertung der deutschlandpolitischen Akteure in Bonn auf der Grundlage breiter Aktenauswertung, auch kritisch zu Korte, Grosser und Jäger]

Jürgen Ritter/Peter J. Lapp, Die Grenze. Ein deutsches Bauwerk, Links Berlin 2001

Wolfgang Welsch, Ich war Staatsfeind Nr. 1, Piper München 2003 [spannende Autobiografie]

Jugend

Walter Friedrich/Peter Förster/Kurt Starke (Hrsg.), Das Zentralinstitut für Jugendforschung Leipzig 1966 bis 1990. Geschichte, Methoden, Erkenntnisse, Das Neue Berlin 1998

Karl Heinz Füssl, Die Umerziehung der Deutschen. Jugend und Schule unter den Siegermächten des Zweiten Weltkriegs 1945 bis 1955, Schöningh Paderborn 1994

Richard v. Faber/Erhard Stölting (Hrsg.), Die Phantasie an die Macht? 1968. Versuch einer Bilanz, Philo Verlagsges. Berlin 2002

Ingrid Gilcher-Holtey (Hrsg.), 1968. Vom Ereignis zum Gegenstand der Geschichtswissenschaft, Vandenhoeck & R. Göttingen 1998 [Aufsätze zur internationalen und kulturgeschichtlichen Einordnung der 68er und ihres Nachwirkens]

Ulrich Herrmann (Hrsg.), Jugendpolitik in der Nachkriegszeit. Zeitzeugen, Dokumente, Forschungsberichte, Juventa Weinheim 1993

Wolfgang Kraushaar, 1968. Das Jahr, das alles verändert hat, Piper München 1998

Kaspar Maase, Körper, Konsum, Genuss. Jugendkultur und mentaler Wandel in beiden deutschen Gesellschaften, in: Aus Politik und Zeitgeschichte, B 45 (2003), S. 9–16

Ulrich Mählert/Gerd-Rüdiger Stephan, Blaue Hemden – Rote Fahnen. Die Geschichte der Freien Deutschen Jugend, Leske und Budrich Opladen 1996

Uta G. Poiger, Amerikanisierung oder Internationalisierung. Populärkultur in beiden deutschen Staaten, in: Aus Politik und Zeitgeschichte, B 45 (2003), S. 17–24

Peter Skyba, Vom Hoffnungsträger zum Sicherheitsrisiko. Jugend in der DDR und Jugendpolitik der SED 1949 bis 1961, Böhlau Köln 2000 [detaillierte Darstellung der Organisation und Politik der FDJ]

Dorothee Wierling, Geboren im Jahr Eins. Der Jahrgang 1949 in der DDR. Versuch einer Kollektivbiographie, Links Berlin 2002 [mit biographischen Materialien wird dem Jahrgang nachgegangen, der als erster voll dem Einfluss der DDR unterlag]

Erinnerungskultur

Friedhelm Boll, Sprechen als Last und Befreiung. Holocaust-Überlebende und politisch Verfolgte zweier Diktaturen. Ein Beitrag zur deutsch-deutschen Erinnerungskultur, Veröffentlichungen des Instituts für Sozialgeschichte e. V., Braunschweig/Bonn, Dietz Bonn 2001

Ulrich Brochhagen, Nach Nürnberg. Vergangenheitsbewältigung und Westintegration in der Ära Adenauer, Ullstein Berlin 1999

Inga Eschbach, Öffentliches Gedenken. Deutsche Erinnerungskulturen seit der Weimarer Republik, Frankfurt/M. 2004

Etienne François/Hagen Schulze (Hrsg.), Deutsche Erinnerungsorte, 3 Bde., Beck München 2001 (Eine Auswahl: bpb Schriftenreihe 475, Bonn 2005)

Norbert Frei, 1945 und wir. Das Dritte Reich im Bewusstsein der Deutschen, Beck München 2005

Jeffrey Herf, Zweierlei Erinnerung. Die NS-Vergangenheit im geteilten Deutschland, Propyläen Berlin 1998

Sabine Moller, Vielfache Vergangenheit. Öffentliche Erinnerungskulturen und Familienerinnerungen an die NS-Zeit in Ostdeutschland, Studien zum Nationalsozialismus, Edition diskord Tübingen 2003

Hermann Schäfer, Begegnungen mit unserer eigenen Geschichte. Zur Eröffnung des Hauses der Geschichte der Bundesrepublik Deutschland am 14. Juni 1994, in: Aus Politik und Zeitgeschichte, B 23 (1994), S. 11–22

Annette Weinke, Die Verfolgung von NS-Tätern im geteilten Deutschland. Vergangenheitsbewältigungen 1949 bis 1969, oder: eine deutsch-deutsche Beziehungsgeschichte im Kalten Krieg, Schöningh Paderborn 2002

Wirtschaft

Werner Abelshauser, Deutsche Wirtschaftsgeschichte seit 1945, Beck München 2004 (bpb Schriftenreihe 460, Bonn 2005) [Abelshauser führt das »so genannte« westdeutsche Wirtschaftswunder auf einen langfristigen wirtschaftlichen Normaltrend zurück.]

Karl Hardach, Wirtschaftsgeschichte Deutschlands im 20. Jahrhundert, Vandenhoeck & R. Göttingen 1993 [Überblick des Marburger Wirtschaftshistorikers mit recht kritischen Urteilen]

Jörg Roesler, Ostdeutsche Wirtschaft im Umbruch 1970 bis 2000, Zeitbilder, Bundeszentrale für politische Bildung Bonn 2003 [für Schüler geeignete Einführung]

Harm G. Schröter, Von der Teilung zur Wiedervereinigung (1945 bis 2000), in: Michael North (Hrsg.), Deutsche Wirtschaftsgeschichte: Ein Jahrtausend im Überblick. Beck München 2000, S. 351–420

Reinhard Spree, Geschichte der deutschen Wirtschaft im 20. Jahrhundert, Beck München 2001

André Steiner, Von Plan zu Plan. Eine Wirtschaftsgeschichte der DDR, DVA München 2004

Siegfried Wenzel, Was war die DDR wert? Und wo ist dieser Wert geblieben? Versuch einer Abschlussbilanz, Das Neue Berlin 3. Aufl. Berlin 2000 [heftige Kritik eines hohen DDR-Wirtschaftsfunktionärs am bundesdeutschen Umgang mit der DDR-Ökonomie]

Außenpolitik

Heike Amos, Die Westpolitik der SED 1948/49 bis 1961, Akademie Berlin 1999

Peter Bender, Die »Neue Ostpolitik« und ihre Folgen. Vom Mauerbau bis zur Vereinigung, 3. überarb. u. erw. Aufl., dtv München 1995

Christian Hacke, Die Außenpolitik der Bundesrepublik Deutschland. Von Konrad Adenauer bis Gerhard Schröder, Ullstein Berlin 2003

Helga Haftendorn, Deutsche Außenpolitik zwischen Selbstbeschränkung und Selbstbehauptung 1945 bis 2000, DVA Stuttgart 2001

Wilfried Loth, Helsinki, 1. August 1975. Entspannung und Abrüstung, dtv München 1998 [Einordnung der Rüstungskontrolle und Entspannungspolitik um das zentrale Ereignis der KSZE]

Wilfried Loth, Stalins ungeliebtes Kind. Warum Moskau die DDR nicht wollte, dtv München 1996 [Loth hält die Stalin-Noten von 1952 nach wie vor für ernst gemeinte Angebote Stalins.]

Alexander von Plato, Die Vereinigung Deutschlands – ein weltpolitisches Machtspiel. Bush, Kohl, Gorbatschow und die geheimen Moskauer Protokolle, Links Berlin 2002 (2. Aufl., bpb Schriftenreihe 381, Bonn 2003) [detaillierte Untersuchung der globalen Zusammenhänge, spannende Lektüre]

Michael Ploetz, Wie die Sowjetunion den Kalten Krieg verlor. Von der Nachrüstung zum Mauerfall, Propyläen Berlin 2000

Gregor Schöllgen, Die Außenpolitik der Bundesrepublik Deutschland, Beck München erw. Aufl. 2004, (bpb Lizenzausgabe, Bonn 1999) [guter Überblick]

Joachim Scholtyseck, Die Außenpolitik der DDR, EdG 69, Oldenbourg München 2003

Rolf Steininger, Der Kalte Krieg, Fischer TB Frankfurt/M. 2003 [ähnlich wie Stöver, doch mit anderen Akzenten]

Bernd Stöver, Der Kalte Krieg, Beck München 2003 [knappe Übersicht über den globalen Konflikt, auch für Schüler lesbar]

Geschichtsdidaktik

Heidi Behrens/Andreas Wagner (Hrsg.), Deutsche Teilung. Repression und Alltagsleben. Erinnerungsorte der DDR-Geschichte. Konzepte und Angebote zum historisch-politischen Lernen, Forum Leipzig 2004 [Erinnerungsorte meint nicht einfach Gedenkstätten, sondern auch die nach wie vor getrennte Geschichtskultur; Aufsätze zu den Schwierigkeiten neuen Geschichtslernens]

Lothar Dittmer/Detlef Siegfried (Hrsg.), Ost-West Geschichten. Schüler schreiben über Deutschland, Beck München 1996 [erfolgreiche Arbeiten aus dem Wettbewerb Deutsche Geschichte des Bundespräsidenten]

Bernd Faulenbach/Franz-Josef Jelich (Hrsg.), »Asymmetrisch verflochtene Parallelgeschichte?« Die Geschichte der Bundesrepublik und der DDR in Ausstellungen, Museen und Gedenkstätten, Essen 2005

Geschichtsbewusstsein und Geschichtsvermittlung in den neuen Bundesländern, Zeit-Fragen, hrsg. v. d. Robert-Bosch-Stiftung und Stiftung Haus der Geschichte der Bundesrepublik Deutschland, Bonn 2002 [grundsätzliche Aufsätze zur deutschen Geschichtsvermittlung und spezielle zu Museen, Ausstellungen und Projekten]

Karl Ernst Jeismann, Die Geschichte der DDR in der politischen Bildung: Ein Entwurf, in: Werner Weidenfeld (Hrsg.), Deutschland – eine Nation, doppelte Geschichte. Materialien zum deutschen Selbstverständnis, Köln 1993, S. 277 ff. [erstes didaktisches Postulat einer neuen Zusammenführung der getrennten Geschichten von West und Ost]

Peter Massing (Hrsg.), Wendepunkte. Zur deutschen Geschichte von 1945 bis heute, Wochenschau Schwalbach/Ts. 1998

Christoph Prechtl, Innere Einheit Deutschlands. Gegenstand der schulischen und außerschulischen politischen Bildungsarbeit, Wochenschau Schwalbach/Ts. 1996

Joachim Rohlfes, Neue Akzente der deutschen Geschichte seit 1945 in unseren Schulbüchern, in: GWU, 50 (1999) 9, S. 529–544 [grundlegende Zwischenbilanz mit neuen Akzenten]

Henry Sapparth, DDR-Geschichte im Unterricht. Ein geschichtsdidaktischer Beitrag zum Umgang mit deutscher Vergangenheit, Diss. Berlin 2002 [biografisch angelegte, reflexive Arbeit mit vielen Materialien]

Unterrichtspraktische Zeitschriften und Reihen mit Unterrichtsvorschlägen

Geschichte in Wissenschaft und Unterricht (GWU), Friedrich Seelze
Geschichte aus erster Hand, Wochenschau Schwalbach/Ts.
Geschichte betrifft uns, Bergmoser und Höller Aachen
Geschichte lernen, Friedrich Seelze
Praxis Geschichte, Westermann Braunschweig
- »Die Langen Fünfziger« (6/1996)
- »Arbeiten, lernen, siegen: Die Ära Ulbricht« (5/1997)
- »BR-D-DR« (3/2000)
- »1968« (6/2001)
- »Nachkriegsjahre« (4/2002)
- »Leben im geteilten Deutschland« (3/2005)

Raabits Geschichte, Raabe Stuttgart
Unterrichts-Konzepte, Unterrichts-Materialien Geschichte, Stark Freising
Unterrichtsmaterial Geschichte, Verlag an der Ruhr Mülheim

Neue Medien mit didaktischer Konzeption

CD-ROM:

Jörg Schäfer, Deutsche Geschichte von 1949 bis zur Gegenwart, Olzog München 1998

Erlebnis Geschichte, Deutschland seit 1945, Klett Stuttgart 1997

17. Juni 1953, bpb Bonn 2003

DVD (FWU Grünwald)

»1945« – Vom Ende zum Anfang (46 02315)

Deutschland auf dem Weg in die Teilung. Filmdokumente aus West und Ost 1946 bis 49 (46 01003)

Die Entstehung von zwei deutschen Staaten. Filmdokumente aus West und Ost 1948 bis 49 (46 01004)

Keine verlorene Zeit – Fragmente (46 32375)

Leben in der DDR, DDR-Geschichte für junge Leute (46 02301)

DVD

Das war die DDR. Eine Dokumentation über die Geschichte und den Zeitgeist der DDR, 7 Kapitel, 2004 (MDR)

40 Jahre DDR – Alles schon vergessen? 10 Dokumentationen aus dem Kontraste-Archiv, 2004 (ARD)

Kontraste – Auf den Spuren einer Diktatur, 2005 (RBB) (bpb 1890)

DDR – was war das? 7 Unterrichtsfilme à 10 Minuten mit Begleitmaterial (Dominofilm, in Vorbereitung)

Wichtige Links im Internet

Die Bundesbeauftragte für die Unterlagen des Staatssicherheitsdienstes der ehemaligen Deutschen Demokratischen Republik, Berlin,
Leiterin: Marianne Birthler (bis 2000 Joachim Gauck)
http://www.bstu.de

Siegfried Suckut/Ehrhart Neubert u. a., MfS-Handbuch. Anatomie der Staatssicherheit, Geschichte – Struktur – Methoden
http://www.bstu.de/bifo/index–handbuch.htm

Bundeszentrale für politische Bildung
http://www.bpb.de

Clio-online Fachportal für die Geschichtswissenschaften
http://www.clio-online.de

Deutsches Historisches Museum, Berlin,
Leiter: Hans Ottomeyer
http://www.dhm.de
Lebendiges Museum online: Das 20. Jahrhundert in Deutschland
http://www.dhm.de/lemo/home.html

Institut für Zeitgeschichte (IfZ), Forschungsinstitut – Archiv – Bibliothek, München,
Vorsitzender: Horst Möller,
Abteilung Berlin/Potsdam, Leiter: Herrmann Wentker
http://www.ifz-muenchen.de

Jugendopposition in der DDR
www.jugendopposition.de

Stiftung Aufarbeitung zur Aufarbeitung der SED-Diktatur. Bundesunmittelbare Stiftung des öffentlichen Rechts, Berlin,
Vorsitzender: Rainer Eppelmann
http://www.stiftung-aufarbeitung.de

Stiftung Haus der Geschichte der Bundesrepublik Deutschland
Haus der Geschichte Bonn; seit 1999 auch Zeitgeschichtliches Forum Leipzig,
Leiter: Hermann Schäfer
http://www.hdg.de

Zeithistorische Forschungen. Studies in Contemporary History. Hrsg. von Konrad H. Jarausch und Christoph Kleßmann in Verbindung mit Zeitgeschichte-online
http://www.zeithistorische-forschungen.de

Zentrum für Zeithistorische Forschung, Potsdam,
Leiter: Konrad H. Jarausch, Martin Sabrow (bis 2004 Christoph Kleßmann)
http://www.zzf-pdm.de

Die Autorinnen und Autoren

Ulrich Bongertmann, StD, Dezernent für Geschichte und Europa im Unterricht am Landesinstitut für Schule und Ausbildung in Rostock

Dr. Rolf Brütting, StD, Lehrbeauftragter für die Didaktik der Neuzeit an der Universität Dortmund und Lehrer an einem Gymnasium in Dortmund, Stellvertretender Bundesvorsitzender des Verbandes der Geschichtslehrer Deutschlands

Dr. Roger Engelmann, Wissenschaftlicher Mitarbeiter und Sachgebietsleiter Forschung bei der Bundesbeauftragten für die Unterlagen des Staatssicherheitsdienstes der ehemaligen Deutschen Demokratischen Republik, Berlin

Klaus Fieberg, StD, Hauptseminarleiter und Fachseminarleiter für Geschichte am Studienseminar Troisdorf/Bonn, Fachberater für Geschichte bei der Bezirksregierung Köln

Dr. Axel Janowitz, Referent und Sachgebietsleiter Politische Bildung bei der Bundesbeauftragten für die Unterlagen des Staatssicherheitsdienstes der ehemaligen Deutschen Demokratischen Republik, Berlin

Dr. Konrad H. Jarausch, Prof., Direktor des Zentrums für Zeithistorische Forschung in Potsdam und Lurcy Professor of European Civilization an der University of North Carolina in Chapel Hill

Dr. Michaela Hänke-Portscheller, OStR'n, Lehrerin, Mitglied des wissenschaftlichen Kollegiums am Kulturwissenschaftlichen Institut (des Wissenschaftszentrums von Nordrhein-Westfalen) in Essen für Geschichte und Geschichtsdidaktik

Wolfgang Hammer, OStD, Dezernent für Gymnasien am Landesinstitut für Schule und Ausbildung in Rostock

Dr. Christoph Kleßmann, Prof. em., bis 2004 Professor für Zeitgeschichte mit dem Schwerpunkt »Geschichte der DDR« an der Universität Potsdam und Direktor des Zentrums für Zeithistorische Forschung in Potsdam

Dr. Peter Lautzas, StD, Regionaler Fachberater für Geschichte und Lehrer an einem Gymnasium in Mainz, Vorsitzender des Verbandes der Geschichtslehrer Deutschlands

Dr. Thomas Lindenberger, Projektleiter am Zentrum für Zeithistorische Forschung in Potsdam und Privatdozent an der Universität Potsdam

Dr. Martin Sabrow, Prof.,Geschäftsführender Direktor des Zentrums für Zeithistorische Forschung in Potsdam und Professor für Neueste und Zeitgeschichte an der Universität Potsdam

Dr. André Steiner, Prof., Leiter der Forschungsgruppe Wirtschaftsgeschichte am Zentrum für Zeithistorische Forschung in Potsdam und außerplanmäßiger Professor an der Universität Potsdam

Martin Thunich, StD, Fachberater für Geschichte bei der Landesschulbehörde Niedersachsen, Abteilung Hannover, und Lehrer an einem Gymnasium in Hannover